NORA ROBERTS ist J.D. ROBB
Ein gefährliches Geschenk

Buch

Ein Porzellanhund und eine mysteriöse Botschaft heben das Leben der jungen Antiquitätenhändlerin Laine Tavish völlig aus den Angeln. Ihr Vater ist in einen spektakulären Diamantenraub verwickelt und hat sich mit Ganoven eingelassen, denen er nicht gewachsen ist. Als Laine von ihnen bedroht wird, kommt ihr der hinreißende Versicherungsdetektiv Max Gannon zu Hilfe... Selbst fünfzig Jahre später ist dieser Coup nicht vergessen. Nicht nur Max' und Laines Enkelin Samantha Gannon weiß noch davon. Auch ein kaltblütiger Killer vernimmt den Lockruf der Diamanten und spürt dem Rest der Beute nach. Schon bald kommt es zu zwei schrecklichen Morden, die Lieutenant Eve Dallas vor große Rätsel stellen...

Autorin

Durch einen Blizzard entdeckte Nora Roberts ihre Leidenschaft fürs Schreiben: Tagelang fesselte sie 1979 ein eisiger Schneesturm in ihrer Heimat Maryland ans Haus. Um sich zu beschäftigen, schrieb sie ihren ersten Roman. Zum Glück – denn inzwischen zählt Nora Roberts zu den meistgelesenen Autorinnen der Welt. Unter dem Namen J. D. Robb veröffentlicht sie seit Jahren ebenso erfolgreich Kriminalromane. Auch in Deutschland sind ihre Bücher von den Bestsellerlisten nicht mehr wegzudenken.
Weitere Informationen unter: www.noraroberts.com

Von Nora Roberts ist bereits erschienen:
Die Irland-Trilogie: Töchter des Feuers (35405)
Töchter des Windes (35013) · Töchter der See (35053)
Die Templeton-Trilogie: So hoch wie der Himmel (35091)
So hell wie der Mond (35207) · So fern wie ein Traum (35280)
Die Sturm-Trilogie: Insel des Sturms (35321)
Nächte des Sturms (35322) · Kinder des Sturms (35323)
Die Insel-Trilogie: Im Licht der Sterne (35560)
Im Licht der Sonne (35561) · Im Licht des Mondes (35562)
Die Zeit-Trilogie: Zeit der Träume (35858)
Zeit der Hoffnung (35859) · Zeit des Glücks (35860)

Mitten in der Nacht (36007)
Das Leuchten des Himmels (36465)

Von J.D. Robb ist bereits erschienen:
Rendezvous mit einem Mörder (1; 35450) · Tödliche Küsse (2; 35451) · Eine mörderische Hochzeit (3; 35452) · Bis in den Tod (4; 35632) · Der Kuss des Killers (5; 35633) · Mord ist ihre Leidenschaft (6; 35634) · Liebesnacht mit einem Mörder (7; 36026) · Der Tod ist mein (8; 36027) · Ein feuriger Verehrer (9; 36028) · Spiel mit dem Mörder (10; 36321) · Sündige Rache (11; 36332)· Symphonie des Todes (12; 36333)

Nora Roberts
ist J. D. Robb

Ein gefährliches
Geschenk

Roman

Deutsch von
Margarethe van Pée
und Elfriede Peschel

blanvalet

Die amerikanische Originalausgabe erschien 2003 unter dem Titel
»Remember When« bei G.P. Putnam's Sons,
a member of Penguin Group (USA) Inc., New York.

Einmalige Sonderausgabe März 2007 bei Blanvalet, einem
Unternehmen der Verlagsgruppe Random House GmbH,
München.
Copyright © by Nora Roberts 2003
Copyright © der deutschsprachigen Ausgabe 2003 by
Verlagsgruppe Random House GmbH.
Published by arrangement with Eleanor Wilder.
Dieses Werk wurde vermittelt durch die Literarische Agentur
Thomas Schlück GmbH, Garbsen.
Umschlaggestaltung: HildenDesign, München
Umschlagmotiv: Josie Reavely/sxc.hu
ES· Herstellung: LW
Druck und Einband: GGP Media GmbH, Pößneck
Printed in Germany
ISBN: 978-3-442-36773-3

www.blanvalet-verlag.de

Erster Teil

Nora Roberts
ist
J. D. Robb

Ein gefährliches Geschenk

Auf Fremdes aus, mit Eigenem verschwenderisch.

SALLUST

Wer in aller Welt bin ich denn dann?
Ja, *das* ist das große Rätsel!

LEWIS CARROLL

1

Ein dumpfes Donnergrollen folgte dem seltsamen kleinen Mann in den Laden. Er blickte sich entschuldigend um, als sei er und nicht die Natur für den Lärm verantwortlich, und klemmte sich sein Päckchen unter den Arm, damit er seinen schwarzweiß gestreiften Regenschirm schließen konnte.

Schirm und Mann tropften irgendwie traurig auf die Fußmatte hinter der Tür, während draußen ein kalter Frühlingsregen auf die Straße und den Bürgersteig herniederprasselte. Zögernd verharrte er an Ort und Stelle, als sei er sich nicht sicher, wie er empfangen würde.

Laine schenkte ihm ein freundliches, einladendes Lächeln, das ihre Freunde immer als ihr höfliches Geschäftslächeln bezeichneten.

Nun ja, sie war eben eine höfliche Geschäftsfrau – was allerdings im Moment auf eine harte Probe gestellt wurde.

Wenn sie gewusst hätte, dass bei dem Regen die Kunden den Laden stürmen würden, statt einfach zu Hause zu bleiben, dann hätte sie Jenny heute nicht freigegeben. Aber eigentlich machte ihr die Arbeit nichts aus, schließlich eröffnete man keinen Laden, wenn man keine Kunden haben wollte, ganz gleich, wie das Wetter war. Und man hatte auch kein Geschäft in einem kleinen Nest in den USA, wenn man nicht bereit war, mit den Kunden zu schwatzen, zuzuhören und zu diskutieren, während man verkaufte.

Und das war ja auch in Ordnung so, dachte Laine. Wenn allerdings Jenny heute nicht gemütlich zu Hause säße, sich die Fußnägel lackieren und Soaps im Fernsehen anschauen würde, dann hätte *sie* jetzt die Zwillinge am Hals.

Darla Price Davis und Carla Price Gohen hatten ihre Haare beide im selben Aschblond gefärbt. Sie trugen identische glänzende blaue Regenmäntel und die gleichen Umhängetaschen. Jede beendete den Satz der anderen, und sie kommunizierten miteinander in einer Art von Geheimsprache, zu der hochgezogene Augenbrauen, geschürzte Lippen, Schulterzucken und Nicken gehörten.

Was bei Achtjährigen vielleicht süß gewesen wäre, wirkte bei achtundvierzigjährigen Frauen einfach nur blöd.

Aber, rief sich Laine ins Gedächtnis, sie kamen nie ins Remember When, ohne etwas zu kaufen. Es mochte manchmal Stunden dauern, aber letztendlich klingelte die Registrierkasse. Und es gab nur wenig, was Laines Herz so erwärmte wie dieses Geräusch.

Heute waren sie auf der Jagd nach einem Verlobungsgeschenk für ihre Nichte, und weder die Regenfluten noch der grollende Donner hatten sie aufhalten können. Auch das durchnässte junge Paar hatte sich davon nicht abschrecken lassen. Sie hatten, wie sie sagten, aus einer Laune heraus auf ihrem Weg nach D.C. einen Abstecher nach Angel's Gap gemacht.

Und dann stand da noch der nasse kleine Mann mit dem gestreiften Schirm, der in Laines Augen ein wenig verloren und ängstlich wirkte.

Sie lächelte ihn noch ein bisschen freundlicher an. »Ich bin gleich bei Ihnen«, rief sie und wandte ihre Aufmerksamkeit wieder den Zwillingen zu.

»Schauen Sie sich doch einfach noch ein wenig um«, schlug sie ihnen vor. »Überlegen Sie noch einmal. Sobald ich …«

Darla umklammerte ihr Handgelenk, und Laine war klar, dass sie ihnen nicht entkommen würde.

»Wir müssen es jetzt entscheiden. Carrie ist ungefähr in Ihrem Alter, Schätzchen. Was würden *Sie* sich denn zur Verlobung wünschen?«

Laine brauchte den Code gar nicht erst zu entschlüsseln, um zu begreifen, dass es ein Wink mit dem Zaunpfahl war. Schließlich war sie schon achtundzwanzig und immer noch nicht verheiratet. Noch nicht einmal verlobt. Noch dazu hatte sie momentan auch keinen Freund. Was in den Augen der Price-Zwillinge ein Verbrechen wider die Natur war.

»Wissen Sie«, zwitscherte Carla, »Carrie hat ihren Paul letzten Herbst beim Spaghettiessen im Kawanian's kennen gelernt. Sie sollten wirklich mehr ausgehen, Laine.«

»Ja, da haben Sie Recht«, gab sie mit gewinnendem Lächeln zu. *Wenn ich mir einen kahlköpfigen, geschiedenen Buchhalter mit chronischer Nasennebenhöhlenentzündung angeln will.* »Ich bin mir sicher, dass Carrie alles gefallen wird, was immer Sie aussuchen. Allerdings sollte ein Verlobungsgeschenk von ihren Tanten vielleicht etwas persönlicher sein als die Kerzenständer. Sie sind sehr hübsch, aber das Frisierset ist so feminin.« Sie ergriff die Haarbürste mit dem Silberrücken. »Bei dieser Bürste stelle ich mir vor, dass eine andere Braut sich damit vor ihrer Hochzeitsnacht die Haare gebürstet hat.«

»Persönlicher«, begann Darla. »Mädchen…«

»…hafter. Ja! Die Kerzenleuchter könnten wir…«

»…als Hochzeitsgeschenk nehmen. Aber vielleicht sollten wir uns noch einmal den Schmuck ansehen, bevor wir das Frisierset kaufen. Irgendetwas mit Perlen? Etwas…«

»…Altes, das sie am Hochzeitstag tragen könnte. Legen Sie die Kerzenleuchter *und* das Frisierset beiseite, Liebchen. Wir schauen uns noch mal den Schmuck an, bevor wir uns entscheiden.«

Das Gespräch sprang wie ein Tennisball zwischen den beiden Damen hin und her, und Laine gratulierte sich insgeheim zu ihrer Fähigkeit, ihnen konzentriert folgen zu können.

»Gute Idee.« Sie griff nach den prachtvollen, alten Dresdener Kerzenleuchtern. Niemand konnte den Zwillingen nachsagen, sie hätten keinen Geschmack oder Angst vorm Geldausgeben.

Sie wollte die Leuchter gerade zur Theke tragen, als der kleine Mann auf sie zutrat. Seine blass-blauen Augen waren gerötet – von Schlafmangel, Alkohol oder Allergien, überlegte Laine. Am wahrscheinlichsten war Mangel an Schlaf. Die schweren, müden Tränensäcke waren nicht zu übersehen. Seine dichten grauen Haare waren klatschnass vom Regen. Er trug einen teuren Burberry-Regenmantel, aber der Schirm, den er bei sich hatte, konnte unmöglich mehr als drei Dollar gekostet haben. Die grauen Stoppeln an seinem Kinn deuteten daraufhin hin, dass er sich heute früh nur hastig und oberflächlich rasiert hatte.

»Laine.«

Er sprach ihren Namen so drängend und intim aus, dass ihr Lächeln einer höflichen Verwirrung wich.

»Ja? Entschuldigung, kenne ich Sie?«

»Du erinnerst dich nicht an mich.« Seine Schulter sackten herunter. »Es ist lange her, aber ich dachte ...«

»Miss!« Die Frau auf dem Weg nach D.C. rief nach ihr. »Verschicken Sie die Ware auch?«

»Ja, natürlich.« Im Hintergrund hörte sie die Zwillinge über Ohrringe und Broschen debattieren, und sie spürte förmlich, dass das Paar aus D.C. einen Spontankauf tätigen würde. Dazu starrte der kleine Mann sie mit einer hoffnungsvollen Intimität an, die ihr Gänsehaut verursachte.

»Es tut mir Leid, ich bin heute früh nicht ganz auf der Höhe.« Sie stellte die Kerzenleuchter auf der Theke ab. Intimität, rief sie sich ins Gedächtnis, gehörte zum Rhythmus von Kleinstädten. Der Mann war wahrscheinlich früher schon einmal im Laden gewesen, und sie konnte ihn bloß nicht einordnen. »Kann ich Ihnen behilflich sein, oder möchten Sie sich einfach nur ein wenig umschauen?«

»Ich brauche deine Hilfe. Wir haben nicht viel Zeit.« Er zog eine Karte aus der Tasche und drückte sie ihr in die Hand. »Ruf mich unter dieser Nummer an, sobald du kannst.«

»Mister ...« Sie blickte auf die Karte und las seinen Namen. »Peterson. Ich verstehe nicht. Möchten Sie etwas verkaufen?«

»Nein, nein.« Sein Lachen klang fast hysterisch, und Laine war dankbar dafür, dass der Laden voller Kundschaft war. »Nicht mehr. Ich erkläre dir alles, aber nicht jetzt.« Er blickte sich im Laden um. »Und nicht hier. Ich hätte nicht hierher kommen sollen. Ruf mich unter der Nummer an.«

Er schloss seine Finger so fest um ihre Hand, dass Laine gegen den Impuls ankämpfen musste, sich loszureißen. »Versprich es.«

Er roch nach Regen, Seife und ... Brut, stellte sie fest. Bei dem Duft des Rasierwassers flackerte eine winzige Erinnerung in ihrem Kopf auf. Sein Griff wurde fester. »Versprich es«, flüsterte er heiser, und sie sah nur noch einen komischen kleinen Mann in einem nassen Mantel.

»Natürlich.«

Sie sah ihm nach, als er zur Tür ging und seinen billigen Regenschirm aufspannte. Als er hinauseilte, seufzte sie erleichtert auf. Komisch, dachte sie, betrachtete aber die Karte doch ein paar Sekunden.

Sein Name, Jasper R. Peterson, war aufgedruckt, aber die Telefonnummer war handschriftlich hinzugefügt und zweimal unterstrichen worden.

Sie steckte die Karte in die Tasche und wollte sich gerade dem Pärchen auf dem Weg nach D.C. zuwenden, als draußen Bremsen auf dem nassen Pflaster kreischten. Sie fuhr herum. Entsetzte Aufschreie ertönten, und dann hörte sie ein grässliches Geräusch, einen dumpfen Knall, den sie nie mehr vergessen sollte, genauso wenig wie den Anblick des kleinen Mannes in seinem teuren Mantel, der gegen ihr Schaufenster prallte.

Sie stürzte hinaus in den strömenden Regen. Leute kamen angerannt, und ganz in der Nähe splitterte Glas, knirschte Metall auf Metall.

»Mr. Peterson.« Laine griff nach seiner Hand und beugte sich vor, in dem jämmerlichen Versuch, sein blutüberströmtes Gesicht vor dem Regen zu schützen. »Bewegen Sie sich nicht. Holen Sie einen Krankenwagen!«, schrie sie und zog sich das Jackett aus, um ihn ein wenig zu schützen.

»Ich habe ihn gesehen. Ich habe ihn gesehen. Hätte nicht kommen sollen, Laine.«

»Gleich kommt Hilfe.«

»Hab's für dich dagelassen. Er wollte, dass ich es dir gebe.«

»Ist schon gut.« Sie schob sich die tropfenden Haare aus den Augen und nahm den Schirm entgegen, den ihr jemand hinhielt. Er zupfte an ihrer Hand, und sie beugte sich dichter zu ihm herunter.

»Sei vorsichtig. Es tut mir Leid. Sei vorsichtig.«

»Ja, natürlich. Reden Sie nicht so viel, versuchen Sie durchzuhalten, Mr. Peterson. Der Krankenwagen kommt gleich.«

»Du erinnerst dich nicht.« Blut tröpfelte aus seinem Mund, als er lächelte. »Kleine Lainie.« Zitternd holte er Luft und hustete Blut. Sie hörte schon die Sirenen, als er mit dünner, keuchender Stimme zu singen begann.

»Pack up all my care and woe, here I go, singing low. Bye, bye, blackbird.«

Sie starrte in sein blutüberströmtes Gesicht, und ihre Haut begann zu prickeln. Tief vergrabene Erinnerungen stiegen in ihr auf. »Onkel Willy? Oh mein Gott.«

»Das hab ich immer besonders gerne gemocht, es machte so fröhlich«, röchelte er. »Tut mir Leid. Dachte, es wäre ungefährlich. Hätte nicht kommen sollen.«

»Ich verstehe nicht.« Tränen brannten ihr in der Kehle, strömten über ihre Wangen. Er starb. Er starb, weil sie ihn nicht erkannt und in den Regen hinausgeschickt hatte. »Es tut mir Leid. Es tut mir so Leid.«

»Er weiß, wo du jetzt bist.« Seine Augäpfel verdrehten sich. »Versteck den Köter.«

»Was?« Sie beugte sich so dicht über ihn, dass ihre Lippen seine fast streiften. »Was?« Die Hand, die ihre umklammert hielt, wurde schlaff.

Sanitäter schoben sie beiseite. Sie hörte ihren kurzen, prägnanten Dialog – medizinische Ausdrücke, die sich durch das Fernsehen so eingeprägt hatten, dass sie sie beinahe schon selbst rezitieren konnte. Aber dies hier war real. Das Blut, das der Regen davonschwemmte, war real.

Sie hörte eine Frau schluchzen und immer wieder mit erstickter Stimme sagen: »Er ist mir direkt vors Auto gelaufen. Ich konnte nicht mehr bremsen. Er ist mir direkt vors Auto gelaufen. Ist er in Ordnung? Ist er in Ordnung? Ist er in Ordnung?«

Nein, hätte Laine am liebsten geschrien. Er ist nicht in Ordnung.

»Kommen Sie hinein, Liebchen.« Darla legte Laine den Arm um die Schultern und zog sie zurück. »Sie sind ja völlig durchnässt. Hier draußen können Sie sowieso nichts mehr tun.«

»Ich sollte aber etwas tun.« Sie blickte auf den zerbrochenen Regenschirm, dessen fröhliche Streifen jetzt voller Schmutz und Blut waren.

Sie hätte ihn vors Feuer setzen sollen. Ihm etwas Heißes zu trinken geben und ihn vor dem kleinen Ofen warm und trocken sitzen lassen sollen. Dann wäre er jetzt noch am Leben und würde ihr Geschichten und alberne Witze erzählen.

Aber sie hatte ihn nicht erkannt, und deshalb starb er jetzt.

Sie konnte nicht hineingehen und ihn alleine mit fremden Leuten draußen im Regen liegen lassen. Aber sie konnte auch nichts anderes tun, als hilflos zuzusehen, während die Sanitäter vergeblich um das Leben des Mannes kämpften, der früher einmal über ihre Kinderwitze gelacht und alberne Lieder gesungen hatte. Er starb genau vor dem Laden, den sie mit harter Arbeit aufgebaut hatte, und ließ an ihrer Türschwelle all die Erinnerungen zurück, denen sie entkommen zu sein glaubte.

Sie war eine Geschäftsfrau, ein solides Mitglied der Gemeinde und eine Betrügerin. Als sie im Hinterzimmer ihres Ladens zwei Tassen Kaffee einschenkte, wusste sie genau, dass sie gleich einen Mann anlügen würde, den sie als Freund betrachtete. Und sie würde abstreiten, den Mann zu kennen, den sie geliebt hatte.

Mühsam rang sie um Fassung, fuhr sich durch die feuchte Masse leuchtend roter Haare, die sie normalerweise in einem schulterlangen Bob trug. Sie war blass. Der Regen hatte das Make-up, das sie stets so sorgfältig auftrug, abgewaschen, und auf ihrer schmalen Nase und den Wangenknochen traten die Sommersprossen hervor. Ihre Augen, von einem hellen Wikingerblau, waren glasig vor Schock und Trauer, und ihr Mund, der nur eine Spur zu breit für ihr eckiges Gesicht war, hätte am liebsten gebebt.

In dem kleinen Spiegel mit vergoldetem Rahmen, der an der Wand ihres Büros hing, musterte sie ihren Gesichtsausdruck. Sie machte sich nichts vor. Sie würde tun, was nötig war, um zu überleben. Willy würde das bestimmt verstehen. Erst das eine, sagte sie sich, und dann denkst du über den Rest nach.

Sie holte tief Luft und stieß sie zitternd wieder aus, dann ergriff sie die Kaffeebecher. Ihre Hände waren beinahe ruhig, als sie in den Verkaufsraum trat. Sie war auf ihre Falschaussage vor dem Polizeichef von Angel's Gap vorbereitet.

»Entschuldigung, dass es so lange gedauert hat.« Sie lächelte schief, als sie Vince Burger, der an dem kleinen, verklinkerten Kamin stand, seinen Becher reichte.

Er war gebaut wie ein Bär, mit dichten, weißblonden Haaren, die fast senkrecht hochstanden, als seien sie überrascht darüber, sich über einem so breiten, freundlichen Gesicht zu befinden. Aus seinen blassblauen Augen, die von Lachfältchen umgeben waren, blickte er Laine mitfühlend an.

Er war Jennys Mann und für Laine fast so etwas wie ein Bruder. Aber jetzt, dachte sie, war er in erster Linie Polizist. Und alles, wofür sie gearbeitet hatte, stand auf dem Spiel.

»Willst du dich nicht setzen, Laine? Du hast einen schlimmen Schock erlitten.«

»Ich fühle mich wie betäubt.« Das zumindest stimmte – sie brauchte also nicht nur zu lügen. Sie wich jedoch seinem Blick aus und trat ans Fenster, um in den Regen hinauszustarren. »Danke, dass du extra hierher gekommen bist, um meine Aussage aufzunehmen, Vince. Ich weiß, dass du viel zu tun hast.«

»Ich hab mir gedacht, es ist angenehmer für dich.«

Man lügt besser einen Freund als einen Fremden an, dachte sie bitter. »Ich weiß gar nicht, was ich dir sagen soll. Den eigentlichen Unfall habe ich ja nicht gesehen. Ich hörte... ich hörte Bremsen, Schreie, einen schrecklichen Aufprall, dann sah ich...« Sie schloss die Augen nicht. Wenn sie sie zumachte, würde sie alles wieder vor sich sehen. »Ich sah, wie er gegen das Fenster prallte, als hätte ihn jemand dagegengeworfen. Ich rannte hinaus und blieb bei ihm, bis die Sanitäter kamen. Sie waren schnell da. Mir kam es zwar wie Stunden vor, aber es hat nur Minuten gedauert.«

»Er war vor dem Unfall hier drin.«

Jetzt schloss sie doch die Augen, entschlossen, das zu tun, was sie tun musste, um sich zu schützen. »Ja. Ich hatte heute früh eine Menge Kunden – was beweist, dass ich Jenny nie einen Tag hätte freigeben dürfen. Die Zwillinge waren hier und ein Pärchen auf der Durchfahrt nach D.C. Ich hatte zu tun, als er hereinkam. Deshalb schaute er sich ein bisschen um.«

»Die Frau, die nicht von hier war, sagte, sie hätte geglaubt, ihr beide kennt euch.«

»Tatsächlich?« Laine drehte sich um und zauberte ein verwirrtes Lächeln auf ihr Gesicht. Sie trat zu den beiden Lehnstühlen, die sie vor den Kamin gestellt hatte, und setzte sich. »Wie kommt sie darauf?«

»Sie hatte nur den Eindruck«, erwiderte Vince achselzuckend.

Bedächtig und vorsichtig setzte er sich in den anderen Stuhl. »Sie sagte, er hat deine Hand genommen.«

»Nun, wir *schüttelten* uns die Hände, und er hat mir seine Karte gegeben.« Laine zog sie aus der Tasche, wobei sie sich zwang, Vince in die Augen zu schauen. Das Feuer prasselte, und obwohl sie die Hitze auf den Wangen spürte, war ihr kalt. Sehr kalt. »Er sagte, er würde gerne mit mir sprechen, wenn ich nicht so viel zu tun hätte. Er habe mir etwas zu verkaufen. Das passiert häufig«, fügte sie hinzu und reichte Vince die Karte. »So bleibe ich im Geschäft.«

»Klar.« Er steckte die Karte in seine Brusttasche. »Ist dir irgendetwas an ihm aufgefallen?«

»Nur dass er einen teuren Regenmantel trug und einen albernen Schirm dabei hatte – und dass er sich normalerweise wohl nicht in Kleinstädten aufhielt. Er hatte etwas Großstädtisches an sich.«

»Das war bei dir vor ein paar Jahren auch so. Eigentlich...«, er kniff die Augen zusammen und rieb ihr mit dem Daumen über die Wange, »klebt es irgendwie immer noch an dir.«

Sie lachte, weil er das erwartete. »Ich wünschte, ich könnte hilfreicher sein, Vince. Es ist eine so grauenhafte Geschichte.«

»Das kann ich dir sagen. Wir haben vier Zeugenaussagen. Alle haben gesehen, wie der Typ direkt auf die Straße gerannt ist, genau vor das Auto. Als ob ihn etwas erschreckt hätte. Kam er dir ängstlich vor, Laine?«

»Darauf habe ich nicht geachtet. Um ehrlich zu sein, Vince, ich habe ihn abgewimmelt, als ich merkte, dass er nichts kaufen wollte. Ich hatte Kundschaft im Laden.« Sie schüttelte den Kopf, und ihre Stimme brach. »Jetzt kommt es mir so gefühllos vor.«

Sie fühlte sich elend, als Vince tröstend seine Hand über ihre legte. »Du wusstest doch nicht, was passieren würde. Und du bist als Erste zu ihm gelaufen.«

»Er lag ja direkt da draußen.« Sie musste einen großen Schluck Kaffee trinken, damit ihre Stimme nicht so traurig klang. »Fast auf der Türschwelle.«

»Er hat mit dir geredet.«

»Ja.« Sie griff erneut nach dem Kaffeebecher, damit er ihre Hand losließ. »Nichts Besonderes. Er sagte ein paar Mal, es täte ihm Leid. Ich glaube nicht, dass er wusste, wer ich war oder was passiert ist. Ich glaube, er war schon nicht mehr ganz bei sich. Dann kamen die Sanitäter und … und er ist gestorben. Was wirst du jetzt tun? Ich meine, schließlich ist er nicht von hier. Das ist eine New Yorker Telefonnummer. Ich frage mich, ob er hier nur durchgefahren ist, wohin er wollte und wo er her war.«

»Wir werden es schon herausfinden, damit wir seine nächsten Angehörigen benachrichtigen können.« Vince stand auf und legte ihr die Hand auf die Schulter. »Ich werde dir jetzt nicht sagen, du sollst nicht mehr daran denken, Laine. Das wird dir sowieso eine Zeit lang nicht gelingen. Aber ich sage dir, dass du alles getan hast, was du konntest. Mehr hätte niemand machen können.«

»Danke. Ich schließe den Laden für heute. Ich möchte nach Hause.«

»Gute Idee. Soll ich dich mitnehmen?«

»Nein. Danke.« Schuldbewusstsein ebenso wie Zuneigung veranlassten sie, sich auf die Zehenspitzen zu stellen und ihm einen Kuss auf die Wange zu geben. »Sag Jenny, wir sehen uns dann morgen.«

Sein Name, zumindest der Name, den sie gekannt hatte, war Willy Young gewesen. Wahrscheinlich William, dachte Laine, als sie über die holperige Kiesstraße fuhr. Er war nicht ihr echter Onkel gewesen – soweit sie wusste –, sondern nur ein Nennonkel, der für ein kleines Mädchen regelmäßig Süßholz in der Tasche gehabt hatte.

Sie hatte ihn seit fast zwanzig Jahren nicht mehr gesehen. Damals waren seine Haare braun gewesen und sein Gesicht ein bisschen runder. Und er hatte einen beschwingten Gang gehabt.

Es war kein Wunder, dass sie ihn in dem gebeugten, schmalen kleinen Mann, der in ihren Laden gekommen war, nicht wiedererkannt hatte.

Wie hatte er sie bloß gefunden? Und *warum*?

Da er, soweit sie wusste, der beste Freund ihres Vaters gewesen war, war auch er wohl – wie ihr Vater – ein Dieb, ein Trickbetrüger, ein kleiner Gauner. Solche Leute sollte eine respektable Geschäftsfrau besser gar nicht kennen.

Aber warum zum Teufel sollte sie sich deswegen schuldig fühlen?

Sie trat auf die Bremse und starrte durch das stetige Hin und Her ihrer Scheibenwischer grübelnd auf das hübsche Haus auf der hübschen Anhöhe.

Sie liebte diesen Ort. Ihren Ort. Ihr Zuhause. Das zweistöckige Holzhaus war streng genommen zu groß für eine einzelne Person. Aber ihr gefiel die Weitläufigkeit, und sie hatte jede Minute genossen, in der sie die Räume ganz nach ihrem Geschmack eingerichtet hatte.

Sie wollte nie mehr, niemals, in die Lage kommen, alles von einer Minute auf die andere einpacken und weglaufen zu müssen.

Sie liebte es, sich in ihrem Garten zu betätigen, Pflanzen zu setzen, Rasen zu mähen, Unkraut zu jäten. Gewöhnliche Dinge. Einfache, *normale* Dinge für eine Frau, die in der ersten Hälfte ihres Lebens wenig Normales getan hatte.

Darauf hatte sie doch ein Recht, oder? Sie durfte doch Laine Tavish sein, mit allem, was das bedeutete. Das Geschäft, die Stadt, das Haus, die Freunde, das *Leben*. Sie hatte ein Recht darauf, die Frau zu sein, zu der sie sich gemacht hatte.

Es hätte Willy nichts mehr genützt, wenn sie Vince die Wahrheit gesagt hätte. Ihn hätte es nicht mehr lebendig gemacht, aber für sie hätte es alles ändern können. Vince würde noch schnell genug herausfinden, dass der Mann im Leichenschauhaus nicht Jasper R. Peterson war, sondern William Young – oder was er sonst noch für Pseudonyme hatte.

Er stand schließlich in der Verbrecherkartei. Sie wusste, dass Willy zumindest einmal geschnappt worden war – zusammen mit ihrem Vater. Waffenbrüder, hatte ihr Vater immer gesagt, und sie hörte noch sein herzhaftes Lachen.

Wütend schlug sie die Wagentür hinter sich zu. Rasch lief sie die Eingangstreppe hinauf und suchte nach ihren Schlüsseln.

Als sich die Tür hinter ihr schloss und das Haus sie umfing, wurde sie sofort ruhig. Die Stille, der Duft nach dem Zitronenöl, das sie eigenhändig ins Holz gerieben hatte, die Süße der Frühlingsblumen, die sie im Garten geschnitten hatte, war Balsam für ihre angespannten Nerven.

Sie legte ihre Schlüssel in die Schale auf dem Tischchen in der Diele, zog ihr Handy aus der Tasche und stellte es in die Aufladestation. Dann schlüpfte sie aus ihren Schuhen, hängte ihr Jackett über den Treppenpfosten und stellte ihre Tasche auf die unterste Stufe.

Wie jeden Tag ging sie zuerst in die Küche. Normalerweise hätte sie sich jetzt Teewasser aufgesetzt und in der Zwischenzeit die Post durchgesehen, die sie aus dem Briefkasten vor der Haustür genommen hatte.

Heute jedoch schenkte sie sich ein großes Glas Wein ein.

Sie trank es stehend an der Spüle, wobei sie durch das Fenster auf ihren Garten schaute.

Als Kind hatte sie auch ein paarmal einen Garten gehabt. An einen konnte sie sich erinnern… in Nebraska, Iowa? Na, ist ja egal, dachte sie und trank einen großen Schluck Wein. Der Garten hatte ihr gefallen, weil in der Mitte ein großer, alter Baum gestanden hatte, an dem an einem dicken Seil eine Schaukel baumelte.

Er hatte sie so heftig angeschubst, dass sie gedacht hatte, sie flöge.

Sie wusste nicht mehr genau, wie lange sie dort geblieben waren… und an das Haus konnte sie sich überhaupt nicht erinnern. Der größte Teil ihrer Kindheit war eine verschwommene Abfolge von Orten und Gesichtern, Autofahrten, hektischem Einpacken. Und dazwischen ständig er, ihr Vater, mit seinem herzhaften Lachen und seinen großen Händen, mit seinem unwiderstehlichen Grinsen und seinen sorglosen Versprechungen.

Die ersten zehn Jahre ihres Lebens hatte sie den Mann verzweifelt geliebt, und die nächsten Jahre hatte sie sich angestrengt bemüht zu vergessen, dass es ihn überhaupt gab.

Wenn er wieder in Schwierigkeiten steckte, so war das nicht ihr Problem.

Sie war nicht mehr Jack O'Haras kleine Lainie. Sie war Laine Tavish, eine ehrbare Bürgerin.

Nachdenklich betrachtete sie die Flasche Wein und goss sich achselzuckend ein weiteres Glas ein. Eine erwachsene Frau konnte sich schließlich in ihrer Küche betrinken, vor allem, nachdem gerade ein Gespenst aus ihrer Vergangenheit vor ihren Augen gestorben war.

Mit dem Glas in der Hand trat sie zur Hintertür, hinter der hoffnungsvolles Winseln erklang.

Er schoss herein wie eine Kanonenkugel – eine haarige Kanonenkugel mit Schlappohren. Er sprang an ihr hoch, und die lange Schnauze landete mitsamt der Zunge voller Zuneigung in ihrem Gesicht.

»Okay! Okay! Ich freue mich auch, dich zu sehen.« Ganz gleich, wie schlecht sie gelaunt war – wenn Henry, der erstaunliche Jagdhund, sie zu Hause begrüßte, hob sich ihre Stimmung garantiert.

Sie hatte ihn aus dem Tierheim gerettet. Als sie vor zwei Jahren dorthin gefahren war, wollte sie sich eigentlich einen Welpen holen. Ein süßes, wackelndes kleines Bündel, das sie von vornherein richtig erziehen wollte – das hatte sie sich von klein auf gewünscht.

Aber dann hatte sie ihn gesehen, groß, ungelenk und unscheinbar mit seinem schlammfarbenen Fell. Eine Mischung, hatte sie gedacht, zwischen einem Bären und einem Ameisenbären. Sie hatte ihm noch nicht ganz in die Augen geblickt, da war sie schon rettungslos verloren gewesen.

Jeder verdient eine Chance, hatte sie gedacht und Henry mitgenommen. Sie hatte es nie bereut. Er liebte sie bedingungslos, und während sie jetzt seinen Napf füllte, äugte er sie anbetend an.

»Essenszeit, Kumpel.«

Auf ihr Signal hin wandte Henry sich seinem Napf zu und widmete sich eifrig seinem Fressen.

Sie sollte auch etwas essen, zumindest um die Wirkung des Weins zu mildern, aber sie hatte keine Lust dazu. Wenn genug Alkohol durch ihre Adern floss, konnte sie wenigstens nicht nachdenken und sich Sorgen machen.

Sie ließ die Innentür offen, trat aber in den Vorraum, um nach dem Schloss für die Tür nach draußen zu schauen. Wenn jemand unbedingt einbrechen wollte, würde es ihm sicher gelingen. Aber Henry war eine zuverlässige Alarmanlage.

Er heulte jedes Mal, wenn ein Auto die Straße entlanggefahren kam, und obwohl er jeden Eindringling freudig begrüßte – und ihn abschleckte, wenn dieser sich von seinem Schrecken erholt hatte –, konnte sie zumindest niemand überraschen. In ihren vier Jahren in Angel's Gap hatte sie nie irgendwelche Probleme zu Hause oder im Laden gehabt.

Bis heute.

Schließlich entschied sie, die Hintertür zu verriegeln und Henry heute Abend zur Vordertür hinauszulassen.

Kurz überlegte sie, ob sie ihre Mutter anrufen sollte, verwarf den Gedanken jedoch wieder. Wozu sollte das gut sein? Ihre Mutter führte jetzt ein anständiges, solides Leben mit einem anständigen, soliden Mann. Sollte sie diese reizende Idylle etwa durchbrechen, nur um ihr mitzuteilen: Ich bin heute Onkel Willy begegnet, und danach ist er von einem Jeep Cherokee überfahren worden?

Sie nahm ihren Wein mit nach oben, begleitet von dem Hund, der sie fröhlich umtänzelte. Sie würde sich umziehen, mit Henry einen langen Spaziergang im Regen machen, sich dann etwas zu essen zubereiten, ein heißes Bad nehmen und früh zu Bett gehen.

Und sie würde nicht mehr an das denken, was heute geschehen war.

Ich habe es für dich dagelassen, hatte er gesagt. Wahrscheinlich war er schon nicht mehr bei Sinnen gewesen... Aber wenn er wirklich etwas für sie dagelassen hatte, so wollte sie es nicht.

Sie hatte alles, was sie wollte.

Max Gannon drückte dem Aufseher einen Zwanziger in die Hand. Nach Max' Erfahrung wirkte das Bild von Andrew Jackson rascher als sämtliche Erklärungen, Formulare und bürokratischen Ebenen.

Er hatte die schlechten Nachrichten über Willy von dem Motelangestellten im Red Roof Inn, wohin er den schleimigen kleinen Bastard verfolgt hatte, erfahren. Die Polizei war zwar schon da gewesen, aber Max hatte dennoch den ersten Zwanziger des Tages für die Zimmernummer und den Schlüssel investiert.

Seine Kleidung hatten die Polizisten nicht mitgenommen. Offensichtlich hatten sie sie auch nicht besonders gründlich durchsucht. Warum sollten sie das auch bei einem Verkehrsunfall? Aber wenn sie erst einmal Willys wirkliche Identität festgestellt hatten, würden sie zurückkommen und sich alles sehr viel genauer anschauen.

Willy hatte noch nicht fertig ausgepackt, stellte Max fest, als er sich im Zimmer umblickte. Socken, Unterwäsche und zwei Oberhemden lagen noch sauber gefaltet auf dem Louis-Vuitton-Koffer. Willy war ein ganz Ordentlicher gewesen und hatte großen Wert auf Markennamen gelegt.

Einen Anzug hatte er in den Schrank gehängt. Einen grauen Einreiher. Hugo Boss. Seine schwarzen Ferragamo-Slipper standen mit Schuhspannern versehen auf dem Fußboden.

Max durchsuchte die Taschen und tastete sorgfältig die Nähte ab. Er nahm die hölzernen Schuhspanner aus den Schuhen und fuhr mit der Hand hinein.

Im angrenzenden Badezimmer öffnete er Willys Dior-Toilettentasche. Er hob den Deckel der Spülung an und kroch unters Waschbecken.

Er untersuchte auch die Schubladen der Kommode, den Inhalt des Koffers und drehte die Matratze auf dem Doppelbett um.

Es dauerte noch nicht einmal eine Stunde, bis er feststellte, dass Willy nichts Wichtiges im Zimmer zurückgelassen hatte. Als Max das Zimmer verließ, sah es wieder genauso ordentlich und unberührt aus wie vorher.

Er überlegte, ob er dem Angestellten weitere zwanzig Dollar in die Hand drücken sollte, damit er seinen Besuch den Polizisten gegenüber nicht erwähnte, ließ es aber, weil er ihm damit nur Flausen in den Kopf gesetzt hätte.

Er stieg in seinen Porsche, drehte Bruce Springsteen an und fuhr zum Leichenschauhaus, um zu überprüfen, ob seine heißeste Spur auf Eis lag.

»Blöd. Verdammt, Willy, ich hätte dich für klüger gehalten.«

Max stieß die Luft aus, als er auf Willys zerschlagenes Gesicht blickte. Warum bist du abgehauen? Und was ist in diesem öden Nest in Maryland so wichtig?

Was, dachte Max, oder wer?

Da Willy es ihm nicht mehr erzählen konnte, fuhr Max nach

Angel's Gap zurück, um eine Zwölf-Millionen-Dollar-Fährte auf-zunehmen.

Wenn man in einer Kleinstadt etwas erfahren wollte, ging man am besten an einen Ort, wo sich die Einheimischen trafen. Tags-über hieß das Kaffee und etwas zu essen, abends Alkohol.

Nachdem er beschlossen hatte, zumindest ein oder zwei Tage in Angel's Gap zu bleiben, nahm sich Max im Overlook Hotel ein Zimmer und stellte sich unter die Dusche. Es war an der Zeit, Tür Nummer zwei zu öffnen.

Während er einen wirklich anständigen Burger aß, den er sich beim Room Service bestellt hatte, surfte er an seinem Laptop durch die Home Page von Angel's Gap. Es gab einige Bars, Clubs und Cafés. Er suchte nach einer Nachbarschaftskneipe, wo die Einheimischen am Ende des Tages ein Bier tranken und überei-nander redeten.

Er fand drei heraus, schrieb sich die Adressen auf und aß dann seinen Burger zu Ende, während er den Stadtplan von Angel's Gap studierte, den er sich ausgedruckt hatte.

Netter Ort, sinnierte er, eingebettet zwischen Bergen. Atembe-raubende Aussichten, zahlreiche Sport- und Campingmöglichkei-ten. Gemächliches Tempo, aber trotzdem ein paar erstklassige kulturelle Angebote – und nicht zu weit weg von großen Ein-kaufszentren und falls jemand sein Wochenende in den Bergen von Maryland verbringen wollte.

Der Verkehrsverein rühmte die Möglichkeiten zum Jagen, An-geln, Wandern und anderen Freizeitaktivitäten – Max war aller-dings viel zu sehr Städter, als dass ihm eine davon gefallen hätte.

Wenn er Bären und Rotwild in ihrem natürlichen Lebensraum sehen wollte, schaltete er lieber auf den Discovery Channel.

Aber trotzdem hatte der Ort Charme mit seinen steil anstei-genden Straßen und den soliden, alten Ziegelgebäuden. Der Po-tomac floss mitten durch die Stadt, und es gab ein paar hübsche Brücken. Zahlreiche Kirchtürme, manche mit Kupferdächern, die im Laufe der Jahre mit Grünspan überzogen worden waren. Und während er in seinem Hotelzimmer saß, hörte er das lange, wider-hallende Pfeifen eines vorbeifahrenden Zuges.

Im Herbst, wenn sich das Laub der Bäume färbte, bot die Gegend sicher einen atemberaubenden Anblick, und im Schnee wirkte sie bestimmt kitschig wie die schlimmste Postkarte. Aber das erklärte nicht, warum ein alter Fuchs wie Willy Young sich auf der Market Street hatte überfahren lassen.

Um das fehlende Puzzleteil zu finden, fuhr Max seinen Computer herunter, schlüpfte in seine geliebte Bomberjacke und machte sich auf den Weg in die diversen Bars.

2

An der ersten ging er vorüber, ohne stehen zu bleiben. Die zahlreichen Hogs und Harleys vor der Tür wiesen sie als Biker-Bar aus. Das war bestimmt nicht der Ort, an dem die Einheimischen sich bei einem Glas Bier austauschten.

Auch die zweite identifizierte er nach weniger als zwei Minuten als Studentenkneipe, in der seltsame alternative Musik ertönte. Zwei ernst blickende Typen spielten Schach in einer Ecke, während die meisten anderen die üblichen Balzrituale vollführten.

Bei der dritten jedoch traf er genau ins Schwarze.

Artie's war eine Kneipe, in die man vielleicht seine Frau, jedoch nie seine Geliebte mitnehmen würde. Dort traf man sich mit Freunden oder trank auch nur ein schnelles Bier auf dem Nachhauseweg.

Max hätte wetten können, dass neunzig Prozent der Gäste einander mit Namen kannten. Wahrscheinlich waren viele sogar miteinander verwandt.

Er stellte sich an die Theke, bestellte ein Beck's vom Fass und sah sich um. Leise Hintergrundmusik, Snacks in Plastikkörbchen, ein großer Schwarzer am Zapfhahn und zwei Kellnerinnen, die an den Tischen bedienten.

Die eine erinnerte ihn an die Bibliothekarin in seiner High School. Sie hatte offenbar schon alles gesehen im Leben, aber nichts hatte ihr gefallen. Sie war klein, Ende vierzig und hatte breite Hüften. In ihren Augen lag ein Ausdruck, der ihn warnte, dass sie Frechheiten nicht duldete.

Die zweite war Anfang zwanzig und der kokette Typ. Sie zeigte ihren hübschen Körper in einem engen schwarzen Pullover und Jeans, die wie angegossen saßen. Ständig warf sie ihre Haare zurück – eine Masse blonder Locken, die dringend einmal gestutzt werden mussten.

So wie sie an den Tischen stehen blieb und mit den Gästen plauderte, war sie sicher eine erstklassige Informationsquelle, die ihr Wissen gerne weitergab.

Max ließ sich Zeit und schenkte ihr dann ein gewinnendes Lächeln, als sie an der Bar eine Bestellung aufgab. »Viel zu tun heute Abend.«

Sie erwiderte sein Lächeln genauso gewinnend. »Ist nicht so schlimm.« Einladend wandte sie ihm ihren Oberkörper zu. »Woher kommen Sie?«

»Ich reise viel. Geschäftlich.«

»Sie hören sich so an, als kämen Sie aus dem Süden.«

»Erraten. Ich komme aus Savannah, war aber eine Weile nicht zu Hause.« Er streckte seine Hand aus. »Max.«

»Hi, Max. Angie. Was für ein Geschäft führt Sie nach Gap?«

»Versicherungen.«

Ihr Onkel war Versicherungsagent, doch er wirkte auf einem Barhocker bei weitem nicht so attraktiv. Ein Meter neunzig, das meiste davon Beine und gut gebaut, wenn sie sich ein Urteil erlauben konnte. Und Angie fand, sie konnte andere verdammt gut beurteilen.

Er hatte dichte braune Haare, die durch die Feuchtigkeit in Wellen um sein schmales, scharf geschnittenes Gesicht lagen. Seine braunen Augen blickten freundlich, aber es lag auch etwas Gefährliches darin. Er wirkte ein wenig verträumt und bedächtig, und der leicht überstehende Eckzahn ließ sein Lächeln einen Tick unvollkommen erscheinen.

Sie mochte Männer, die ein bisschen gefährlich und nicht ganz vollkommen waren.

»Versicherungen? Was Sie nicht sagen!«

»Eigentlich geht es dabei doch nur ums Zocken, oder?« Er

schob sich eine Salzbrezel in den Mund und strahlte sie an. »Die meisten Leute spielen gern. Genauso, wie sie gern glauben, dass sie ewig leben würden.« Er trank einen Schluck Bier und beobachtete, wie sie auf seine linke Hand blickte. Wahrscheinlich suchte sie nach dem Ehering. »Aber das tun sie nicht. Ich habe gehört, dass gerade heute früh irgend so ein armer Kerl auf der Main Street überfahren worden ist.«

»Market«, verbesserte sie ihn, und er blickte sie fragend an. »Es ist heute früh auf der Market Street passiert. Er ist der armen Missy Leager direkt vors Auto gelaufen. Sie ist völlig durch den Wind.«

»Das ist ja auch übel. Klingt nicht so, als sei es ihre Schuld gewesen.«

»Nein, war es auch nicht. Viele Leute haben den Unfall gesehen, und sie hätte ihn nicht vermeiden können. Er ist ihr direkt ins Auto gelaufen.«

»Schlimm. Wahrscheinlich kannte sie ihn auch noch, die Stadt ist schließlich klein.«

»Nein, niemand kannte ihn. Ich habe gehört, er war kurz vorher im Remember When – ich arbeite dort halbe Tage. Wir verkaufen Antiquitäten, Sammlerobjekte und so etwas. Er wollte sich wahrscheinlich nur ein bisschen umschauen. Schrecklich. Einfach schrecklich.«

»Ja, das ist es. Waren Sie dabei, als es passierte?«

»Nein. Ich habe heute Morgen nicht gearbeitet.« Sie schwieg, als müsse sie sich überlegen, ob sie froh oder traurig darüber war. »Ich weiß sowieso nicht, warum so viele Leute unterwegs waren, es hat heftig geregnet. Vermutlich hat er das Auto einfach nicht gesehen.«

»Pech.«

»Das würde ich auch sagen.«

»Angie, wartest du darauf, dass sich die Getränke von alleine servieren?«

Das kam von der Bibliothekarin. Angie verdrehte die Augen. »Ich nehme sie schon.« Sie zwinkerte Max zu, als sie ihr Tablett aufnahm. »Sehen wir uns noch?«

»Bestimmt.«

Als er wieder in sein Hotelzimmer zurückwanderte, hatte er sich einen guten Überblick über Willys Bewegungen verschafft. Er hatte am Abend zuvor gegen zehn im Motel eingecheckt und im Voraus bar für drei Übernachtungen bezahlt. Zurückgezahlt werden konnte ihm jetzt nichts mehr. Am nächsten Morgen hatte er im Coffee Shop alleine gefrühstückt, war dann mit dem Mietwagen in die Market Street gefahren und hatte zwei Blocks nördlich vom Remember When geparkt.

Da Max bis jetzt keine Hinweise darauf hatte, dass er noch in irgendeinem anderen Geschäft in der Gegend gewesen war, hatte er offensichtlich aus Vorsicht so weit vom Laden entfernt geparkt. Oder er war paranoid.

Aber da er jetzt tot war, war es wohl eher aus Vorsicht geschehen.

Bloß – was hatte Willy in einem Antiquitätenladen in Angel's Gap gewollt? Er hatte Spuren hinterlassen, jedoch alles getan, um sie zu verwischen.

War der Laden ein Treffpunkt? Ein Briefkasten?

Max fuhr den Computer hoch und klickte sich durch die Homepage der Stadt, bis er den Laden gefunden hatte. Remember When. Antiquitäten, Schmuck, Sammlerstücke. An- und Verkauf.

Er schrieb sich den Namen des Geschäfts auf einen Block und fügte hinzu: HEHLER?, wobei er die Frage zweimal umrandete.

Er las die Öffnungszeiten, Telefon- und Faxnummern, E-Mail-Adresse und den Satz, dass die Waren weltweit verschickt wurden.

Dann las er den Namen der Eigentümerin.

Laine Tavish.

Sie stand nicht auf seiner Liste, aber er überprüfte sie trotzdem noch einmal. Keine Laine, stellte er fest, niemand namens Tavish. Aber es gab eine Elaine O'Hara. Big Jacks einzige Tochter.

Max schürzte die Lippen und lehnte sich in seinem Stuhl zurück. Sie müsste jetzt… achtundzwanzig, neunundzwanzig sein. Wäre es nicht interessant, wenn Big Jack O'Haras kleines Mädchen in die Fußstapfen ihres diebischen Vaters getreten wäre, ihren Namen geändert und sich in dieses hübsche Bergstädtchen eingeschlichen hätte?

Das war ein Puzzleteil, dachte Max, das passen könnte.

Nach vier Jahren in Angel's Gap wusste Laine ganz genau, was sie erwartete, als sie am nächsten Morgen den Laden aufschloss. Zuerst würde Jenny eintrudeln – nur eine Winzigkeit zu spät –, mit frischen Doughnuts. Da sie im sechsten Monat schwanger war, bekam sie alle zwanzig Minuten Heißhunger auf irgendetwas, das vor Zucker und Fett nur so strotzte. Laine kniff vorsichtshalber schon ein Auge zu, wenn sie sich auf ihre Badezimmerwaage stellte.

Zu den Doughnuts gehörte eine Thermoskanne mit Kräuter tee, nach dem Jenny seit Beginn der Schwangerschaft süchtig war. Und dann würde sie alle Einzelheiten des gestrigen Unfalls wissen wollen. Sie war zwar mit dem Polizeichef verheiratet, aber das hielt sie nicht davon ab, sich auch von Laine auf dem Laufenden halten zu lassen.

Punkt zehn würden die Neugierigen in den Laden strömen. Manche, dachte Laine, während sie Wechselgeld in die Kasse legte, würden so tun, als wollten sie nur ein wenig stöbern, andere jedoch würden sich nicht die Mühe machen, ihre Klatschsucht zu verbergen.

Und sie würde alles noch einmal durchstehen müssen. Wieder müsste sie lügen oder zumindest so tun, als hätte sie den Mann, der sich Jasper Peterson nannte, noch nie im Leben gesehen.

Sie musste schon lange eine Maske tragen, um den Tag zu überstehen. Manchmal deprimierte es sie, wie einfach es war.

Sie war gerade fertig mit den Vorbereitungen, als Jenny hereinstürmte – fünf Minuten zu spät.

Jenny hatte ein Gesicht wie ein mutwilliger Engel. Es war rund und weich, mit hellem, rosigem Teint, und ihre klugen braunen Augen waren leicht mandelförmig geschnitten. Ihre dicken schwarzen Haare hatte sie meistens irgendwie auf dem Kopf zusammengebunden. Sie trug einen riesigen roten Pullover, der sich über ihrem Schwangerenbauch spannte, ausgebeulte Jeans und uralte Doc Martens.

Sie war alles, was Laine nicht war – unorganisiert, impulsiv, undiszipliniert, ein emotionaler Wirbelwind. Und genau die Freundin, nach der sich Laine ihre ganze Kindheit über gesehnt hatte.

Dass es Jenny in ihrem Leben gab, war für Laine eins der goldenen Geschenke des Schicksals.

»*Ich sterbe vor Hunger!* Du auch?« Jenny warf die Schachtel von der Bäckerei auf die Theke und riss sie auf. »In den zwei Minuten von Krosen's bis hierher konnte ich den Duft von den Dingern kaum ertragen. Ich glaube, ich habe angefangen zu sabbern.« Sie stopfte sich den größten Teil eines mit Marmelade gefüllten Doughnuts in den Mund, redete dabei aber unverdrossen weiter. »Ich habe mir Sorgen um dich gemacht. Du hast zwar gestern Abend am Telefon gesagt, es ginge dir gut, du hättest nur ein bisschen Kopfschmerzen und wolltest nicht über die Sache reden, aber Mommy hat sich Sorgen gemacht, Süße.«

»Ist schon okay. Es war scheußlich, aber mir geht es gut.«

Jenny streckte ihr die Schachtel entgegen. »Iss Zucker.«

»Gott! Weißt du eigentlich, wie lange ich trainieren muss, um das wieder vom Hintern zu kriegen?«

Jenny lächelte nur, als Laine sich ein cremegefülltes Teilchen nahm. »Du hast so einen hübschen Hintern.« Mit langsamen, kreisenden Bewegungen rieb sie sich über den Bauch. »Du siehst nicht so aus, als hättest du sonderlich viel geschlafen.«

»Nein. Ich konnte nicht einschlafen.« Gegen ihren Willen blickte sie zum Schaufenster. »Ich war wahrscheinlich die Letzte, mit der er gesprochen hat. Und ich habe ihn abgewimmelt, weil ich so viel zu tun hatte.«

»Kannst du dir vorstellen, wie sich Missy heute früh fühlt? Und dabei hat sie nicht mehr Schuld als du.« In ihrem schwangeren Watschelgang ging sie ins Hinterzimmer und kam mit zwei Bechern zurück. »Trink ein bisschen Tee zu dem vielen Zucker. Du musst dich für den Ansturm wappnen, wenn wir erst einmal geöffnet haben. Alle werden vorbeikommen.«

»Ich weiß.«

»Vince hält die Sache unter Verschluss, bis er mehr herausgefunden hat, aber es wird trotzdem durchsickern – und ich finde, du hast ein Recht, es zu erfahren.

Jetzt kommt es, dachte Laine. »Was erfahren?«

»Der Name des Mannes. Auf der Karte, die er dir gegeben hat, stand der falsche Name.«

»Wie bitte?«

»Er war auch nicht identisch mit dem Namen auf seinem Führerschein und den Kreditkarten«, fuhr Jenny fort. Ihre Augen glitzerten vor Aufregung. »In Wirklichkeit hieß er William Young, stell dir *das* mal vor. Er war ein Ex-Sträfling.«

Laine konnte es kaum ertragen, dass der Mann, an den sie sich so liebevoll erinnerte, so bezeichnet wurde, als ob das alleine ihn charakterisierte. Und sie hasste sich dafür, dass sie nichts zu seiner Verteidigung sagte. »Machst du Witze? Dieser kleine Mann?«

»Diebstahl, Betrug, Besitz von Diebesgut – und das sind nur die Verurteilungen. Ich habe aus Vince herausgekitzelt, dass man ihn wegen weit mehr in Verdacht hatte. Ein richtiger Krimineller, Laine – und er war hier im Laden. Wahrscheinlich wollte er die Lage peilen.«

»Du schaust dir zu viele alte Filme an, Jenny.«

»Ach was! Und wenn du gerade alleine im Geschäft gewesen wärst? Wenn er nun eine Waffe dabeigehabt hätte?«

Laine pustete sich den Zucker von den Fingern. »Hatte er eine Waffe?«

»Nein, aber es hätte ja gut sein können! Er hätte dich ausrauben können!«

»Ein Krimineller kommt extra nach Angel's Gap, um meinen Laden zu überfallen? Mann, du hast vielleicht eine blühende Fantasie.«

Jenny bemühte sich, ein böses Gesicht zu machen, brach dann aber in Gelächter aus. »Okay, er hat den Überfall eventuell nicht geplant, aber irgendetwas hatte er vor. Schließlich hat er dir seine Karte gegeben, oder?«

»Ja, aber …«

»Vielleicht hat er ja gehofft, er könnte dir gestohlene Ware verkaufen. Wer würde hier schon nach Diebesgut suchen? Ich habe zu Vince gesagt, wahrscheinlich hat er gerade einen Bruch gemacht, und sein üblicher Hehler kann ihm die Ware nicht mehr abnehmen oder so. Und deshalb musste er schnell jemand anderen dafür finden.«

»Und dann hat er sich von allen Antiquitätenläden auf der Welt gerade meinen ausgesucht?« Laine lachte, aber ihr saß ein Kloß im Hals. Womöglich war das ja wirklich der Grund, warum Willy zu ihr gekommen war.

»Nun, zu irgendeinem musste er ja gehen, warum also nicht zu dir?«

»Ah … wir sind doch hier nicht im Fernsehfilm der Woche.«

»Aber du musst zugeben, dass es seltsam ist.«

»Ja, es ist seltsam. Und es ist traurig. Außerdem ist es jetzt zehn Uhr, Jen. Lass uns aufsperren und sehen, was der Tag bringt.«

Wie erwartet, füllten bald schon die Klatschtanten und Gaffer den Laden, aber Jenny wurde nicht nur gut mit ihnen fertig, sondern verkaufte dabei auch noch. Es mochte ja feige sein, aber Laine beschloss, die Gelegenheit zu nutzen und sich unter dem Vorwand, sie müsse Papierkram erledigen, nach hinten zurückzuziehen.

Sie war jedoch gerade erst zwanzig Minuten allein, als Jenny den Kopf zur Tür hineinsteckte. »Süße, das musst du einfach sehen!«

»Wenn es nicht gerade ein Hund ist, der auf einem Einrad fährt und dabei jongliert, dann muss ich jetzt erst diese Kalkulation fertig machen.«

»Das hier ist aber besser.« Jenny wies mit dem Kopf zum Laden und riss die Tür ganz auf.

Neugierig stand Laine auf und ging hinaus. Er stand da und hielt ein grünes Jugendstilwasserglas gegen das Licht. Es wirkte viel zu zart und weiblich für einen Mann, der eine abgewetzte Bomberjacke und Wanderschuhe trug. Aber er hatte keine Probleme damit, sondern stellte es ab und griff nach dem zweiten.

»Mmm.« Jenny gab ein Geräusch von sich, als habe sie Doughnuts vor sich. »Das ist die Sorte von Getränk, die eine Frau am liebsten in einem Zug herunterkippen würde.«

»Schwangere verheiratete Frauen sollten nicht von fremden Männern trinken.«

»Das heißt noch lange nicht, dass wir den Anblick nicht genießen können.«

»Ich glaube, da verwechselst du was.« Laine stieß ihrer Freundin den Ellbogen in die Rippen. »Außerdem starrst du ihn an. Wisch dir den blöden Ausdruck aus dem Gesicht, und verkauf ihm was.«

»Übernimm du ihn. Ich muss pinkeln. Schwangere Frau, weißt du.«

Bevor Laine Einspruch erheben konnte, war Jenny nach hinten verschwunden. Eher amüsiert als irritiert trat Laine auf den Fremden zu. »Hi.«

Sie hatte ihr freundliches Verkaufslächeln aufgesetzt, als er sich umdrehte und sie betrachtete. Sein Blick traf sie mitten in den Bauch, wobei der Schlag bis zu ihren Kniekehlen ausstrahlte. Sie spürte förmlich, wie ihr jeder vernünftige Gedanke aus dem Kopf wich und sie nur noch denken konnte: Oh. Nun ja. Wow.

»Gleichfalls hi.« Er hielt das Glas in der Hand und sah sie einfach nur an.

Er hat Tigeraugen, dachte sie benommen. Große, gefährliche Katzenaugen. Und bei seinem halben Lächeln wurde ihr ganz anders. »Äh…« Verwirrt von ihrer Reaktion lachte sie unsicher und schüttelte den Kopf. »Entschuldigen Sie, ich war gerade in Gedanken. Sind Sie Sammler?«

»Bis jetzt noch nicht. Meine Mama.«

»Oh.« Er hatte eine Mama. War das nicht süß? »Sammelt sie etwas Bestimmtes?«

Er grinste jetzt, und Laine wurden die Knie endgültig weich. »Nein, überhaupt nicht. Sie mag… die Vielfalt des Unerwarteten. Ich auch.« Er stellte das Glas ab. »Wie diesen Ort hier.«

»Wie bitte?«

»Ein kleines Schatzkästlein, versteckt in den Bergen.«

»Danke.«

Unerwartet, das war auch sie, dachte er. Hell… das Haar, die Augen, das Lächeln. Hübsch wie Erdbeerparfait, nur weitaus sexier, und das auf eine geheime, überraschende Weise, die ihn neugierig machte.

»Georgia?«, fragte sie, und er hob ganz leicht die linke Augenbraue.

»Getroffen.«

»Ich bin gut im Erkennen von Akzenten. Hat Ihre Mutter bald Geburtstag?«

»Sie hat vor ungefähr zehn Jahren damit aufgehört. Wir nennen es einfach nur Marlenes Tag.«

»Kluge Frau. Diese Gläser sind äußerst selten. Ein vollständiges Set von sechs findet man nicht häufig und vor allem nicht in so einwandfreiem Zustand. Ich kann Ihnen einen guten Preis machen, wenn Sie sie alle nehmen.«

Er nahm wieder ein Glas in die Hand, sah sie dabei aber unverwandt weiter an. »Kann ich handeln?«

»Das müssen Sie sogar.« Sie trat näher, um ebenfalls ein Glas zu ergreifen und ihm den Preis zu zeigen, der auf dem Boden aufgeklebt war. »Wie Sie sehen können, kostet jedes einzelne fünfzig, aber das gesamte Set gebe ich Ihnen für zweihundertfünfundsiebzig.«

»Ich hoffe, Sie nehmen das nicht falsch auf, aber Sie riechen wirklich gut.« Es war ein rauchiger Duft, den man erst bemerkte, wenn er einem in die Nase gestiegen war. »Wirklich gut. Zweifünfundzwanzig.«

Sie flirtete nie, *niemals* mit Kunden, aber jetzt trat sie viel zu dicht an ihn heran und lächelte in diese gefährlichen Augen. »Danke, freut mich, dass sie Ihnen gefallen. Zweisechzig, und das ist fast geschenkt.«

»Lassen Sie sie nach Savannah schicken, essen Sie mit mir zu Abend, und der Handel ist perfekt.«

Es war schon viel zu lange her, seit sie dieses erregende Prickeln gespürt hatte. »Versand – und ein Drink mit der Option auf Abendessen später einmal. Das ist ein gutes Angebot.«

»Ja, das stimmt. Sieben Uhr? Im Wayfarer haben sie eine nette Bar.«

»Ja. Sieben Uhr ist in Ordnung. Wie möchten Sie die Gläser bezahlen?«

Er zog seine Kreditkarte heraus und reichte sie ihr.

»Max Gannon«, las sie. »Einfach nur Max? Nicht Maxwell, Maximillion oder Maxfield?« Sie bemerkte, wie er leicht zusammenzuckte, und lachte.

»Einfach nur Max«, sagte er fest.

»Na gut. Also, einfach nur Max. Ich habe ein paar sehr gute gerahmte Bilder von Parrish im Nebenzimmer.«

»Ich werde daran denken.«

Sie trat hinter die Theke und zog ein Versandformular hervor. »Könnten Sie mir das bitte ausfüllen? Die Gläser gehen dann heute Nachmittag heraus.«

»Auch noch effizient.« Er lehnte sich an die Theke und füllte das Formular aus. »Sie wissen jetzt meinen Namen. Kriege ich auch Ihren?«

»Tavish. Laine Tavish.«

Lächelnd hob er den Kopf. »Einfach nur Laine? Nicht Elaine?«

Sie zuckte nicht mit der Wimper. »Nur Laine.« Sie gab den Betrag in die Kasse ein und reichte ihm eine hübsche Glückwunschkarte mit Goldrand. »Die Karte und das Geschenkpapier sind kostenlos, wenn Sie also Ihrer Mutter noch ein paar Zeilen schreiben möchten…«

Als die Türglocke läutete, hob sie den Kopf. Die Zwillinge traten ein.

»Laine.« Carla kam auf sie zu. »Wie geht es Ihnen?«

»Ganz gut. Ich bin sofort für Sie da.«

»Wir haben uns Sorgen gemacht, nicht wahr, Darla?«

»Ja, sicher.«

»Das war nicht nötig.« Hoffentlich kam Jenny gleich wieder. Das Intermezzo mit Max hatte Trauer und Sorge um Willy aus ihren Gedanken vertrieben, aber jetzt kam alles zurück. »Ich hole die Sachen, die ich für Sie zurückgelegt habe, sobald ich hier fertig bin.«

»Lassen Sie sich Zeit.« Carla verdrehte bereits ihren Kopf so, dass sie die Adresse auf dem Versandformular lesen konnte. »Unsere Laine ist stolz auf ihren guten Kundendienst«, sagte sie zu Max.

»Das glaube ich gerne. Ladys, Sie sind eine doppelte Augenweide.«

Die Zwillinge erröteten.

»Ihre Karte, Mr. Gannon, und Ihr Beleg.«

»Danke, Ms. Tavish.«

»Ich hoffe, das Geschenk gefällt Ihrer Mutter.«

»Ganz bestimmt.« Seine Augen lachten sie an, bevor er sich den Zwillingen zuwandte. »Meine Damen.«

Die drei Frauen schauten ihm nach, als er hinausging. Eine Zeit lang herrschte Schweigen, dann stieß Carla einen Seufzer aus und sagte: »Du liebe Güte.«

Max' Lächeln erlosch, kaum dass er die Straße betreten hatte.

Es gab keinen Grund, sich schuldig zu fühlen, sagte er sich. Es war doch normal, mit einer attraktiven Frau am Ende des Tages etwas zu trinken, und es war schließlich sein unantastbares Recht als gesunder, allein lebender Mann.

Außerdem glaubte er nicht an Schuld. Lügen, Ausreden und Vorwände gehörten zu seinem Job. Bis jetzt hatte er sie noch gar nicht angelogen.

Er ging einen halben Block weiter und blieb dann stehen, um sich die Stelle anzusehen, an der Willy gestorben war.

Er würde sie nur anlügen, wenn sich herausstellte, dass sie etwas damit zu tun hatte. Wenn das so war, dann würde sie allerdings noch Schlimmeres als nur ein paar Lügen ertragen müssen.

Sorgen machte ihm, dass er nichts wusste, nichts ahnte. Normalerweise hatte er ein Gespür für solche Dinge, deshalb war er auch so gut in seinem Job. Aber Laine Tavish hatte ihn geblendet. Er hatte lediglich die langsame, süße Kraft der Anziehung gespürt.

Aber mal abgesehen von ihren großen blauen Augen und dem sexy Lächeln –, Tatsache war, sie steckte bis zum Hals in der Sache. Und er hielt sich stets an die Tatsachen. Willy hatte sie besucht und war genau vor ihrem Laden zu Tode gekommen. Wenn er erst einmal wusste, warum, dann war er der Auflösung ein gutes Stück näher gekommen.

Und wenn er sie benutzen musste, um dorthin zu gelangen, dann war es eben so.

Er ging zurück in sein Hotelzimmer und untersuchte den Beleg sorgfältig auf Fingerabdrücke. Es waren gute von ihrem Daumen und ihrem Zeigefinger darauf. Er machte Digitalaufnahmen davon und schickte sie zu einem Freund, der sie auswerten würde, ohne störende Fragen zu stellen.

Dann setzte er sich, ließ die Finger knacken und begab sich ins Internet.

Er arbeitete durch und trank dabei einen Becher Kaffee, aß ein Hühnchen-Sandwich und ein Stück Apfelkuchen – echt guten Kuchen. Dann hatte er Laines Adresse zu Hause und die Information, dass sie vor vier Jahren ihr Haus gekauft und ihr Geschäft auf der Market Street eröffnet hatte. Davor war sie unter einer Adresse in Philadelphia gemeldet, in einem Mietshaus.

Mit Methoden, die streng genommen nicht ganz astrein waren, schälte er Schicht für Schicht von Laine Tavish herunter und bekam nach und nach ein klares Bild. Sie hatte an der Penn State Examen gemacht, und ihre Eltern waren aufgeführt als Marilyn und Robert Tavish.

Komisch, dachte Max und trommelte mit den Fingerspitzen auf der Schreibtischplatte. Jack O'Haras Frau – beziehungsweise seine Ex-Frau – hieß auch Marilyn. Das konnte doch kein Zufall sein.

»Du steckst bis zu deinem hübschen Hals drin«, murmelte er und beschloss, jetzt ein wenig ernsthafter an die Sache heranzugehen.

Es gab unterschiedliche Wege, an Informationsschnipsel heranzukommen, die dann wieder zu weiteren Informationen führten. Ihre Betriebsgenehmigung war, wie das Gesetz es vorschrieb, in ihrem Laden deutlich sichtbar ausgehängt. Und die Lizenznummer diente ihm als Sprungbrett.

Mit kreativen Finessen gelangte er an ihre Sozialversicherungsnummer. Er spielte mit den Zahlen, wobei ihm seine Intuition und seine unersättliche Neugier von Nutzen waren, bis er schließlich herausfand, wo sie den Kredit für ihr Haus aufgenommen hatte. Wenn er jetzt ein paar Gesetze brechen würde, dann könnte er ohne weiteres ihren Kreditantrag aufrufen.

Es würde Spaß machen – und er *liebte* Technologie –, aber wahrscheinlich war es sinnvoller herauszufinden, wo sie herkam, statt zu erfahren, wo sie jetzt stand.

Also ging er zurück zu den Eltern und begann mit seiner Suche, was noch einen weiteren Kaffee vom Room Service erforderlich machte. Als er schließlich Robert und Marilyn Tavish in Taos, New Mexico, lokalisierte, schüttelte er den Kopf.

Laine kam ihm eigentlich nicht wie eine Blume des Westens vor. Nein, sie war aus dem Osten, dachte er, und sie war in einer Stadt aufgewachsen. Bob und Marilyn besaßen jedoch ein Lokal, das Round-Up hieß und sich als Western-Barbecue-Joint herausstellte. Sie hatten sogar eine eigene Website. Offenbar hatte das fast jeder, dachte Max.

Es gab auch ein Bild der beiden glücklichen Restaurantbesitzer vor einem riesigen Pappcowboy mit Lasso. Max vergrößerte das Bild und druckte es aus, bevor er durch die Website klickte. Die Speisekarte klang nicht einmal schlecht – und man konnte Robs Kick-Ass-Barbecuesauce überall bestellen.

Rob, notierte Max sich. Nicht Bob.

Er fand, sie sahen glücklich aus. Gewöhnliche, arbeitsame Menschen, die sich darüber freuten, ihr eigenes Geschäft zu besitzen. Marilyn Tavish sah nicht so aus wie die frühere Frau – und Komplizin – eines Diebes und Trickbetrügers, der jetzt offensichtlich den großen Coup gelandet hatte. Sie wirkte mehr wie eine Frau, die einem noch ein Brot schmiert, bevor sie sich daran macht, die Wäsche aufzuhängen,

Round-Up gab es jetzt seit acht Jahren, was bedeutete, dass sie das Lokal eröffnet hatten, als Laine noch auf dem College war. Aus einer Eingebung heraus loggte er sich bei der Lokalzeitung von Taos ein, ging in die Archive und suchte nach einem Artikel über die Tavishs.

Zu seinem Erstaunen fand er sechs. Der erste handelte von der Eröffnung des Restaurants. Er las ihn aufmerksam und achtete vor allem auf persönliche Details. Damals waren die Tavishs seit sechs Jahren verheiratet gewesen und hatten sich – wie in der Zeitung stand – in Chicago kennen gelernt, wo Marilyn Kellnerin gewesen war und Rob für einen Chrysler-Händler arbeitete. Im Osten gab es noch eine Tochter auf dem College.

Rob hatte immer ein eigenes Geschäft haben wollen, bla-bla, und ließ sich schließlich von seiner Frau überreden, seine kulinarischen Talente anders zu nutzen, als nur Freunde und Nachbarn zu bekochen.

Andere Artikel handelten von Robs Interesse an Lokalpolitik und Marilyns Arbeit in Kunstausschuss von Taos. In einem weiteren Artikel ging es um das fünfjährige Jubiläum des Round-Up, das mit einer Open-Air-Party und Ponyreiten für Kinder gefeiert worden war. Dazu gab es ein Foto des strahlenden Paares – und zwischen ihnen stand eine lachende Laine.

Himmel, sie war wirklich hinreißend. Sie hatte lachend den Kopf zurückgeworfen und die Arme liebevoll um die Schultern ihrer Mutter und ihres Stiefvaters geschlungen. Sie trug so eine Art

Westernbluse mit kleinen Fransen an den Taschen, die ihn – aus Gründen, die er nicht benennen konnte – wahnsinnig machten.

Die Ähnlichkeit mit ihrer Mutter war nicht zu übersehen, vor allem um die Augen und den Mund.

Aber ihre Haare, diese hellroten Haare, hatte sie von Big Jack. Da war er sich jetzt völlig sicher.

Auch die Zeiten passten genau. Marilyn O'Hara hatte die Scheidung eingereicht, als Jack in Indiana eine kurze Haftstrafe absaß. Sie war mit dem Kind nach Jacksonville in Florida gezogen. Die Behörden hatten sie ein paar Monate im Auge behalten, aber sie war sauber geblieben und hatte als Kellnerin gearbeitet.

Sie war ziemlich viel herumgekommen. Texas, Philadelphia, Kansas. Dann war sie von der Bildfläche verschwunden – knapp zwei Jahre bevor Marilyn und Rob heirateten.

Vielleicht hatte sie wegen des Kindes einen Neuanfang machen wollen. Aber vielleicht war auch alles nur ein großer Schwindel. Max würde es herausfinden.

3

»Was mache ich da? Das tue ich doch sonst nicht!«

Jenny spähte über Laines Schulter in den Badezimmerspiegel. »Du gehst mit einem tollen Mann etwas trinken. Und wenn du das sonst nicht tust, redest du am besten schleunigst mit einem Therapeuten.«

»Ich weiß nicht mal, wer er ist.« Laine setzte den Lippenstift ab, mit dem sie sich gerade schminkte. »Ich bin ihm zufällig begegnet, Jen. Du meine Güte, ich bin ihm in meinem Laden zufällig begegnet.«

»Wenn eine Frau in ihrem eigenen Laden keinem sexy Typen begegnen darf, wo denn sonst? Nimm den Lippenstift.« Sie schaute zu Henry, der gerade mit dem Schwanz wedelte. »Siehst du, Henry findet das auch.«

»Ich sollte im Hotel anrufen und Bescheid sagen, dass mir etwas dazwischengekommen ist.«

»Laine, du brichst mir das Herz.« Jenny ergriff den Lippenstift. »Nimm ihn jetzt«, befahl sie.

»Ich kann es nicht fassen, dass ich mich von dir habe überreden lassen, eine halbe Stunde eher zuzumachen. Und du musstest dich noch nicht mal sonderlich anstrengen. Er merkt doch, dass ich mich extra umgezogen habe. Das ist so offensichtlich.«

»Was soll denn daran falsch sein?«

»Ich weiß nicht.« Laine nahm den Lippenstift und betrachtete ihn prüfend. »Ich kann nicht mehr klar denken. Das liegt an dieser einen Sekunde, diesem Stromschlag. Am liebsten hätte ich ihm das Hemd vom Leib gerissen und ihn in den Hals gebissen.«

»Na, tu dir keinen Zwang an, Süße.«

Lachend drehte Laine sich um. »Werde ich aber lieber. Ein Drink ist okay. Es wäre doch unhöflich, einfach nicht zu erscheinen, oder? Ja, es wäre unhöflich. Aber danach ist Schluss. Ich mobilisiere meinen gesunden Menschenverstand, gehe nach Hause und mache diesem ... na ja, äußerst seltsamen Intermezzo ... ein Ende.«

Sie streckte die Arme aus. »Wie sehe ich aus? Okay?«

»Besser.«

»Besser als okay ist gut. Ich sollte jetzt gehen.«

»Na, mach schon. Ich sperre Henry in die hintere Diele ... Du willst ja schließlich nicht nach Hund stinken. Und ich sperre für dich ab.«

»Lieb von dir, danke. Auch für die moralische Unterstützung. Ich komme mir vor wie eine Idiotin.«

»Falls du dich entschließen solltest, den Abend auszudehnen, ruf mich kurz an. Dann fahre ich her und nehme Henry mit nach Hause.«

»Danke für das Angebot, aber ich werde den Abend bestimmt nicht ausdehnen. Ein Drink. Eine Stunde wird wohl ausreichen.« Sie gab Jenny einen leichten Kuss auf die Wange und bückte sich, um Henry trotz Hundegeruch auf die Schnauze zu küssen. »Bis morgen«, rief sie und eilte die Treppe hinunter.

Es war albern gewesen, den weiten Weg nach Hause zu machen, nur um jetzt wieder in die Stadt zurückzufahren, aber sie war froh darüber, dass sie es getan hatte. Zwar hatte nicht einmal

Jenny sie zu ihrem kleinen Schwarzen überreden können, aber sie fühlte sich wohler, nachdem sie sich umgezogen hatte. Der weiche, moosgrüne Pullover hatte eine schöne Farbe und war nicht elegant genug, um die falschen Signale auszusenden.

Sie hatte allerdings keine Ahnung, welche Signale sie überhaupt aussenden wollte. Noch nicht.

Als sie das Hotel betrat, zog sich ihr Magen vor Aufregung leicht zusammen. Eigentlich waren sie ja gar nicht fest verabredet. Es war nur so zwischen Tür und Angel passiert. Und wenn er nun gar nicht auftauchte? Oder schlimmer noch – er saß bereits in der Bar und warf ihr einen überraschten oder verärgerten Blick zu.

Andererseits, wenn sie wegen einer schlichten Verabredung zu einem Drink so nervös war, sprach das für ihre mangelhafte Übung darin.

Sie ging durch die geschliffenen Glastüren in die Bar und lächelte der Frau hinter dem schwarzen Eichentresen zu.

»Hi, Jackie.«

»Hey, Laine. Was kann ich dir bringen?«

»Noch nichts.« Ihr Blick schweifte durch den schwach beleuchteten Raum, über die roten Plüschsofas und -sessel. Ein paar Geschäftsleute, zwei Paare, drei Frauen, die offenbar ihren männerlosen Abend mit einem schicken Cocktail begannen. Max Gannon war nirgendwo zu sehen.

Sie suchte sich einen Tisch, von dem aus sie zwar nicht direkt auf die Tür schaute, sie jedoch im Auge behalten konnte. Zuerst wollte sie nach der Karte greifen, damit ihre Hände etwas zu tun hatten, entschied sich jedoch dagegen. Es würde möglicherweise gelangweilt aussehen. Oder hungrig. Himmel.

Stattdessen zog sie ihr Handy aus der Tasche und überprüfte, ob sie Nachrichten auf ihrem Anrufbeantworter zu Hause hatte. Natürlich hatte sie keine, sie war ja erst vor zwanzig Minuten aufgebrochen. Allerdings gab es zwei Aufleger, im Abstand von wenigen Minuten.

Nachdenklich runzelte sie die Stirn, als er plötzlich sagte: »Schlechte Nachrichten?«

»Nein.« Verlegen und erfreut zugleich schaltete sie das Gerät aus und ließ es wieder in ihre Tasche gleiten. »Nichts Wichtiges.«

»Bin ich zu spät?«

»Nein, ich bin nur aufreizend pünktlich.« Es überraschte sie, dass er sich neben sie auf das kleine Sofa setzte statt in den Sessel gegenüber. »Aus Gewohnheit.«

»Habe ich eigentlich schon erwähnt, wie toll Sie riechen?«

»Ja. Ich habe Sie noch gar nicht gefragt, was Sie hier in Gap machen.«

»Geschäfte … die ich auch noch ein paar Tage ausdehnen kann, aufgrund der lokalen Attraktionen.«

»Tatsächlich.« Sie war mittlerweile überhaupt nicht mehr nervös und wunderte sich, warum sie es jemals gewesen war. »Es gibt einige Attraktionen hier. Wenn Sie gerne wandern, in den Bergen gibt es ein paar wundervolle Routen.«

»Und Sie?« Er strich mit den Fingern leicht über ihren Handrücken. »Wandern Sie gerne?«

»Ich habe nicht oft Zeit dazu. Der Laden hält mich auf Trab. Und was machen Sie beruflich?«

»Was Tagesfüllendes«, wich er aus und sah hoch, als die Kellnerin an ihren Tisch trat.

»Was kann ich Ihnen bringen?«

Sie war neu, und Laine kannte sie nicht. »Einen Bombay Martini, zwei Oliven. Mit Eis.«

»Das klingt perfekt. Bringen Sie zwei. Sind Sie hier aufgewachsen?«, fragte er Laine.

»Nein, aber es ist bestimmt nett, hier aufzuwachsen. Die Stadt ist klein, ohne eng zu sein, und liegt nahe genug an der Großstadt. Außerdem liebe ich die Berge.«

Sie erinnerte sich an diesen Teil des Rituals der ersten Verabredung. *So* lang durfte er eigentlich nicht sein. »Leben Sie noch in Savannah?«

»Hauptsächlich in New York, aber ich reise viel.«

»Warum?«

»Geschäft, Vergnügen. Versicherungen, aber keine Sorge, ich will Ihnen nichts verkaufen.«

Die Kellnerin brachte die Gläser und Shaker auf einem Tablett und schenkte die Drinks am Tisch aus. Dann stellte sie ihnen noch eine Silberschale mit Nüssen hin und verschwand diskret.

Laine hob ihr Glas und lächelte ihn über den Rand hinweg an. »Auf Ihre Mutter.«

»Das würde ihr gefallen.« Er stieß mit ihr an. »Wie kommt es, dass Sie ausgerechnet ein Antiquitätengeschäft eröffnet haben?«

»Ich wollte mein eigener Chef sein. Ich habe alte Dinge von klein auf schon gemocht, wegen ihrer … Kontinuität. Am Schreibtisch zu sitzen macht mir nichts aus, aber ich wollte nicht den ganzen Tag in einem Büro arbeiten.« Völlig entspannt lehnte sie sich mit ihrem Drink in der Hand zurück, drehte jedoch ihren Körper so, dass sie weiterhin während des Gesprächs mit ihm flirten konnte. »Ich kaufe und verkaufe gern – und es interessiert mich auch, was andere Leute kaufen und verkaufen. Also packte ich all das zusammen und machte Remember When auf. Was für Versicherungen verkaufen Sie?«

»Hauptsächlich Unternehmensversicherungen. Langweilig. Haben Sie Familie hier?«

Okay, dachte sie, über seine Arbeit will er also nicht reden. »Meine … Eltern leben in New Mexico. Sie sind vor einigen Jahren dorthin gezogen.«

»Haben Sie Geschwister?«

»Nein, ich bin ein Einzelkind. Und Sie?«

»Einen Bruder und eine Schwester. Und zwei Neffen und eine Nichte.«

»Das ist nett«, sagte sie aufrichtig. »Ich habe andere Familien stets beneidet – um den Lärm, die Streitigkeiten und den Zusammenhalt.«

»Davon haben wir reichlich. Wenn Sie nicht hier aufgewachsen sind, wo dann?«

»Wir sind häufig umgezogen, wegen der Arbeit meines Vaters.«

»Das höre ich.« Er griff nach einer Nuss. »Was macht er?«

»Er … er war im Vertrieb.« Wie sollte sie es anders beschreiben? »Er konnte Kühlschränke in die Arktis verkaufen.«

Er hörte den leisen Stolz in ihrer Stimme, sah aber auch den Schatten in ihren Augen. »Jetzt nicht mehr?«

Sie schwieg einen Moment und trank einen Schluck, um ihre Gedanken zu ordnen. Am besten machte sie es so einfach wie möglich. »Meine Eltern haben ein kleines Restaurant in Taos aufgemacht. Eine Art Arbeitsruhestand, Betonung allerdings auf Arbeit. Und sie freuen sich darüber wie die Kinder.«

»Sie fehlen Ihnen.«

»Ja, aber ich wollte nicht das Gleiche wie sie, und deshalb bin ich hier. Ich liebe Gap. Das ist meine Stadt. Haben Sie auch eine?«

»Vielleicht. Ich habe sie nur noch nicht gefunden.«

Die Kellnerin kam vorbei. »Möchten Sie noch einmal das Gleiche?«

Laine schüttelte den Kopf. »Ich muss fahren.«

Max bat um die Rechnung, dann ergriff er Laines Hand. »Ich habe uns einen Tisch hier im Restaurant reservieren lassen, falls Sie Ihre Meinung ändern. Geben Sie Ihrem Herzen einen Stoß, Laine, und essen Sie mit mir zu Abend.«

Er hatte so wundervolle Augen, und sie liebte es, seiner Stimme zu lauschen, die wie Bourbon on the Rocks klang. Wem schadete es schon?

»Na gut. Ich würde gerne mit Ihnen essen.«

Er sagte sich, er könne jederzeit Geschäft und Vergnügen miteinander kombinieren, solange er die Prioritäten im Auge behielt. Er wusste, wie man Gespräche steuerte, um Informationen zu erhalten. Und sein persönliches Interesse an ihr hatte mit seiner Arbeit gar nichts zu tun.

Es hatte ganz bestimmt nichts damit zu tun.

Er war sich jetzt nicht mehr so sicher, dass sie tief in der Sache drinsteckte. Und das hatte nichts, absolut gar nichts mit der Tatsache zu tun, dass er sich von ihr angezogen fühlte. Es lief nur eben nicht so, wie es hätte laufen sollen. Ihre Mutter hatte sich mit Ehemann Nummer zwei nach New Mexico zurückgezogen. Laine hatte sich nach Maryland geflüchtet. Und niemand wusste, wo Big Jack war.

Die drei Seiten des Dreiecks hatten im Moment keine Verbindung zueinander. Er besaß genug Menschenkenntnis, um zu sehen, dass sie ihren Laden wirklich liebte und sich in der Stadt wohl fühlte.

Aber das erklärte weder Willys Besuch noch seinen Tod. Und es erklärte auch nicht, warum sie der Polizei gegenüber verschwiegen hatte, dass sie ihn kannte. Allerdings waren selbst Unschuldige nicht immer aufrichtig zur Polizei.

Andererseits war sie sorgfältig darauf bedacht, ihren Hintergrund im Dunkeln zu lassen. Außerdem redete sie so von ihrem Vater und ihrem Stiefvater, dass unaufmerksame Zuhörer annehmen konnten, es sei derselbe Mann.

Die Scheidung erwähnte sie nicht. Auch nicht, dass sie in ihrer Kindheit ständig umgezogen war. Das, was sie verbergen wollte, verbarg sie äußerst geschickt.

Es tat ihm zwar Leid, aber er musste das Gespräch auf Willy bringen. »Ich habe von dem Unfall direkt vor Ihrer Ladentür gehört.« Ganz kurz wurden ihre Knöchel an der Hand, mit der sie den Löffel hielt, weiß, aber das war auch das einzige Anzeichen für Nervosität. Sie rührte weiter in ihrem Kaffee, den sie nach dem Essen bestellt hatten.

»Ja, es war schrecklich. Offensichtlich hat er bei dem heftigen Regen das Auto nicht gesehen.«

»War er in Ihrem Laden?«

»Ja, kurz davor. Er stöberte ein wenig, und ich habe kaum mit ihm gesprochen. Ich hatte andere Kunden, und Jenny – meine Angestellte – hatte frei an dem Tag. Niemand war schuld. Es war einfach nur ein furchtbarer Unfall.«

»Er war nicht von hier?«

Sie blickte ihm direkt in die Augen. »Er war noch nie zuvor in meinem Laden gewesen. Vermutlich wollte er nur für ein paar Minuten im Trockenen sein. Das Wetter war ja wirklich schauderhaft.«

»Da sagen Sie was. Ich war mit dem Auto unterwegs. Offenbar bin ich nur ein paar Stunden später in der Stadt angekommen, und überall, wo ich anhielt, erzählte man mir eine andere Version der Geschichte. Irgendwo, ich glaube, an der Tankstelle, hieß es, er sei ein internationaler Juwelendieb auf der Flucht.«

Ihr Blick wurde weich und liebevoll. »Internationaler Juwelendieb«, murmelte sie. »Nein, das war er bestimmt nicht. Die Leute sagen manchmal seltsame Sachen, nicht wahr?«

»Ja, das ist wahr.« Zum ersten Mal, seit er den Job übernommen hatte, glaubte er, dass Laine Tavish alias Elaine O'Hara absolut keine Ahnung davon hatte, was ihr Vater William Young und ein bisher unbekannter Dritter vor sechs Wochen verbrochen hatten.

Er begleitete sie zu ihrem Wagen und überlegte, wie er sie als Informationsquelle benutzen konnte – und womöglich sogar musste. Was er ihr sagen konnte – und was er ihr nicht sagen würde, wenn die Zeit gekommen war.

Aber eigentlich wollte er darüber gar nicht nachdenken. Der kühle Frühlingswind blies durch ihre Haare und schickte ihren Duft zu ihm.

»Noch ziemlich kühl«, meinte er.

»Abends ist es hier oft bis in den Juni hinein noch kühl, aber das kann sich sehr plötzlich ändern.« Bevor die Nächte warm würden, war er schon wieder fort. Daran sollte sie besser denken. Zumindest wäre es vernünftig.

Aber sie war es so Leid, dauernd nur vernünftig zu sein.

»Es war ein schöner Abend. Danke.« Sie drehte sich um, schlang ihm die Arme um den Hals und zog seinen Kopf zu sich herunter.

Genau das wollte sie. Und es war ihr egal, ob es unvernünftig war. Sie wollte den Adrenalinstoß, das Rauschen im Blut spüren, weil sie einmal etwas Gefährliches tat. Bis jetzt war doch die zweite Hälfte ihres Lebens ungefährlich gewesen.

Das hier war besser. Lippen, die sich aufeinander pressten, Zungen, Zähne, die einander berührten. Sie fühlte sich auf einmal ungeheuer lebendig.

Wie hatte sie nur vergessen können, wie erregend es war, einfach zu handeln, ohne die Konsequenzen zu bedenken?

Er hatte gewusst, dass sie ihn überraschen würde. In der Minute, in der er sie gesehen hatte, hatte er es gewusst. Aber er hatte nicht damit gerechnet, dass sie ihn überwältigen würde. Es war kein zögerlicher, flirtender Kuss, sondern ein sexuelles Angebot, das seine Libido zum Kochen brachte.

Sie klammerten sich aneinander wie überlebende Schiffbrüchige, dann schnurrte sie leise, ganz tief in der Kehle, und zog sich langsam zurück. Er war zu benommen, um sie aufzuhalten.

Sie rieb ihre feuchten, sexy Lippen aufeinander und lächelte.

»Gute Nacht, Max.«

»Warte, warte, warte.« Er hielt sie auf, bevor sie die Wagentür aufschließen konnte.

Sie lächelte immer noch, mit weichen Lippen und schläfrigem Blick. Sie hatte in diesem Moment alle Macht, und beide wussten es. Wie zum Teufel hatte das nur passieren können?

»Du schickst mich jetzt einfach da hinauf?« Er wies mit dem Kopf zum Hotel. »Alleine? Das ist gemein.«

»Ich weiß.« Sie legte den Kopf schräg und musterte ihn. »Ich möchte ja auch nicht, aber ich muss. Sonst geraten wir nur beide in Schwierigkeiten.«

»Lass uns frühstücken. Nein, ein Mitternachtssnack. Ach was, lass uns jetzt einen Brandy trinken gehen.«

Sie lachte. »Du willst doch gar keinen Brandy.«

»Nein. Das war nur ein schlecht verhüllter Euphemismus für wilden Sex. Komm mit mir herein, Laine.« Er fuhr mit der Hand durch ihre Haare. »Da ist es doch wenigstens warm.«

»Ich kann wirklich nicht, und es tut mir auch schrecklich Leid.« Sie schloss das Auto auf und blickte provokativ über die Schulter, als sie einstieg. »Henry wartet auf mich.«

Er zuckte zurück, als habe sie ihm einen Schlag in die Magengrube versetzt. »Wow.«

Lachend schlug sie die Tür zu und wartete absichtlich einen winzigen Moment, ehe sie das Fenster herunterließ. »Henry ist mein Hund. Danke für das Abendessen, Max. Gute Nacht.«

Sie lachte noch, als sie wegfuhr. Sie konnte sich nicht erinnern, wann sie sich das letzte Mal so lebendig gefühlt hatte. Ganz bestimmt würden sie sich wiedersehen, da war sie sich absolut sicher. Und dann … na ja, dann würde man sehen.

Sie drehte das Radio auf volle Lautstärke und sang mit, während sie, ein wenig zu schnell, nach Hause fuhr. Es fühlte sich gut an, so waghalsig zu sein. Lustvolle kleine Schauer rannen ihr über die Haut, als sie in ihre Straße einbog und sich in die dunkle Parkbucht vor ihrem Haus stellte. Durch die Bäume, die gerade die ersten Knospen trugen, rauschte ein frischer Wind, und der Schein des Halbmondes schimmerte auf der alten Glaslaterne, die sie auf der Veranda hatte brennen lassen.

Einen Moment lang blieb sie noch im Auto sitzen und spürte jeder Bewegung und Berührung des leidenschaftlichen Kusses nach.

O ja, sie würde noch mehr von Max Gannon spüren, diesem Jungen aus Georgia mit den Tigeraugen.

Sie summte immer noch vergnügt, als sie den Pfad zum Haus entlangging. Sie schloss die Haustür auf, warf ihre Schlüssel in die Schale in der Diele, stellte ihr Handy ins Ladegerät und trat ins Wohnzimmer.

Dort verwandelte sich ihre sexuelle Erregung in Schock. Ihre Couch war umgedreht, die Polster aufgeschlitzt. Der Kirschholzschrank, in dem sie Fernseher und Stereoanlage aufbewahrte, stand offen und war leer. Die Usambaraveilchen, die sie aus einzelnen Blättern gezogen und in üppig blühende Pflanzen verwandelt hatte, waren aus den Töpfen gerissen worden und die Erde war überall im Zimmer verstreut. Tische waren umgeworfen, Schubladen geleert und gerahmte Drucke von den Wänden gerissen worden.

Einen Moment lang stand sie wie versteinert da. Sie konnte nicht glauben, was sie sah. Das war doch nicht möglich. Nicht in ihrem Haus, nicht mit ihren Sachen, in ihrer Welt. Dann durchzuckte sie ein Gedanke.

»Henry!«

Außer sich vor Entsetzen stürmte sie in die Küche, wobei sie das Chaos von Glasscherben und Geschirr im Flur und auf dem Küchenboden ignorierte.

Tränen der Erleichterung traten ihr in die Augen, als sie das laute Bellen hinter der Tür zum Vorraum hörte. Als sie die Tür öffnete, sprang ihr der zitternde, total verschreckte Hund entgegen. Sie fiel mit ihm zusammen um, und ihre Schuhe landeten in einem Zuckerhaufen, während er versuchte, auf ihren Schoß zu krabbeln.

Ihnen beiden war nichts passiert, sagte sie sich, obwohl das Herz ihr bis zum Hals schlug. Das war das Wichtigste. Ihnen ging es gut.

»Sie haben dir nichts getan. Sie haben dir nichts getan«, beruhigte sie den Hund, während ihr die Tränen über die Wangen liefen und sie sein Fell mit bebenden Händen auf Verletzungen untersuchte. »Gott sei Dank haben sie dir nichts getan.«

Winselnd leckte er ihr übers Gesicht.

»Wir müssen die Polizei rufen.« Zitternd drückte sie ihr Gesicht in Henrys Fell. »Wir rufen jetzt erst mal die Polizei. Und dann sehen wir nach, wie schlimm es ist.«

Es war schlimm. Sie war nur ein paar Stunden weg gewesen, und jemand war in ihr Haus eingedrungen, hatte sie bestohlen und ein Chaos hinterlassen. Ihre kleinen Schätze waren kaputt, die wertvollen Gegenstände waren weg, und all ihre persönlichen Dinge waren untersucht und mitgenommen oder zerstört worden. Ihr Herz schmerzte, und ihr Gefühl für Sicherheit war erschüttert.

Wut überfiel sie.

Den größten Zorn hatte sie sich schon abgearbeitet, als Vince kam. Es war ihr nur recht, dass sie wütend geworden war, weil Wut viel mächtiger und sinnvoller war als der Schock und die Angst, die sie zuerst empfunden hatte.

»Bist du in Ordnung?«, war Vinces erste Frage. Er nahm sie in den Arm und rieb ihr beruhigend über den Rücken.

»Ich bin nicht verletzt, wenn du das meinst. Die Kerle waren schon weg, als ich nach Hause gekommen bin. Henry war im Vorraum. Er konnte nicht heraus, also haben sie ihn in Ruhe gelassen. Jenny. Jenny war hier, als ich gegangen bin, Vince. Wenn sie noch da gewesen wäre, als…«

»Das war sie aber nicht. Ihr geht es gut. Ich kümmere mich jetzt erst mal um dich.«

»Ja, du hast Recht.« Sie holte tief Luft. »Ich bin um halb elf nach Hause gekommen, habe die Haustür aufgeschlossen, bin ins Haus gegangen, und dann habe ich das Wohnzimmer gesehen.« Sie zeigte dorthin.

»War die Tür abgeschlossen?«

»Ja.«

»Das Fenster hier ist aufgebrochen worden.« Er wies mit dem Kopf auf eins der Fenster, das nach vorne hinausging. »Offenbar sind sie dort hereingekommen. Sie haben deine Stereoanlage und die Boxen geklaut.«

»Den Fernseher von oben und den kleinen tragbaren Fernseher, den ich in der Küche benutze, ebenfalls. Und Schmuck. Ich habe mir gerade erst einen Überblick verschafft, aber es sieht so aus, als hätten sie nur elektronische Geräte und kleine Wertsachen mitgenommen. Ich habe eine paar schöne Antiquitäten, aber die haben sie dagelassen. Ein Teil des Schmucks, den sie mitgenommen haben, ist echt, das andere nur Modeschmuck.« Sie zuckte mit den Schultern.

»Bargeld?«

»Zweihundert Dollar, die ich in der Schreibtischschublade aufbewahrt habe. Oh, und den Computer, den ich hier zu Hause benutze.«

»Und sie haben ein ziemliches Chaos angerichtet. Wer wusste, dass du heute Abend ausgehst?«

»Jenny und der Mann, mit dem ich mich getroffen habe. Wir haben miteinander zu Abend gegessen. Er wohnt im Overlook. Max Gannon.«

»Jenny hat gesagt, du hast ihn gerade erst im Laden kennen gelernt.«

Ein heißes Prickeln stieg in ihr auf. »Wir haben nur etwas gegessen und getrunken, Vince.«

»Ich meine ja nur. Wir werden alles unter die Lupe nehmen. Draußen trampeln zahlreiche Polizisten herum, eventuell möchtest du lieber bei uns schlafen.«

»Nein, danke. Ich bleibe hier.«

»Ja, das hat Jenny auch gesagt.« Er tätschelte ihre Schulter mit seiner großen Hand und trat zur Tür, weil das Polizeiauto vorfuhr. »Wir werden tun, was wir können. Du solltest am besten eine Liste von den Dingen aufstellen, die fehlen.«

Laine setzte sich in das Wohnzimmer im ersten Stock und Henry rollte sich zu ihren Füßen zusammen. Dann schrieb sie auf, was ihr bereits als fehlend aufgefallen war und beantwortete die Fragen, die Vince oder einer der anderen Polizisten ihr stellten. Sie hätte gerne einen Kaffee getrunken, aber da das, was sie dazu brauchte, auf dem Küchenfußboden verteilt war, kochte sie sich eine Kanne Tee.

Sie wusste, dass Furcht, Wut und das Gefühl, vergewaltigt worden zu sein, klassische Reaktionen waren, ebenso wie die Ungläubigkeit, die alles überdeckte. Natürlich gab es auch in Gap Kriminalität, aber ein solcher Einbruch, eine so böswillige Verwüstung war nicht typisch für die Stadt.

Laine kam es so vor, als sei er ganz allein gegen ihre Person gerichtet.

Erst nach eins in der Nacht war sie wieder allein. Vince bot ihr an, einen Beamten draußen vor der Tür zu postieren, aber sie lehnte ab. Sein Angebot, das zerbrochene Fenster zuzunageln, hatte sie allerdings dankbar angenommen.

Henry wich ihr nicht von der Seite, während sie jedes Schloss im Haus zweimal überprüfte. Erneut stieg Wut in ihr auf und vertrieb die Müdigkeit, die sich während der polizeilichen Untersuchung eingestellt hatte. Sie nützte die Energie, um ihre Küche wieder in Ordnung zu bringen.

Das zerbrochene Geschirr und die Glasscherben warf sie in die Mülltonne, wobei sie nur mühsam die Tränen zurückhielt. Zucker, Kaffee, Mehl, Salz und Tee fegte sie zusammen, und dann putzte sie die biskuitfarbenen Fliesen.

Schließlich taumelte sie völlig erschöpft nach oben. Sie warf nur einen Blick auf ihr Bett – die Matratze war herausgezerrt und auf den Boden geworfen worden, die Schubladen ihres hübschen Mahagonisekretärs lagen mitten im Zimmer, und in dem alten Apothekerschränkchen, das sie als Schmuckkasten benutzte, klafften Löcher –, und sofort war die Trauer wieder da.

Aber sie würde sich nicht aus ihrem Zimmer, aus ihrem Zuhause vertreiben lassen. Also biss sie die Zähne zusammen und wuchtete die Matratze wieder an ihren Platz. Dann holte sie frische Bettwäsche und bezog das Bett neu. Sie hängte die Kleider, die aus dem Schrank gerissen worden waren, wieder auf, faltete die Wäsche und legte sie ordentlich zurück in die Kommode.

Es war schon nach drei, als sie endlich ins Bett kroch. Entgegen den Regeln, die sie aufgestellt hatte, klopfte sie einladend auf die Matratze, damit Henry sich neben ihr zusammenrollte.

Sie wollte das Licht ausschalten, hielt jedoch mitten in der Bewegung inne und ließ es brennen. Es mochte feige sein, und wahrscheinlich bot es nicht den Hauch von mehr Sicherheit, aber das war ihr egal.

Sie war versichert, sagte sie sich. Alles konnte ersetzt werden. Es waren nur Dinge – und schließlich lebte sie vom Kauf und Verkauf von Dingen.

Sie kuschelte sich unter die Decke und erwiderte den seelenvollen Blick des Hundes. »Nur Dinge, Henry. Dinge sind nicht wichtig.«

Seufzend schloss sie die Augen und war beinahe schon eingeschlafen, als ihr auf einmal Willy in den Sinn kam.

Sie wissen, wo du jetzt bist.

Keuchend setzte sie sich auf. Was bedeutete das? Wer war damit gemeint?

Willy tauchte eines Tages wie aus heiterem Himmel auf und starb vor ihrem Laden. Und dann brach man bei ihr ein und verwüstete ihr Haus. Als ob…

Langsam wanderte ihr Blick durchs Zimmer. Als ob jemand etwas suchen würde… Er suchte etwas und vertuschte die Suche mit einem Einbruch.

Es musste doch einen Zusammenhang geben. Das konnte gar nicht anders sein. Aber wer suchte nach was? Sie hatte doch nichts.

»Versteck den Köter«, murmelte sie und schlang die Arme um Henry. »Was zum Teufel bedeutet das? Und in was hat er mich da hineingeritten?«

4

Halb angezogen, das Haar noch feucht von der morgendlichen Dusche, öffnete Max auf das Klopfen an seiner Zimmertür, wobei er nur eines im Sinn hatte: Kaffee.

Mit der Enttäuschung konnte er umgehen. Ein Mann lernte, damit zu leben. Hatte er nicht auch allein geschlafen? Aber dass ein Polizist vor seiner Tür stand, war eine andere Sache. Das bedeutete, dass er sein Hirn ohne die Hilfe von Koffein anstrengen musste.

Da er sicher einen passablen Verdächtigen abgab, lächelte er freundlich und ein bisschen verwirrt. »Morgen. Das sieht nicht nach einer Hoteluniform aus, also bringen Sie mir wahrscheinlich nicht mein Frühstück.«

»Ich bin Chief Burger, Mr. Gannon. Kann ich kurz mit Ihnen sprechen?«

»Natürlich.« Max trat einen Schritt zurück und blickte sich im Zimmer um. Das Bett war noch nicht gemacht, und durch die offene Badezimmertür trieben Dampfschwaden von der Dusche durch den Raum.

Der Schreibtisch sah aus, wie der Hotelschreibtisch bei einem Geschäftsmann eben aussieht – Laptop, Aktenordner und CDs, sein Terminkalender und sein Handy. Das war in Ordnung. Wie üblich hatte er aus Vorsichtsgründen seine ganzen Aufzeichnungen und Notizen weggepackt.

»Ah…« Max wies vage auf den Sessel. »Nehmen Sie doch Platz.« Er trat an den Schrank, um sich ein Hemd herauszuholen. »Gibt es ein Problem?«

Vince setzte sich weder, noch lächelte er. »Sie kennen Laine Tavish?«

»Ja.« Eine ganze Alarmanlage schrillte in seinem Kopf, aber Max zog sich gleichmütig das Hemd über. »Aus dem Remember When. Ich habe gestern bei ihr ein Geschenk für meine Mutter gekauft.« Er ließ seine Stimme besorgt klingen. »Stimmt irgendetwas mit meiner Kreditkarte nicht?«

»Nicht dass ich wüsste. Gestern Abend ist bei Miss Tavish zu Hause eingebrochen worden.«

»Ist ihr etwas passiert? Ist sie verletzt?« Jetzt brauchte er seine Besorgnis nicht mehr vorzutäuschen. Er ließ die Hände sinken, ohne das Hemd zu Ende zuzuknöpfen. »Wo ist sie?«

»Sie war nicht zu Hause, als der Einbruch stattgefunden hat. Laut ihrer Aussage war sie mit Ihnen zusammen.«

»Wir haben zusammen zu Abend gegessen. Verdammt!« fluchte Max, als es an der Tür klopfte. Der Kaffee interessierte ihn jetzt nicht mehr. »Warten Sie mal.« Er öffnete die Tür und stand einer niedlichen kleinen Blondine mit dem Wagen des Room Service gegenüber.

»Guten Morgen, Mr. Gannon. Sind Sie bereit fürs Frühstück?«

»Ja, danke. Stellen Sie es einfach irgendwohin.«

Als sie den Wagen hereinrollte, erblickte sie Vince. »Oh, hi, Chief.«

»Sherry. Wie geht es dir?«

»Ach ... Sie wissen schon.« Sie rückte den Wagen zurecht und bemühte sich, den beiden Männern nicht zu neugierige Blicke zuzuwerfen. »Wenn Sie möchten, kann ich Ihnen auch eine Tasse Kaffee holen, Chief.«

»Nein, mach dir keine Umstände, Sherry. Ich habe zu Hause schon Kaffee getrunken.«

»Rufen Sie einfach unten an, wenn Sie Ihre Meinung ändern.« Sie zog die Warmhaltehaube von einem Teller, auf dem ein Omelett und gebratener Speck lagen. »Würden Sie bitte ...« Sie hielt Max die Ledermappe entgegen, damit er die Rechnung unterschreiben konnte. »Guten Appetit, Mr. Gannon.« Damit ging sie hinaus, warf aber an der Tür noch einen Blick zurück.

»Essen Sie nur«, forderte Vince ihn auf. »Die Eier werden ja sonst kalt. Das Omelett ist sehr gut hier.«

»Ein Einbruch also. Ist etwas gestohlen worden?«

»Sieht so aus. Warum waren Sie gestern Abend mit Miss Tavish zusammen?«

Max setzte sich und schenkte sich eine Tasse Kaffee ein. »Ich wollte sie kennen lernen. Ich habe sie gebeten, mit mir etwas trinken zu gehen, und sie willigte ein. Allerdings habe ich von vornherein gehofft, sie zum Abendessen überreden zu können, und da sie nach den Drinks – wir waren unten in der Bar – dazu bereit war, gingen wir ins Hotelrestaurant.«

»Verabreden Sie sich regelmäßig mit Frauen, wenn Sie für Ihre Mutter Geschenke kaufen?«

»Wenn es immer so hervorragend funktionieren würde, würde ich meiner Mutter viel häufiger Geschenke kaufen.« Max lugte Vince über den Rand der Kaffeetasse an. »Laine ist sehr attraktiv und sehr interessant. Ich wollte einfach mit ihr zusammen sein. Deshalb habe ich sie eingeladen. Es tut mir Leid, dass sie in Schwierigkeiten steckt.«

»Jemand ist in ihr Haus eingedrungen, während sie in der Stadt mit Ihnen zusammen war.«

»Ja, das habe ich schon kapiert.« Max beschloss, dass er ebenso gut etwas essen konnte, und spießte ein Stück Omelett auf seine Gabel. »Deshalb fragen Sie sich ja, ob ich herumlaufe und hübsche Frauen in Läden aufgabele, damit bei ihnen eingebrochen werden kann, während ich sie beim Abendessen bezirze. Das ist ziemlich weit hergeholt, Chief, zumal ich vor dem gestrigen Tag überhaupt nichts von Laines Existenz gewusst habe, ihr Haus nicht kenne und auch nicht weiß, ob sie irgendetwas besitzt, das sich zu stehlen lohnt. Da wäre es doch cleverer gewesen, in den Laden einzubrechen. Sie hat eine Menge schöner Sachen da.«

Vince sah Max beim Essen zu und schwieg. »Wenn Sie doch noch einen Kaffee möchten«, sagte Max schließlich, »dann können Sie eins von den Wassergläsern benutzen.«

»Nein, danke. Was tun Sie in Angel's Gap, Mr. Gannon?«

»Ich arbeite für die Reliance Versicherung und stelle hier Nachforschungen an.«

»Was für Nachforschungen?«

»Chief Burger, Sie können gerne Aaron Slaker, den Geschäftsführer von Reliance anrufen und nachprüfen, ob ich wirklich für das Unternehmen arbeite. Er sitzt in New York. Aber ich bin nicht bereit, Ihnen ohne Erlaubnis meines Klienten Einzelheiten über meine Arbeit mitzuteilen.«

»Das klingt mir aber gar nicht nach einem Versicherungsjob.«

»Es gibt viele Arten von Versicherungen.« Max schraubte ein kleines Glas mit Erdbeermarmelade auf und verteilte sie auf einem Toastdreieck.

»Können Sie sich ausweisen?«

»Na klar.« Max stand auf, trat zur Kommode und zog seinen Führerschein aus seiner Brieftasche. Er reichte ihn Vince und setzte sich wieder.

»Sie hören sich nicht so an, als kämen Sie aus New York City.«

»Man kann dem Kerl den Südstaatenakzent einfach nicht abgewöhnen.« Mittlerweile war er so gereizt, dass er die Laute übertrieben dehnte. »Ich stehle nicht, Chief. Ich wollte nur mit einer hübschen Frau zu Abend essen. Rufen Sie doch einfach Slaker an.«

Vince warf den Führerschein neben Max' Teller. »Das werde

ich tun.« Er wandte sich zur Tür und legte die Hand auf den Knopf. »Wie lange wollen Sie in der Stadt bleiben, Mr. Gannon?«

»Bis ich meine Arbeit erledigt habe.« Max aß noch einen Bissen Omelett. »Chief? Sie hatten Recht. Das Omelett ist ausgezeichnet hier.«

Als sich die Tür hinter Vince geschlossen hatte, blieb Max sitzen und aß weiter. Dabei dachte er nach. Da er ein Polizist war, würde Vince Nachforschungen über ihn anstellen. Und er würde herausfinden, dass er vier Jahre in der Armee gewesen war und eine Lizenz als Privatdetektiv hatte. Und da sie sich hier in einer Kleinstadt befanden, würde diese Erkenntnis über kurz oder lang auch Laine zu Ohren kommen.

Aber darüber würde er erst nachdenken, wenn es so weit war. In der Zwischenzeit war der Einbruch wichtiger. Der Zeitpunkt war zu gut gewählt, um zufällig sein zu können. Offensichtlich war er nicht der Einzige, der glaubte, dass die attraktive Miss Tavish etwas zu verbergen hatte.

Er musste nur als Erster herausfinden, was es war.

»Mach dir keine Sorgen«, beruhigte Jenny Laine. »Angie und ich kümmern uns hier um alles. Willst du nicht doch lieber den Laden für einen Tag schließen? Vince hat gesagt, dein Haus sieht chaotisch aus. Ich könnte dir beim Aufräumen helfen.«

Laine drückte den Hörer ans andere Ohr und ging ihren Terminplan für heute durch. Es war ihr nicht recht, dass die hochschwangere Jenny Stühle und Tische bei ihr rücken wollte. »Nein, danke. Mir wäre es am liebsten, wenn du und Angie euch um den Laden kümmert. Heute früh trifft eine ziemlich große Lieferung von einer Auktion in Baltimore ein.«

Verdammt, sie wäre lieber dabei und würde all die hübschen Dinge selber auspacken. Sie bewundern, sie eintragen und sie aufstellen. Ein großer Teil ihrer Freude an der Arbeit hatte etwas damit zu tun, neue Ware zu präsentieren – und dann freute sie sich, wenn die Sachen verkauft wurden.

»Du musst die neuen Sachen eintragen, Jen. Die Preise habe ich schon fest gelegt – die Unterlagen sind im Ordner. Da ist ein Clarice-Cliff-Lotoskrug mit Tulpendesign. Du kannst Mrs. Gunt anrufen und ihr Bescheid sagen, dass er jetzt da ist. Wir haben uns auf siebenhundert Dollar geeinigt, aber sie will bestimmt handeln. Sechshundertfünfundsiebzig ist die Grenze. Okay?«

»Verstanden.«

»Oh, und...«

»Laine, entspann dich. Ich bin nicht zum ersten Mal im Laden. Ich kümmere mich um alles hier. Wenn es irgendein Problem gibt, das ich nicht lösen kann, dann rufe ich dich an.«

»Ich weiß.« Geistesabwesend tätschelte Laine den Hund, der an ihrer Seite klebte. »Mir geht viel zu viel durch den Kopf.«

»Kein Wunder. Ich hasse den Gedanken, dass du alles allein aufräumen musst. Bist du sicher, dass ich dir nicht helfen soll? Ich könnte dir gegen Mittag etwas Fettes, Kalorienreiches vorbeibringen. Angie wird für eine Stunde alleine mit dem Laden fertig.«

Natürlich wurde Angie allein mit dem Laden fertig, überlegte Laine. Sie war gut und wurde zusehends besser. Aber Laine kannte sich. Sie würde wesentlich mehr schaffen, wenn sie sich alleine an die Arbeit machte – ohne Unterhaltung und Ablenkung.

»Ist schon okay. Wenn ich erst einmal angefangen habe, komme ich auch klar. Wahrscheinlich schaue ich am Nachmittag auf einen Sprung im Laden herein.«

»Leg dich lieber ein bisschen hin.«

»Vielleicht. Bis später dann.« Laine legte auf und steckte das kleine, tragbare Telefon in die Gesäßtasche ihrer ausgebeulten Jeans. Sie würde sicher ein halbes Dutzend Gründe finden, um tagsüber im Laden anzurufen. Da sollte sie zumindest ein Telefon dabeihaben.

Im Augenblick jedoch musste sie sich auf die Gegebenheiten zu Hause einstellen.

»Versteck den Köter«, murmelte sie. Da der einzige Köter, den sie hatte, Henry war, musste sie annehmen, dass Willy nicht mehr bei Sinnen gewesen war. Was immer er ihr hatte sagen oder geben wollen – es war nicht geschehen. Er hatte geglaubt, jemand sei hinter ihm her. Und wenn er sich nicht völlig geändert hatte – was höchst unwahrscheinlich war –, dann hatte er wahrscheinlich Recht gehabt.

Ein Polizist, ein Detektiv oder ein Komplize, der mit seinem Anteil nicht zufrieden war? Das war alles möglich, Letzteres jedoch war am wahrscheinlichsten, wenn sie sich den Zustand ihres Hauses ansah.

Also, wer nach ihm gesucht hatte, verfolgte nun sie.

Sie konnte mit Vince reden... aber worüber? Schließlich hatte sie sich hier ihre Existenz als Laine Tavish aufgebaut, eine nette, gewöhnliche Frau mit einem netten, gewöhnlichen Leben und netten, gewöhnlichen Eltern, die einen Barbecue-Grill in New Mexico betrieben.

Elaine O'Hara, die Tochter des charmanten, gerissenen Big Jack mit dem ellenlangen Vorstrafenregister, passte nicht in die hübsche, ländliche Umgebung von Angel's Gap. Niemand würde bei Elaine O'Hara eine Teekanne oder einen Intarsientisch kaufen.

Jack O'Haras Tochter konnte man nicht trauen.

Zum Teufel, sie traute ihr ja selbst nicht. Big Jacks Tochter trank mit fremden Männern in Bars und überwältigte besagte Männer mit leidenschaftlichen Küssen. Jacks Tochter nahm jede schlimme Gelegenheit wahr und trug die schlimmen Konsequenzen.

Laine Tavish jedoch lebte normal, handelte überlegt und war unauffällig.

Einen einzigen Abend lang hatte sie die O'Hara belebt – und was hatte es ihr eingebracht? Ein aufregendes Intermezzo, ja klar – und danach nichts als Ärger.

»Da zeigt sich's wieder mal«, murmelte sie Henry zu, der zustimmend mit dem Schwanz klopfte.

Es war an der Zeit, alles wieder in Ordnung zu bringen. Sie würde das, was sie erreicht hatte, was sie noch erreichen wollte, doch nicht aufgeben, nur weil ein kleiner, zweitklassiger Dieb glaubte, sie hätte etwas mit Onkel Willys letztem Bruch zu tun.

Zweitklassig muss er wohl wirklich sein, dachte sie, während sie die Füllung der hübschen Seidenkissen aufsammelte, die auf der George-II.-Liege gelegen hatten. Onkel Willy hatte noch nie in der ersten Liga mitgemischt. Das hatte selbst Big Jack trotz all seiner Prahlerei und seiner Träume nie geschafft.

Sie hatten ihr Haus verwüstet, nichts gefunden und stattdessen Dinge gestohlen, die sie leicht zu Geld machen konnten.

Und natürlich hatten sie wahrscheinlich überall Fingerabdrücke hinterlassen. Sie verdrehte die Augen, setzte sich auf den Fußboden und begann, die überall verstreuten Papiere einzusammeln. Wenn Onkel Willy ein Ding gedreht hatte, waren seine Komplizen nie so besonders helle gewesen. Wahrscheinlich hatten die, die bei ihr eingebrochen waren, ein Vorstrafenregister. Vince würde ihnen rasch auf die Spur kommen, und es lag durchaus im Bereich des Möglichen, dass er sie fasste.

Ebenso wahrscheinlich war, dass sie dann dumm genug waren, der Polizei zu erzählen, warum sie eingebrochen waren. Und wenn das der Fall war, musste sie leugnen, dass sich die Balken bogen.

Sie würde ihre Rolle durchhalten und lügen, was das Zeug hielt. Es war zu ihrer zweiten Natur geworden, die Rollen zu spielen, die das Leben ihr abverlangte. Das hatte sie von ihrem Vater geerbt.

Der Gedanke deprimierte sie, also schob sie ihn energisch beiseite und ordnete ihre Unterlagen wieder ein. Sie war so in ihre Arbeit vertieft, dass sie zusammenzuckte, als es an der Haustür klopfte.

Henry erwachte aus seinem vormittäglichen Schläfchen und begann, tief und bedrohlich zu bellen, drückte sich jedoch dabei eng an Laine, als sie zur Tür ging, um sie zu öffnen.

»Mein großer, tapferer Held.« Sie streichelte ihn. »Wahrscheinlich ist es nur der Glaser. Du darfst ihn nicht fressen, okay?«

Anbetend schaute Henry sie an, während er neben ihr her trottete und sicherheitshalber grollende Geräusche von sich gab.

Auch Laine hatte nach dem Einbruch so viel Angst, dass sie zuerst aus dem Fenster blickte, bevor sie die Tür aufschloss. Ihre Haut prickelte, als sie Max sah.

Angewidert sah sie an sich herunter. Sie trug ihre ältesten Jeans, ein uraltes graues Sweatshirt und war barfuß. Ihre Haare hatte sie heute früh einfach zusammengebunden, und sie hatte sich gar nicht erst die Mühe gemacht, sich zu schminken.

»So wollte ich eigentlich dem Mann nicht gegenüberstehen, mit dem ich mich bei der ersten vernünftigen Gelegenheit nackt auf dem Bett wälzen wollte«, sagte sie zu Henry. »Aber was will man machen?«

Sie riss die Tür auf und zwang sich zu einer lässigen Begrüßung. »Max! Das ist ja eine Überraschung. Wie hast du mich denn gefunden?«

»Ich habe mich durchgefragt. Bist du okay? Ich habe von dem…« Er brach ab und blickte auf ihre Knie. »Henry? Na, das ist ja wohl der freundlichste Hund, den ich je gesehen habe.« Breit grinsend hockte er sich hin.

»Hey, Junge, wie geht's?«

Nach Laines Erfahrung schüchterte der Hund die meisten Leute erst einmal ein. Er war groß und hässlich, und wenn er tief in der Kehle knurrte, hörte er sich gefährlich an. Aber Max streckte bereits die Hand aus und ließ sich beschnuppern. »Du machst aber ein böses Gesicht, Henry.«

Offensichtlich zwischen Entsetzen und Entzücken hin- und hergerissen, schob Max vorsichtig seine Schnauze vor und schnüffelte. Sein Schwanz schlug gegen Laines Kniekehlen, und dann warf er sich auf den Rücken und präsentierte seinen Bauch zum Streicheln.

»Er hat eben keinen Stolz«, bemerkte Laine.

»Das braucht er ja auch nicht.« Max avancierte sofort zur neuesten Liebe in Henrys Leben, indem er ihm den weichen Bauch kraulte. »Es gibt doch nichts Schöneres als einen Hund, oder?«

Zuerst war es reine Lust gewesen, dachte sie. Dann Interesse und Attraktion. Und sie hatte sich darauf vorbereitet, all diese Impulse beiseite zu schieben und vernünftig zu sein. Aber als sie ihn jetzt mit ihrem Hund sah, wurde ihr das Herz warm und Zuneigung stieg in ihr auf. Wenn man das mit Lust und Anziehung addierte, dann war jede Frau, selbst eine vernünftige, rettungslos verloren. »Nein, da hast du Recht.«

»Ich hatte früher immer einen Hund. In New York kann ich mir allerdings keinen halten, dazu reise ich zu viel.« Seine Hand – mit langen Fingern, einer breiten Handfläche und Laines Meinung nach perfekt – glitt zu Henrys Hals und versetzte den Hund in Ekstase.

Auch Laine stöhnte beinahe.

»Das ist für mich der Nachteil am Leben in der Stadt«, fügte Max hinzu. »Wie sind sie an ihm vorbeigekommen?«

»Wie bitte?«

Zum Abschluss gab er Henry noch einen leichten Klaps, dann richtete er sich auf. »Ich habe von dem Einbruch gehört. Ein großer Hund wie Henry hätte den Einbrechern eigentlich Probleme bereiten müssen.«

»Leider nicht. Zum einen war er im Vorraum eingesperrt, wie üblich, wenn ich nicht da bin. Und zum zweiten, nun ja...« Sie blickte zu Henry, der Max sklavisch ergeben die Hand leckte. »Er hat nicht gerade das Herz eines Kriegers.«

»Und dir geht's gut?«

»So gut es einem eben am nächsten Morgen geht, wenn man am Abend zuvor nach Hause gekommen ist und festgestellt hat, dass jemand dein Haus verwüstet und deinen Besitz gestohlen hat.«

»Du lebst hier ziemlich abgeschieden. Wahrscheinlich hat niemand etwas gesehen.«

»Nein, vermutlich nicht. Vince, der Polizeichef, wird dem nachgehen, aber mein Haus ist das Einzige hier hinten in der Straße.«

»Ja, den Chief habe ich kennen gelernt. Das ist auch ein Grund, aus dem ich hergekommen bin. Du sollst nicht glauben, dass ich dich zum Abendessen eingeladen habe, um den Weg für die Einbrecher frei zu machen.«

»Nein, natürlich nicht. Warum sollte ich...« Sie brach ab. »Vince. Ich hoffe, er ist dir nicht zu sehr auf die Pelle gerückt.«

»Das ist sein Job. Und jetzt habe ich dir auch noch denselben Verdacht in den Kopf gesetzt.«

»Nein, nein...« Aber Gedanken machte sie sich jetzt doch darüber. »Nein, eigentlich nicht. Es war einfach eine seltsame Woche. Ich glaube, seit ich hierhin gezogen bin, hatte ich höchstens zweimal mit Vince in beruflicher Hinsicht zu tun. Und jetzt schon zweimal innerhalb von wenigen Tagen. Er hat dich wohl heute früh im Hotel überrascht. Es tut mir Leid.«

»Das war doch nur Routine. Aber für dich muss es schrecklich gewesen sein, die Haustüre aufzuschließen, um dann festzustellen, dass eingebrochen worden ist.« Er strich ihr über die Wange. »Ich habe mir Sorgen um dich gemacht.«

Ihr wurde noch ein wenig wärmer ums Herz. Sie sagte sich, dass Willy Young und Max Gannon nichts miteinander zu tun hatten. Sie würde es spüren, wenn Max einer von diesen Leuten wäre.

»Mir geht es gut. Jenny und Angie sind heute im Laden, während ich das Haus wieder in Ordnung bringe.« Sie wies auf das Wohnzimmer. »Ich habe noch nicht mal richtig angefangen. Was für ein Glück, dass ich so gerne einkaufe, denn das wird nötig sein.«

Er warf einen Blick in den Raum. Oberflächlich betrachtet sah es so aus, als hätten die Einbrecher wie Vandalen gehaust. Aber für Max war ganz offensichtlich, dass sie in aller Eile nach etwas gesucht hatten. Und wenn sie gefunden hätten, was sie suchten, würde Laine wohl kaum so ruhig aufräumen und übers Einkaufen reden.

So cool konnte niemand sein.

Er stellte sich vor, wie sie nach Hause gekommen war – allein, im Dunkeln. Kein Wunder, dass sie Schatten unter den Augen hatte und so blass war wie eine Frau, die eine schlaflose Nacht hinter sich hatte.

»Sie haben dir ganz schön was angetan«, murmelte er.

»In Gap passiert so etwas normalerweise nicht. Als ich in Philadelphia gewohnt habe, habe ich mit einer Frau zusammengearbeitet, bei der eingebrochen worden ist. Die Einbrecher haben ihr die ganze Wohnung leer geräumt und Obszönitäten an die Wände gesprayt.«

Er musterte sie. »Also hätte es schlimmer sein können.«

»Es kann immer schlimmer sein. Hör mal, die Küche habe ich schon aufgeräumt und auch rasch das Nötigste eingekauft. Kaffee ist also da. Möchtest du einen?«

»Ja, gern.« Er trat zu ihr. Sie sah so … frisch aus. Die zurückgebundenen hellen Haare betonten ihr hübsches Gesicht, und ihre Augen wirkten durch die Schatten darunter noch blauer als sonst. Sie roch nach Seife – einfach nur Seife.

»Laine, ich möchte nicht aufdringlich sein, aber … lass mich dir helfen.«

»Bei was?«

Er hatte es aufrichtig gemeint und sein Angebot ohne Hintergedanken gemacht. Er wollte ihr einfach nur helfen. »Als Erstes könnte ich dir zum Beispiel dabei helfen, dein Haus wieder in Ordnung zu bringen.«

»Das brauchst du nicht. Du musst doch sicher arbeiten…«

»Bitte.« Er schnitt ihr einfach das Wort ab, indem er ihre Hand ergriff. »Ich habe Zeit, und wenn ich dich jetzt allein ließe, würde ich mir sowieso nur Sorgen machen und nichts geschafft kriegen.«

»Das ist schrecklich lieb.« Sie wusste, sie war verloren. »Wirklich richtig lieb von dir.«

»Und da ist noch etwas.« Er trat auf sie zu, und sie wich gegen die Wand zurück. Sie küssten sich langsam und zärtlich, fast verträumt. Laine wurden die Knie weich. Schließlich hob er den Kopf. »Wenn ich das jetzt nicht getan hätte, hätte ich die ganze Zeit daran gedacht. Also war es wohl besser, das erst einmal aus der Welt zu schaffen, bevor wir uns an die Arbeit machen.«

»Gut.« Sie fuhr sich mit der Zunge über die Unterlippe. »Fertig?«

»Bei weitem nicht.«

»Das ist auch gut. Ich mache uns jetzt erst mal einen Kaffee«, beschloss sie. Sonst würden sie sich am Ende noch auf dem Fußboden wälzen, statt das Zimmer aufzuräumen.

Sie ging in die Küche, und der Hund tanzte fröhlich neben ihr her. Im Moment half es ihr, sich beschäftigen zu können. Sie mahlte Kaffeebohnen und gab das Pulver in ihre französische Presskanne. Er hatte sie völlig in Aufruhr versetzt. Momentan lehnte er entspannt an der Küchentheke und beobachtete sie aufmerksam. Am liebsten hätte sie sich wie eine Katze an ihm gerieben, damit er sie streichelte.

»Ich muss dir etwas sagen.«

»Okay.«

Sie nahm zwei Becher, die die Zerstörung überstanden hatten, vom Regal. »Normalerweise mache ich nicht… warte, ich muss mir erst überlegen, wie ich das formuliere, ohne dass es unglaublich dumm und gewöhnlich klingt.«

»Ich kann mir gar nicht vorstellen, dass du jemals so klingen könntest.«

»Junge, du drückst wirklich die richtigen Knöpfe. Na gut.« Sie drehte sich zu ihm. »Normalerweise verabrede ich mich nicht mit Männern, die ich gerade erst kennen gelernt habe. Und schon gar nicht mit Kunden. Du bist tatsächlich der Erste.«

»Ich war schon immer gerne Erster.«

»Wer nicht? Und ich bin zwar gern mit Männern zusammen, aber normalerweise schlinge ich mich nicht nach dem Abendessen um sie wie Sumach um eine Eiche.«

Er war sicher, dass er sich an diesen Augenblick noch lange erinnern würde. Wahrscheinlich würde er ihn noch auf seinem Totenbett als Höhepunkt seines Lebens empfinden. »Also bin ich in dieser Hinsicht auch der Erste?«

»Ja.«

»Hervorragend.«

»Möchtest du Milch, Zucker?«

»Einfach nur schwarz.«

»Okay, also, jetzt kommt die schwerste und festeste Regel – ich ziehe auch nicht in Betracht, mit einem Mann zu schlafen, den ich erst seit vierundzwanzig Stunden kenne – mehr oder weniger.«

Er kraulte Henry zwischen den Ohren, sah sie dabei jedoch unverwandt an. »Du weißt, was man über Regeln sagt.«

»Ja, und ich stimme auch damit überein, aber ich breche sie deswegen trotzdem nicht leichtfertig. Ich glaube fest an die Notwendigkeit von Strukturen, Max, an Regeln und Grundsätze. Deshalb macht es mich auch nervös, dass ich dabei bin, eine Grenze zu überschreiten. Es wäre klüger, sicherer und vernünftiger, wenn wir uns ein wenig zurückhielten, bis wir einander besser kennen, um der Sache eine Chance zu geben, sich in einem rationaleren Tempo zu entwickeln.«

»Klüger«, stimmte er zu. »Sicherer. Vernünftiger.«

»Du hast ja keine Ahnung, was es mich gekostet hat, nach diesen drei Kriterien zu leben.« Leise lachend schenkte sie ihm Kaffee ein. »Allerdings gibt es nun das Problem, dass ich mich noch nie von jemandem so angezogen gefühlt habe wie von dir.«

»Vielleicht gehe ich ein wenig lockerer mit Regeln und Grundsätzen um und mache mir nicht so viele Gedanken darüber, mich in bestimmten Bereichen vernünftig zu benehmen.« Er nahm den

Becher entgegen und stellte ihn auf die Theke. »Aber ich weiß, dass ich noch nie eine Frau so begehrt habe wie dich.«

»Das ist nicht gerade hilfreich.« Sie ergriff ihren Kaffeebecher und trat einen Schritt zurück. »Ich brauche Ordnung. Lass mich erst mal wieder mein Haus herrichten. Dann werden wir sehen, wo alles hinläuft.«

»Dem kann ich kaum widersprechen. Wir teilen uns die Haushaltspflichten und lernen uns dabei besser kennen.«

»Ja, das ist eine Methode.« Er würde sie bestimmt ablenken, viel mehr als Jenny und ein Big Mac zum Mittagessen.

Aber was war schon dabei?

»Da du Muskeln hast, sollten wir mit dem Wohnzimmer anfangen. Das Sofa ist ziemlich schwer.«

Im Remember When herrschte lebhafter Betrieb. Die Nachricht vom Einbruch hatte sich rasch verbreitet, und der Laden war voller Neugieriger, die mehr erfahren wollten. Als um eins die Lieferung eingetragen, ausgezeichnet und aufgestellt war, zahlreiche Verkäufe getätigt und reichlich Klatsch ausgetauscht worden war, drückte Jenny stöhnend die Hand gegen ihr schmerzendes Kreuz.

»Ich gehe jetzt etwas essen – am besten zu Hause, wo ich für eine Stunde die Füße hochlegen kann. Kommst du allein zurecht?«

»Na klar.« Angie hielt einen Müsliriegel und eine Flasche Milch – fettarm – hoch. »Ich habe mein Mittagessen dabei.«

»Du glaubst gar nicht, wie traurig mich das macht, wenn du das als Mittagessen bezeichnest, Ange.«

»Ich habe heute früh fünfundfünfzig Kilo gewogen.«

»Miststück.«

Angie lachte. Jenny holte ihre Tasche hinter der Theke hervor und nahm ihre Jacke vom Haken. »Ich werde die Reste der Pasta Primavera essen und mir als Nachtisch einen Brownie genehmigen.«

»Wer ist hier das Miststück?« Angie tätschelte Jennys Bauch, wobei sie wie jedes Mal hoffte, dass sich das Baby bewegen würde. »Wie geht's da drinnen so?«

»Nachtaktiv.« Jenny steckte sich eine lose Haarklammer fest

und fragte sich zum wiederholten Mal, ob sie sich nicht die Haare abschneiden lassen sollte, bevor das Baby kam. »Dieses Kind wacht jeden Abend um elf auf und beginnt mit seinem Stepptanz. Und es hält stundenlang durch.«

»Du liebst es.«

»Ja, das stimmt.« Lächelnd schlüpfte Jenny in die Jacke. »Jede einzelne Minute. Das ist die beste Zeit meines Lebens. Ich bin in einer Stunde wieder zurück.«

»Okay. Hey, soll ich Laine anrufen? Einfach mal nach ihr hören?«

»Mache ich von zu Hause aus«, rief Jenny über die Schulter, während sie zur Tür ging. Bevor sie sie jedoch erreichte, ging sie auf. Das Paar kam ihr bekannt vor, und sie durchforstete ihr Gedächtnis nach den Namen. »Schön, Sie zu sehen. Dale und Melissa, nicht wahr?«

»Sie haben ein gutes Gedächtnis.« Die Frau in den Dreißigern, studiogetrimmt und elegant gekleidet, lächelte sie an.

»Und wie ich mich erinnere, waren sie an dem Rosenholzschrank interessiert.«

»Schon wieder richtig. Da steht er ja noch.« Noch während sie das sagte, lief die Frau auf den Schrank zu und fuhr mit der Hand über die Schnitzerei an der Tür. »Er ruft ständig meinen Namen.«

»Er ist wunderschön.« Angie trat hinter der Theke vor. »Eines meiner Lieblingsstücke.« In Wahrheit bevorzugte sie zwar moderne, schlichte Möbel, aber sie verstand etwas vom Geschäft. »Wir haben heute gerade einen tollen viktorianischen Davenport, ebenfalls aus Rosenholz, hereinbekommen. Ich glaube, die beiden sind füreinander wie geschaffen.«

»Oh-oh.« Lachend drückte Melissa den Arm ihres Mannes. »Ich sollte ihn mir zumindest einmal anschauen.«

»Ich zeige ihn Ihnen.«

»Ich wollte gerade gehen, wenn Sie mich nicht brauchen…«

»Nein, geh nur.« Angie wedelte Jenny hinaus. »Ist er nicht schön?«, sagte sie zu Melissa, die mit den Fingerspitzen über die glänzende Schreibplatte fuhr. »Er ist in einem hervorragenden Zustand. Laine hat ein Auge dafür. Sie hat ihn vor ein paar Wochen in Baltimore gefunden. Er ist erst heute früh geliefert worden.«

»Er ist wunderschön.« Melissa begann, die Schubladen herauszuziehen und wieder hineinzuschieben. »Wirklich wunderschön. Ich dachte, ein Davenport sei eine Art Couch.«

»Ja, aber man nennt auch diesen kleinen Sekretär so. Sie dürfen mich allerdings nicht fragen, warum. Das ist Laines Ressort.«

»Ich finde ihn hinreißend, egal, wie man ihn nennt. Dale?«

Er schaute auf den Preis und warf ihr einen Blick zu. »Ich muss noch darüber nachdenken, ob wir sie beide kaufen sollten, Melissa. Es ist ein ordentlicher Batzen Geld.«

»Vielleicht können wir ja ein bisschen handeln.«

»Darüber lässt sich reden«, erklärte Angie.

»Lassen Sie mich noch einmal einen Blick auf den Schrank werfen.« Melissa trat an das Möbelstück und öffnete die Türen.

Da Angie wusste, dass man Interessenten nicht bedrängen durfte, hielt sie sich im Hintergrund, während Dale und seine Frau sich flüsternd miteinander berieten.

Sie öffneten und schlossen die Türen und zogen die Schubladen heraus.

»Bekommen wir das, was drin ist, auch?«, rief Dale auf einmal. »Wie bitte?«

»Die Schachtel hier.« Er zog ein Päckchen heraus und schüttelte es. »Ist das so etwas wie die Draufgabe in einer Cornflakes-Schachtel?«

»Nein, bestimmt nicht.« Lachend nahm Angie ihm die Packung ab. »Wir hatten heute früh eine große Lieferung, und es waren zahlreiche Kunden im Laden. Wahrscheinlich ist Jenny abgelenkt worden und hat das Päckchen einfach hier hineingelegt.«

Oder war sie es gewesen? Ein oder zwei Stunden lang war der Teufel los gewesen. Auf jeden Fall war es ein glücklicher Zufall, dass die beiden die Schublade geöffnet hatten, bevor das Fehlen der Ware aufgefallen wäre.

»Wir wollen uns noch ein wenig darüber unterhalten«, teilte Melissa ihr mit.

»Lassen Sie sich ruhig Zeit.« Angie trat hinter die Theke, öffnete das Paket und musterte den albernen Porzellanhund. Niedlich, dachte sie, aber sie verstand nicht, wie man für Tierfiguren Geld ausgeben konnte.

Weiche Plüschtiere waren doch viel netter. Aber wahrscheinlich war der Hund aus Doulton- oder Derby-Porzellan, irgendwas, was Laine ihr noch nicht beigebracht hatte.

An den Gesprächsfetzen, die sie aufschnappte, merkte sie, dass Melissa erfolgreich dabei war, den Widerstand ihres Mannes zu brechen. Damit sie sich ungestörter fühlten, trat Angie zu einem Regal, in dem andere Porzellanfiguren standen, damit sie den Hund einer Zeit und einem Typ zuordnen konnte.

Es war für sie wie ein Spiel. Natürlich würde sie ihn im Ordner finden, aber das wäre zu leicht. Die Antiquitäten im Laden zu identifizieren, war für sie so, als schätzte sie die Typen ab, die in die Bar kamen. Wenn man sich damit beschäftigte, bekam man ein sicheres Auge dafür, wer wer und was was war.

»Miss?«

»Angie.« Lächelnd drehte sie sich zu dem Paar um.

»Wenn wir beide nähmen, was für einen Preis könnten Sie uns dann machen?«

»Nun…« Entzückt von der Aussicht, Jenny von einem Doppelverkauf berichten zu können, stellte sie den Porzellanhund ab und trat zu den Kunden, um mit ihnen zu verhandeln.

Und in der Aufregung über den Verkaufsabschluss und das Geld, das sie einnahm, vergaß sie den kleinen Hund völlig.

5

In den nächsten Stunden erfuhr Max eine ganze Menge über Laine. Sie war organisiert, praktisch und präzise. Und geradliniger, als er es von jemandem mit ihrem Hintergrund erwartet hätte. Sie sah sich eine Aufgabe an und führte sie dann von Anfang bis Ende durch. Ohne Ablenkungen und Umwege.

Und sie hatte einen Nestbautrieb. Seine Mutter hatte die gleiche Neigung und liebte es, ihr Heim mit hübschen kleinen – wie sein Vater ständig klagte – Kitschsachen zu bestücken. Und wie seine Mutter, wusste auch Laine ganz genau, an welchem Platz alles zu stehen hatte.

Im Gegensatz zu seiner Mutter hatte Laine jedoch nicht diese sentimentale, fast intime Bindung an die Dinge, wie Marlene Gannon sie aufwies. Er hatte einmal erlebt, wie seine Mutter eimerweise Tränen wegen einer zerbrochenen Vase vergossen hatte, und als Junge hatte er ihren Zorn zu spüren bekommen, als bei einer Rangelei mit seinem Bruder eine alte, dekorative Schale zu Bruch gegangen war. Luke war genauso daran schuld gewesen – wahrscheinlich sogar mehr als er. Aber er hatte mal wieder alles abbekommen.

Laine hingegen fegte die Scherben und zerbrochenen Teile zusammen und kippte sie ohne erkennbare Gemütsbewegung in den Mülleimer. Sie konzentrierte sich darauf, die Ordnung wiederherzustellen, und das nötigte ihm Achtung ab.

Es war ihm zwar ein Rätsel, wie gerade die Tochter eines Kleinkriminellen so häuslich sein konnte, aber die Tatsache, dass Rätsel sein Job waren, machte sie nur noch interessanter.

Es gefiel ihm in ihrem Nest, in ihrer Gesellschaft. Das Prickeln zwischen ihnen würde zwar alles nur komplizieren, aber es fiel ihm schwer, es nicht zu genießen.

Er mochte ihre Stimme – die Tatsache, dass sie rau und weich zugleich war. Es gefiel ihm, dass sie in einem Sweatshirt sexy aussah. Und er mochte ihre Sommersprossen.

Er bewunderte ihre Tatkraft angesichts eines Ereignisses, das die meisten Menschen umgeworfen hätte. Und er bewunderte und schätzte ihre Reaktion auf das, was sich zwischen ihnen beiden anbahnte.

Unter anderen Umständen hätte er sich kopfüber auf eine Beziehung mit ihr eingelassen, alle Warnungen in den Wind geschlagen und alle Klischees beiseite geschoben. Selbst unter den gegebenen Umständen war er versucht, den Sprung zu wagen – allerdings wusste er nicht so recht, ob das nun positiv oder negativ war.

Aber ganz gleich, ob es ihm nun nützte oder hinderlich war, er musste jetzt das Spiel wieder aufnehmen.

»Es ist eine Menge kaputtgegangen«, sagte er.

»Ich kann mir ja wieder neue Sachen kaufen.« Aber es tat ihr doch weh, als sie den großen Riss in der Porzellanschale sah, die auf der Anrichte im Esszimmer gestanden hatte. »Ich habe mich für den Laden entschieden, weil ich gerne sammle – alle möglichen Sachen. Aber dann merkte ich, dass ich sie gar nicht zu besitzen brauche, sondern sie nur um mich haben muss, damit ich sie sehen und berühren kann.«

Sie fuhr mit dem Finger über die beschädigte Schale. »Zu kaufen und zu verkaufen und zuzuschauen, wie interessante Dinge an interessante Menschen gehen, macht mir genauso viel Freude, vielleicht in gewisser Weise sogar noch mehr.«

»Kaufen denn manchmal auch langweilige Menschen interessante Stücke?«

Sie lachte. »Ja, das kommt auch vor. Deshalb ist es so wichtig, dass man nicht zu sehr an den Dingen hängt, die man verkaufen will. Und ich liebe es zu verkaufen.«

»Woher weißt du überhaupt, was du kaufen willst?«

»Manches ist Instinkt, manches Erfahrung. Aber oft spiele ich auch nur.«

»Spielst du gerne?«

Sie musterte ihn von oben bis unten. »Sieht so aus.«

O ja, dachte er, er hing am Haken. »Würdest du hier alles stehen und liegen lassen und mit mir nach Vegas fliegen?«

Sie zog die Augenbrauen hoch. »Und wenn ich jetzt ja sagen würde?«

»Dann würde ich den Flug buchen.«

»Weißt du was«, erwiderte sie, nachdem sie einen Moment lang überlegt hatte, »das glaube ich dir sogar. Und es gefällt mir.« Die O'Hara in ihr war bereits auf dem Weg zum Flughafen. »Aber leider kann ich dich nicht begleiten.« Die Tavish kam wieder zum Vorschein. »Wie wäre es mit später?«

»Gut. Ohne zeitliche Begrenzung.« Er betrachtete ein paar Stücke, die den Einbruch heil überstanden hatten. Kerzenleuchter, eine riesige Keramikschüssel, eine lange flache Schale. Sie würde sie bestimmt wieder genau auf dieselbe Stelle stellen, auf der sie vorher gestanden hatten. Darin lag Trost. Und Trotz.

»Wenn ich mich hier so umschaue, dann kommt mir das nicht wie ein einfacher Einbruch vor, wenn man in diesem Zusammenhang überhaupt von einfach sprechen kann. Aber da ist nicht einfach jemand nur eingebrochen und abgehauen. Es wirkt irgendwie persönlicher.«

»Na, du tust ja alles, um mich aufzumuntern.«

»Entschuldigung, ich habe nicht nachgedacht. Eigentlich wirkst du nicht besonders verängstigt.«

»Ich habe letzte Nacht das Licht angelassen«, gestand sie. »Als ob das was retten würde. Aber es bringt ja nichts, Angst zu haben, das ändert ja nichts.«

»Eine Alarmanlage wäre nicht schlecht. Irgendeine High-Tech-Geschichte statt der Hundeversion«, sagte er und blickte auf Henry, der schnarchend unter dem Tisch lag.

»Nein. Darüber habe ich ungefähr fünf Minuten lang nachgedacht. Mit einer Alarmanlage würde ich mich nicht sicherer fühlen, sondern eher so, als müsste ich mir Sorgen machen. Ich werde mir in meinem eigenen Haus keine Angst einjagen lassen.«

»Gestatte mir noch eine Frage. Glaubst du, das war jemand, den du kennst? Hast du Feinde?«

»Nein«, erwiderte sie achselzuckend, während sie die Stühle wieder an den Tisch stellte. Im Kopf jedoch hörte sie Willys Worte: *Er weiß, wo du bist.*

Wer wusste es?

Daddy?

»Jetzt machst du dir Sorgen.« Er fasste ihr mit dem Finger unter das Kinn und hob es an. »Das sehe ich doch.«

»Nein, ich mache mir keine Sorgen. Ich bin höchstens etwas beunruhigt bei der Vorstellung, dass ich Feinde haben könnte. Ganz gewöhnliche Ladenbesitzer in Kleinstädten in Maryland sollten keine Feinde haben.«

Mit dem Daumen fuhr er ihr zart am Kinn entlang. »Du bist nicht gewöhnlich.«

Sie wehrte sich nicht, als er sie küsste. Er hatte ja keine Ahnung, dachte sie, wie hart sie fast die Hälfte ihres Lebens daran gearbeitet hatte, gewöhnlich zu *sein*.

Seine Hände glitten gerade über ihre Hüften, als das Telefon klingelte. »Hörst du auch Glocken?«, murmelte er.

Lachend entwand sie sich ihm und zog das Telefon aus ihrer Hosentasche. »Hallo? Hi, Angie.« Während sie zuhörte, verschob sie die Kanne einen halben Zentimeter auf der Anrichte. »*Beides*? Das ist ja wundervoll. Was hast du – oh-oh. Nein, das hast du richtig gemacht. Es heißt Davenport, weil irgendwann im 19. Jahrhundert ein kleiner Schreibtisch für einen Captain Davenport gebaut wurde. Der Name ist vermutlich hängen geblieben. Ja, mir geht es gut. Wirklich. Ja, das heitert mich echt auf. Danke, Angie. Wir reden dann später noch einmal.«

»Ich dachte, ein Davenport sei eine Couch«, sagte Max, als sie das Telefon wieder in die Hosentasche steckte.

»Das stimmt auch, es ist ein kleines Sofa, das man in ein Bett verwandeln kann. Aber es ist auch ein kleiner kastenförmiger Schreibtisch, dessen oberer Bereich verschoben oder gedreht werden kann, damit man Kniefreiheit hat.«

»Hm, was du mir alles beibringst.«

»Ja, ich könnte dir eine Menge beibringen.« Entzückt über das Spiel ließ sie ihre Finger über seinen Brustkorb wandern. »Soll ich dir den Unterschied zwischen einem Canterbury und einer Kommode erklären?«

»Ich kann es kaum erwarten.«

Sie nahm seine Hand und zog ihn zu ihrer kleinen Bibliothek, wo sie ihm einen kurzen Vortrag über Antiquitäten halten konnte, während sie gemeinsam das Zimmer aufräumten.

Als der große, distinguierte Gentleman mit dem eisengrauen, gestutzten Schnurrbart das Remember When betrat, überlegte Jenny gerade, was sie zum Abendessen kochen könnte. Da sie anscheinend ständig hungrig war, fand sie das Nachdenken über Essen genauso befriedigend wie das Essen selber.

Nach Angies großem Geschäft war das Tempo gemächlicher geworden. Es kamen ein paar Kunden zum Stöbern, und Mrs. Gunt war auf einen Sprung vorbeigekommen, um sich die Lotuskanne anzuschauen und sie mitzunehmen. Seit einer Stunde jedoch war es ruhig im Laden. Deshalb hatte sie Angie früher freigegeben.

Jenny blickte erfreut auf, als die Türglocke läutete. Ein Kunde würde sie zumindest zeitweise von Schweinekoteletts und Kartoffelpüree ablenken.

»Guten Tag. Kann ich Ihnen helfen?«

»Ich glaube, ich schaue mich ein wenig um, wenn es Ihnen nichts ausmacht. Was für ein interessanter Laden. Gehört er Ihnen?«

»Nein. Die Besitzerin ist heute nicht da. Schauen Sie sich ruhig um. Wenn Sie Fragen haben oder Hilfe brauchen, wenden Sie sich an mich.«

»Ja, danke.«

Sein Anzug hatte fast die gleiche Farbe wie sein Schnurrbart und seine dichten, gut geschnittenen Haare. Der Anzug und die dezenten Streifen der Krawatte sahen nach Geld aus, und der Stimme nach zu urteilen musste er aus dem Norden sein.

Ihr Instinkt sagte ihr, dass er nichts gegen eine kleine Unterhaltung einzuwenden hatte, während er sich umsah. »Sind Sie zu Besuch in Angel's Gap?«

»Ich bin geschäftlich in der Gegend.« Er lächelte, was die Grübchen in seinen Wangen verstärkte. Seine Augen waren von einem warmen Blau, was ihn fast ein wenig sexy machte. »Es ist eine freundliche Stadt.«

»Ja, das ist wahr.«

»Und landschaftlich so schön gelegen. Das ist bestimmt gut fürs Geschäft. Ich habe selber einen Laden.« Er beugte sich über den Schaukasten mit dem Schmuck. »Ein Juweliergeschäft«, fuhr er fort und tippte gegen das Glas. »An- und Verkauf. Sehr hübsche Stücke hier – wirklich unerwartet in einer so ländlichen Umgebung.«

»Danke. Laine sucht ihre Ware sehr sorgfältig aus.«

»Laine?«

»Laine Tavish, die Besitzerin.«

»Es kommt mir so vor, als hätte ich den Namen schon einmal gehört. Wahrscheinlich bin ich ihr auf einer Auktion begegnet. Die Branche ist relativ klein.«

»Ja, das ist gut möglich. Wenn Sie noch eine Weile in der Stadt bleiben, könnten Sie noch einmal vorbeischauen. Für gewöhnlich ist sie hier.«

»Ja, das tue ich bestimmt. Sagen Sie, verkaufen Sie auch lose Steine?«

»Steine?«

Jenny musterte ihn verständnislos. »Ich kaufe oft Steine – Edelsteine –, um zum Beispiel verloren gegangene Steine bei antikem Schmuck zu ersetzen oder um für einen Klienten ein Duplikat eines Erbstücks zu fertigen«, erwiderte er.

»O nein, das machen wir nicht. Schmuck ist nur ein kleiner Bestandteil unseres Sortiments.«

»Ah, ich verstehe.« Er drehte sich um und musterte den Laden. »Sie haben hier eine gute Mischung von Stilen und Perioden. Kauft Ms. Tavish alles selber?«

»Ja. Es ist ein Glück, dass wir sie hier in Gap haben. Der Laden hat einen guten Ruf, und wir sind sogar in einigen Reiseführern und Magazinen für Sammler von Antiquitäten aufgeführt.«

Er trat zu einer Art-Nouveau-Lampe, um sie prüfend zu betrachten. »Ach, dann ist sie also nicht von hier?«

»Nein, man gehört erst richtig hierher, wenn mindestens der Großvater hier geboren ist. Laine ist erst vor ein paar Jahren hierher gezogen.«

»Tavish. Tavish…« Er kniff die Augen zusammen und strich sich über den Schnurrbart. »Ist sie groß, ziemlich schlank und hat kurze blonde Haare? Trägt sie eine kleine, schwarz umrandete Brille?«

»Nein, Laine hat rote Haare.«

»Ah ja. Na, es spielt keine Rolle. Das ist ein hübsches Stück. Verschicken Sie die Sachen auch?«

»Ja, sicher. Ich mache Ihnen gerne… oh, hi, Liebling«, sagte sie, als Vince eintrat. »Mein Mann«, erklärte sie dem Kunden augenzwinkernd. »Ich nenne nicht alle Polizisten Liebling.«

»Ich bin gerade in der Gegend gewesen und wollte nur sehen, ob Laine zufällig im Laden ist.«

»Nein, sie wird heute gar nicht mehr kommen, sie hat alle Hände voll zu tun. In Laines Haus ist gestern Abend eingebrochen worden«, sagte sie zu dem Kunden gewandt.

»O Gott, wie furchtbar.« Der Mann fasste sich an den Knoten seiner Krawatte, und der dunkelblaue Stein in seinem Siegelring funkelte. »Ist jemand verletzt worden?«

»Nein, sie war nicht zu Hause. Entschuldigung, Vince, das ist Mr… Ich habe leider Ihren Namen nicht verstanden.«

»Alexander, Miles Alexander.« Er streckte Vince die Hand entgegen.

»Vince Burger. Kennen Sie Laine?«

»Das haben wir gerade herauszufinden versucht. Ich verkaufe Schmuck und habe mich gefragt, ob ich Ms. Tavish schon einmal in der Branche begegnet bin. Es tut mir Leid, dass sie solche Probleme hat. An der Lampe bin ich äußerst interessiert«, sagte er zu Jenny, »aber ich habe einen Termin und bin schon spät dran. Ich werde ein anderes Mal reinschauen, dann lerne ich hoffentlich Ms. Tavish kennen. Ich danke Ihnen, dass Sie sich Zeit für mich genommen haben, Mrs. Burger.«

»Jenny. Sie können jederzeit wieder vorbeischauen«, fügte sie hinzu.

Als sie allein im Laden waren, knuffte Jenny Vince in den Bauch. »Du hast ihn angesehen, als wäre er ein Verdächtiger.«

»Nein, habe ich nicht.« Er gab ihr den Knuff, wenn auch wesentlich sanfter, zurück. »Ich bin nur neugierig, wenn ich einen Typen sehe, der einen Tag nach dem Einbruch in einem eleganten Anzug in Laines Laden herumhängt.«

»Ja, klar, er sah ja auch aus wie ein Einbrecher.«

»Und wie sieht ein Einbrecher aus?«

»Jedenfalls nicht so.«

Sein Name war Alex Crew, allerdings war er ebenfalls unter Miles Alexander – und zahlreichen anderen Pseudonymen – bekannt. Jetzt ging er rasch den ansteigenden Bürgersteig entlang. Er musste sich die Wut darüber ablaufen, dass Laine Tavish nicht dort gewesen war, wo er sie hatte antreffen wollen.

Er hasste es, wenn seine Pläne durchkreuzt wurden.

Dennoch gehörte der Spaziergang zum Business. Er musste den Ort zu Fuß erkunden, auch wenn er einen detaillierten Stadtplan von Angel's Gap im Kopf hatte. Er mochte Kleinstädte und den wunderbaren Blick auf die grünen Berge nicht. Er war eher für die Stadt, ihr Tempo und ihr Angebot geschaffen.

Wenn er Ruhe und Entspannung brauchte, dann zog er die Karibik vor mit ihrer sanften Brise, ihren mondbeschienenen Nächten … und ihren reichen Touristen.

Hier wimmelte es von Provinzlern, wie der schwangeren Angestellten – wahrscheinlich bekam sie schon das vierte Kind – und ihrem Polizistenehemann, der vermutlich auf der High School ihr Football-Held gewesen war. Der Typ sah so aus wie jemand, der samstagabends mit seinen Kumpels bei einem Sixpack zusammensaß und von alten Zeiten schwärmte. Oder er hockte im Wald und wartete darauf, dass er ein Reh abschießen und sich wie ein Held fühlen konnte.

Crew verachtete Männer und Frauen, die abends etwas Warmes aßen.

Sein Vater war so ein Mann gewesen.

Keine Fantasie, keine Visionen, keinen Sinn für Diebstahl. Sein alter Herr lebte nur nach dem Terminkalender. Und was hatte es ihm eingebracht? Eine unzufriedene, ständig nörgelnde Frau, ein winziges Reihenhaus in Camden und ein frühes Grab.

Nach Crews Meinung hatte sein Vater sein Leben jämmerlich vergeudet.

Er hatte von klein auf mehr gewollt und hatte damit begonnen, es sich zu nehmen, als er mit zwölf Jahren zum ersten Mal durch ein Fenster im zweiten Stock eines Hauses einstieg. Sein erstes Auto hatte er mit vierzehn geklaut, aber es war schon immer sein Ehrgeiz gewesen, bei den größeren, glänzenderen Spielen mitzuhalten.

Er bestahl gerne die Reichen, hatte jedoch nichts von einem Robin Hood an sich. Es gefiel ihm einfach, weil die Reichen bessere Dinge hatten und er sich wie einer der Ihren vorkam, wenn er sie besaß.

Mit zweiundzwanzig hatte er zum ersten Mal einen Mann umgebracht. Obwohl es nicht geplant gewesen war – der Mann war einfach zu früh nach Hause gekommen –, hatte es ihm nichts ausgemacht, ein Leben auszulöschen. Vor allem, da die Tat mit Profit für ihn verbunden gewesen war.

Jetzt war er achtundvierzig, schätzte französischen Wein und italienische Anzüge. Er besaß ein Haus in Westchester, und seine Frau war ihm kurz vor ihrer Scheidung mit dem kleinen Sohn davongelaufen. Er besaß auch eine prächtige Wohnung am Central Park, wo er, wenn er Lust dazu hatte, seine Gäste üppig bewirtete, ein Wochenendhaus in den Hamptons und ein Haus am Meer in Grand Caymon. Die Hypotheken liefen jeweils auf einen anderen Namen.

Er war sehr erfolgreich darin, sich das zu nehmen, was anderen gehörte, und behauptete von sich selbst, ein Connaisseur zu sein. Mittlerweile war er äußerst wählerisch geworden. Kunst und Edelsteine waren seine Spezialitäten, und ab und zu gestattete er sich einen Abstecher zu seltenen Briefmarken.

Ein paarmal war er festgenommen, jedoch nur einmal verurteilt worden – ein Fleck auf seiner weißen Weste, den er seinem inkompetenten und überteuerten Anwalt anlastete.

Der Mann hatte dafür bezahlt, denn Crew hatte ihn drei Monate nach seiner Entlassung mit einem Bleirohr zu Tode geprügelt. Allerdings fand er nicht, dass damit die Gerechtigkeit wiederhergestellt war, denn schließlich hatte er sechsundzwanzig Monate im Knast verbracht, war seiner Freiheit beraubt und gedemütigt worden. Das war durch den Tod des idiotischen Anwalts ja wohl kaum zu kompensieren.

Aber das war mittlerweile mehr als zwanzig Jahre her. Seitdem war er ein- oder zweimal verhört, jedoch nicht mehr eingesperrt worden. Der einzige Vorteil an diesen Monaten im Gefängnis war die Zeit gewesen – die endlose Zeit, in der er nachdenken und planen konnte.

Es reichte nicht aus, nur zu stehlen. Man musste gut stehlen, um gut leben zu können. Also hatte er gelernt, seinen Verstand und seine Persönlichkeit entwickelt. Um die Reichen erfolgreich bestehlen zu können, wurde man am besten einer von ihnen und erwarb ihr Wissen und ihren Geschmack.

Man musste Eingang in ihre Gesellschaft finden und irgendwann eine gut betuchte Frau heiraten. Der Erfolg lag nicht darin, in Häuser einzusteigen, sondern das von anderen erledigen zu lassen, die man manipulieren konnte und die man bei Bedarf auch loswerden konnte. Denn das, was sie stahlen, gehörte ausschließlich ihm.

Er war klug, geduldig und skrupellos.

Wenn er doch einmal einen Fehler beging, so konnte er ihn immer noch korrigieren. Und er korrigierte seine Fehler *immer*. Der idiotische Anwalt, seine blöde Frau, die sich nicht um ein paar hunderttausend Dollar hatte prellen lassen wollen, all die unterbelichteten Dummköpfe, die er im Laufe seiner Karriere angestellt hatte.

Big Jack O'Hara und sein lächerlicher Kumpan Willy waren Fehler gewesen.

Nein, eher ein Fehlurteil, berichtigte sich Crew, als er um die Ecke bog und sich auf den Weg zurück zu seinem Hotel machte. Sie waren nicht so dumm gewesen, wie er angenommen hatte, als er sie damit beauftragt hatte, den Job seines Lebens auszuführen. Sein heiliger Gral. Seiner.

Wie es ihnen gelungen war, seiner Falle zu entkommen und sich mit der Beute zu verdünnisieren, war ihm ein Rätsel. Länger als einen Monat waren sie ihm ständig entwischt. Und keiner der beiden hatte versucht, die Beute in Bargeld umzuwandeln – das war auch eine Überraschung für ihn.

Aber er war ihnen auf der Spur geblieben. Schließlich hatte er O'Haras Fährte aufgenommen. Und doch hatte er in den Bergen von Maryland letztendlich nur Jacks Wiesel Willy aufgespürt.

Er hätte nicht zulassen dürfen, dass der kleine Bastard ihn sah. Aber diese verdammten Kleinstädte. Er hatte einfach nicht damit gerechnet, dass ihm der Mann auf der Straße über den Weg laufen würde. Und auch nicht damit, dass er in panischem Schrecken direkt vor ein Auto rennen würde.

Ein paar Sekunden lang war er in Versuchung gewesen, zu der blutenden Masse Mensch zu gehen und ihn kräftig zu treten. Es ging um Millionen von Dollars – und dieser Idiot ließ sich überfahren.

Und dann kam sie aus dem Laden gerannt. Die hübsche Rothaarige mit dem entsetzten Gesicht. Das Gesicht hatte er schon einmal gesehen. Zwar hatte er sie nie kennen gelernt, aber Big Jack hatte immer Fotos von seiner Tochter dabei. Und wenn er ein paar Bier intus hatte, zeigte er sie gern herum.

Meine Tochter. Ist sie nicht eine Schönheit? Und klug ist sie. Sie war auf dem College, meine Lainie.

Auf jeden Fall so klug, dachte Crew, dass sie sich hier in dieser Kleinstadt vergrub, wo sie die Beute verstecken, transportieren und waschen konnte. Verdammt guter Trick!

Wenn Jack sich einbildete, er könne das, was Alex Crew gehörte, einfach an seine Tochter weiterreichen, dann würde er eine böse Überraschung erleben.

Er würde sich zurückholen, was ihm gehörte. Dabei würden Vater und Tochter einen hohen Preis bezahlen.

Er betrat die Lobby des Overlook, wobei er ein Schaudern kaum unterdrücken konnte. Die Zustände in diesem Hotel waren für ihn kaum zu ertragen. Rasch ging er die Treppe zu seiner Suite hoch und hängte das Do-Not-Disturb-Schild vor die Tür, da er in Ruhe über seine nächsten Schritte nachdenken wollte.

Er musste Kontakt zu Laine Tavish aufnehmen. Wahrscheinlich tat er das am besten als Miles Alexander, Schmuckhändler. Nickend betrachtete er sein Spiegelbild. Alexander war ein neues Pseudonym, genauso wie die silbergrauen Haare und der Schnäuzer. O'Hara kannte ihn als Martin Lyle oder Gerald Benson und konnte ihn nur als glatt rasiert und mit grauen Schläfen beschreiben.

Er würde über einen Flirt Kontakt mit ihr suchen. Er genoss die Gesellschaft von Frauen. Das beiderseitige Interesse an Schmuck war ein guter Ausgangspunkt. Er würde noch ein paar Tage warten, damit er ein Gefühl dafür bekam.

Sie hatte die Beute nicht in ihrem Haus versteckt – und es war auch kein Schließfachschlüssel gefunden worden, denn wenn einer da gewesen wäre, hätten er und die zwei Kerle, die er engagiert hatte, ihn bestimmt nicht übersehen.

Es mochte ja unvorsichtig sein, ihr Haus bei dem Einbruch so zu verwüsten, aber er war wütend gewesen – und absolut überzeugt davon, dass sein Eigentum sich bei ihr befand. Und er glaubte nach wie vor, dass es so war oder dass sie zumindest wusste, wo es war. Am besten versuchte er es jetzt einmal mit Freundlichkeit oder vielleicht sogar Romantik.

Sie war hier, Willy war hier – auch wenn er jetzt tot war –, dann konnte Jack O'Hara ebenfalls nicht weit sein.

Zufrieden mit seinem Plan setzte Crew sich vor seinen Laptop und studierte die Websites über Schmuck.

Laine erwachte bei Lampenlicht und blickte sich benommen um.

Wie spät war es? Welcher Tag war überhaupt? Sie schob sich die Haare aus dem Gesicht und blinzelte auf den Wecker. Viertel nach acht. Morgen konnte es nicht sein, dazu war es zu dunkel. Was tat sie um diese Uhrzeit im Bett?

Auf dem Bett, korrigierte sie sich. Jemand hatte ihre Chenilledecke über sie gelegt. Und auf dem Fußboden neben dem Bett schnarchte Henry.

Sie gähnte und reckte sich – und plötzlich fiel ihr alles wieder ein.

Max!

O Gott! Er hatte ihr beim Aufräumen geholfen, und sie hatten darüber geredet, zum Abendessen auszugehen oder etwas zu bestellen.

Was war dann passiert? Sie überlegte angestrengt. Er hatte den Müll hinausgebracht, und sie war in ihr Schlafzimmer gegangen, um sich zu duschen und umzuziehen.

Sie hatte sich nur für eine Minute auf ihr Bett gesetzt.

Na ja, sie hatte sich kurz hingelegt und die Augen zugemacht.

Und jetzt war sie fast drei Stunden später wieder aufgewacht.

Er hat mich zugedeckt, dachte sie einfältig lächelnd und strich über die Decke. Und er hatte die Lampe eingeschaltet, damit sie nicht im Dunkeln aufwachte.

Als sie aufstand, sah sie den Zettel neben dem Kopfkissen.

Du hast zu hübsch und zu müde ausgesehen, als dass ich das Dornröschen wecken wollte. Ich habe abgeschlossen, und dein tapferer Hund bewacht dich. Schlaf gut. Ich rufe dich morgen an. Nein, besser, ich komme vorbei, um dich zu sehen.

Max

»Könnte es perfekter sein?«, fragte sie den schnarchenden Hund. Sie sank wieder auf ihr Bett zurück und drückte den Zettel an die Brust. »Bei so viel Perfektion sollte man ja eigentlich Verdacht schöpfen. Aber Mann! Ich genieße das. Ich bin es so leid, immer misstrauisch, vorsichtig und allein zu sein.«

Lächelnd blieb sie noch eine Weile liegen, aber Dornröschen war nicht mehr müde. Im Gegenteil, es hätte kaum wacher und unternehmungslustiger sein können.

»Weißt du, wie lange es schon her ist, seit ich etwas Unvernünftiges getan habe?« Sie holte tief Luft und stieß sie geräuschvoll wieder aus. »Ich auch nicht, so lange ist das schon her. Es ist Zeit, wieder mal zu spielen.«

Sie sprang auf und rannte ins Badezimmer, um sich zu duschen, entschied dann aber, dass ein Schaumbad besser zu ihrem Vorhaben passte. Schließlich hatte sie Zeit. Während das Wasser in die Wanne lief, suchte sie in ihrem Kleiderschrank nach dem Kleidungsstück, mit dem sie Max Gannon am besten verführen konnte.

Das Schaumbad duftete nach Freesien, und nachdem sie sich ausgiebig darin geaalt hatte, verbrachte sie zwanzig Minuten damit, sich zu schminken. Fast genauso lange dauerte es, bis sie entschieden hatte, ob sie ihr Haar offen tragen oder es hochnehmen sollte. Sie wählte Letzteres, weil er diese Frisur bisher an ihr noch nicht kannte, und steckte die Haare so locker fest, dass sie bei der kleinsten Berührung auf die Schultern fallen würden.

Bei der Kleidung wählte sie dieses Mal das Offensichtliche, ihr kleines Schwarzes. Sie war dankbar dafür, dass sie vor einiger Zeit mit der damals noch nicht schwangeren Jenny einen Einkaufsbummel unternommen hatte, bei der sie sich beide unglaubliche Wäsche geleistet hatten.

Weil ihr einfiel, dass Jenny ihren jetzigen Zustand ebendieser Wäsche verdankte, steckte Laine noch ein paar Kondome zu denen, die sie immer in ihrer Tasche bei sich trug. Jetzt waren es insgesamt sechs, eine sowohl vorsichtige als auch optimistische Zahl, wie sie sich kichernd eingestand.

Zum Schluss zog sie noch einen hauchdünnen schwarzen Pullover – ein sündhaft teures Stück, das sie viel zu selten trug – über das Kleid.

Prüfend drehte sie sich vor dem Spiegel. »Wenn er mich so nicht will«, murmelte sie, »dann besteht keine Hoffnung mehr für die Menschheit.«

Sie pfiff nach dem Hund und eilte nach unten. In der Küche ergriff sie eine Flasche Wein und nahm Henrys Leine vom Haken.

»Möchtest du Auto fahren?«, fragte sie ihn, eine Frage, die ihn regelmäßig in einen wahren Freudentaumel versetzte. »Du fährst zu Jenny. Du darfst heute auswärts schlafen, Kumpel – und ich – bitte, lieber Gott – ebenfalls. Wenn ich diese Hitze nicht loswerde, verbrenne ich.«

Henry raste dreimal zum Auto und wieder zurück, bis sie ebenfalls dort angekommen war und die Tür für ihn aufschloss. Dann sprang er auf den Beifahrersitz und ließ sich glücklich von ihr anschnallen.

»Ich bin noch nicht einmal nervös. Ich kann es gar nicht fassen...« erklärte sie, während sie sich hinter das Steuer setzte. »Aber wenn ich erst einmal darüber nachdenke, dann werde ich bestimmt nervös. Ich mag ihn wirklich. Es ist zwar verrückt, weil ich ihn kaum kenne, aber ich mag ihn wirklich, Henry.«

Henry bellte, ob aus Verständnis oder aus Freude, war nicht so genau zu erkennen.

»Es führt wahrscheinlich zu nichts«, fuhr sie fort. »Ich meine, er lebt in New York, und ich lebe hier. Aber es muss ja auch nicht gleich zu etwas führen, oder? Also zu so was wie ewiger, lebenslanger Liebe. Es kann doch auch nur Respekt und Zuneigung und... Lust sein. Lust spielt eine große Rolle hier, und das ist ja auch nicht schlimm.« Henry hechelte begeistert.

»Und jetzt halte ich lieber den Mund, bevor ich mir das wieder ausrede.«

Es war schon fast zehn, als sie in Jennys Einfahrt einbog. Spät, dachte sie. Viel zu spät eigentlich, um an die Hotelzimmertür eines Mannes zu klopfen.

Aber wann war schon die richtige Zeit dafür?

Jenny kam ihr bereits entgegen. Laine schnallte Henrys Gurt los und wartete darauf, dass ihre Freundin die Beifahrertür öffnete.

»Hi, Henry! Da ist ja mein guter Junge. Vince wartet schon auf dich.«

»Ich schulde dir was«, sagte Laine, während Henry schon wie ein Irrer auf das Haus zuraste.

»Ach was. Späte Verabredung, wie?«

»Frag nicht, ich weiß es nicht.«

Jenny beugte sich so dicht vor, wie ihr dicker Bauch es zuließ. »Willst du mich auf den Arm nehmen?«

»Ja. Ich erzähle dir morgen alles. Tust du mir noch einen Gefallen?«

»Na klar. Was?«

»Bete für mich, dass es etwas zu erzählen gibt.«

»Ja, mache ich, aber so wie du aussiehst – fantastisch nämlich –,
sind die Gebete bereits erhört worden.«

»Okay. Los geht's.«

»Schnapp ihn dir, Süße.« Jenny schloss die Tür und trat einen
Schritt zurück. Sie rieb sich über den Bauch, als Laine wegfuhr.
»Der Junge ist geliefert«, murmelte sie und ging ins Haus, um mit
Henry zu spielen.

6

Laine kam sich vor wie eine Frau auf dem Weg zu einem heim-
lichen Rendezvous. Das kleine Schwarze, die sexy Schuhe, die
Flasche Wein, die sie dabeihatte.

Aber das war schon in Ordnung, schließlich war sie wirklich
eine Frau auf dem Weg zu einem Rendezvous. Der Mann wusste
es nur noch nicht. Und was war schon dabei, wenn sie jemandem
begegnete, den sie kannte? Sie war erwachsen, lebte allein und
war nicht gebunden. Sie durfte gesunden, wilden Sex haben.

Aber sie war doch erleichtert, als sie die Lobby durchquerte,
ohne ein vertrautes Gesicht zu sehen. Als sie den Aufzugknopf
drückte, erwischte sie sich dabei, wie sie eine Entspannungs-
atemtechnik anwandte, die sie im Yoga-Kurs gelernt hatte. Sofort
hörte sie damit auf.

Sie wollte sich nicht entspannen. Das konnte sie morgen immer
noch. Heute Abend wollte sie das Rauschen im Blut, das Prickeln
im Magen und die Hitze ihrer Haut spüren.

Als die Türen sich öffneten, trat sie in die Aufzugskabine und
drückte den Knopf zu Max' Stockwerk. Dann schlossen sich die
Türen an ihrer Kabine, und zum selben Zeitpunkt öffneten sich
die des Aufzugs nebenan.

Crew trat heraus.

Max saß an seinem Schreibtisch, sah seine Notizen durch und schrieb seinen täglichen Bericht. Im Hintergrund lief leise der Fernseher. Ein paar Dinge ließ er aus. Warum sollte er auch erwähnen, dass er mit dem Hund gespielt, Laine geküsst oder sie zugedeckt hatte, als er sie schlafend auf dem Bett vorgefunden hatte?

Das waren schließlich keine relevanten Informationen.

Den Schaden in ihrem Haus, ihre Handlungen und Reaktionen jedoch führte er ebenso genau auf wie seine Meinung über ihren Lebensstil.

Einfach, kleinstädtisch, erfolgreich. Kenntnisreich in ihrem Beruf, gemütlich eingerichtet in ihrem Haus in den Hügeln, fest verwurzelt in der Gemeinschaft.

Aber woher hatte sie die Mittel gehabt, um dieses Haus zu kaufen und ihr Geschäft aufzubauen? Der Geschäftskredit und die Hypothek, die er mit nicht ganz legalen Mitteln aufgespürt hatte, deckten die Summe nicht vollständig ab. Sie hatte beachtliches Eigenkapital aufgebracht – mehr, als für eine junge Frau logisch schien. Sie hatte zwar seit dem College regelmäßig gearbeitet, aber nicht sonderlich viel verdient.

Aber so viel Geld war es nun auch wieder nicht, überlegte er. Nicht außergewöhnlich viel, nichts, was auf eine unerschöpfliche Geldquelle hinwies.

Sie fuhr einen guten amerikanischen Mittelklassewagen, der drei Jahre alt war. In ihrem Haus standen ein paar schöne Stücke – Kunst und Möbel –, allerdings war sie in der Branche tätig, also war auch das nicht außergewöhnlich.

Ihre Garderobe zeugte, nach dem, was er bisher gesehen hatte, von gutem Geschmack, klassisch und solide. Aber sie besaß nicht übermäßig viele Sachen und zog sich so an, wie man es von einer allein stehenden, erfolgreichen Antiquitätenhändlerin erwarten konnte.

Alles an ihr wirkte bodenständig und solide.

Sie lebte nicht in Reichtum. Sie sah nicht aus wie eine Hehlerin, das hätte er ihr angesehen. Und warum sollte sie ein Haus in der Wildnis kaufen, sich einen hässlichen Hund zulegen und ein Geschäft eröffnen, wenn sie das eigentlich nicht wollte?

Eine Frau mit ihren… Attributen konnte überall leben und alles tun, was sie wollte. Also machte sie auch hier ganz genau, was sie wollte.

Und das passte ebenfalls nicht zu dem Verdacht.

Er war hingerissen von ihr, das war das Problem. Er lehnte sich in seinem Stuhl zurück und starrte gedankenverloren an die Decke. Wenn er sie ansah, setzte automatisch sein Verstand aus. Irgendetwas war an ihrem Gesicht, ihrer Stimme, Jesus, ihrem Geruch, das ihn zum Einfaltspinsel machte.

Möglicherweise sah er sie ja nicht als Hehlerin, weil er sie nicht so sehen wollte. Noch nie in seinem ganzen Leben hatte ihn eine Frau so sehr aufgewühlt…

Es wäre sicher praktischer und auch professioneller, wenn er sich ein wenig zurückziehen würde. Auch wenn sie die sicherste Verbindung zu Jack O'Hara war, nützte ihm das nicht viel, solange er sich so von ihr angezogen fühlte.

Er konnte zum Beispiel unter einem Vorwand für ein paar Tage die Stadt verlassen und sich dann in der Nähe einen Standort einrichten, von dem aus er sie beobachten konnte. Und er konnte seine Kontakte und Hackerfähigkeiten nutzen, um noch mehr über Elaine O'Hara alias Laine Tavish herauszufinden.

Wenn er erst mehr wusste, konnte er immer noch entscheiden, wie er mit ihr umgehen sollte, und zurückkehren. In der Zwischenzeit jedoch sollte er besser objektive Distanz wahren. Keine Abendessen zu zweit mehr, keinen Tag mehr bei ihr zu Hause, keinen körperlichen Kontakt, der doch nur Komplikationen mit sich brachte.

Morgen früh würde er sie anrufen und ihr sagen, er müsse nach New York und würde sich bei ihr melden. So würde er zwar die Verbindung aufrechterhalten, sich aber gleichzeitig zurückziehen. Ein Mann konnte seine Arbeit wahrhaftig nicht vernünftig machen, wenn er ständig sexuell benebelt war.

Zufrieden mit seinem Plan stand Max auf. Er würde heute Abend schon das meiste zusammenpacken, vielleicht unten an der Bar noch etwas trinken und dann versuchen, im Schlaf die Gefühle für sie, die sich viel zu rasch entwickelten, zu vergessen.

In diesem Moment klopfte es an der Tür. Da das Bett bereits

aufgedeckt worden war und das Betthupferl schon auf seinem Kopfkissen lag, erwartete er fast, dass ein Umschlag unter der Tür durchgeschoben würde. Er kommunizierte zwar lieber per E-Mail, aber manchmal bestanden seine Kunden darauf, ihm Anweisungen per Fax zu schicken.

Als jedoch nichts geschah, trat er zur Tür und blickte durch den Spion. Bei dem Anblick, der sich ihm bot, verschluckte er sich fast.

Was zum Teufel tat sie vor seiner Tür? Und was trug sie da? Jesus Christus!

Er wich zurück und wischte sich mit der Hand übers Gesicht. Rasch eilte er zu seinem Schreibtisch, fuhr den Computer herunter und räumte die Papiere weg.

Er würde mit ihr hinunter in die Halle gehen. Genau, er musste mit ihr an einen öffentlichen Platz. Dort würde er ihr sagen, dass er zurückmüsse. Und dann würde er noch etwas mit ihr trinken.

Und danach würde er zusehen, dass er hier weg kam.

Er fuhr sich ein paarmal mit der Hand durch die Haare, um sich zu beruhigen. Dann setzte er einen leicht überraschten und erfreuten Gesichtsausdruck auf und öffnete die Tür.

Durch den Spion war die volle Wirkung ihres Auftritts nicht zur Geltung gekommen. Jetzt jedoch fiel ihm buchstäblich der Unterkiefer herunter.

Er konnte nicht genau erkennen, was sie eigentlich trug, sondern sah nur, dass es schwarz und kurz war und mehr Kurven aufwies als ein Formel-Eins-Rennen. Ihre Beine waren länger, als er sie in Erinnerung hatte, und endeten in sehr hohen, sehr dünnen schwarzen Absätzen.

Ihre Haare hatte sie irgendwie aufgesteckt, und ihre Augen kamen ihm blauer und strahlender vor denn je. Auf ihren Lippen lag etwas dunkel Glänzendes und quälend Feuchtes.

Gott möge ihm beistehen!

»Ich bin aufgewacht.«

»Ja, ja, offensichtlich.«

»Kann ich hereinkommen?«

»Äh. Hmm.« Das war das Zusammenhängendste, was er herausbekam, also trat er einfach einen Schritt zurück. Als sie an ihm vorbeiging, überwältigte ihn ihr Duft.

»Ich hatte keine Gelegenheit mehr, mich bei dir zu bedanken, deshalb wollte ich das jetzt nachholen.«

»Danke. Nein, dank mir«, stotterte er. Er kam sich vor wie ein Schwachsinniger.

Lächelnd hob sie die Flasche Wein, die sie in der Hand hielt. »Was hältst du von Merlot?«

»Ziemlich viel.«

Laine musste ihre ganze Willenskraft aufbieten, um nicht zu lachen. Nichts ließ eine Frau sich so sehr wie eine Frau fühlen, als wenn ein Mann sie anstarrte, als habe sie ihn verhext. Sie trat auf ihn zu und registrierte geschmeichelt, dass er einen Schritt zurückwich. »Hältst du so viel davon, dass du ihn jetzt mit mir trinken möchtest?«, fragte sie ihn.

»Trinken?«

»Den Wein.«

»Oh.« Es war ein Tag voller Erschütterungen gewesen, deswegen hatte er jetzt auch das Gefühl, vollkommen neben sich zu stehen. »Ja. Klar.« Er nahm ihr die Flasche ab. »Sicher.«

»Na dann.«

»Na dann?« Die Verbindung zwischen seinem Hirn und seinem Mund war irgendwie gestört. »Ach ja. Ein, äh, Korkenzieher.« Er blickte zur Minibar, aber sie griff bereits in ihre Tasche.

»Versuch's mal hiermit.« Sie streckte ihm einen Korkenzieher entgegen, dessen Griff eine nackte Frau bildete.

»Süß«, stammelte er.

»Kitschig«, korrigierte sie ihn. »Ich habe eine kleine Sammlung von Korkenziehern. Nettes Zimmer«, fügte sie hinzu. »Großes Bett.« Sie trat zum Fenster und lugte durch die Vorhänge hinaus. »Ich wette, die Aussicht ist wunderbar.«

»Oh, ja.«

Da sie merkte, dass er sie unverwandt anstarrte, blickte sie weiter aus dem Fenster und zog sich dabei den dünnen Pullover aus. Als sie hörte, wie die Weinflasche abrupt gegen Holz schlug, dachte sie befriedigt, dass das Kleid seine Aufgabe erfüllt hatte. Von dem Punkt aus, an dem er stand, sah er allerdings nicht allzu viel davon, nur ihren nackten Rücken, der von ein bisschen Stoff eingerahmt wurde.

Sie trat aufs Bett zu und nahm sich eins der Schokomints vom Kopfkissen. »Mmm, Schokolade. Darf ich?«

Er konnte nur noch wortlos nicken. Der Korken kam mit einem leisen Plopp heraus, und er dachte, oh mein Gott, als sie die Schokolade auswickelte und in Zeitlupe hineinbiss.

Sie stöhnte leise auf und leckte sich über die Lippen. »Man sagt ja, dass Geld redet, aber Schokolade singt. Das gefällt mir.« Sie kam auf ihn zu und hielt ihm die Hälfte der Schokolade an die Lippen. »Das möchte ich mit dir teilen.«

»Du bringst mich um.«

»Lass uns etwas Wein trinken, dann stirbst du wenigstens glücklich.« Sie setzte sich auf die Bettkante und schlug die Beine übereinander. »Habe ich dich bei der Arbeit gestört?«

»Ich habe Berichte geschrieben und bin noch nicht fertig damit.« Sobald ich wieder zu Verstand komme, mache ich weiter, gelobte er sich. Er schenkte den Wein ein und reichte ihr ein Glas. Langsam trank sie den ersten Schluck.

»Mich hat schon lange keiner mehr zugedeckt, Max. Ich wollte nicht in deiner Gegenwart einschlafen.«

»Du hattest eine schlimme Nacht und einen harten Tag hinter dir.«

»Dank dir war der Tag nicht so hart, wie ich erwartet hatte.«

»Laine…«

»Lass mich dir danken. Es ist mir leichter gefallen, weil du dabei warst. Ich bin gerne mit dir zusammen.« Sie trank noch einen weiteren Schluck Wein. »Und es gefällt mir, dass ich dich begehre und darüber spekulieren kann, ob du mich auch begehrst.«

»Ich begehre dich so sehr, dass es mir den Atem verschlägt und mein Gehirn keinen Sauerstoff mehr bekommt. So war das nicht geplant.«

»Hast du dir schon jemals überlegt, den Plan einfach sausen zu lassen und aus einem Impuls heraus zu handeln?«

»Ich tue die ganze Zeit nichts anderes.«

Lachend trank sie ihr Glas leer und stand auf, um sich ein weiteres einzuschenken. Dann trat sie an die Tür. »Ich nicht, oder selten jedenfalls. Aber man muss die Ausnahmen von der Regel respektieren.«

Sie öffnete die Tür und hängte das Do-Not-Disturb-Schild an die Türklinke. Dann sperrte sie die Tür ab und lehnte sich dagegen. »Wenn dir mein Vorgehen nicht gefällt, dann sagst du es besser jetzt.«

Er trank ebenfalls einen großen Schluck Wein. »Ich habe absolut nichts zu sagen.«

»Das ist gut, weil ich schon darauf vorbereitet war, handgreiflich werden zu müssen.«

Er merkte selber, dass sein Grinsen breit und einfältig wirkte, aber es war ihm egal. »Tatsächlich?«

»Ich war mir nicht sicher, ob ich fair kämpfen könnte.«

»Dieses Kleid ist auf jeden Fall nicht fair.«

»Oh?« Sie trank noch einen letzten Schluck Wein und stellte dann das Glas ab. »Dann ziehe ich es doch am besten aus.«

»Lass mich das tun. Bitte.« Er fuhr mit der Fingerspitze über die milchweiße Haut ihres Dekolletés. »Lass mich.«

»Bedien dich.«

Er vergaß die Professionalität. Er vergaß, dass er beschlossen hatte, emotional und körperlich Distanz zu wahren. Er vergaß alles und nahm nur noch sie wahr, ihre weiche Haut, ihren Duft, den Geschmack ihrer Lippen, als sie die Arme um ihn schlang, ihn an sich zog und ihn küsste.

Sie hüllte ihn ein – mit ihrer Haut, ihrem Duft, ihrem Geschmack, bis er nur noch sie wollte und brauchte.

Es war ein Fehler. Sie jetzt so zu nehmen war ein Fehler und grenzte fast an verbotenes Tun. Aber dieses Wissen verlieh dem Ganzen nur noch eine gefährliche Note.

Er zog ihr das Kleid von den Schultern und knabberte an ihrem Hals. Als sie den Kopf zurückbog, glitten seine Lippen zu ihrer Kehle.

»Was die Pläne angeht«, murmelte er, »ich habe alle möglichen Pläne mit dir.«

»Das habe ich gehofft.« Blindlings griff sie nach ihrer Tasche, die sie auf das Bett gelegt hatte. »Du wirst das brauchen«, sagte sie und zog ein Kondom heraus.

»Irgendwann werden wir auch ein Beatmungsgerät und einen Feuerlöscher brauchen.«

»Leere Versprechungen.«

Er grinste. »Du machst mich wirklich wahnsinnig.« Wieder senkte er seinen Mund über ihren und rieb sanft über ihre Lippen. »Ist das so ein Ausziehteil? Das Kleid, meine ich.«

»Ja, so in der Art.«

»Na, auf jeden Fall ist es mein persönliches Lieblingsstück.« Er ging bedächtig vor und küsste sie so lange, bis sie beide vor Lust bebten. Dann trat er zurück und ergriff ihre Hand, damit sie aus dem Kleid treten konnte, das um ihre Füße lag. Danach schaute er sie einfach nur an.

Sie trug eine faszinierende weibliche Konstruktion aus schwarzer Seide und Spitze, die ihre Brüste hochdrückte, sich um ihren Oberkörper schmiegte und an den Hüften in neckische kleine Strumpfbänder überging, die dünne schwarze Strümpfe hielten.

»Ich möchte gerne etwas Denkwürdiges sagen, aber das ist furchtbar schwer, wenn der Kopf so blutleer ist.«

»Versuch's einfach.«

»Wow.«

»Genau das wollte ich hören.« Sie begann, sein Hemd aufzuknöpfen. »Ich mag, wie du mich ansiehst. Das hat mir vom ersten Moment an gefallen. Und vor allem mag ich, wie du mich jetzt ansiehst.«

»Ich sehe dich sogar, wenn ich nicht hinschaue. Das passiert mir zum ersten Mal in meinem Leben. Und es macht mich ein bisschen nervös.«

»Vielleicht sind ja manche Menschen einfach dazu bestimmt, sich zu sehen. Deshalb passiert wahrscheinlich auch alles so schnell. Aber das ist mir egal.« Sie zog ihm das Hemd aus, ließ die Hände über seine Brust gleiten und schlang sie dann um seinen Hals. »Es ist mir egal«, wiederholte sie und küsste ihn.

Am liebsten wäre ihr gewesen, dieses Gefühl hätte ewig gedauert, die Blitze der Erregung, die durch ihren Körper jagten, das Zittern der Vorfreude, das Wissen um die Macht, die vollständige Aufmerksamkeit und das Verlangen eines Mannes – *dieses* Mannes – zu besitzen. Einmal in ihrem Leben wollte sie sich das nehmen, was sie haben wollte, und sie wollte nur an die Lust und die Leidenschaft des Augenblicks denken.

Als er sie umdrehte, schmiegte sie sich an ihn und schlang ihm die Arme um den Hals, damit seine Hände ihren Körper erkunden konnten. Seine Lippen ruhten in ihrer Halsbeuge, während er sie berührte und erregte. Sie hielt den Atem an, und ein Stöhnen entschlüpfte ihr, als seine Hand zwischen ihre Schenkel glitt. Sie drückte sich an ihn und bewegte die Hüften im Takt ihrer Lust.

Er wollte sich Zeit nehmen, sie zu erregen, sich mit ihr auf das Bett legen und mit Romantik und Raffinesse vorgehen, aber auf einmal wälzten sie sich eng umschlungen auf der ordentlich zurückgeschlagenen Bettdecke und wollten einander nur noch berühren und schmecken.

Ihre Haare lösten sich und lagen wie loderndes Feuer auf dem weißen Kopfkissen. Ihr Duft, der Duft ihrer Haut, betäubte seine Sinne. Mit jedem Atemzug sog er sie ein.

»Mach mit mir, was du willst«, murmelte sie an seinem Mund, und er ertrank in einem Meer von Lust und Gier. Als er mit seiner Zunge ihren Mund öffnete, stieß er in einer verzweifelten Suche nach mehr härter zu, als er wollte.

Sie rang nach Luft, und ihr Herz raste. Ihre Haut war so heiß, dass sie dachte, sie würde schmelzen. Gott, es war wundervoll.

Seine Hände waren stark, seine Lippen verschlangen sie. Er zerrte an den winzigen Häkchen des Korseletts, und sie lachte atemlos. Dann keuchte sie verzückt auf, als er in sie eindrang und sie erfüllte.

Sie stöhnte laut und bog sich ihm entgegen. Vor ihren Augen verschwamm alles, und ihr Herzschlag setzte aus. Und dann war wieder alles kristallklar, ihr Herz hämmerte, und sie bewegte sich im selben Rhythmus wie er.

Sein Gesicht war dicht vor ihr, sie sah alles ganz genau, jede Falte, den bläulichen Bartschatten und seine Augen, Tigeraugen, die sie unverwandt anblickten. Und dann wurden sie dunkler, und gleich darauf barg er seinen Kopf in ihren Haaren und ergoss sich in ihr.

Sie war völlig durchgeschwitzt, aber ihr Körper war satt und befriedigt, und in ihrem Kopf war es still und friedlich. Glücklich lag sie unter ihm und lauschte seinem keuchenden Atem. Träge spielte sie mit seinen Haaren, schloss die Augen und ließ sich treiben.

»Geht es dir gut da unten?«, murmelte er.

»Mir geht es wunderbar hier unten, danke. Und wie geht es dir da oben?«

»Ich bin zwar völlig gelähmt, aber ich fühle mich hervorragend.« Seine Lippen streiften ihren Hals. »Laine.«

Mit geschlossenen Augen lächelte sie. »Max.«

»Ich muss sagen … ich muss sagen«, wiederholte er, »das hätte ich nie erwartet, als ich … diesen Auftrag übernahm.«

»Ich liebe Überraschungen. Eine Zeit lang habe ich sie abgelehnt, aber dann ist mir wieder eingefallen, warum ich sie immer schon geliebt habe, nämlich weil sie einfach passieren.«

»Wenn Überraschungen etwas damit zu tun haben, dass eine Frau in einem sexy schwarzen Kleid vor meiner Tür steht, dann bin ich ganz verrückt danach.«

»Wenn ich es noch einmal täte, wäre es ja keine Überraschung mehr, sondern eine Wiederholung.«

»Damit kann ich leben. Wo ist Henry?«

»Henry?«

Er stützte sich auf die Ellbogen und betrachtete sie. »Du hast ihn doch nach dem Vorfall gestern Abend nicht etwa zu Hause gelassen, oder?«

Gerührt erwiderte sie seinen Blick. Er machte sich Sorgen um einen Hund. Um ihren Hund. Und jeder Mann, der sich um einen Hund sorgte, während er nackt mit einer Frau im Bett lag, schoss automatisch an die Spitze ihrer Liste von Alltagshelden. Sie zog sein Gesicht zu sich herunter, damit sie es mit Küssen bedecken konnte.

»Nein, ich habe ihn nicht allein gelassen. Ich habe ihn zu Jenny gebracht. Wie kannst du nur so perfekt sein? Ich suche ständig an allem Fehler, aber du bist einfach …«, sie drückte ihm einen dicken Schmatz auf den Mund, »absolut perfekt.«

»Das bin ich nicht.« Der Anflug von Schuldbewusstsein war ihm egal, dieses Gefühl konnte er verdrängen. Schlimmer jedoch war die Besorgnis, was sie denken oder wie sie reagieren würde, wenn sie seine Fehler wirklich herausfände.

»Ich bin egoistisch und eigensinnig«, erklärte er. »Ich…«

»Egoistische Männer gehen nicht in ein Antiquitätengeschäft und kaufen einfach nur so ein Geschenk für ihre Mutter.«

Das Schuldbewusstsein wurde stärker. »Das habe ich aus einem Impuls heraus getan.«

»Siehst du, eine Überraschung. Habe ich nicht gerade gesagt, dass ich Überraschungen liebe? Versuch nicht, mich davon zu überzeugen, du seiest nicht perfekt. Im Moment bin ich viel zu glücklich mit dir, als dass ich irgendetwas anderes annehmen könnte.« Sie ließ ihre Hände über seinen Rücken gleiten und gab ihm einen freundlichen Klaps auf den Hintern. »Könnte es sein, dass ich versuche, in dem Ganzen mehr als nur Spaß und Spiele zu sehen?«

»Ich glaube nicht. Es ist ja sowieso schon mehr als nur Spaß und Spiele.«

»Oh.« Ihr Herz schlug schneller, aber sie sah ihn unverwandt an. »Tatsächlich?«

»Das ist es doch, was ich nicht erwartet habe, Laine.« Er küsste sie sanft. »Und das macht alles ein bisschen komplizierter.«

»Komplikationen machen mir nichts aus, Max.« Liebevoll umfasste sie sein Gesicht. »Wir können uns Gedanken darüber machen, was zwischen uns beiden ist, oder wir können es einfach genießen. Ich weiß nur, dass ich, als ich eben zu Hause aufgewacht bin, glücklich war, weil mir klar war, dass ich bei dir sein wollte. Ich habe so etwas schon lange nicht mehr gefühlt.«

»Glück?«

»Ja, Zufriedenheit, Tatkraft und Glück. Und zu kompliziert würde es für mich nur, wenn du mir erzählst, du hättest Frau und Kinder in Brooklyn.«

»Nein, habe ich nicht. Sie leben in Queens.«

Sie kniff ihn und rollte ihn auf den Rücken. »Haha, sehr lustig.«

»Meine Ex-Frau lebt in Brooklyn.«

Sie kletterte auf ihn und warf die Haare zurück. »Du warst ja ziemlich fleißig.«

»Na ja, du sammelst Korkenzieher, und manche Männer sammeln eben Frauen. Meine aktuelle Geliebte ist in Atlanta, aber ich möchte gern expandieren. Du könntest mein Maryland-Schätzchen werden.«

»Schätzchen? Es war schon immer mein Bestreben, jemandes Schätzchen zu werden. Wo muss ich unterschreiben?«

Er setzte sich auf und nahm sie fest in die Arme. Komplikationen, dachte er. Er konnte sie damit nicht konfrontieren. Sie würden am besten alles auf sich zukommen lassen. Aber nicht heute Nacht. Heute Nacht würden sie einander nur genießen.

»Willst du noch ein bisschen bleiben? Bleib noch ein bisschen, Laine.«

»Ich dachte schon, du würdest mich nie darum bitten.«

»Geh nicht.« In dem Moment, als er die Worte aussprach, merkte Max, dass er das noch nie zu einer Frau gesagt hatte. Vielleicht lag es ja am Schlafmangel oder an der sexuellen Erschöpfung. Vielleicht lag es aber auch nur an ihr.

»Es ist schon nach drei Uhr nachts.«

»Genau. Komm wieder ins Bett. Wir kuscheln uns aneinander und schlummern noch ein bisschen, und dann bestellen wir Frühstück.«

»Das klingt wundervoll, aber darf ich später noch mal darauf zurückkommen?« Sie zog sich das Kleid über den Kopf, und er dachte kein bisschen mehr ans Schlafen.

»Jetzt ist ›später‹. Komm wieder ins Bett.«

»Ich muss gehen.« Kichernd wich sie ihm aus, als er nach ihr griff. »Ich muss nach Hause fahren, ein paar Stunden schlafen, mich umziehen, wieder zurück in die Stadt fahren, Henry abholen, ihn nach Hause bringen, und dann noch mal in die Stadt, um meinen Laden aufzuschließen.«

»Wenn du hier bliebest, könntest du Henry gleich mitnehmen und dir eine Fahrt ersparen.«

»Und ich würde den Klatschtanten so viel zu reden geben, dass es bis Weihnachten reicht.« Sie hatte sich so sehr an das Leben in einer Kleinstadt angepasst, dass sie sich darüber durchaus Gedanken machte. »Wenn eine Frau morgens in so einem Kleid aus dem Hotel kommt, klettern alle Augenbrauen hoch. Vor allem in Gap.«

»Ich leihe dir ein Hemd.«

»Ich fahre.« Sie stopfte ihre Unterwäsche in die Handtasche.
»Aber wenn du heute Abend gerne mit mir essen möchtest...«

»Nenn Zeit und Ort.«

»Um acht, bei mir zu Hause. Ich koche.«

»Du kochst?« Er blinzelte. »Essen?«

»Nein, ich dachte eher an eine Verschwörung gegen die Regierung. Natürlich Essen, was sonst?« Sie wandte sich zum Spiegel, zog eine winzige Bürste aus ihrer Tasche und begann, sich die Haare zu bürsten. »Was isst du denn gerne?«

Er starrte sie immer noch an. »Essen?«

»Ich denke mir was aus.« Zufrieden mit ihrem Aussehen ließ sie die Bürste wieder in die Tasche gleiten und trat zu ihm. Sie beugte sich über ihn und küsste ihn leicht. »Bis später.«

Als sie die Tür hinter sich geschlossen hatte, blieb er bewegungslos liegen, starrte auf die Tür und spürte ihren Lippen auf seinem Mund nach.

Es machte alles keinen Sinn. Nicht, was zwischen ihnen geschehen war, was er für sie empfand und auch nicht, wer sie war. Er irrte sich nicht in ihrer Person. Er irrte sich nie so sehr. Und mit Libido hatte das gar nichts zu tun.

Wenn Laine Tavish in einen Millionendeal verwickelt war, dann würde er seine Detektivlizenz verspeisen.

Natürlich erklärte das nicht, warum William Young zu ihm gekommen war. Und es erklärte auch nicht, warum er jetzt tot war oder warum man bei ihr eingebrochen hatte.

Aber es gab bestimmt Erklärungen dafür, und er würde es herausfinden. Wenn dann alles geklärt war und er seinen Klienten zufrieden gestellt hatte, würde er es ihr erzählen.

Wahrscheinlich würde sie ein bisschen böse werden.

Hör auf zu träumen, Gannon, dachte er, sie wird außer sich vor Zorn sein. Aber das würde er schon wieder in Ordnung bringen.

Darin war er gut.

Am besten kam er aus dem Chaos heraus, indem er mit Logik daranging. Jack O'Haras Tochter Elaine hatte sich mit ihm eingelassen, ihren Namen und ihre Familiengeschichte geändert und ein neues Leben angefangen. Alles wies daraufhin, auch seine eigenen Instinkte.

Das bedeutete natürlich nicht, dass Jack O'Hara, Willy oder einer ihrer anderen Partner nicht wussten, wo sie sich aufhielt. Und es bedeutete auch nicht, dass sie nicht gelegentlich Kontakt mit ihr hatten.

Und, okay, ihre finanzielle Situation kam ihm leicht fragwürdig vor, aber daran musste er halt arbeiten. Außerdem waren ein paar tausend Dollar hier oder da für die Anzahlung auf ein Haus oder die Eröffnung eines Geschäfts nichts verglichen mit achtundzwanzig Millionen.

Eventuell hatte Willy sie ja aufgespürt, um sie um Hilfe zu bitten oder ihr eine Nachricht von ihrem Vater zu überbringen. Aber jetzt war er tot, und er konnte ihn nicht mehr danach fragen. Ebenso kam er wohl nicht mehr an seinen Anteil heran, überlegte Max.

Machte das die Sache nicht eigentlich noch schwieriger?

Laine hatte nichts Wertvolles im Haus. Selbst wenn der Einbrecher etwas übersehen hätte, dann wäre sie auf keinen Fall zu ihm gekommen und hätte das Haus unbeaufsichtigt gelassen, wenn sie etwas zu verbergen hätte.

Nein, logischerweise gab es da nichts. Sie war in Angel's Gap gewesen, als die Juwelen gestohlen worden waren. Außerdem war sie doch kaum zehn Jahre alt gewesen, als ihre Mutter sie aus Big Jacks Einflussbereich entfernt hatte. Trotzdem musste er alles im Auge behalten, um sie von der Liste der Verdächtigen zu streichen. Er würde sich mal gründlich in ihrem Laden umsehen.

Und je eher er das tat, desto schneller konnten sie wieder zusammenkommen. Er spähte auf die Uhr und stellte fest, dass es noch ungefähr drei Stunden lang dunkel bleiben würde.

Also sollte er am besten gleich loslegen.

7

Es erstaunte ihn, dass die leibliche Tochter eines Diebes ihr Geschäft lediglich mit einem Standardschloss und einer Alarmanlage sicherte, die jeder Zwölfjährige mit einem Taschenmesser und ein wenig Einfallsreichtum hätte umgehen können.

Wirklich, wenn ihre... Geschichte sich zu einer ernsthaften Beziehung entwickelte, dann würde er ein Gespräch über Sicherheitsanlagen mit Laine führen müssen. Vielleicht brauchte ja ein Geschäft in einer Stadt dieser Größe keine Gitter und Überwachungskameras, aber sie hatte ja nicht einmal einen Bewegungsmelder. Und diese Tür war wirklich lächerlich. Wenn er tatsächlich ein Einbrecher gewesen wäre, dann hätten ein paar Tritte genügt.

Er umging die Alarmanlage und knackte das Schloss an der Hintertür für den Fall, dass jemand vor dem Morgengrauen über die Market Street spazierte. Er war zu Fuß vom Hotel gekommen und zur Sicherheit noch einmal um den Block gegangen. Man musste ja nicht sorglos vorgehen, nur weil etwas einfach war.

In der Stadt war es noch so still, dass er das Rumpeln einer Heizung hören konnte, die in einem Gebäude ansprang. In der Ferne ertönte das lange, klagende Pfeifen eines Zuges. Es gab keine Betrunkenen, keine Junkies, keine Obdachlosen, überhaupt niemanden, der auf der Straße war.

Man musste sich fragen, ob man echt in Amerika war oder ob man sich nicht eher in einem Prospekt des örtlichen Reisebüros befand.

Irgendwie war es unheimlich, dachte Max.

Die Straßen waren mit altmodischen Laternen beleuchtet, von denen nicht eine einzige kaputt war. Vor keinem einzigen Schaufenster befanden sich Gitter. Hatte noch nie jemand die Scheiben eingeschlagen und sich bedient?

Es war absolut unwirklich.

Er dachte an New York um diese Tageszeit. Dort wäre mit Sicherheit etwas los. Autos, Fußgänger – und alle Geschäfte wären mit Gittern oder Rollläden verbarrikadiert.

Gab es dort womöglich nur eine höhere Kriminalitätsrate, weil man es erwartete?

Das war eine interessante Theorie, und er würde einmal darüber nachdenken, wenn er ein bisschen Zeit hätte. Im Moment allerdings war er damit beschäftigt, die Tür des Remember When zu öffnen.

Nicht länger als eine Stunde, gelobte er sich. Dann würde er wieder ins Hotel marschieren und noch ein bisschen schlafen. In der Früh würde er seinen Klienten in New York anrufen und ihm berichten, dass nach seinen Erkenntnissen Laine Tavish nicht wissentlich in die Sache involviert war.

Danach konnte er ihr alles erklären. Und wenn sie sich wieder beruhigt hatte, würde er versuchen, ihr Informationen zu entlocken. Er hatte das Gefühl, dass sie ihn zu Big Jack und den Diamanten führen konnte.

Und zu seinem Finderlohn.

Leise schloss Max die Tür hinter sich. Dann griff er nach seiner Taschenlampe.

Aber statt des erwarteten Lichtstrahls explodierte ein ganzes Feuerwerk in seinem Kopf.

Er wachte im Stockdunkeln auf, und sein Kopf hämmerte so heftig und schmerzhaft, als würde sein kleiner Neffe Topfdeckel zusammenschlagen. Mühsam drehte er sich auf den Rücken und als er mit der Hand nach seiner Stirn tastete, fühlte er etwas Klebriges.

Seine Schmerzen wurden von der aufsteigenden Wut überdeckt. Es war schlimm genug, niedergeschlagen zu werden, aber jetzt würde er auch noch in die Ambulanz fahren und sich die Wunde nähen lassen müssen.

Benommen richtete er sich auf und stützte den Kopf in die Hände. Er musste unbedingt aufstehen und das Licht anmachen, damit er sehen und begreifen konnte, was ihm passiert war. Entschlossen wischte er sich das Blut ab, öffnete die Augen und kroch zur offenen Hintertür.

Wer auch immer ihn überfallen hatte, war längst weg. Mühsam zog er sich hoch, damit er sich noch einmal umschauen konnte, bevor er sich ebenfalls davonstahl.

Und plötzlich stand ein Polizist im Türrahmen.

Max blickte Vince Burger und den Polizeiausweis, den er ihm unter die Nase hielt, lange an, dann sagte er: »Na, Scheiße.«

»Hören Sie, Sie können mich wegen Hausfriedensbruchs einbuchten. Das wird wehtun. Ich werde zwar darüber hinwegkommen, doch es wird trotzdem schmerzen. Aber...«

»Ich habe Sie wegen Hausfriedensbruch festgenommen.« Vince lehnte sich in seinem Stuhl zurück und lächelte Max, der ihm mit Handschellen in der Wache gegenübersaß, humorlos an.

Er sieht auf einmal gar nicht mehr so großstädtisch und kess aus, dachte Vince, mit seinem Verband und der dicken Beule auf der Stirn.

»Hinzu kommt versuchter Diebstahl...«

»Ich habe nichts gestohlen, das wissen Sie sehr gut.«

»Ach so, Sie brechen also mitten in der Nacht nur deshalb in Geschäfte ein, weil Sie sich ein wenig umschauen wollen. So eine Art Schaufensterbummel von innen.« Er hob die Tüte mit den Beweisen, Max' Werkzeugen und seinem Palm, und schwenkte sie hin und her. »Das tragen Sie also stets bei sich für den Fall, dass Sie irgendwo kleinere Reparaturen ausführen müssen, was?«

»Sehen Sie...«

»Ich kann Sie wegen Besitzes von Einbruchswerkzeugen einbuchten.«

»Das ist doch bloß ein PDA, verdammt noch mal. Jeder hat einen PDA.«

»Ich nicht.«

»Was für eine Überraschung«, erwiderte Max säuerlich. »Ich hatte Gründe dafür, mich in Laines Laden aufzuhalten.«

»Brechen Sie in alle Läden und Häuser der Frauen ein, mit denen Sie sich verabreden?«

»Ich bin nicht in ihr Haus eingebrochen, und es liegt auf der Hand, dass derjenige, der vor mir im Laden war und mir eins über den Schädel gezogen hat, auch derjenige war, der eingebrochen ist. Sie wollen sie beschützen, das verstehe ich ja, aber...«

»Ganz richtig.« Die Augen des Polizisten wurden hart. »Sie ist eine Freundin von mir. Sie ist eine gute Freundin von mir. Und ich mag es nicht, wenn ein New Yorker Arschloch meinen Freunden Schwierigkeiten macht.«

»Um genau zu sein, bin ich ein Arschloch aus Georgia. Ich lebe nur in New York. Ich führe Ermittlungen für einen Klienten durch – private Ermittlungen.«

»Das behaupten Sie, aber ich habe keine Lizenz bei Ihnen gefunden.«

»Sie haben auch keine Brieftasche bei mir gefunden«, giftete Max ihn an, »weil derjenige, der mich niedergeschlagen hat, sie mir weggenommen hat. Verdammt noch mal, Burger...«

»Fluchen Sie in meinem Büro nicht!«

Max war mit seinem Latein am Ende. Er legte den Kopf zurück und schloss die Augen. »Ich habe nicht nach einem Anwalt gefragt, aber ich bitte Sie, möglicherweise sogar unter Tränen, um ein Aspirin.«

Vince zog eine Schublade an seinem Schreibtisch auf und holte eine Packung heraus. Max zuckte zusammen, als er die Schublade eine Spur zu heftig wieder zuknallte.

»Sie wissen, dass ich der bin, für den ich mich ausgebe.« Max schluckte die Tabletten und betete, dass sie sofort wirkten. »Sie haben mich doch überprüft. Sie wissen ganz genau, dass ich Privatdetektiv bin und früher Polizist war. Und während Sie hier sitzen und mir Ihre Macht über mich demonstrieren, kann derjenige, der bei Laine eingebrochen ist, in Ruhe das Weite suchen. Sie müssen...«

»Sie brauchen mir nicht zu erzählen, was ich tun muss.« Max spürte die Wut unter dem sanften Tonfall und war klug genug zu schweigen. »Haben Sie das Laine auch erzählt? Dass sie ursprünglich Polizist waren, dann Privatdetektiv wurden und hier in Gap an einem Fall arbeiten?«

»Geht es hier um meine Beziehung zu Laine oder darum, dass ich in ihrem Laden war?«

»Das ist mir ziemlich egal. An welchem Fall arbeiten Sie?«

»Einzelheiten teile ich Ihnen erst mit, wenn ich mit meinem Klienten gesprochen habe.« Sein Klient würde wahrscheinlich nicht besonders erfreut darüber sein, dass er mit dem Gesetz in Konflikt geraten war und sich hatte erwischen lassen. Aber das war ein anderes Problem.

»Hören Sie, es war jemand im Laden, als ich hereinkam. Diese Person hat garantiert auch bei Laine zu Hause eingebrochen. Wir müssen uns also um Laine Sorgen machen. Schicken Sie einen Beamten zu ihr hinaus und stellen Sie fest...«

»Unser Verhältnis wird nicht besser, wenn Sie mir ständig erzählen, was ich tun soll.«

»Es ist mir egal, ob wir uns anfreunden oder nicht. Laine braucht Schutz.«

»Das haben Sie ja bisher hervorragend erledigt.« Vince ließ sich auf der Schreibtischkante nieder, und Max dachte mit sinkendem Herzen, dass er wirkte wie jemand, der sich auf einen netten, langen Schwatz einlassen will. »Komisch, wie Sie genau in dem Moment aus New York auftauchen, in dem ich gerade einen Typen aus New York im Leichenschauhaus habe.«

»Ja, ich lache jetzt noch. New York hat acht Millionen Einwohner«, erwiderte Max kühl. »Mir erscheint es logisch, dass von Zeit zu Zeit ein paar davon mal hier durchreisen.«

»Mir nicht. Ich sehe das anders. Irgendein Typ tritt aus Laines Laden, erschreckt sich, läuft auf die Straße und wird überfahren. Sie tauchen auf, überreden Laine, mit Ihnen zu Abend zu essen, und währenddessen wird in ihr Haus eingebrochen. Als Nächstes steigen Sie um halb vier morgens in ihren Laden ein. Wonach suchen Sie, Gannon?«

»Nach innerem Frieden.«

»Viel Glück dabei«, sagte Vince. In diesem Moment waren vom Flur her rasche Schritte zu hören.

Laine stürzte ins Zimmer. Sie trug einen Trainingsanzug und hatte die Haare zu einem Pferdeschwanz zusammengebunden. Unter ihren Augen lagen dunkle Schatten vom Schlafmangel, und sie schaute die beiden Männer bestürzt und besorgt an.

»Was ist los? Jerry ist vorbeigekommen und hat mir gesagt, es gäbe Schwierigkeiten im Laden, und ich müsse sofort herkommen und mit dir reden. Was für Schwierigkeiten? Was ist…« In diesem Moment fielen ihr die Handschellen auf, und sie brach mitten im Satz ab. »Was ist das denn?«, fragte sie entgeistert und blickte Max an.

»Laine…«

»Halten Sie besser den Mund«, warnte Vince ihn. »In deinen Laden ist eingebrochen worden«, erklärte er Laine. »Soweit ich sehen konnte, ist kein Schaden entstanden, aber du musst dich selber überzeugen, ob noch alles da ist.«

»Ich verstehe.« Sie hätte sich am liebsten hingesetzt, hielt sich aber nur mit einer Hand krampfhaft an der Stuhllehne fest.

»Nein, ich verstehe nicht. Warum hast du Max Handschellen angelegt?«

»Ich bekam einen anonymen Anruf, dass in deinem Laden ein Einbruch stattfände. Als ich dort ankam, stieß ich auf ihn. Er hatte ein ganzes Bündel Dietriche dabei.«

Laine zog scharf die Luft ein. An Max gewandt, sagte sie: »Du bist in meinen Laden eingebrochen?«

»Nein. Na ja, technisch gesehen eigentlich schon, aber erst, nachdem bereits jemand anderer dort eingestiegen war. Und zwar jemand, der mir eins über den Kopf gegeben hat und dann bei der Polizei angerufen hat, um es mir anzulasten.«

Sie musterte den Verband um seinen Kopf, aber sonderlich besorgt wirkte ihr Blick nicht mehr. »Das erklärt aber nicht, was du mitten in der Nacht da zu suchen hattest.« Nachdem ich dein Bett verlassen habe, dachte sie. Nachdem ich die Nacht bei dir verbracht habe.

»Ich kann alles erklären, aber ich muss unter vier Augen mit dir sprechen. Zehn Minuten. Gib mir zehn Minuten.«

»Das möchte ich gerne hören. Kann ich allein mit ihm sprechen, Vince?«

»Das würde ich dir nicht empfehlen.«

»Ich bin Privatdetektiv, und er weiß das.« Max wies mit der gefesselten Hand auf Vince. »Ich bearbeite einen Fall für einen Klienten und verfolge eine Spur, aber mehr darf ich nicht sagen.«

»Dann vergeuden Sie nur unsere Zeit«, erwiderte Vince.

»Zehn Minuten, Laine.«

Ein Detektiv. Ein Fall. Ihr fiel sofort ihr Vater ein, und Verletzung, Wut und Resignation stiegen in ihr auf. »Ich würde gerne mit ihm sprechen, Vince. Es ist etwas Privates.«

»Das habe ich schon kapiert.« Vince stand auf. »Okay, aber nur dir zuliebe. Ich warte draußen vor der Tür. Achten Sie auf Ihre Worte«, fügte er an Max gewandt hinzu, »sonst fangen Sie sich noch ein paar Beulen mehr ein.«

Max wartete, bis die Tür sich hinter ihm geschlossen hatte. »Deine Freunde beschützen dich äußerst effizient.«

»Wie viel von den zehn Minuten möchtest du mit irrelevanten Äußerungen vergeuden?«

»Könntest du dich bitte hinsetzen?«

»Könnte ich schon, aber ich will es nicht.« Sie trat an Vinces Kaffeemaschine. Sie musste ihre Hände beschäftigen, damit sie nicht aus einem Impuls heraus in Max' Gesicht landeten. »Was spielst du für ein Spiel, Max?«

»Ich arbeite für die Reliance Versicherung, und eigentlich breche ich das Gesetz, wenn ich dir das erzähle, bevor ich es mit meinem Klienten abgesprochen habe.«

»Ach, tatsächlich? Aber darüber, dass du in meinen Laden einbrichst, nachdem du vorher mit mir geschlafen hast, machst du dir wohl keine Gedanken, oder?«

»Ich wusste nicht... ich habe nicht erwartet...« Oh, verdammte Scheiße, dachte er. »Ich kann mich bei dir entschuldigen, aber für dich würde es nichts ändern.«

»Da hast du Recht.« Sie trank einen Schluck Kaffee – bitter und schwarz. »Darin sind wir uns zumindest einig.«

»Du kannst stinksauer auf mich sein, wenn du willst...«

»Ja, herzlichen Dank für die Erlaubnis.«

»Aber das musst du im Moment vergessen. Laine, du steckst in Schwierigkeiten.«

Sie zog die Augenbrauen hoch und starrte betont auf seine Handschellen. »Ich?«

»Wie viele Leute wissen, dass du Elaine O'Hara bist?«

Sie zuckte nicht mit der Wimper. Dass sie so gut schauspielern konnte, hatte er nicht erwartet.

»Du bist offensichtlich der Einzige. Ich habe mir meinen Namen nicht ausgesucht, sondern habe schon vor langer Zeit den Namen meines Stiefvaters angenommen. Und ich wüsste nicht, warum dich das etwas angeht.« Sie trank noch einen Schluck Kaffee. »Warum fängst du nicht einfach bei dem Punkt an, wo du ungefähr eine Stunde, nachdem wir uns nackt auf deinem Bett gewälzt haben, festgenommen wurdest, weil du in meinen Laden eingebrochen bist?«

Er wirkte schuldbewusst, aber das befriedigte sie nicht. »Das eine hat nichts mit dem anderen zu tun.«

Nickend stellte sie die Kaffeetasse ab. »Wenn du solche Antworten gibst, brauchen wir die vereinbarten zehn Minuten nicht.«

»William Young starb vor deinem Laden«, sagte Max, als sie auf die Tür zuging. »Er starb laut Zeugenaussagen in deinen Armen. Du musst ihn doch erkannt haben.«

Ihre Fassade bröckelte ein wenig, und man sah die Trauer auf ihrem Gesicht. Aber sie hatte sich gleich wieder in der Gewalt. »Das klingt mehr nach einem Verhör als nach einer Erklärung. Ich habe kein Interesse daran, die Fragen eines Mannes zu beantworten, der mich angelogen und benutzt hat. Entweder erzählst du mir jetzt, was du hier tust und was du willst, oder ich hole Vince wieder ins Zimmer und erstatte Anzeige gegen dich.«

Ihm war absolut klar, dass sie davor nicht zurückschrecken würde. Sie würde ihm die Tür vor der Nase zuschlagen, und er hätte seinen Job besser erst abgeschlossen, bevor er sich mit ihr einließ.

»Ich bin heute Nacht in deinen Laden eingebrochen, weil ich meinem Klienten beweisen wollte, dass du mit der Angelegenheit nichts zu tun hast. Anschließend hätte ich dir die Wahrheit gesagt.«

»Womit nichts zu tun? Die Wahrheit über was?«

»Setz dich doch endlich. Ich bin es Leid, mir so den Hals verrenken zu müssen.«

Sie setzte sich hin. »Besser?«

»Vor sechs Wochen sind Diamanten im Wert von achtundzwanzig Komma vier Millionen Dollar – die bei der Reliance versichert sind – aus den Büros der Internationalen Juwelenbörse in New York gestohlen worden. Zwei Tage später hat man die Leiche von Jerome Myers, einem Juwelenhändler, der dort arbeitet, auf einer Baustelle in New Jersey gefunden. Nachforschungen haben ergeben, dass er als Insider an dem Raub beteiligt war. Man hat auch festgestellt, dass er mit William Young und Jack O'Hara zusammengearbeitet hat.«

»Warte mal, warte mal. Willst du damit sagen, dass deiner Meinung nach mein Vater Juwelen im Wert von über achtundzwanzig Millionen gestohlen hat? *Millionen*? Dass er etwas mit dem Mord zu tun hatte? Das Erste ist lächerlich und das Zweite unmöglich. Jack O'Hara hatte große Träume, aber er war sein Leben lang nur ein Kleinkrimineller. Und er hat nie jemandem etwas zuleide getan.«

»Manche Dinge ändern sich.«

»Nicht in dem Maße.«

»Die Polizei hat nicht genug Beweise, um Jack oder Willy etwas anzulasten – obwohl sie sich sicher gerne einmal mit ihnen unterhalten würden. Da Willy jetzt mit niemandem mehr reden kann, bleibt nur noch Big Jack. Versicherungsgesellschaften werden ziemlich nervös, wenn sie so große Summen bezahlen müssen.«

»Und an diesem Punkt kommst du ins Spiel.«

»Ich kann freier agieren als die Polizei und mehr Geld ausgeben.«

»Und du bekommst mehr dabei heraus«, fügte sie hinzu. »Wie hoch ist dein Anteil?«

»Fünf Prozent der wiederbeschafften Summe.«

»Wenn du also die gesamte Beute zurückbringst, bekommst du…« Sie kniff die Augen zusammen, während sie die Summe rasch im Kopf berechnete. »Eine Million vierhundertzwanzigtausend für dein Sparschwein. Nicht übel.«

»Ich habe es mir auch verdient. Ich habe viele Stunden Arbeit investiert. Ich weiß, dass Jack und Willy darin verwickelt waren, und ich bin mir auch sicher, dass es noch eine dritte Partei gab.«

»Mich?« Beinahe hätte sie laut gelacht, wenn sie nicht so wütend gewesen wäre. »Ich habe mich also in meinen schwarzen Catsuit geworfen, mir die Schirmmütze aufgesetzt, bin eben mal nach New York gedüst, habe die Juwelen gestohlen, meinen Anteil entgegengenommen und bin dann wieder nach Hause zurückgekehrt, um meinen Hund zu füttern, was?«

»Nein, du nicht – obwohl du in einem schwarzen Catsuit bestimmt ganz bezaubernd aussehen würdest. Alex Crew. Sagt dir der Name was?«

»Nein.«

»Sowohl der Juwelenhändler als auch dein Vater sind vor dem Überfall mit ihm zusammen gesehen worden. Er ist kein kleiner Gangster, obwohl er gerne so wirken möchte. Da wir jetzt nicht viel Zeit haben, lass es mich einfach mal so formulieren: Er ist kein netter Kerl, und wenn er nach dir sucht, bist du in Gefahr.«

»Warum sollte er nach mir suchen?«

»Weil du Jacks Tochter bist und Willy gestorben ist, nachdem er kurz vorher mit dir geredet hatte. Was hat er dir gesagt, Laine?«

»Überhaupt nichts. Du liebe Güte, ich war noch ein Kind, als ich ihn das letzte Mal gesehen habe. Ich habe ihn erst erkannt, als… Als er hereinkam, wusste ich nicht, wer er war. Du bist auf der falschen Fährte, Max. Jack O'Hara wüsste gar nicht, wie er einen solchen Job durchführen sollte… und wenn er durch irgendein Wunder doch daran beteiligt war, dann ist er mit seinem Anteil längst über alle Berge. Das ist so viel Geld, dass er gar nicht wüsste, was er damit anfangen sollte.«

»Warum war Willy dann hier? Was hat ihn erschreckt? Warum ist in dein Haus und in deinen Laden eingebrochen worden? Wer auch immer in deinem Haus war, hat etwas gesucht. Und in deinem Laden war es wahrscheinlich genauso, bis ich sie unterbrochen habe. Du bist doch viel zu klug, um mich nicht zu verstehen.«

»Wenn jemand nach mir sucht, so hast du ihn vermutlich hierher gebracht. Ich habe nichts. Ich habe seit über fünf Jahren nicht mehr mit meinem Vater geredet. Und gesehen habe ich ihn schon viel länger nicht mehr. Ich habe mich hier eingerichtet, und ich werde genauso weiterleben wie bisher. Das lasse ich mir weder von dir noch von meinem Vater noch von irgendeinem ominösen Dritten verderben.«

Sie stand auf. »Ich sorge jetzt dafür, dass Vince dir die Handschellen abnimmt und dich aus dem Gefängnis entlässt. Im Gegenzug erwarte ich dafür von dir, dass du mich in Ruhe lässt.«

»Laine…«

»Halt einfach den Mund.« Sie rieb sich mit der Hand übers Gesicht und zeigte damit das erste Anzeichen von Müdigkeit. »Ich habe meine eigene Regel gebrochen und bei dir aus einem Impuls heraus gehandelt. Geschieht mir recht.«

Sie öffnete die Tür und lächelte Vince müde an. »Tut mir Leid, dass ich dir so viel Probleme mache. Ich möchte, dass du Max gehen lässt.«

»Und warum?«

»Es war ein dummes Missverständnis, Vince, und es ist größtenteils meine eigene Schuld. Max hat versucht, mich davon zu überzeugen, dass ich eine bessere Alarmanlage im Laden brauche, und ich habe ihm widersprochen. Wir haben uns deswegen ein bisschen gestritten, und er ist eingebrochen, um mir zu beweisen, dass er Recht hat.«

»Süße.« Vince tätschelte ihr mit seiner großen Hand die Wange. »Das ist doch Blödsinn.«

»Wenn du einen Bericht darüber schreiben musst, dann möchte ich, dass es genau so darin steht. Und lass ihn gehen. Es hat keinen Zweck, ihn anzuzeigen, er wird seine Lizenz als Privatdetektiv, seinen reichen Klienten und teure Anwälte auffahren, um uns abzuschmettern.«

»Ich muss aber wissen, worum es hier eigentlich geht, Laine.«

»Ja, ich weiß.« Das solide Fundament ihres neuen Lebens wankte. »Gib mir bitte ein wenig Zeit, damit ich über alles nachdenken kann. Ich bin im Moment so verdammt müde, ich kann nicht klar denken.«

»In Ordnung. Und egal, was du zu sagen hast, ich bin auf deiner Seite.«

»Das hoffe ich.«

Ohne Max noch einen weiteren Blick zuzuwerfen, ging sie hinaus.

Sie würde nicht zusammenbrechen. Sie hatte viel zu hart gearbeitet und war viel zu weit gekommen, um wegen eines gut aussehenden Mannes mit einem verträumten Südstaatenakzent zusammenzubrechen. Ein Charmeur, dachte Laine, während sie in ihrem Haus auf und ab tigerte.

Sie hätte es wirklich besser wissen müssen, schließlich war doch schon ihr Vater ein charmanter Verführer gewesen.

Typisch, dachte sie angewidert. Typisch, typisch und so peinlich vorhersagbar, dass sie genau auf den gleichen Typ hereingefallen war. Max Gannon mochte ja auf der legalen Seite lügen und betrügen, aber es kam auf das Gleiche hinaus.

Jetzt stand alles auf dem Spiel, für das sie gearbeitet hatte. Wenn sie Vince nicht alles erzählte, würde er ihr nie wieder vertrauen. Und wenn sie ihm alles erzählte … würde er ihr dann jemals wieder vertrauen können?

Ich stecke so oder so in der Falle, dachte sie.

Sie konnte zusammenpacken, weiterziehen und irgendwo anders neu anfangen. Das hatte Big Jack üblicherweise getan, wenn er Probleme bekam. Aber sie wollte nicht weglaufen. Das war ihr Zuhause, ihre Stadt, ihr Leben. Sie würde nicht aufgeben, nur weil so ein neugieriger Schnüffler aus der Großstadt alles kaputtgemacht hatte.

Und er hatte ihr das Herz gebrochen, gestand sie sich ein. Unter all der Wut und der Sorge lag tiefer Kummer. Sie hatte sich auf ihn eingelassen, war das große Risiko eingegangen und hatte sich ihm hingegeben.

Er hatte sie hintergangen, wie es in ihrem Leben immer alle Männer getan hatten, an denen ihr etwas lag.

Sie warf sich auf die Couch, was Henry dazu veranlasste, sie mit der Nase anzustupsen, weil er hoffte, sie würde ihn jetzt streicheln.

»Jetzt nicht, Henry. Jetzt nicht.«

Etwas in ihrem Tonfall brachte ihn dazu, beinahe mitfühlend zu winseln, bevor er sich auf dem Boden neben der Couch niederließ.

Ich habe meine Lektion gelernt, sagte sie sich. Von jetzt an war Henry der einzige Mann in ihrem Leben. Und sie sollte jetzt besser aufhören, in Selbstmitleid zu baden, und anfangen nachzudenken.

Sie starrte an die Decke.

Juwelen im Wert von achtundzwanzig Millionen? Lächerlich. Unmöglich. Lachhaft. Der große, angeberische Jack und der süße, harmlose Willy zogen das Superding durch? Millionen? Aus einem New Yorker Gebäude? Unmöglich, zumindest, wenn man die Fähigkeiten und den Hintergrund kannte.

Ließ man jedoch das Glaubhafte beiseite, befand man sich mitten im Fantastischen.

Wenn Max nun Recht hatte? Wenn das Fantastische wirklich geschehen war und er tatsächlich Recht hatte? Trotz all der Jahre, die vergangen waren, schoss ihr das Adrenalin durch den Körper.

Diamanten. Das sexieste Diebesgut. Millionen. Das perfekte Verbrechen. Der größte Job überhaupt. Wenn Jack …

Nein, es konnte nicht stimmen.

Ihre unerschütterliche Zuneigung zu ihrem Vater gab ihr vermutlich die Vorstellung ein, dass ihm endlich einmal der große Coup gelungen war. Aber nichts und niemand konnte sie davon überzeugen, dass Jack O'Hara etwas mit dem Mord zu tun hatte. Ein Lügner, ein Betrüger, ein Dieb mit einem äußerst flexiblen Gewissen, okay, diese Attribute passten ihm wie angegossen. Aber jemandem körperlichen Schaden zufügen? Das war unmöglich.

Er hatte nie eine Waffe bei sich getragen, weil er eine regelrechte Waffenphobie hatte. Ihr fiel die Geschichte ein, wie er nach seinem ersten Einbruch eine Katze angefahren hatte. Er hatte nicht nur angehalten, um nach dem verletzten Tier zu sehen, sondern hatte es sogar zum Tierarzt gebracht. Und dort hatte die Polizei das Auto – das natürlich gestohlen war – auf dem Parkplatz entdeckt.

Die Katze wurde wieder gesund und lebte noch ein langes, glückliches Leben. Big Jack wanderte in den Knast.

Nein, mit dem Mord an Jerome Myers hatte er nichts zu tun.

Aber es konnte ja auch sein, dass er irgendeinem Mistkerl aufgesessen war. Dass er sich in etwas hatte hineinziehen lassen, das größer und übler war, als er geglaubt hatte. Vielleicht hatte ihm ja jemand eine glänzende Karotte vor die Nase gehängt und ihn hinterherhoppeln lassen?

Das konnte sie sich durchaus vorstellen.

Also hatte er Willy zu ihr geschickt, damit er ihr etwas sagte oder gab, aber leider starb er, bevor er das tun konnte.

Aber er hatte versucht, sie zu warnen. *Er weiß, wo du jetzt bist.*

Hatte er Max gemeint? Hatte er Max gesehen und war voller Panik auf die Straße gerannt?

Versteck den Köter. Was zum Teufel hatte er damit gemeint?

Vielleicht hatte sie ihn ja missverstanden, vielleicht hatte er ja ganz etwas anderes gesagt. Auf jeden Fall hatte er ihr nichts gegeben. Und wenn er etwas bei sich gehabt hätte, hätte die Polizei es gefunden.

Und überhaupt waren das alles nur blöde Vermutungen, die auf dem Wort eines Mannes beruhten, der sie angelogen hatte.

Sie stieß die Luft aus. Wie konnte sie so tun, als ob Aufrichtigkeit das einzig Wahre wäre, wenn sie selber eine Lüge lebte?

Sie musste Vince und Jenny alles erzählen. Wahrscheinlich lag es an ihrer Erziehung, dass sie eine solche Scheu davor hatte, einem Polizisten Informationen zu geben. Aber das musste sie jetzt überwinden. Sie musste sich nur noch überlegen, wie sie es ihnen am besten beibrachte.

»Lass uns spazieren gehen, Henry.«

Die Worte wirkten wie ein Zauberspruch. Der Hund, der eben noch friedlich geschnarcht hatte, sprang mit einem Satz auf und lief zur Haustür. Ein Spaziergang würde Klarheit in ihren Gedanken schaffen, dachte sie, und sie konnte sich in aller Ruhe ausdenken, wie sie es ihren Freunden am besten sagte.

Sie öffnete die Haustür, und Henry schoss hinaus wie eine Kanonenkugel. In dem Moment sah sie, dass Max' Wagen am Ende der Straße stand. Er saß hinter dem Steuer, die Augen hinter einer dunklen Sonnenbrille verborgen. Aber er hatte sie wohl offen, denn er stieg aus, noch bevor sie die Haustür wieder geschlossen hatte.

»Was zum Teufel tust du hier?«

»Ich habe dir doch gesagt, dass du in Gefahr bist. Vielleicht liegt das zum Teil an mir, vielleicht aber war es auch schon vorher so. Ich werde auf jeden Fall ein Auge auf dich haben, ob es dir nun gefällt oder nicht.«

»Ich habe gelernt, auf mich selber aufzupassen. Das hat mir mein Vater zur selben Zeit beigebracht wie Kartentricks. Ich brauche niemand anderen als Henry.«

Da Henry gerade dabei war, auf einen Baum zu klettern, um einem Eichhörnchen hinterherzujagen, warf Max ihm nur einen verächtlichen Blick zu. »Ich bleibe.«

»Wenn du glaubst, an deine fünf Prozent zu kommen, indem du mein Haus beobachtest, wirst du enttäuscht sein.«

»Ich glaube nicht, dass du etwas damit zu tun hast. Zunächst ja«, fügte er hinzu, als sie sich schnaubend umdrehte und weggehen wollte. »Als ich dich kennen lernte, dachte ich zuerst, ich wäre auf der richtigen Spur. Ich habe dich überprüft, und es gab ein paar Ungereimtheiten. Aber dann habe ich dich nicht mehr mit beruflichen Augen gesehen.«

»Vielen Dank. Und warum bist du dann in meinen Laden eingebrochen?«

»Mein Klient möchte Fakten, keine Gefühle – allerdings haben sie mir einen ordentlichen Vorschuss gegeben, der nur auf meinem Instinkt basiert. Ich bin in deinem Haus gewesen – mit dir«, fügte er hinzu, als sie scharf den Kopf wandte. »Eine Frau, die auch nur einen kleinen Teil von fast dreißig Millionen Dollar bei sich versteckt, lässt sich nicht von irgendeinem Kerl beim Saubermachen und Aufräumen helfen. Als nächsten Schritt wollte ich mich in deinem Laden umschauen, um zu überprüfen, ob es auch da keine Verbindung zu dir gab.«

»Eins hast du übersehen, Max. Ich glaube, es hat viel damit zu tun, dass wir uns nackt auf deinem Bett gewälzt haben.«

»Okay. Lassen wir das. Siehst du einen Heiligenschein?« Er wies mit dem Finger auf seinen Kopf.

Ein Gluckern stieg in ihrer Kehle auf, und beinahe hätte sie gelacht, aber sie riss sich zusammen. »Nein«, sagte sie und blitzte ihn aus zusammengekniffenen Augen an. »Aber warte mal ... sind das kleine Hörner?«

»Okay, sag einfach nur ja oder nein. Ein Typ macht die Tür seines Hotelzimmers auf und steht vor einer atemberaubenden Frau, einer Frau, für die alle möglichen Gefühle in seinem Kopf – und in anderen Teilen seines Körpers herumschwirren. Die Frau gibt zu erkennen – nein, lass es mich richtig formulieren –, die Frau erklärt ohne Umschweife, dass sie einen Abend mit engem körperlichem Kontakt durchaus genießen würde. Soll der besagte Typ ihr die Tür vor der Nase zuknallen?«

Sie blieb an einem spärlichen Rinnsal stehen. »Nein. Aber sag du mir was. Hat die Frau, nachdem sie erfahren hat, dass der Typ, mit dem sie geschlafen hat, sie bewusst und absichtlich angelogen hat, das Recht, ihm in den Hintern zu treten?«

»Ja, das hat sie.« Er nahm die Sonnenbrille ab und steckte sie mit einem Bügel in die Vordertasche seiner Jeans. Es war ihnen beiden klar, was er damit sagen wollte.

Sieh mich an. Du musst das, was ich sage, sowohl sehen als auch hören, weil es wichtig ist.

»Ja, das hat sie, Laine, auch wenn er dabei etwas empfunden hat, was er noch nie erlebt hat. Ich glaube, ich habe mich letzte Nacht in dich verliebt.«

»Das sind gewichtige Worte.«

»Ja, das empfinde auch so, aber ich sage es trotzdem. Ich glaube, es ist mir irgendwann passiert, nachdem ich deinen Müll hinausgebracht und bevor ich dein Wohnzimmer gesaugt habe. Ich habe versucht, das Gleichgewicht zu halten, und bin mitten in den engen körperlichen Kontakt gefallen.«

»Und warum sollte ich dir das glauben?«

»Das sollst du ja gar nicht. Du solltest mir in den Hintern treten, dir dann die Hände abklopfen und weggehen. Aber ich hoffe, dass du es nicht tust.«

»Du hast wirklich ein Talent dafür, das Richtige zur richtigen Zeit zu sagen. Das ist eine äußerst praktische Fähigkeit – deshalb ist sie mir auch so verdächtig.« Sie wandte sich ab und rieb sich die Arme warm.

»Wenn es um meinen Job geht, sage ich alles, was ich sagen muss, um etwas zu erreichen. Aber hier geht es nicht um den Job. Ich habe dich verletzt, und es tut mir verdammt Leid, aber das lag am Job. Ich weiß nicht, wie ich mich anders hätte verhalten sollen.«

Sie lachte leise. »Nein, vermutlich nicht.«

»Ich habe mich in dich verliebt. Es hat mich getroffen wie ein Ziegel. Und ich kann nach wie vor nicht klar denken. Auch in dieser Hinsicht weiß ich nicht, wie ich mich anders hätte verhalten sollen, aber damit bist du am Zug, Laine. Du kannst das Spiel entweder zu Ende spielen – oder alles hinwerfen.«

Es liegt an mir, dachte sie. War das nicht genau das, was sie wollte? Ihre eigene Wahl treffen? All ihre Chancen wahrnehmen? Man konnte jedoch auch sein letztes Hemd verspielen, wenn man alle Trümpfe in der Hand hielt. Das hatte er zwar nicht gesagt, aber sie waren beide klug genug, es zu wissen.

Tavish würde genau abwägen, aber O'Hara wollte unbedingt abräumen.

»Ich habe den ersten Teil meines Lebens damit verbracht, einen Mann anzubeten, der die Wahrheit nicht ausspucken konnte, wenn sie Tango auf seiner Zunge tanzte. Jack O'Hara.«

Sie rieb sich die Augen und stieß die Luft aus. »Er taugt keinen Pfifferling, aber er lässt dich glauben, dass am Ende des Regenbogens ein Topf mit Gold steht. Und du glaubst es, weil *er* es glaubt.«

Sie ließ die Hände sinken und sah Max an. »Den nächsten Teil meines Lebens verbrachte ich mit einer Frau, die versuchte, ihn zu vergessen. Sie versuchte es mehr meinetwegen, statt um ihrer selbst willen, aber das habe ich erst relativ spät begriffen. Schließlich gelang es ihr. Dann kam der Teil mit einem sehr anständigen Mann, den ich als Ersatz für meinen Vater sehr liebe – ein guter, anständiger, liebevoller Mann, der jedoch mein Herz nie so zum Leuchten bringen wird, wie es dieser geborene Lügner kann. Ich weiß nicht, was das bei mir bewirkt hat. Aber ich habe die letzten Jahre damit verbracht, verantwortungsbewusst, normal und bequem zu leben. Das habe ich ganz gut gemacht. Und du hast alles durcheinander gebracht, Max.«

»Ich weiß.«

»Wenn du mich noch einmal anlügst, dann werde ich mir noch nicht einmal die Mühe machen, dir in den Hintern zu treten. Dann klopfe ich mir einfach die Hände ab und gehe.«

»Faires Angebot.«

»Ich habe die Diamanten nicht, hinter denen du her bist, und ich weiß auch nicht die kleinste Kleinigkeit darüber. Ich weiß nicht, wo mein Vater ist oder wie man Kontakt zu ihm aufnehmen kann, und ich habe keine Ahnung, warum Willy zu mir gekommen ist.«

»Okay.«

»Aber wenn ich es herausfinde und wenn das zu deinen fünf Prozent führt, dann bekomme ich die Hälfte.«

Er blickte sie an, und sein Gesicht verzog sich zu einem breiten Grinsen. »Ja, jetzt bin ich mir absolut sicher, dass ich mich in dich verliebt habe.«

»Das werden wir noch sehen. Du kannst hereinkommen. Ich muss Vince und Jenny anrufen und sie bitten herzukommen, damit ich ihnen meine Sünden beichten kann. Dann werden wir sehen, ob ich noch Freunde habe und in dieser Stadt wohnen bleiben kann.«

8

Sie machte sich Gedanken darüber. Nicht nur, was und wie sie es sagen sollte, sondern *wo* sie es am besten täte. Zuerst deckte sie den Tisch in der Küche, mit Kaffee und dem Kuchen, den sie im Tiefkühler hatte. Aber das war zu inoffiziell, fand sie dann, und eigentlich zu freundschaftlich, wo doch ihre Freundschaft zur Debatte stand.

Vince war ein Polizist, und Jenny war die Frau eines Polizisten. Sie waren sich zwar über die Jahre sehr nahe gekommen, aber ihre Bindung konnte enden, wenn sie ihnen von ihrer Vergangenheit erzählte und ihnen sagte, dass sie sie von Anfang an angelogen hatte.

Das Wohnzimmer war besser – und den Kuchen ließ sie auch lieber weg.

Während sie sich noch mit der Standortfrage abmühte, holte sie ihren kleinen Handstaubsauger und begann, das Sofa abzusaugen.

»Laine, was zum Teufel machst du da?«

»Ich pflanze Apfelbäume. Nach was sieht es denn deiner Meinung nach aus? Ich sauge die Hundehaare von den Polstern.«

»Okay.«

Er steckte die Hände in die Taschen, zog sie wieder heraus, fuhr sich durch die Haare, schüttelte die Kissen auf und faltete die Chenilledecke.

»Du machst mich nervös.«

»Entschuldigung.« Sie trat zurück und musterte das Ergebnis. Obwohl sie die Kissen nach dem Einbruch mit der beschädigten Seite nach unten hingelegt hatte, wirkte das Sofa seitdem angeschlagen und jämmerlich. »Ich erwarte den Polizeichef und meine beste Freundin, damit ich ihnen gestehen kann, dass alles, was sie über mein Leben zu wissen glauben, eine einzige, riesige Lüge ist. Innerhalb von zwei Tagen ist zweimal bei mir eingebrochen worden, mein Vater wird verdächtigt, an einem Achtundzwanzig-Millionen-Dollar-Raub sowie Mord beteiligt zu sein, und meine Couch sieht so aus, als sei sie von tollwütigen Frettchen attackiert worden. Also, es tut mir echt Leid, dass ich dich nervös mache.«

»Du hast vergessen zu erwähnen, dass du einen sexuellen Marathon mit dem Detektiv, der den Fall bearbeitet, hinter dir hast.«

Sie schlug den Staubsauger gegen ihre Handfläche. »Soll das etwa witzig sein? Soll das ein misslungener Versuch sein, mich zum Lachen zu bringen?«

»Eigentlich schon. Schlag mich nicht mit dem Ding, Laine. Ich habe wahrscheinlich schon eine leichte Gehirnerschütterung. Und entspann dich. Seinen Namen zu ändern und die Familiengeschichte ein bisschen abzuwandeln ist kein krimineller Tatbestand.«

»Darum geht es doch gar nicht. Ich habe sie jeden Tag angelogen. Weißt du, warum Betrug so gut funktioniert? Weil die meisten Menschen sich zu sehr schämen, etwas daran zu tun, wenn sie erst einmal aufgeflogen sind. Jemand hat sie entlarvt, und das ist genauso schlimm wie Geld zu verlieren, meistens sogar schlimmer.«

Er nahm ihr den Handstaubsauger aus der Hand und legte ihn auf den Tisch, damit er sie in die Arme nehmen konnte. Er umfasste ihr Gesicht und streichelte mit den Daumen über ihre Wangen.

»Du hast sie nicht zum Narren gehalten, und sie sind nicht wegen deines sauberen Lebenslaufs mit dir befreundet.«

»Ich konnte schon mit sieben Schmiere stehen. Sehr sauberer Lebenslauf.« Sie blickte an ihrem Trainingsanzug herunter, den sie rasch angezogen hatte, als der Polizeibeamte heute früh zu ihr gekommen war. »Soll ich mich umziehen?«

»Nein.« Er legte ihr die Hände auf die Schultern und massierte sie, bis sie den Kopf hob und ihn ansah. »Bleib so, wie du bist.«

»In wen hast du dich verliebt, Max? In die Ladenbesitzerin aus der Kleinstadt? In die bekehrte Gaunerin? In das Mädchen, das in Gefahr ist? Was spricht einen Mann wie dich an?«

»Ich glaube, es ist der schlagfertige Rotschopf, der weiß, wie er sein Leben leben muss, und manchmal impulsiv handelt.« Er drückte ihr einen Kuss auf die Stirn. Sie unterdrückte ein Schluchzen. »Sie hat viele Facetten. Sie liebt ihren Hund, macht sich Gedanken um ihre Freunde, ist ein wenig unorganisiert. Und ich habe gehört, sie kann kochen. Sie ist praktisch, effizient und intelligent – und sie ist hinreißend im Bett.«

»Dafür, dass wir uns erst so kurz kennen, hast du dir aber schon eine Menge Meinungen gebildet.«

»Das geht bei mir schnell. Meine Mama hat oft gesagt, Max, wenn dir die Richtige begegnet, gehst du direkt auf dein Ziel zu.«

Sie lächelte zaghaft. »Und was soll das heißen?«

»Weiß ich nicht, aber Marlene irrt sich nie. Ich bin der Richtigen begegnet.«

Er zog sie an sich, und sie ließ sich von seinen starken Armen umfangen. Dann jedoch löste sie sich von ihm.

Sie wusste nicht, ob Liebe bedeutete, sich bei jemandem anzulehnen, aber ihrer Erfahrung nach ging das meistens nicht gut aus.

»Ich kann nicht darüber nachdenken, und ich weiß auch nicht, was ich empfinde. Ich muss einfach einen Schritt nach dem nächsten machen.«

»Das ist okay.«

Sie hörte Henry wie wild bellen, und kurz darauf knirschten Reifen auf dem Kies. Ihr verknotete sich der Magen, aber sie hielt sich aufrecht. »Sie sind da.« Bevor Max etwas erwidern konnte, schüttelte sie den Kopf. »Nein, das muss ich regeln.«

Sie trat zur Tür, öffnete sie und sah Jenny mit dem Hund rumalbern.

Jenny schaute hoch. »Das muss wahre Liebe sein«, rief sie und kam aufs Haus zu. »Dass ich vor acht Uhr morgens aufstehe und mich auf den Weg hierher mache, muss ein Zeichen wahrer Freundschaft sein.«

»Es tut mir Leid, dass es so früh ist.«

»Sag mir nur, dass du etwas zu essen hast.«

»Ich ... ich habe Kuchen, aber ...«

»Klingt großartig. Was ist los?« Sie lachte herzlich, brach aber ab, als sie Max erblickte. »Warum sind Sie denn hier? Und wenn Sie so ein toller Großstadtdetektiv sind, warum haben Sie das nicht gesagt?«

»Jenny.« Laine legte ihrer Freundin die Hand auf den Arm. »Es ist kompliziert. Komm mit Vince ins Wohnzimmer, bitte.«

»Warum setzen wir uns nicht in die Küche? Das ist doch viel näher am Essen.« Jenny rieb sich mit kreisenden Bewegungen den Bauch und machte sich auf den Weg in die Küche.

»Na gut.« Laine holte tief Luft und schloss die Tür hinter Vince. »Okay.«

Sie folgte den beiden nach hinten. »Das ist möglicherweise alles ein bisschen verwirrend«, begann sie und stellte die Kanne mit Kräutertee, den sie für Jenny gekocht hatte, auf den Tisch. »Zuallererst möchte ich mich entschuldigen. Es tut mir Leid.«

Sie schenkte Kaffee ein und schnitt den Kuchen in Stücke. »Ich war nicht aufrichtig zu euch, zu keinem von euch.«

»Süße.« Jenny trat zu Laine, die die Kuchenstücke auf einer Glasplatte anrichtete. »Steckst du in Schwierigkeiten?«

»Ja, vermutlich.«

»Wir bringen alles in Ordnung. Stimmt's, Vince?«

Vince ließ Laine nicht aus den Augen. »Setz dich hin, Jen. Lass sie ausreden.«

»Wir bringen es in Ordnung«, wiederholte Jenny, aber sie setzte sich gehorsam hin und durchbohrte Max mit eisigen Blicken. »Ist das Ihre Schuld?«

»Nein«, warf Laine rasch ein. »Mit ihm hat es gar nichts zu tun. Mein Name ist nicht Laine Tavish. Ich heiße… ich habe ihn legal geändert und benutze ihn, seit ich achtzehn bin, aber es ist nicht mein richtiger Name. Ich heiße Elaine O'Hara. Der Name meines Vaters ist Jack O'Hara. Wenn Vince ihn überprüfen würde, dann würde er feststellen, dass mein Vater ein langes Vorstrafenregister hat. Hauptsächlich Diebstahl und Trickbetrug. Betrügereien.«

Jenny riss die Augen auf. »Er hat gar keinen Barbecuegrill in New Mexico?«

»Das ist Rob Tavish, mein Stiefvater. Mein Vater wurde eingebuchtet…« Seufzend brach Laine ab. »Wie schnell einen das alles wieder einholt. Als ich elf war, wurde Jack verhaftet und kam wegen Grundstücksbetrugs ins Gefängnis. Das war nicht das erste Mal, aber dieses Mal hatte meine Mutter die Nase voll. Sie machte sich Sorgen um mich, aber das wurde mir erst später klar. Ich verehrte meinen Vater, und ich war trotz meines Alters bereits ganz erfolgreich dabei, in seine Fußstapfen zu treten.«

»Du hast Betrügereien begangen?«

Jenny klang fasziniert und schockiert zugleich, und Laine musste unwillkürlich lächeln. »Meistens war ich nur am Rande beteiligt, aber manchmal durfte ich auch selber etwas tun. Taschendiebstahl war meine Spezialität. Ich hatte geschickte Hände, und die Leute achten nicht auf ein kleines Mädchen, wenn sie merken, dass man ihnen die Brieftasche geklaut hat.«

»Ach du liebe Güte«, stieß Jenny hervor.

»Mir gefiel es. Es war aufregend und vor allem einfach. Mein Vater... nun, er machte ein Spiel daraus. Wenn ich eine Brieftasche klaute, kam mir nie in den Sinn, dass der Bestohlene jetzt womöglich seine Miete nicht bezahlen konnte. Und als wir diesen Grundstücksschwindel machten und die Leute um ein paar tausend Dollar erleichterten, dachte ich nicht daran, dass das eventuell all ihre Ersparnisse waren. Es machte lediglich Spaß.«

»Du warst damals zehn«, warf Max ein. »Lass das Kind in Frieden.«

»Man könnte sagen, dass genau das passierte. Meiner Mutter wurde klar, dass sie ihr und mein Leben ändern musste, damit ich nicht abrutschte. Sie ließ sich von meinem Vater scheiden und zog weg, änderte ihren Namen und suchte sich einen Job als Kellnerin. In den ersten Jahren zogen wir häufig um. Nicht, um meinen Vater loszuwerden, das hatte sie nie vorgehabt. Sie teilte ihm stets mit, wo wir uns gerade aufhielten, solange er sein Wort hielt und nicht versuchte, mich erneut in etwas hineinzuziehen. Und er hielt sein Versprechen, was uns wohl alle drei überraschte. Wir zogen deshalb so oft um, damit uns nicht jedes Mal die Polizei behelligte...«

Sie brach ab und schenkte Vince ein klägliches Lächeln. »Tut mir Leid, aber wenn du einmal irgendwo in der Kartei bist, und sei es auch nur als Verwandter eines Kriminellen, dann wirst du von jedem Dorfpolizisten beobachtet. Meine Mutter wollte nur ein neues Leben führen. Und sie wollte, dass ich sauber blieb. Es war nicht leicht für sie, denn sie liebte Jack auch. Und ich war ihr keine große Hilfe. Mir gefiel das Spiel, und ich wollte nicht damit aufhören und schon gar nicht von meinem Vater getrennt sein.«

Sie schenkte Kaffee nach, obwohl sie ihre eigene Tasse noch gar nicht angerührt hatte. »Aber meine Mutter bemühte sich sehr, und nach und nach bekam ich ein Gefühl dafür, wie stolz und zufrieden es sie machte, ein ehrliches Leben zu führen. Nach einer Weile zogen wir dann nicht mehr so oft um, packten nicht mehr mitten in der Nacht die Koffer und verschwanden aus Wohnungen oder Hotelzimmern. Und sie brach ihre Versprechen nicht, im Gegensatz zu meinem Vater, der äußerst unzuverlässig war. Wenn meine Mutter etwas sagte, dann hielt sie sich auch daran.«

Schweigend sahen die drei zu, wie sie an den Kühlschrank trat, und einen Krug Wasser herausholte, auf dem Zitronenscheiben schwammen. Sie schenkte sich ein Glas ein und trank es durstig, um ihre Kehle zu befeuchten.

»Na ja, und dann änderte sich auch etwas. Sie lernte Rob Tavish kennen, und alles wurde besser. Er ist wundervoll, verrückt nach ihr, und er war von Anfang an gut zu mir. Lieb und nett und dauernd zu Späßen aufgelegt. Ich nahm seinen Namen an und wurde Laine Tavish, weil Laine Tavish normal und verantwortungsbewusst war. Sie konnte ein Haus und ein Geschäft haben und ein eigenes Leben führen. Ihr Leben würde zwar nicht mehr so aufregend sein wie früher, aber mit Sicherheit auch nicht so beängstigend. Genauso wollte ich es haben. Deshalb erfand ich, wann immer mich jemand nach meiner Familie oder meinem bisherigen Leben fragte, alles Mögliche, das zu Laine Tavish passte. Es tut mir Leid. Das ist alles. Es tut mir Leid.«

Eine Minute herrschte Schweigen. »Okay, wow«, sagte Jenny schließlich mit großen Augen. »Wenn sich mir der Kopf nicht mehr dreht, habe ich jede Menge Kommentare und Fragen, aber zuallererst möchte ich wissen, was das damit zu tun hat, dass du in Schwierigkeiten steckst.«

»Es gibt irgendein Sprichwort oder so, dass man seiner Vergangenheit nicht entfliehen kann, dass sie einen ewig wieder einholt. William Young.« Vince nickte bedächtig, und Laine war klar, dass er eins und eins zusammenzählte.

»Der Mann, der vor deinem Laden überfahren worden ist«, warf Jenny ein.

»Ja. Er arbeitete mit meinem Vater zusammen. Sie standen sich sehr nahe, und er wohnte die meiste Zeit bei uns. Ich nannte ihn Onkel Willy. Ich habe ihn nicht erkannt, als er in den Laden kam – ich schwöre es, Vince. Ich hatte ihn jahrelang nicht mehr gesehen, und ich habe ihn einfach nicht erkannt. Erst nach dem Unfall, und da... o Gott, da starb er.«

Sie trank noch einen Schluck Wasser. Jetzt zitterten ihr die Hände. »Er sah so traurig aus, als ich ihn nicht erkannte und ihn rüde abwies. Und dann lag er da, blutend, und starb. Er sang mir ein paar Zeilen von dem albernen Lied vor, das er und mein Vater oft im Duett von sich gaben. Bye, bye, Blackbird. Da erst merkte ich, wer er war, aber da war es schon zu spät. Ich habe dir nichts davon erzählt, und wahrscheinlich ist das strafbar. Aber ich habe dir halt nicht erzählt, dass ich ihn kannte.«

»Warum ist er zu dir gekommen?«

»Er hatte kaum noch Gelegenheit, etwas zu sagen. Vielmehr, ich habe ihm keine Chance gegeben«, korrigierte sie sich.

»Es ist Zeitverschwendung, dass du dir deswegen Vorwürfe machst«, sagte Max. Er kämpfte mit den Tränen.

»Vielleicht. Rückblickend ist mir klar, dass er nervös und müde war. Er hat mir seine Karte gegeben und eine Telefonnummer darauf geschrieben, das habe ich dir ja gesagt. Ich glaubte wirklich, er wolle mir etwas verkaufen. Erst hinterher wurde mir klar, dass er mir etwas sagen wollte.«

Sie starrte in ihr leeres Wasserglas und stellte es ab. »Wahrscheinlich hat mein Vater ihn geschickt. Willy war so unauffällig, weil er klein war und nichts sagend aussah. Jack ist groß und sticht mit seinen roten Haaren überall hervor, deshalb hat er ihn wohl zu mir geschickt, damit er mir etwas sagen oder geben konnte. Aber er hatte gar keine Gelegenheit dazu. Er sagte nur... er sagte: Er weiß, wo du jetzt bist, und dann fügte er hinzu, ich solle den Köter verstecken. Jedenfalls hörte es sich so an, aber es klingt einfach dumm.«

»Was?«, unterbrach Max sie. »Warum erzählst du mir das erst jetzt?«

»Ich glaube nicht, dass du in der Position bist, mir den falschen Zeitpunkt vorwerfen zu können«, erwiderte Laine nun honigsüß. »Versicherungen, du liebe Güte.«

»Das stimmt doch, verdammt noch mal. Wo ist denn der Köter oder was er da gesagt hat? Was hast du denn damit gemacht?«

Hitze stieg ihr in die Wangen, aber nicht aus Verlegenheit, sondern aus Zorn. »Er hat mir nichts gegeben. Ich habe deine blöden Diamanten nicht. Er hat fantasiert, er lag im Sterben.« Gegen ihren Willen traten ihr die Tränen in die Augen, und ihre Stimme brach. »Er ist vor meinen Augen gestorben, und es war zu spät.«

»Lass sie in Ruhe.« Wie eine Löwin, die ihr Junges verteidigt, stellte sich Jenny vor Laine und schlang beschützend die Arme um sie. »Lass sie in Ruhe.«

Auch Vince tätschelte Laine beruhigend die Schulter, musterte dabei aber Max scharf. »Was für Diamanten?«

»Diamanten im Wert von achtundzwanzig Komma vier Millionen, die vor sechs Wochen aus der New Yorker Juwelenbörse gestohlen worden sind. Diamanten, die mein Klient, die Reliance, versichert hat und sehr gerne wiederfinden würde. Diamanten, die meinen Nachforschungen nach von Jack O'Hara, William Young und einem Dritten, der meiner Meinung nach Alex Crew heißt, gestohlen worden sind.«

»Ach du liebe Scheiße«, flüsterte Jenny.

»Ich weiß nichts darüber«, sagte Laine erschöpft. »Ich habe sie nicht, ich habe sie nie gesehen, ich weiß nicht, wo sie sind. Ihr könnt mich an den Lügendetektor anschließen.«

»Aber irgendjemand glaubt, dass du sie hast oder zumindest weißt, wo sie sind.«

Dankbar legte Laine den Kopf an Jennys Schulter und nickte Vince zu. »Offensichtlich. Du kannst das Haus durchsuchen, Vince. Du und Max. Ihr könnt auch den Laden durchsuchen. Ihr habt Zugang zu meinen Telefonlisten und zu meinen Bankkonten, alles, was ihr wollt. Ich bitte dich nur darum, es diskret zu behandeln, damit ich hier weiterleben kann.«

»Weißt du, wo dein Vater jetzt ist?«

»Ich habe keine Ahnung.«

»Was weißt du über diesen Alex Crew?«

»Ich habe noch nie von ihm gehört, und ich kann mir immer noch nicht vorstellen, dass Jack O'Hara mit diesem Coup wirklich etwas zu tun haben soll. Das sieht ihm so gar nicht ähnlich.«

»Wenn du deinen Vater unbedingt sprechen müsstest, was würdest du dann tun?«

»Die Frage hat sich mir nie gestellt.« Sie rieb sich die schmerzenden Augen. »Ich weiß es ehrlich nicht. Er hat über die Jahre ein paarmal Kontakt zu mir aufgenommen. Kurz nachdem ich meinen Collegeabschluss gemacht hatte, bekam ich über Fed-Ex einen Brief von ihm. Darin war ein Erster-Klasse-Ticket nach Barbados und ein Gutschein für einen einwöchigen Aufenthalt in einem Luxushotel. Ich wusste, dass es von ihm kam, und wäre fast nicht hingefahren. Aber, na ja, es war schließlich Barbados. Wir trafen uns da und haben eine tolle Zeit miteinander verbracht. Mit Jack hat man immer eine tolle Zeit. Er war stolz auf mich – wegen dem College und so. Er hat es meiner Mutter und mir nie übel genommen, dass wir weggegangen sind, und ist halt einfach von Zeit zu Zeit aufgetaucht. Das letzte Mal, als ich in Philadelphia lebte.«

»Die Sache in New York geht mich nichts an«, sagte Vince. »Aber die Einbrüche bei dir schon, und William Young auch.«

»Er hätte Willy nie etwas getan, wenn du das glauben solltest. Nicht um alles Geld der Welt. Und er wäre auch nie bei mir eingebrochen und hätte mein Haus so verwüstet. Das würde er niemandem antun und mir schon gar nicht. Er liebt mich, auf seine Art zwar, aber er liebt mich. Und es ist nicht sein Stil.«

»Was wissen Sie über diesen Crew?«, fragte Vince Max.

»Genug, um sagen zu können, dass Jack und Willy in schlechte Gesellschaft geraten sind. Der Informant in New York war ein Juwelenhändler. Er ist erschossen worden. Man hat seine Leiche in seinem ausgebrannten Wagen in New Jersey gefunden.«

Er warf Laine einen Blick zu. »Wir können O'Hara und Myers, den Diamantenhändler, miteinander in Verbindung bringen. Aber weder bei O'Hara noch bei Young sind jemals Gewaltverbrechen oder bewaffnete Überfälle vorgekommen. Von Crew kann man das jedoch nicht behaupten – er ist zwar nie wegen Mordes verurteilt worden, aber er stand schon häufiger unter dem Verdacht. Er ist aalglatt und schlau. Schlau genug jedenfalls, um zu wissen, dass die Steine heiß sind und er warten muss, bis sie sich abgekühlt haben, bevor er sie außer Landes bringen kann. Möglich, dass er gierig und ungeduldig wird.«

»Wenn Alex Crew wirklich versucht, über mich an die Steine oder an meinen Vater zu gelangen, dann wird er enttäuscht sein.«

»Das bedeutet aber nicht, dass er es nicht trotzdem weiter versucht«, erwiderte Max. »Wenn das so ist, dann war er in der Gegend und ist es wahrscheinlich nach wie vor. Er hat mir die Brieftasche geklaut, also weiß er, wer ich bin und warum ich hier bin.« Geistesabwesend fasste Max an seinen Verband. »Darüber wird er erst einmal eine Zeit lang nachdenken müssen. Ich habe kopierte Fotos von ihm dabei. Er verändert gern sein Aussehen, aber wenn er in der Stadt gewesen ist, erkennst du ihn eventuell wieder.«

»Ich möchte Kopien davon für meine Leute«, sagte Vince, »damit ich mit den New Yorker Behörden zusammenarbeiten kann. Laine werde ich solange raushalten, wie ich kann.«

»Gut. In Ordnung.«

»Danke, Vince. Ich danke dir.« Laine hob die Hände und ließ sie wieder sinken.

»Hast du geglaubt, wir wären böse auf dich?«, fragte Jenny. »Hast du geglaubt, das würde unsere Freundschaft beenden?«

»Ja.«

»Das ist ein bisschen beleidigend, aber ich sehe es dir nach, weil du wirklich müde zu sein scheinst. Was ist mit ihm?« Sie wies mit dem Kinn auf Max. »Verzeihst du ihm?«

»Ich schätze, unter diesen Umständen bleibt mir nichts anderes übrig.«

»Na gut, dann verzeihe ich ihm auch. Gott, ich merke gerade, das hat mich so beschäftigt, dass ich ganz vergessen habe, etwas zu essen. Lass mich das schnell nachholen.« Sie nahm sich ein Stück Kuchen, biss hinein und sagte mit vollem Mund: »Ich finde, du solltest bei Vince und mir wohnen, bis das alles geklärt ist.«

»Ich liebe dich, Jenny.« Unter dem Vorwand, noch Kaffee nachschenken zu wollen, erhob sich Laine und wandte sich ab, weil ihr die Tränen kamen. »Ich weiß dein Angebot zu schätzen, aber ich möchte lieber hier bleiben, das ist besser so. Max bleibt bei mir.«

Ein Anflug von Überraschung huschte über sein Gesicht. Lächelnd begann sie, die Tassen neu zu füllen. »Das stimmt doch, Max, oder?«

»Ja. Klar. Ich passe auf sie auf«, sagte er, an Jenny gewandt.

»Da du eine leichte Gehirnerschütterung hast, bleibst du jetzt hier, und ich gehe nach oben und ziehe mich um. Ich muss den Laden aufmachen.«

»Nein«, widersprach Jenny, »du gehst jetzt nach oben und legst dich ein bisschen hin. Der Laden kann ruhig mal einen Tag lang zu bleiben.«

»Die beiden Männer sind bestimmt der Meinung, dass ich am besten so tue, als ob gar nichts geschehen wäre.«

»Nein, leg dich hin«, sagte Vince. »Wir werden ein Auge auf den Laden und dein Haus haben, bis das alles geklärt ist. Ich hätte gerne diese Fotos«, fügte er, an Max gewandt, hinzu.

»Ich bringe sie vorbei.«

Laine brachte sie zur Tür.

»Ich habe unzählige Fragen«, erklärte Jenny. »Wir müssen unbedingt mal einen Weiberabend machen, damit ich dich löchern kann. Hast du jemals dieses Hütchenspiel gespielt?«

»Jenny.« Vince verdrehte die Augen.

»Du liebe Güte, ich will es eben wissen. Na, erzähl es mir später. Und wie geht der Trick mit den drei Karten?«, rief sie, während Vince sie zum Auto zerrte. »Kannst du mir auch später erzählen, aber ich möchte jede Einzelheit wissen.«

»Sie ist schon was Besonderes«, bemerkte Max, während er beobachtete, wie Vince seine Frau ins Auto verfrachtete.

»Ja, das ist sie. Sie ist das Beste, was mir je passiert ist.« Sie blickte dem Wagen nach, bis er außer Sichtweite war, dann schloss sie die Tür. »Nun, das ging ja besser, als ich es verdient habe.«

»Du kannst eher mir verzeihen als dir, was?«

»Du hast nur deinen Job ausgeübt, und das respektiere ich.« Achselzuckend wandte sie sich zur Treppe. »Ich muss mich rasch ein wenig herrichten, und dann fahre ich in die Stadt.«

»Laine? Ich hatte mich schon auf Widerspruch eingerichtet, weil ich vorschlagen wollte, hier bei dir zu bleiben. Stattdessen schlägst du es selber vor. Warum?«

Sie lehnte sich gegen das Geländer. »Es gibt mehrere Gründe. Einer ist, dass ich zwar kein schniefender Feigling bin, aber auch nicht hirnlos und todesmutig. Ich habe nicht vor, hier draußen alleine zu bleiben, wenn jemand, der mir nichts Gutes wünscht, jederzeit zurückkommen kann. Ich riskiere doch nicht grundlos mein Leben und das meines Hundes.«

»Vernünftig.«

»Also hole ich mir einen großen Privatdetektiv aus der Stadt ins Haus, von dem ich annehme, dass er sich wehren kann, auch wenn es im Moment nicht danach aussieht.«

Er verzog das Gesicht und trat verlegen von einem Fuß auf den anderen. »Ich kann mich sehr wohl wehren.«

»Gut zu wissen. Außerdem ziehe ich es vor, dich in der Nähe zu haben, damit ich deine Schritte wegen der Diamanten, an denen ich ja auch ein Interesse habe, im Auge behalten kann. Siebenhunderttausend Dollar kann ich gut gebrauchen.«

»Praktisch gedacht.«

»Und dann hat mir der Sex gefallen. Und ich sehe nicht, warum ich mir das Vergnügen vorenthalten sollte. Wenn du hier bist, kriege ich dich leichter ins Bett.«

Da ihm darauf offenbar keine passende Antwort einfiel, lächelte sie nur. »Ich gehe jetzt duschen.«

»Okay«, brachte er hervor, nachdem sie verschwunden war. »Das erklärt alles.«

Eine halbe Stunde später kam sie frisch wie der Frühlingsmorgen in einer kurzen grünen Jacke und Hose wieder die Treppe herunter. Die Haare hatte sie an den Schläfen mit Silberkämmen zurückgesteckt und fielen ihr wie eine leuchtende Flut über die Schultern.

Sie trat auf Max zu und reichte ihm einen Schlüsselring aus Messing. »Vorder- und Hintertür«, sagte sie zu ihm. »Falls du vor mir wieder zu Hause sein solltest, wäre es nett, wenn du Henry herausließest und etwas mit ihm spielen würdest.«

»Kein Problem.«

»Wenn ich koche, machst du den Abwasch.«

»Abgemacht.«

»Ich habe es gern ordentlich und keine Lust, hinter dir herzuräumen.«

»Ich bin gut erzogen, dank Marlene.«

»Das wäre für den Moment alles. Ich muss jetzt gehen.«

»Warte, das sind deine Regeln. Hier sind meine. Das ist meine Handynummer.« Er drückte ihr eine Karte in die Hand. »Du rufst mich an, bevor du nach Hause fährst. Wenn du aus irgendeinem Grund nicht direkt nach Hause kommst, sagst du mir auch Bescheid.«

»In Ordnung.« Sie steckte die Karte in ihre Tasche.

»Du rufst diese Nummer immer an, wenn etwas passiert, irgendetwas, dass dir zu schaffen macht, ganz gleich, wie geringfügig es ist. Okay?«

»Wenn ich also von irgendeinem Umfrageinstitut angerufen werde, dann sage ich dir Bescheid.«

»Ich meine es ernst, Laine.«

»Schon gut, schon gut. Sonst noch etwas? Ich bin schon viel zu spät.«

»Wenn du etwas von deinem Vater hörst, sagst du es mir. Du sagst es mir, Laine«, wiederholte er, als er ihren Gesichtsausdruck sah. »Deine Loyalität nützt ihm nichts.«

»Ich will aber nicht dazu beitragen, dass er ins Gefängnis kommt. Das will ich nicht, Max.«

»Ich bin kein Polizist. Ich stecke niemanden ins Gefängnis. Ich will nur die Diamanten wiederhaben und meinen Anteil kassieren. Und ich will, dass wir in der Zwischenzeit alle gesund bleiben.«

»Versprich mir, dass du ihn nicht verhaften lässt, und ich verspreche dir, dass ich es dir erzähle, wenn ich von ihm höre.«

»Abgemacht.« Sie schüttelten sich die Hände. Dann zog er sie überraschend in die Arme. »Und jetzt gibst du mir einen Abschiedskuss.«

»In Ordnung.«

Sie legte die Hände auf seine Hüften, stellte sich auf die Zehenspitzen und küsste ihn langsam und gründlich. Er zerwühlte ihre Haare, und sie schmiegte sich enger an ihn. Ihre Hände glitten zu seinem Hintern.

Sie genoss das Gefühl, alles unter Kontrolle zu haben.

»Das bringt mich durch den Tag«, murmelte sie, dann löste sie sich von ihm.

»Und jetzt gebe ich dir einen Abschiedskuss.«

Lachend schlug sie ihm auf die Brust. »Das glaube ich nicht. Du kannst mich zur Begrüßung küssen, wenn ich gegen sieben wieder zu Hause bin.«

»Ich werde hier sein.«

Er ging mit ihr hinaus, um ebenfalls in die Stadt in sein Hotel zu fahren. An der Rezeption blieb er kurz stehen und bat um die Rechnung.

Die Angestellte musterte ihn besorgt. »Oh, Mr. Gannon, geht es Ihnen gut? Hatten Sie einen Unfall?«

»Eher im Gegenteil, aber es ist alles in Ordnung, danke. Ich bin gleich wieder unten.«

Er stieg in den Aufzug. Arbeiten würde er erst, wenn er sich bei Laine eingerichtet hatte. Er würde es sich dort richtig gemütlich machen. Da er so viel unterwegs war, brauchte er nicht lange, um zu packen. Fünfzehn Minuten, nachdem er sein Zimmer betreten hatte, verließ er es wieder, den Kleidersack über der einen Schulter und die Tasche mit dem Laptop über der anderen.

An der Rezeption prüfte er kurz seine Rechnung und bezahlte dann mit Kreditkarte.

»Ich hoffe, es hat Ihnen bei uns gefallen.«

»Ja, sehr.« Er blickte auf ihr Namensschild. »Noch eins, bevor ich Sie verlasse, Marti.« Er zog eine Mappe aus seiner Laptoptasche, holte die Fotos von Jack O'Hara, William Young und Alex Crew heraus und legte sie auf die Theke. »Haben Sie einen dieser Männer schon einmal gesehen?«

»Oh.« Sie blinzelte verwirrt. »Warum?«

»Ich suche nach ihnen.« Er setzte sein strahlendstes Lächeln auf. »Und?«

»Oh«, wiederholte sie und betrachtete die Fotos. »Ich glaube nicht. Tut mir Leid.«

»Ist schon okay. Ist sonst noch jemand da, der sich die Fotos anschauen könnte?«

»Ja, sicher. Mike ist da. Warten Sie, ich hole ihn.«

Max wiederholte seine Fragen bei dem zweiten Angestellten – dieses Mal ohne das strahlende Lächeln –, aber auch hier hatte er keinen Erfolg.

Nachdem er sein Gepäck im Kofferraum verstaut hatte, fuhr er zuerst bei Vince vorbei und wartete, bis Kopien von den Fotos gemacht worden waren. Anschließend klapperte er alle Hotels und Pensionen im Umkreis von zehn Meilen ab.

Drei Stunden später hatten ihm seine Bemühungen nichts als rasende Kopfschmerzen eingebracht. Er schluckte vier Ibuprofen, als seien es Bonbons, dann holte er sich an einem Kiosk ein Sandwich.

Zu Hause bei Laine teilte er sein Essen großzügig mit einem dankbaren Henry, wobei er hoffte, dass dies ihr kleines Geheimnis bleiben würde. Seine Kopfschmerzen machten sich mittlerweile nur noch als dumpfes Pochen bemerkbar, und er beschloss, den Rest des Tages mit Auspacken und dem Durchsehen seiner Notizen zu verbringen.

Ungefähr zehn Sekunden brauchte er, um zu entscheiden, wo er seine Kleider unterbringen sollte. Die Lady hatte gesagt, sie wolle ihn im Bett haben, also war es nur fair, dass seine Kleider griffbereit waren.

Er öffnete ihren Schrank und betrachtete ihre Kleider. Dabei stellte er sich vor, wie sie aussah, wenn sie sie anhatte, und auch, wenn sie nichts trug. Offensichtlich war sie genauso verrückt nach Schuhen wie seine Mutter.

Für seine Wäsche brauchte er Platz in der Kommode. Da er sich wie ein Perverser vorgekommen wäre, wenn er ihre Unterwäsche angefasst hätte, entschied er sich für eine Schublade, in der sie säuberlich ihre Pullover und T-Shirts aufgestapelt hatte.

Danach schaute er sich Laines Arbeitszimmer, ihr Wohnzimmer und ihr Gästezimmer an, wobei Henry ihm nicht von der Seite wich. Der schicke kleine Schreibtisch im Gästezimmer war eigentlich nicht seine erste Wahl, aber etwas anderes kam nicht in Frage. Also baute er dort seinen Laptop auf, schrieb seinen Bericht und las alles noch einmal durch. Dann überprüfte er seine E-Mail und seine Mailbox und beantwortete die Nachrichten, die beantwortet werden mussten.

Anschließend saß er nachdenklich da, starrte an die Decke und dachte nach.

Er weiß, wo du jetzt bist. Versteck den Köter. Das hatte Willy zu Laine gesagt, als er im Sterben lag.

Wer war ›er‹? Ihr Vater. Wenn Willy wusste, wo Laine war, wusste ihr Vater es höchstwahrscheinlich auch. Aber Laine hatte gesagt, dass ihr Vater ab und zu Kontakt mit ihr aufgenommen hatte. Das ergab keinen Sinn. Er weiß, wo du *jetzt* bist. Der Pfeil in Max' Kopf wies auf Alex Crew.

O'Hara war nicht gewalttätig, aber Crew schon. O'Hara kam eigentlich für die zwei Löcher im Kopf des Diamantenhändlers nicht in Frage. Und Willy hatte auch keinen Grund, aus Angst vor seinem alten Kumpel Jack O'Hara wegzulaufen.

Es war viel wahrscheinlicher, dass er vor dem dritten Mann davongelaufen war, vor dem Mann, der nach Max' Meinung Alex Crew war. Und demzufolge war Crew in Gap.

Aber deswegen wusste Max nach wie vor nicht, wo Willy die Steine versteckt hatte.

Offensichtlich wollte er sie Laine geben. Aber warum wollten Willy oder Laines Vater sie in die Schusslinie eines Mannes wie Crew bringen?

Er zermarterte sich den Kopf, aber es kam nichts dabei heraus. Da der Schreibtischstuhl unbequem war, streckte er sich auf dem Bett aus. Er schloss die Augen, um ein kleines Nickerchen zu machen.

Und auf der Stelle war er fest eingeschlafen.

9

Dieses Mal hatte ihn im Schlaf jemand zugedeckt. Wie es seiner Gewohnheit entsprach, wachte er genauso auf, wie er eingeschlafen war. Schnell und vollständig.

Er blickte auf die Uhr und zuckte zusammen, als er feststellte, dass er zwei Stunden lang geschlafen hatte. Es war kurz vor sieben, und eigentlich hatte er auf sein wollen, bevor Laine zurückkam.

Er stand auf, schluckte noch ein paar Tabletten gegen die immer noch vorhandenen Kopfschmerzen und machte sich auf die Suche nach ihr.

Schon auf der Treppe empfing ihn ein verführerischer Duft. Rasch eilte er in die Küche.

Sie sah so hübsch aus, dachte er, wie sie dastand in ihrem ordentlichen Hemd und der Hose, ein Küchentuch umgebunden, und in etwas rührte, das in der Pfanne auf dem Herd vor sich hinköchelte. Ihre Hüften bewegten sich im Takt der Musik, die aus dem Mini-CD-Player auf der Küchentheke drang.

Auch musikalisch hatten sie wohl den gleichen Geschmack, dachte er, als er Marshall Tucker erkannte.

Der Hund lag auf dem Fußboden und kaute an einem zerfetzten Strick. Fröhliche gelbe Margeriten standen in einem blau gepunkteten Krug auf dem Tisch. Neben dem hölzernen Schneidbrett auf der Theke lag frisches Gemüse.

Er war eigentlich gar nicht der Typ für häusliche Idylle – das hatte er zumindest bis jetzt geglaubt –, aber dieser Anblick traf ihn mitten ins Herz. Und er war sich auf einmal ganz sicher, dass ihm das die nächsten vierzig oder fünfzig Jahre gefallen würde.

Henry wedelte mit dem Schwanz und erhob sich, um ihm den zerkauten Strick zu präsentieren.

Laine klopfte den Holzlöffel am Rand der Pfanne ab und wandte sich zu ihm um. »Hast du gut geschlafen?«

»Ja, aber das Aufwachen ist beinahe noch schöner.« Um Henry zufrieden zu stellen, zog er ein wenig an dem Seil, und der Hund ging fröhlich auf das Spiel ein.

»Wenn es nach ihm ginge, könntest du jetzt tagelang so weitermachen.«

Max riss den Strick an sich und warf ihn in den Flur. Mit flatternden Ohren stürzte Henry hinterher. »Du bist früher zu Hause, als ich erwartet habe.«

Er trat auf sie zu, und sie zog die Augenbrauen hoch, als er sie mit dem Rücken gegen die Theke drückte. Er zog sie an sich und begann sie zu küssen.

Sie wollte ihm die Hände auf die Hüften legen, ließ sie jedoch wieder sinken, weil ihr die Knie weich wurden und ihr Blut zu rauschen begann. Als sie schließlich wieder die Augen öffnete, löste er sich von ihr und grinste sie an.

»Hallo, Laine.«

»Hallo, Max.«

Ohne sie aus den Augen zu lassen, griff er nach dem Strick, den Henry begeistert apportiert hatte, und zog noch einmal daran. »Irgendetwas riecht hier unheimlich gut.« Er beugte sich vor und schnupperte an ihrem Hals. »Abgesehen von dir.«

»Ich koche Hühnchen mit Fettucine in einer leichten Sahnesauce.«

Er warf einen Blick in die Pfanne. »Du spielst doch nicht mit mir, oder?«

»Doch, aber nicht, wenn es ums Essen geht. Ich habe eine Flasche Wein in den Kühlschrank gestellt. Öffnest du sie und schenkst uns ein Glas ein?«

»Ja, kann ich tun.« Er entwand Henry den Strick und warf ihn noch einmal in die Diele. »Du kannst wirklich kochen«, sagte er, während er den Wein herausholte.

»Ab und zu koche ich gerne, aber da ich meistens alleine bin, lohnt es sich nicht, viel Aufwand zu treiben. Das ist jetzt mal eine nette Abwechslung.«

»Freut mich, dass ich wenigstens dafür gut bin.« Er nahm den Korkenzieher entgegen, den sie ihm reichte, und musterte das kleine Silberschwein, das auf dem Griff thronte. »Du sammelst sie wirklich.«

»Nur einfach so.« Sie stellte zwei Weingläser auf die Theke. Es gefiel ihr, wie er trotz seiner Sommelier-Pflichten mit dem Hund spielte. Damit Henry ihn nicht zu sehr in Beschlag nahm, hockte sie sich vor einen Küchenschrank und holte eine Blechdose heraus.

»Henry! Möchtest du ein Plätzchen?«

Sofort ließ der Hund den Strick los und verfiel in einen Freudentaumel. Max hätte schwören können, dass dem Tier Tränen der Verzückung in die Augen traten, als Laine einen Hundekuchen hochhielt.

»Nur gute Hunde bekommen ein Plätzchen«, sagte sie streng, und Henry plumpste erwartungsvoll zitternd auf den Fußboden. Sie warf ihm den Hundekuchen hin, und er fing ihn aus der Luft auf. Dann raste er wie ein Dieb damit hinaus.

»Ist da Koks drin?«

»Nein, Henry ist süchtig nach Hundekuchen. Damit wird er jetzt in den nächsten fünf Minuten beschäftigt sein.« Sie holte eine Kasserolle aus dem Schrank. »Ich muss jetzt das Hühnchen sautieren.«

»Das Hühnchen sautieren«, stöhnte er. »Oh, Mann.«

»Du bist wirklich leicht zufrieden zu stellen.«

»Ich empfinde das nicht als Beleidigung.« Schweigend sah er zu, wie sie Hühnerbrüste aus dem Kühlschrank nahm, und begann, sie in Streifen zu schneiden. »Kannst du reden, während du das tust?«

»Ja, ich bin sehr talentiert.«

»Cool. Und, wie war es heute im Geschäft?«

Sie ergriff das Weinglas, das er neben sie auf die Theke gestellt hatte, und trank einen Schluck. »Willst du wissen, was ich heute verkauft habe, oder ob ich irgendwas Verdächtiges gesehen habe?«

»Beides.«

»Die Geschäfte sind heute sehr gut gegangen. Unter anderem habe ich eine sehr schöne Sheriton-Anrichte verkauft. Weder im Laden noch in meinem Büro oder im Lagerraum war irgendetwas durcheinander – nur ein bisschen Blut auf dem Boden im Hinterzimmer, das wahrscheinlich deins war.« Sie gab Öl in die Kasserolle und musterte ihn dann. »Wie geht es deinem Kopf?«

»Besser.«

»Gut. Und ich habe auch keine verdächtigen Gestalten gesehen, außer Mrs. Franquist, die ein- oder zweimal im Monat kommt, um an meinen Preisen herumzunörgeln. Und wie war dein Tag?«

»Ausgefüllt, vom Nickerchen mal abgesehen.« Er erzählte ihr alles, während sie die Hühnchenstreifen anbriet. Dann machte sie sich daran, die Salatsauce vorzubereiten.

»Es gibt vermutlich viele solcher Tage, an denen du herumfährst und Fragen stellst, ohne eine Antwort zu bekommen.«

»Auch ein Nein ist eine Antwort.«

»Ja, da hast du Recht.« Gekonnt, wie er fand, schüttelte sie die Kasserolle, damit die Hühnchenstreifen auch auf der anderen Seite braun wurden. »Warum geht ein netter Junge aus Savannah nach New York, um Privatdetektiv zu werden?«

»Zuerst beschließt er, Polizist zu werden, weil er gerne Dinge herausfindet und sie wieder in Ordnung bringt. Zumindest so in Ordnung, wie es möglich ist. Aber irgendwie funktioniert das nicht gut, weil er mit den anderen nicht auskommt.«

Lächelnd wandte sie sich wieder ihrem Salat zu. »Ach nein?«

»Nein, nicht so gut. Und er fühlt sich von all diesen Regeln eingeengt. Er stellt fest, dass er am liebsten unter Felsen schaut, aber den Felsen dafür gerne anheben möchte. Und um das tun zu können, muss man Privatdetektiv werden. Außerdem verdient man da mehr.«

»Natürlich.« Sie goss etwas Wein über das Hühnchen, reduzierte die Hitze und legte den Deckel auf die Pfanne.

»Um also gut leben zu können, muss man gut sein im Felsenanheben und sich Leute suchen, die noch besser leben als man selber, damit sie einen gut bezahlen können.« Er griff nach einem Stück Karotte und knabberte daran. »Der Junge aus den Südstaaten zieht nach New York und die Yankees glauben, er sei ein bisschen langsam.« Laine blickte von ihrer Salatsauce auf. »Da irren sie sich aber.«

»Genau, und das ist mein Vorteil. Jedenfalls fing ich an, mich für Datensicherheit zu interessieren, und wäre fast auch da gelandet. Aber da verdient man nicht genug. Deshalb habe ich dieses Talent einfach noch zusätzlich in die Waagschale geworfen. Reliance gefiel meine Arbeit, und sie haben mich auf ihre Gehaltsliste gesetzt. Im Großen und Ganzen kommen wir gut miteinander aus.«

»Kannst du auch den Tisch decken?«

»Das hat mir meine Mama schon ganz früh beigebracht.«

»Teller sind da, Besteck hier und Servietten in der Schublade dort.«

»Okay.«

Sie stellte das Wasser für die Nudeln auf, während er sich an die Arbeit machte. Nachdem sie noch einmal nach dem Hühnchen geschaut und die Temperatur noch etwas heruntergeschaltet hatte, griff sie wieder nach ihrem Weinglas. »Max, ich habe heute viel über uns nachgedacht.«

»Ja, das habe ich mir schon gedacht.«

»Ich glaube, du wirst meinem Vater aus zwei Gründen nicht Unrecht tun. Ich bedeute dir etwas, und du hast es nicht auf ihn abgesehen. Dein Ziel ist es, die Steine wieder zu finden.«

»Das sind schon zwei Gründe.«

»Und es gibt noch einen. Du bist ein guter Mann. Kein Ritter in schimmernder Rüstung«, sagte sie, als er innehielt und sie anblickte. »Das würde mich sowieso nur irritieren, weil ich das Gefühl hätte, dabei zu kurz zu kommen. Aber du bist ein guter Mann, der es mit der Wahrheit nicht so genau nimmt, wenn es angebracht ist, jedoch sein Wort hält, wenn er es einmal gegeben hat. Das beruhigt mich in vielerlei Hinsicht.«

»Ich werde dir nie etwas versprechen, was ich nicht halten kann.«

»Siehst du, das war genau der richtige Satz.«

Während Laine und Max in der Küche Pasta aßen, verspeiste Alex Crew in der rustikalen Hütte, die er sich im Nationalpark gemietet hatte, ein blutiges Steak und trank dazu einen recht anständigen Cabernet.

Rustikal lag ihm eigentlich nicht, aber es gefiel ihm, dass er hier allein und ungestört war. Seine Suite im Overlook in Angel's Gap war ihm auf einmal zu heiß geworden.

Maxfield Gannon, sinnierte er und studierte beim Essen Max' Privatdetektivlizenz. Entweder ein Selbständiger, der auf eigene Rechnung arbeitete, oder ein Privatdetektiv, der von der Versicherung engagiert worden war. Auf jeden Fall war der Mann äußerst irritierend.

Ihn umzubringen wäre ein Fehler gewesen – obwohl er einen verführerischen Moment lang daran gedacht hatte, als er über dem bewusstlosen Detektiv stand und vor Wut über die unliebsame Unterbrechung schäumte.

Aber selbst so eine Spielzeugpolizei wie die in dieser jämmerlichen Kleinstadt würde bei Mord aktiv werden. Für seine Zwecke war es besser, die Bullen dort konzentrierten sich weiter darauf, Strafzettel für Falschparken zu schreiben und die Dorfjugend in Schach zu halten.

Es war viel besser und leichter gewesen, dachte er und trank einen Schluck Wein, dass er die Papiere des Mannes mitgenommen und anonym bei der Polizei angerufen hatte. Die Vorstellung, wie dieser Maxfield Gannon sich abmühte, den Hütern des Gesetzes zu erklären, was er morgens um halb vier in einem geschlossenen Laden machte, erheiterte ihn. Und er hatte damit Jack O'Hara über seine Tochter eine deutliche Nachricht zukommen lassen.

Aber ärgerlich war es doch. Er hatte den Laden nicht durchsuchen können, und er musste den Aufenthaltsort wechseln. Das war lästig.

Er zog ein kleines, in Leder gebundenes Notizbuch aus der Tasche und schrieb diese zusätzlichen Unannehmlichkeiten auf. Wenn er mit O'Hara abrechnete – und das würde er natürlich –, wollte er alles ganz genau aufführen, während er aus ihm herausprügelte, wo sich die restlichen Diamanten befanden.

Da die Liste ständig länger wurde, würde er O'Hara ziemlich wehtun müssen, darauf konnte er sich jetzt schon freuen.

Eigentlich konnte er auch noch O'Haras Tochter und den Privatdetektiv auf seine offene Rechnung setzen. Das war auf jeden Fall ein zusätzlicher Bonus für einen Mann, für den es Macht bedeutete, anderen Schmerzen zuzufügen.

Mit Myers, dem gierigen, blöden Diamantenhändler, war er gnädig umgesprungen. Aber Myers hatte sich auch nur zuschulden kommen lassen, so dumm zu sein anzunehmen, dass er Anspruch auf ein Viertel der Beute habe. Als er ihm dann einen größeren Anteil versprochen hatte, war er so gierig gewesen, dass er sich nachts mit ihm auf einer verlassenen Baustelle getroffen hatte.

Wirklich, der Mann hatte es nicht verdient, am Leben zu bleiben. Auf jeden Fall war er ein loses Ende gewesen, das man abschneiden musste. Letztendlich wäre man auf seine Spur geraten, weil er vor irgendjemandem geprahlt oder mit dem Geld um sich geworfen hätte, es für geschmacklose Autos oder Frauen oder Gott weiß was Menschen aus seiner Schicht für erstrebenswert hielten, ausgegeben hätte.

Er hatte gebettelt und geschluchzt wie ein Baby, als Crew ihm die Pistole an den Kopf gehalten hatte. Ein widerliches Schauspiel, aber was konnte man von so einem schon erwarten?

Er hatte ihm auch freiwillig den Schlüssel zu dem Postfach übergeben, in dem er die Lumpenpuppe mit dem Beutel voller Diamanten im Bauch deponiert hatte.

O'Hara hatte wirklich geniale Ideen. Edelsteine im Wert von Millionen in harmlosen, unauffälligen Objekten zu verstecken, auf die niemand achtete. Als die Alarmanlage losging, das Gebäude verriegelt wurde und die Polizisten ausschwärmten, kam niemand auf den Gedanken, dass alle Diamanten sich noch darin befanden, verstaut in einer unschuldigen Puppe oder einem Plüschhund. Danach musste man nur noch das Außergewöhnliche von dem Gewöhnlichen trennen, während ganz woanders nach den Steinen gesucht wurde.

Ja, für dieses amüsante Detail war er Jack richtiggehend dankbar, aber das wog wohl kaum alle Minuspunkte auf.

Er konnte sich nicht darauf verlassen, dass sie die Edelsteine im Wert von Millionen von Dollars wirklich ein ganzes Jahr zurückhalten würden, wie sie es versprochen hatten. Man konnte doch dem Wort von Dieben nicht trauen!

Schließlich hatte er ja noch nicht einmal selbst die Absicht, seine Versprechen zu halten. Außerdem wollte er die gesamte Beute, das hatte er von vornherein vorgehabt. Die anderen waren nur Werkzeuge gewesen – und wenn ein Werkzeug seinen Zweck erfüllt hatte, dann legte man es weg. Oder zerstörte es.

Aber sie hatten ihn getäuscht, waren ihm entwischt und hatten die Hälfte der Beute mitgenommen. Sie hatten ihn viel Zeit und Mühe gekostet. Er musste sich Sorgen machen, dass sie bei einer der jämmerlichen Betrügereien, auf die Big Jack so lächerlich stolz war, geschnappt wurden und am Ende noch den großen Diebstahl gestanden und er die Hälfte seiner Beute verlor.

Eigentlich sollten sie jetzt alle schon tot sein. Und die Tatsache, dass einer von ihnen noch am Leben war, war eine persönliche Beleidigung, die er nicht tolerierte.

Sein Plan war einfach und sauber gewesen. Zuerst Myers, im Stil einer Hinrichtung, damit es so aussah, als ob ihn seine Spielschulden eingeholt hätten. Dann O'Hara und Young, die beiden Idioten. Sie waren zu dämlich, um Anweisungen zu befolgen, und deshalb waren sie auch nicht da gewesen, wo sie hätten sein sollen.

Wenn er sich am vereinbarten Ort mit ihnen hätte treffen können, dann hätte er seine Besorgnis über Myers' Tod geäußert und vorgeschlagen, sie sollten zu irgendeiner einsamen Hütte fahren, um ihre nächsten Schritte zu besprechen. Dort wäre er ohne weiteres mit den beiden Blödmännern fertig geworden, da keiner von beiden genug Mumm hatte, eine Waffe zu tragen. Er hätte Beweise hinterlassen, die zu dem Job in New York geführt hätten, und er hätte alles so arrangiert, dass es selbst für den dümmsten Polizisten so ausgesehen hätte, als ob sie sich gegenseitig umgebracht hätten.

Aber sie waren verschwunden und hatten seine sorgfältige Planung durcheinander gebracht. Es hatte über einen Monat gedauert, bis er endlich auf Willys Spur gestoßen war und ihn nach New York verfolgt hatte, nur um ihn da erneut zu verfehlen. Danach war er gezwungen, noch mehr Zeit, noch mehr Mühe und noch mehr Geld zu investieren, um ihn schließlich in Maryland aufzuspüren.

Und dann war dieser Hornochse von einem Auto überfahren worden.

Kopfschüttelnd schnitt Crew ein weiteres Stück von dem blutigen Steak ab. Willy nützte ihm nichts mehr – jetzt musste er die Rechnung nur noch mit Big Jack begleichen.

Die Frage war nur, wie er das am besten anstellen sollte. Die verschiedenen Möglichkeiten unterhielten ihn für den Rest seiner Mahlzeit.

Sollte er sich direkt das Mädchen vornehmen, den Aufenthaltsort ihres Vaters und das Diamantenversteck aus ihr herausquetschen? Aber wenn Willy gestorben war, ohne ihr etwas mitteilen zu können, dann wäre das vergeudete Mühe.

Außerdem musste er noch diesen Maxfield Gannon ins Kalkül ziehen. Es wäre vielleicht nicht unklug, ein wenig zu recherchieren, um herauszufinden, was für ein Mann er war. Möglicherweise war er ja bestechlich. Offenbar wusste er etwas über das Mädchen, sonst wäre er ja wohl kaum in ihren Laden eingebrochen.

Oder – der Gedanke traf ihn wie ein Pfeil mitten ins Herz – sie war sich mit Gannon schon handelseinig geworden. Das wäre wirklich übel, dachte er und schlug wild mit der Faust auf den Tisch. Das wäre wirklich zu übel für alle Beteiligten.

Er würde sich nicht mit der Hälfte zufrieden geben. Das war nicht akzeptabel. Deshalb musste er einen Weg finden, an die andere Hälfte seines Eigentums zu gelangen.

Das Mädchen war der Schlüssel. Ob sie etwas wusste oder nicht, konnte er mal beiseite lassen. Was zählte, war eine einfache Tatsache. Sie war Jacks Tochter und sein Augapfel.

Sie war der Köder.

Nachdenklich lehnte er sich zurück und tupfte sich die Mundwinkel mit der Serviette ab. Wirklich, das Essen hier war besser, als er erwartet hatte, und die Stille war beruhigend.

Ruhig und einsam. Ein hübsches kleines Versteck im Wald. Lächelnd verzog er das Gesicht, während er sich noch ein weiteres Glas Wein einschenkte. Ruhig und einsam, ohne störende Nachbarn, wenn man eine Diskussion mit ... Partnern führte. Eine Diskussion, die eventuell ein wenig hitzig werden konnte.

Er blickte sich um und sah aus den Fenstern, hinter denen es dunkel geworden war.

Das ist sehr gut geeignet, dachte er. Wirklich, äußerst gut geeignet.

Es war komisch, neben einem Mann aufzuwachen. Zum einen nahm ein Mann ziemlich viel Platz ein, und zum anderen war sie nicht daran gewöhnt, sich über ihr Aussehen Gedanken zu machen, wenn sie morgens aufwachte.

Letzteres würde ihr wohl keine Probleme machen, wenn sie weiterhin eine Zeit lang neben diesem Mann aufwachte. Auch das andere Problem war zu beheben, indem sie ein größeres Bett kaufte.

Die Frage war nur, ob sie überhaupt bereit war, mit diesem Mann eine Zeit lang ihr Bett zu teilen – was doch letztlich nur eine Metapher für ihr Leben war. Sie hatte noch keine Zeit gehabt, darüber nachzudenken. Nein, korrigierte sie sich, sie hatte sich nicht die Zeit dazu genommen.

Sie schloss die Augen wieder und versuchte sich vorzustellen, es sei einen Monat später. Im Garten würde alles blühen, und sie würde schon an Sommerkleider denken und daran, die Gartenmöbel aus dem Schuppen herauszuholen. Bei Henry würde der alljährliche Tierarztbesuch fällig – eine traumatische Erfahrung für sie beide.

Jennys Entbindungstermin rückte näher.

Laine öffnete ein Auge und blinzelte Max an.

Er war immer noch da, das Gesicht ins Kissen gedrückt, die Haare ganz niedlich und zerzaust.

Also, es wäre ein gutes Gefühl, ihn in einem Monat auch noch dazuhaben.

Jetzt wollte sie es mal mit sechs Monaten versuchen. Sie schloss wieder die Augen und stellte es sich vor.

Es würde bald Thanksgiving sein. Da sie sehr organisiert war – es war ihr egal, dass Jenny es eher als obsessiv oder Ekel erregend bezeichnete –, hätte sie bereits alle Weihnachtsgeschenke gekauft. Sie würde die Feiertage planen und überlegen, wie sie den Laden und das Haus dekorieren sollte.

Sie würde sich einen Klafter Brennholz bestellen und jeden Abend den Kamin anzünden. Sie würde ein paar Flaschen guten Champagner einlagern, damit sie und Max…

Oh, oh, da war er.

Sie öffnete beide Augen und musterte ihn. Ja, da war er. Tauchte auf einmal vor ihrem geistigen Auge auf, lag direkt neben ihr und schlief, während Henry, ihr Vorwecker, sich langsam zu regen begann.

Das Gefühl beschlich sie, dass er immer noch da sein würde, auch wenn sie ein ganzes Jahr vorausdachte.

In diesem Moment schlug er seine braunen Augen auf, und sie quiekte leise auf vor Überraschung.

»Ich konnte hören, wie du mich anstarrst.«

»Ich habe dich nicht angestarrt, ich habe nachgedacht.«

»Das konnte ich auch hören.«

Er schlang einen Arm um sie. Ein Schauer überlief sie, als er sie mühelos auf seine Seite unter sich zog.

»Ich muss Henry hinauslassen.«

»Er kann noch eine Minute warten.« Er küsste sie, und aus dem Schauer wurde ein sehnsüchtiges Pochen.

»Wir sind Gewohnheitstiere, Henry und ich.«

»Auch Gewohnheitstiere können jederzeit andere Gewohnheiten annehmen.« Er knabberte an ihrem Hals. »Du bist ganz weich und warm morgens.«

»Ich werde mit jeder Minute weicher und wärmer.«

Seine Lippen glitten über ihre Haut, dann hob er den Kopf und blinzelte sie an. »Lass uns das doch mal ausprobieren.«

Er legte seine Hände unter ihre Hüften und hob sie an. Und dann drang er einfach in sie ein. Ihre hellblauen Augen verschleierten sich.

»O ja.« Er beobachtete sie im blassen Morgenlicht. »Du hast absolut Recht.«

Henry winselte und stemmte sich mit den Vorderpfoten auf die Bettkante. Er legte den Kopf schräg, als versuche er herauszufinden, warum die beiden Menschen ungerührt mit geschlossenen Augen im Bett lagen, obwohl er schon längst nach draußen gemusst hätte.

Fragend bellte er einmal.

»Okay, Henry, gleich.«

Max fuhr mit den Fingerspitzen über Laines Arm. »Soll ich es tun?«

»Du hast es bereits getan. Danke.«

»Haha. Soll ich den Hund hinauslassen?«

»Nein, wir haben unsere eigene kleine Routine.«

Sie stand auf, woraufhin Henry zur Badezimmertür und wieder zurückraste und einen kleinen Freudentanz aufführte, während sie ihren Morgenmantel aus dem Schrank holte.

»Gehört zu der Routine auch Kaffee?«, fragte Max.

»Es gibt keine Routine ohne Kaffee.«

»Gott sei Dank. Ich dusche mich schnell und komme dann runter.«

»Lass dir Zeit. Bist du sicher, dass du nach draußen möchtest, Henry? Bist du dir da absolut sicher?«

An ihrem Tonfall und der manischen Reaktion des Hundes erkannte Max, dass auch diese Frage zum morgendlichen Ritual gehörte. Der Hund galoppierte die Treppe hinunter und wieder herauf, während Laine ihm lachend folgte.

Max grinste unwillkürlich.

Unten entriegelte Laine die Tür zum Vorraum und schloss auch gleich die Hintertür auf, damit Henry sich nicht durch seine Hundeklappe zwängen musste, sondern gleich hinausschießen konnte. Tief sog sie die Morgenluft ein.

Dann beugte sie sich bewundernd über ihre Frühlingsblumen und schnupperte an den roten und violetten Hyazinthen, die sie gepflanzt hatte. Mit verschränkten Armen sah sie Henry zu, der an jedem Baum im Garten das Bein hob. Gleich würde er in den Wald rennen und versuchen, ein paar Eichhörnchen zu erschrecken oder vielleicht sogar ein Reh aufzuscheuchen. Aber zuerst musste er sorgfältig sein Revier markieren.

Sie lauschte dem Vogelgezwitscher und dem Plätschern des kleinen Bachs. Ihr Körper war noch warm von Max, und sie fragte sich, wie man an einem so vollkommenen, friedlichen Morgen auch nur eine einzige Sorge haben konnte.

Sie schloss die Außentür und ging summend in die Küche.

Er trat hinter der Tür hervor – und ihr Herzschlag setzte aus. Sie öffnete den Mund, um zu schreien, aber er legte ihr warnend den Finger auf die Lippen, und der Laut blieb ihr in der Kehle stecken.

10

Es verschlug ihr den Atem, und sie taumelte gegen die Wand. Mit einer Hand griff sie sich an den Hals.

Dann holte sie tief Luft und stieß sie geräuschvoll wieder aus.

»Dad!«

»Überraschung, Lainie.« Mit großer Geste zog er die Hand hinter dem Rücken hervor und streckte ihr einen welkenden Strauß Veilchen entgegen. »Wie geht es meinem kleinen Mädchen?«

»Was tust du hier? Wie bist du…« Sie brach ab, bevor sie ihn fragte, wie er hereingekommen war. Das wäre eine alberne Frage gewesen, schließlich war es von jeher seine Lieblingsbeschäftigung gewesen, Schlösser zu knacken. »Oh, Dad, was hast du getan?«

»Na, begrüßt man so seinen alten Vater nach so langer Zeit?«
Er breitete die Arme aus. »Bekomme ich keinen Kuss?«

In seinen Augen, die so blau waren wie ihre, stand ein Zwin-
kern. Seine Haare – sein ganzer Stolz – waren leuchtend rot und
lagen üppig um sein fröhliches, sommersprossiges Gesicht.

Er trug ein kariertes Flanellhemd in Schwarz und Rot und eine
Jeans. Die Sachen sahen so aus, als habe er darin geschlafen. Seine
Stiefel wirkten ganz neu.

Er legte den Kopf schräg und blickte sie jungenhaft lächelnd
an. Dagegen war sie machtlos. Sie stürzte sich in seine Arme und
ließ sich von ihm herumschwenken.

»Das ist mein braves Mädchen, meine süße Kleine. Meine Prinzessin Lainie von Haraland.«

Sie legte den Kopf an seine Schulter. »Ich bin nicht mehr sechs,
Dad. Auch nicht mehr acht oder zehn.«

»Aber doch immer noch mein Mädchen, oder?«

Er roch nach Zimt und war so stark wie ein Grizzlybär. »Ja,
vermutlich schon.« Sie löste sich von ihm, und er stellte sie wieder auf die Füße. »Wie bist du hierher gekommen?«

»Mit Zug, Flugzeug und Auto. Und den letzten Rest der Strecke habe ich zu Fuß zurückgelegt. Das ist ja eine atemberaubende
Landschaft hier, mein Engelchen. Aber hast du schon gemerkt,
dass es mitten im Wald ist?«

Unwillkürlich musste sie lächeln. »Im Ernst? Na, was für ein
Glück, dass ich gern im Wald bin.«

»Das musst du von deiner Mutter haben. Wie geht es ihr?«

»Sehr gut.« Laine wusste nicht, warum prompt ein Schuldge-
fühl in ihr aufstieg, wenn er sie ohne Hintergedanken und ernsthaft interessiert nach dem Befinden ihrer Mutter fragte. »Seit
wann bist du hier?«

»Erst seit gestern Abend. Ich bin so spät in deinem Waldpara-
dies hier gelandet, dass ich mir gedacht habe, du schläfst wahrscheinlich schon. Also habe ich mich selbst hereingelassen und auf
deiner Couch genächtigt – die in einem beklagenswerten Zustand
ist.« Er presste die Hand auf seinen Rücken und verdrehte die
Augen. »Sei ein liebes Lämmchen, Schatz, und mach deinem
Daddy einen Kaffee.«

»Das hatte ich gerade vor…« Ihre Stimme erstarb, weil ihr Max einfiel. »Ich bin nicht allein.« Die Panik schnürte ihr die Kehle zu. »Oben in der Dusche ist jemand.«

»Das habe ich schon an dem Auto in deiner Einfahrt gemerkt – das schicke Teil mit dem New Yorker Nummernschild.« Er hob ihr Kinn mit einem Finger an. »Du erzählst mir jetzt hoffentlich, dass eine Freundin von auswärts bei dir übernachtet hat.«

»Ich bin achtundzwanzig. Aus dem Alter bin ich längst heraus. Ich habe jetzt Sex mit Männern.«

»Bitte.« Jack presste die Hand auf sein Herz. »Sagen wir lieber, dass ein Freund die Nacht bei dir verbracht hat. Solche Dinge können Väter nur portionsweise verdauen. Machst du mir jetzt Kaffee, Liebling? Ja, das ist lieb von dir.«

»Schon gut, schon gut, aber es gibt etwas, das du über meinen… Gast wissen musst.« Sie holte die Tüte mit den Kaffeebohnen aus dem Schrank und füllte die Kaffeemühle.

»Das Wichtigste weiß ich bereits. Er ist nicht gut genug für mein Baby. Das ist niemand.«

»Es ist besonders kompliziert. Er arbeitet für die Reliance Versicherung.«

»Ach, dann hat er also einen festen Job, von neun bis fünf.« Jack zuckte mit den Schultern. »Damit kann ich leben.«

»Dad…«

»Wir werden uns gleich über den jungen Mann unterhalten.« Er schnupperte, als sie das Kaffeepulver in den Filter gab. »Der beste Duft auf der Welt. Könntest du mir, während der Kaffee durchläuft, das Päckchen geben, das Willy bei dir gelassen hat? Ich passe auf den Kaffee auf.«

Laines Gedanken überschlugen sich und wurden dann zu einer schrecklichen Gewissheit. Er wusste es nicht.

»Dad, ich… er hat nicht…« Sie schüttelte den Kopf. »Wir setzen uns besser.«

»Erzähl mir bloß nicht, dass er noch nicht da war.« Irritiert musterte er sie. »Ohne Landkarte würde der Mann sich wahrscheinlich in seinem eigenen Badezimmer verirren, aber er hat doch genug Zeit gehabt, hierher zu finden. Wenn er sein verdammtes Handy angehabt hätte, hätte ich ihn angerufen und ihm gesagt, dass wir unsere Pläne geändert haben. Ich sage es dir ungern, Lainie, aber dein Onkel Willy wird alt und vergesslich.«

Das wird nicht leicht, dachte sie. Überhaupt nicht leicht. »Dad, er ist tot.«

»So weit würde ich nicht gehen. Er ist einfach nur vergesslich.«

»Dad.« Sie packte ihn an den Armen, und sein nachsichtiges Lächeln erlosch. »Es hat einen Unfall gegeben. Er ist von einem Auto angefahren worden. Und er ... er ist tot. Es tut mir Leid. Es tut mir so Leid.«

»Das kann nicht sein. Du irrst dich.«

»Er ist vor ein paar Tagen in meinen Laden gekommen. Ich habe ihn nicht erkannt.« Mit zitternden Händen fuhr sie über seine Arme. »Es war schon so lange her, und ich habe ihn nicht erkannt. Er hat mir eine Telefonnummer gegeben und mich gebeten, ihn anzurufen. Ich dachte, er wolle mir etwas verkaufen, und ich hatte so viel zu tun, dass ich gar nicht richtig auf ihn geachtet habe. Dann ging er. Und kurz darauf, es können nur Sekunden gewesen sein, kam dieses schreckliche Geräusch.«

Jack traten die Tränen in die Augen, und Laine ging es nicht anders. »Oh, Dad. Es hat geregnet, und er rannte blind auf die Straße. Ich weiß nicht, warum er losgelaufen ist, aber das Auto konnte nicht mehr bremsen. Ich rannte sofort hinaus und da ... und da erkannte ich ihn auf einmal, aber es war schon zu spät.«

»O Gott. Gott-o-Gott.« Er ließ sich schwerfällig auf einen Stuhl nieder und stützte den Kopf auf die Hände. »Das kann nicht sein. Nicht Willy.«

Trostsuchend wiegte er sich hin und her, und Laine schlang die Arme um ihn und presste ihre Wange an seine. »Ich habe ihn zu dir geschickt. Ich habe es ihm gesagt, weil ich dachte, es ... Er ist auf die Straße gelaufen?«

Er hob den Kopf. Tränen rannen ihm über die Wangen. Er hatte sich seiner Gefühle nie geschämt. »Er war doch kein Kind, das so einfach auf die Straße rennt.«

»Aber so war es. Er hat bestimmt einen Grund dafür gehabt. Die Frau, die ihn angefahren hat, war völlig fertig mit den Nerven. Sie konnte nichts dafür.«

»Er ist auf die Straße gerannt. Und es gab einen Grund.« Er

war ganz blass geworden. »Du musst das, was er dir gegeben hat, sofort holen und es mir geben. Sag niemandem etwas davon. Du hast ihn noch nie im Leben gesehen, das musst du sagen.«

»Er hat mir nichts gegeben, Dad. Ich weiß von den Steinen, ich weiß von dem Coup in New York.«

Er packte sie so fest an den Schultern, dass sie bestimmt blaue Flecken bekommen würde. »Woher weißt du es, wenn er dir nichts gegeben hat?«

»Der Mann, der oben ist, arbeitet für Reliance. Sie haben die Diamanten versichert, und er ist Privatdetektiv.«

»Ein Versicherungspolizist.« Er sprang auf. »Ach du liebe Güte, unter deiner Dusche steht ein Bulle!«

»Er hat Willy hierher verfolgt und die Verbindung zu mir hergestellt – zu mir und zu dir. Er will nur die Diamanten wiederhaben und ist nicht daran interessiert, dich ins Gefängnis zu bringen. Gib mir das, was du hast, und ich kümmere mich darum.«

»Du schläfst mit einem Polizisten? Meine eigene Tochter?«

»Ich glaube nicht, dass jetzt der richtige Zeitpunkt ist, um darüber zu diskutieren. Dad, sie sind in mein Haus und in meinen Laden eingebrochen, weil sie nach den Steinen suchen. Aber ich habe sie nicht.«

»Das ist dieser Bastard Crew. Dieser Mörder!« Seine Augen standen immer noch voller Tränen, aber sie blitzten vor Wut. »Du weißt von nichts, hast du mich verstanden? Du weißt von nichts und hast mich nicht gesehen. Du hast auch nicht mit mir geredet. Ich bringe alles wieder in Ordnung, Laine.«

»Das kannst du nicht, Dad. Du steckst in schrecklichen Schwierigkeiten. Das sind die Steine nicht wert.«

»Die Hälfte von achtundzwanzig Millionen ist einiges wert, und so viel werde ich haben, wenn ich erst einmal herausgefunden habe, was Willy mit seinem Anteil angestellt hat. Er hat dir nichts gegeben? Hat er irgendwas gesagt?«

»Er hat zu mir gesagt, ich solle den Köter verstecken, aber ich weiß nicht, was er damit gemeint hat. Er lag doch im Sterben, und ich konnte ihn kaum verstehen.«

»Das ist es«, erwiderte Jack aufgeregt. »Er hat seinen Anteil in den Hund gesteckt.«

»In den *Hund*?«, krächzte Laine entsetzt. »Ihr habt die Diamanten einem Hund verfüttert?«

»Keinem echten Hund. Allmächtiger, Laine, wofür hältst du uns?«

Sie schlug die Hände vors Gesicht. »Ich weiß nicht. Ich weiß gar nichts mehr.«

»Sie stecken in einem kleinen, schwarzweißen Porzellanhund. Wahrscheinlich sind seine Sachen auf der Polizei, und die haben keine Ahnung, was darin ist. Das kann ich regeln.«

»Dad...«

»Du brauchst dir keine Sorgen zu machen, dich wird niemand mehr belästigen. Niemand wird meinem kleinen Mädchen was tun. Halt nur den Mund, um den Rest kümmere ich mich schon.« Er umarmte und küsste sie. »Ich hole nur rasch meine Tasche und bin weg.«

»Du kannst doch nicht einfach gehen«, protestierte sie und lief hinter ihm her. »Max sagt, Crew ist gefährlich.«

»Ist Max der Versicherungsheini?«

»Ja.« Sie blickte nervös zur Treppe. »Aber er ist kein Heini.«

»Auf jeden Fall hat er Recht mit Crew. Der Mann glaubt, ich weiß nicht, wer er ist«, murmelte Jack. »Er dachte, ich hätte seinen falschen Namen und das ganze Märchen so geschluckt. Aber ich bin ja nicht umsonst mein Leben lang schon dabei, oder?« Er schlang sich einen Matchbeutel über die Schulter. »Ich hätte mich nie mit ihm einlassen sollen, aber na ja, für achtundzwanzig Millionen tut man so einiges. Und jetzt ist Willy dabei umgekommen.«

»Daran bist du doch nicht schuld.«

»Ich habe den Job angenommen, obwohl ich wusste, wer Crew war, auch wenn er sich Martin Lyle nannte. Ich wusste von vornherein, dass er gefährlich war und uns reinlegen wollte, aber ich habe mich trotzdem darauf eingelassen. Willy machte natürlich dann mit. Aber ich bringe das alles wieder in Ordnung. Ich werde nicht zulassen, dass dir etwas geschieht.« Er gab ihr einen Kuss auf den Scheitel, dann trat er zur Vordertür.

»Warte. Red erst mit Max.«

»Das glaube ich nicht.« Er schnaubte über die Zumutung.

»Und tu uns beiden einen Gefallen, Prinzessin.« Er legte ihr den Finger auf die Lippen. »Ich war niemals hier.«

Bye, bye, Blackbird pfeifend setzte er sich in Bewegung. Für einen so großen Mann hatte er immer schon einen anmutigen Gang gehabt, und ehe sich Laine versah, war er bereits um die Ecke gebogen und verschwunden.

Als ob er niemals da gewesen wäre.

Sie schloss die Tür und lehnte sich mit der Stirn dagegen. Ihr tat alles weh – ihr Kopf, ihr Körper, ihr Herz. Er hatte noch Tränen in den Augen gehabt, als er gegangen war. Tränen um Willy. Er würde um ihn trauern, das wusste sie. Und er würde sich selber die Schuld geben. Möglicherweise war er in diesem Zustand dazu fähig, etwas Dummes zu tun.

Nein, nichts Dummes, korrigierte sie sich, während sie in der Küche ziellos hin und her lief. Etwas Unvorsichtiges, Unbedachtes, aber nichts Dummes.

Sie hätte ihn nicht aufhalten können. Selbst dann nicht, wenn sie gebettelt und gefleht hätte und ebenfalls in Tränen ausgebrochen wäre. Es hätte ihn zwar belastet, aber er wäre trotzdem gegangen.

Ja, für einen so großen Mann hatte er immer schon einen anmutigen Gang gehabt.

Als sie Max die Treppe herunterkommen hörte, holte sie rasch Becher aus dem Schrank.

»Genau rechtzeitig«, sagte sie fröhlich. »Der Kaffee ist gerade durchgelaufen.«

»Morgenkaffee duftet stets am besten.«

Sie drehte sich zu ihm um und starrte ihn fassungslos an. Ihr Vater hatte gerade etwas Ähnliches gesagt. Max' Haare waren noch feucht vom Duschen, und er roch nach ihrer Seife. Er hatte in ihrem Bett geschlafen. Und er war in ihr gewesen.

Sie hatte ihm das alles gewährt. Und jetzt war ihr Vater zehn Minuten lang da gewesen, und schon wieder verweigerte sie ihm ihr Vertrauen und die Wahrheit.

»Mein Vater war hier«, sprudelte sie hervor.

Er setzte die Tasse ab, die er gerade ergriffen hatte. »Was?«

»Er ist gerade gegangen, vor ein paar Minuten. Und ich habe

auf einmal gemerkt, dass ich es dir nicht sagen wollte. Ich wollte ihn schon wieder einmal decken. Es steckt mir wohl in den Genen, oder teilweise zumindest. Ich liebe ihn. Es tut mir Leid.«

»Jack O'Hara war hier? Er war hier im Haus, und du hast mir nichts gesagt?«

»Ich sage es dir doch gerade. Ich erwarte nicht, dass du begreifst, was für ein Schritt das für mich ist, aber ich sage es dir.« Sie versuchte, Kaffee einzuschenken, aber ihre Hände zitterten zu sehr. »Tu ihm nicht weh, Max. Ich könnte es nicht ertragen, wenn du ihm wehtätest.«

»Lass uns das jetzt mal klarstellen. Dein Vater war hier in diesem Haus, und du hast für mich gekocht, bist mit mir ins Bett gegangen. Ich mache oben im Schlafzimmer Liebe mit dir – und er versteckt sich ...«

»Nein! Nein! Ich habe erst heute Morgen erfahren, dass er hier war. Ich weiß nicht, wann er sich heute Nacht hereingeschlichen hat. Er hat auf der Couch geschlafen. Ich habe Henry herausgelassen, und als ich wieder in die Küche kam, war er da.«

»Wegen was entschuldigst du dich denn dann?«

»Ich wollte es dir gar nicht erzählen.«

»Wie lange? Drei Minuten lang nicht! Herrgott, Lainé, häng diesen Ehrlichkeitsbalken nicht so weit raus. Ich stoße mir ständig den Kopf daran. Lass mich ein bisschen zu Atem kommen.«

»Ich bin so verwirrt.«

»Er ist seit achtundzwanzig Jahren dein Vater, und ich bin seit ungefähr zwei Tagen der Mann, der dich liebt. Ich kann das ganz locker sehen. Okay?«

Sie stieß zitternd die Luft aus. »Okay.«

»So, und jetzt ist es vorbei mit dem Lockersein. Was hat er gesagt, was wollte er, wohin ist er gegangen?«

»Er wusste noch nichts von Willy.« Ihre Lippen zitterten, und sie presste sie entschlossen aufeinander. »Er hat geweint.«

»Setz dich, Laine. Ich hole den Kaffee. Setz dich und beruhige dich.«

Gehorsam setzte sie sich hin. Sie zitterte mittlerweile am ganzen Leib. »Ich glaube, ich liebe dich auch. Aber das ist wahrscheinlich ein blöder Zeitpunkt, um das zu erwähnen.«

»Ich höre es trotzdem gern.« Er stellte eine Kaffeetasse vor sie auf den Tisch und setzte sich ebenfalls. »Der Zeitpunkt ist ganz egal.«

»Ich spiele nicht mit dir, Max, und ich möchte, dass du das weißt.«

»Baby, ich wette, dass du das unheimlich gut könntest, aber so gut bist du nun auch wieder nicht.«

Sein spöttischer Tonfall ließ die drohenden Tränen sofort versiegen. Sie warf ihm einen amüsierten Blick zu. »O ja. Ich könnte dir alles abschwindeln, deine Ersparnisse, dein Herz, deinen Stolz, und am Ende würdest du noch glauben, es sei deine Idee gewesen, mir alles zu geben – als Geschenk verpackt. Aber da ich offensichtlich nur an deinem Herz interessiert bin, wäre es mir lieber, es wäre wirklich deine Idee. Jack war mit meiner Mutter nie aufrichtig. Er liebte sie – und tut das eigentlich immer noch, aber selbst bei ihr konnte er nie aufrichtig sein. Deshalb haben sie es auch nicht geschafft zusammenzubleiben. Bei uns beiden soll es funktionieren.«

»Dann überlegen wir uns für den Anfang mal, was wir mit deinem Vater machen.«

Sie nickte und trank einen Schluck Kaffee. »Er hat Willy hierher geschickt, damit er mir einen Teil der Beute gibt. Wahrscheinlich sollte ich sie für ihn verstecken. Wenn alles so geklappt hätte, hätte ich vermutlich die Steine für ihn aufgehoben und sie ihm dann wiedergegeben. Ich hätte ihm sicher großen Ärger gemacht, aber ich hätte es getan, das solltest du wissen.«

»Blut ist dicker als Wasser«, erwiderte Max.

»Offensichtlich begann er, sich Sorgen zu machen, weil Willy sich nicht meldete und sein Handy ausgeschaltet war. Also änderte er seine Pläne und kam hierher, um den Hund zu holen.«

»Was für einen Hund?«

»Willy hat ja das mit dem Köter gesagt – die Diamanten sind in einem Porzellanhund versteckt. Mein Vater glaubt, dass er mit Willys anderen Sachen bei der Polizei liegt, ohne dass sie eine Ahnung haben, was darin ist. Und er glaubt, dass Crew – er hat Crew als dritten Mann übrigens bestätigt – Willy hierher verfolgt hat, genau wie du. Und Willy ist vor Schreck, als er ihn gesehen hat, auf die Straße gelaufen.«

»Es gibt nicht genug Kaffee auf der Welt«, murmelte Max. »Erzähl von dem Hund.«

»Also, es ist ein Porzellanhund. Es ist eine beliebte Masche von Jack, heiße Ware in etwas ganz Gewöhnlichem zu verstecken, das man leicht übersieht. Einmal hat er eine Sammlung seltener Münzen in meinem Teddybär versteckt. Wir verließen das Gebäude, unterhielten uns mit dem Doorman und gingen über die Straße, während fünfundzwanzig Riesen in Paddington steckten.«

»Hat er dich damals eingeweiht?«

Verlegen blickte sie auf ihre Kaffeetasse. »Meine Kindheit verlief nicht gerade normal.«

Max schloss die Augen. »Wohin ist er gegangen, Laine?«

»Ich weiß nicht.« Sie legte ihre Hand auf seine. »Ich schwöre, ich weiß es nicht. Er sagte, ich solle mir keine Sorgen machen, er brächte alles in Ordnung.«

»Sind Willys Sachen bei Vince Burger?«

»Sag es ihm nicht, Max, bitte. Er muss Jack verhaften, wenn er auftaucht, und ich möchte nicht dazu beitragen. Wir beide haben keine Chance, wenn ich irgendetwas damit zu tun habe.«

Nachdenklich trommelte Max mit den Fingern auf der Tischplatte. »Ich habe Willys Hotelzimmer durchsucht. Da war kein Porzellanhund.« Im Geiste ging er das Zimmer Schritt für Schritt noch einmal durch. »Nein, ich erinnere mich nicht daran, aber möglicherweise habe ich etwas übersehen, weil ich dachte, es gehört zur Einrichtung.«

»Deshalb funktioniert diese Methode ja auch so gut.«

»Okay. Kannst du Vince überreden, dass er dir Willys Sachen zeigt?«

»Ja«, erwiderte sie ohne Zögern. »Ja, das kann ich.«

»Dann lass uns damit anfangen. Danach machen wir weiter mit Plan B.«

»Was ist Plan B?«

»Was auch immer als Nächstes kommt.«

Es war bedrückend, wie einfach alles ging. Einfacher sogar noch, dachte Laine, weil sie gar nicht mit Vince reden musste. Aber sie betrog trotzdem einen Freund – und einen Polizisten.

Sie kannte Sergeant McCoy flüchtig. Als sie feststellte, dass sie mit ihm zu tun hatte, rief sie sich rasch alles ins Gedächtnis, was sie über ihn wusste. Verheiratet. In Gap geboren, zwei Kinder. Sie war sich fast sicher, dass es zwei waren, und sie waren beide erwachsen. Es gab auch schon ein Enkelkind.

Er wog mindestens zwanzig Pfund zu viel, also aß er gerne. Da auf einer Serviette auf seinem Schreibtisch ein Teilchen lag, versuchte seine Frau vermutlich, ihn auf Diät zu setzen – und er kaufte sich heimlich etwas im Laden.

Als einzigen Schmuck trug er einen Ehering. Seine Nägel waren kurz geschnitten, und seine Hand fühlte sich schwielig an, als er ihre schüttelte. Er war zur Begrüßung höflich aufgestanden, und als sie ihn herzlich anlächelte, stieg ihm die Röte in die Wangen.

Es würde leicht sein, mit ihm fertig zu werden.

»Sergant McCoy, nett, Sie wiederzusehen.«

»Miss Tavish.«

»Laine, bitte. Wie geht es Ihrer Frau?«

»Gut, sehr gut.«

»Und ihrem Enkelkind?«

Er lächelte. »Er ist ein großer Junge geworden. Er wird jetzt zwei und hält meine Tochter ganz schön in Trab.«

»Das ist so ein süßes Alter, nicht wahr? Haben Sie ihn schon mit zum Angeln genommen?«

»Letztes Wochenende war ich mit ihm auf dem Fluss. Er kann nicht so lange still sitzen, aber er lernt es schon noch.«

»Das wird bestimmt toll. Mein Granddaddy hat mich ein paar Mal zum Angeln mitgenommen, aber wir vertraten zu unterschiedliche Meinungen über Würmer.«

McCoy lachte. »Tad liebt Würmer.«

»Dann ist er wohl ein Junge nach Ihrem Herzen. Oh, Entschuldigung, Sergeant, das ist mein Freund, Max Gannon.«

»Ja.« McCoy musterte das Pflaster an Max' Schläfe. »Wir sind uns vorgestern Nacht begegnet.«

»Das war ein Missverständnis«, warf Laine rasch ein. »Max begleitet mich heute früh, um mir ein bisschen moralische Unterstützung zu geben.«

»Oh, oh.« McCoy schüttelte Max die Hand, dann blickte er wieder zu Laine. »Moralische Unterstützung?«

»Ja, ich habe so etwas noch nie gemacht.« Sie hob die Hände und wirkte dabei zerbrechlich und frustriert. »Vince hat vielleicht erwähnt, dass ich gemerkt habe, dass ich William Young kannte. Sie wissen schon, der Mann, der bei diesem schrecklichen Unfall vor meinem Laden ums Leben gekommen ist.«

»Nein, das hat er nicht erwähnt.«

»Ich habe es ihm auch gerade erst gesagt, aber für die … Prozedur macht es ja vermutlich sowieso keinen Unterschied. Es ist mir erst nach … nach dem Unfall eingefallen. Er war ein Freund meines Vaters, als ich ein Kind war. Ich habe ihn – William – nicht mehr gesehen, seit ich zehn war. Und ich hatte so viel zu tun, als er in den Laden kam.«

Niedergeschlagen fuhr sie fort. »Ich habe ihn nicht erkannt, und ich habe auch nicht weiter auf ihn geachtet. Er hat mir seine Karte gegeben und mich gebeten, ihn anzurufen. Und gleich nachdem er gegangen war … Ich fühle mich schrecklich, weil ich mich nicht an ihn erinnere und ihn einfach so abgewiesen habe.«

»Das ist doch jetzt alles in Ordnung.« McCoy holte eine Schachtel mit Papiertüchern aus einer Schublade und hielt sie ihr hin.

»Danke. Ich danke Ihnen. Auf jeden Fall möchte ich jetzt für ihn tun, was ich kann. Ich möchte meinem Vater sagen können, dass ich alles für ihn getan habe.« Das zumindest stimmte. »Soweit ich weiß, hatte er keine Familie, und deshalb möchte ich für die Beerdigung aufkommen.«

»Die Akte ist beim Chief, aber ich kann gern für Sie nachschauen.«

»Das wäre sehr nett von Ihnen. Kann ich, da ich schon einmal hier bin, seine Sachen sehen? Ist das möglich?«

»Ja, sicher. Wollen Sie sich nicht setzen?« Er ergriff sie am Arm und führte sie zu einem Stuhl. »Ich hole sie rasch. Sie dürfen allerdings nichts mitnehmen.«

»Nein, nein, das verstehe ich.«

Als McCoy aus dem Zimmer gegangen war, setzte sich Max neben sie. »Ganz schön glatt. Wie gut kennst du den Polizisten?«

»Ich bin McCoy ein paarmal begegnet.«

»Und das mit dem Angeln?«

»Oh, das. Unter seinen Akten liegt eine Anglerzeitschrift, deshalb war das logisch. Ich werde mich um Onkel Willys Beerdigung kümmern«, fügte sie hinzu. »Wahrscheinlich lasse ich ihn hier in Angel's Gap beisetzen, es sei denn, ich finde heraus, dass er lieber...«

»Es wäre ihm sicher ganz recht, hier beerdigt zu werden.«

Sie standen beide auf, als McCoy mit einem großen Pappkarton wiederkam. »Er hatte nicht viel dabei. Offensichtlich ist er nur mit kleinem Gepäck gereist. Kleidung, Brieftasche, Uhr, fünf Schlüssel, Schlüsselring...«

»Ich glaube, den Schlüsselring habe ich ihm mal zu Weihnachten geschenkt.« Schniefend nahm sie ihn in die Hand. »Können Sie sich das vorstellen? Er hat ihn all die Jahre benutzt. Ach, und ich habe ihn nicht einmal erkannt.«

Weinend umklammerte sie den Schlüsselring.

»Weine nicht, Laine.«

Max warf McCoy einen hilflosen Blick zu und tätschelte ihr den Kopf.

»Manchmal passiert das eben.« McCoy hielt Laine erneut die Schachtel mit den Papiertüchern hin. Sie nahm sich drei und trocknete sich die Tränen ab.

»Es tut mir Leid, dass ich mich so albern aufführe. Aber ich musste daran denken, wie lieb er immer zu mir war. Irgendwann haben wir den Kontakt verloren. Sie wissen ja, wie das so ist. Meine Familie zog weg, und es war vorbei.«

Mühsam rang sie um Fassung. »Es ist schon in Ordnung. Tut mir Leid.« Sie ließ die Schlüssel in den braunen Umschlag gleiten und legte ihn wieder in den Karton. »Können Sie mir zu den übrigen Sachen etwas sagen? Ich verspreche, ich reiße mich zusammen.«

»Machen Sie sich deswegen keine Gedanken. Sind Sie sicher, dass Sie jetzt weitermachen wollen?«

»Ja. Danke.«

»Da ist ein Toilettenbeutel – Rasierapparat, Zahnbürste, das Übliche. Er hatte vierhundertsechsundzwanzig Dollar und zwölf

Cent dabei. Gefahren ist er mit einem Mietwagen – einem Taurus von Avis aus New York, Straßenkarten.«

Sie betrachtete die Gegenstände, die McCoy ihr beschrieb.

»Ein Handy – es waren keine Nummern eingespeichert, die wir hätten anrufen können. Offensichtlich hat er ein paar Nachrichten auf der Mailbox. Wir werden versuchen, dem nachzugehen.«

Die Nachrichten waren von ihrem Vater, dachte Laine, aber sie nickte nur.

»In die Uhr ist etwas eingraviert«, fügte McCoy hinzu, als Laine sie in die Hand nahm. »Einer jede Minute. Ich weiß nicht, was das heißen soll.«

Sie lächelte ihn verwirrt an. »Ich auch nicht. Vielleicht bedeutet es etwas Romantisches und hat etwas mit einer Frau zu tun, die er mal geliebt hat. Das wäre schön. War das alles?«

»Na ja, er war ja unterwegs.« Er nahm ihr die Uhr aus der Hand. »Männer nehmen nie viele persönliche Dinge mit, wenn sie auf Reisen gehen. Vince kümmert sich um seine Heimatadresse, seien Sie unbesorgt. Wir haben bis jetzt auch keine nahen Verwandten gefunden. Wenn es dabei bleibt, werden wir die Leiche freigeben. Es ist nett von Ihnen, dass Sie einen alten Freund Ihres Vaters beerdigen lassen wollen.«

»Das ist das Mindeste, was ich tun kann. Ich danke Ihnen sehr, Sergeant. Sie waren sehr nett und geduldig. Ich wäre Ihnen dankbar, wenn Sie oder Vince mir Bescheid geben würden, damit ich mit dem Bestattungsunternehmen reden kann.«

»Ja, das machen wir.«

Sie ergriff Max' Hand, als sie hinausgingen, und er spürte den Schlüssel, der sich in seine Handfläche drückte. »Das hast du geschickt gemacht«, meinte er. »Ich habe es kaum mitgekriegt.«

»Wenn er nicht ein bisschen verrostet gewesen wäre, hättest du gar nichts gemerkt. Er sieht aus wie ein Schließfachschlüssel. Kann man eigentlich auf Flughäfen, Bahnhöfen oder Busbahnhöfen noch Schließfächer mieten?«

»Dafür ist der Schlüssel zu klein. Außerdem haben diese Schließfächer meistens Kombinationsschlösser oder Karten. Er sieht eher aus, als gehöre er zu einem Postschließfach.«

»Das finden wir bestimmt heraus. Aber ein Hund war nicht dabei.«

»Nein. Wir überprüfen noch einmal sein Motelzimmer, aber ich denke, da ist er auch nicht.«

Als sie aus der Tür traten, warf sie einen liebevollen Blick auf die Stadt, die zu ihrer Heimat geworden war. Von hier oben aus sah man ein Stück vom Fluss und die Häuser, die sich am anderen Ufer in die Hügel schmiegten.

Die Langweiler, wie ihr Vater immer abschätzig zu normalen Menschen mit einem normalen Leben gesagt hatte, gingen ihren Geschäften nach. Sie verkauften Autos, regelten den Familieneinkauf, reinigten Teppiche, unterrichteten an der Schule.

Die Gärten wurden bepflanzt, und an einigen Häusern war die Osterdekoration noch nicht entfernt worden, obwohl das Fest jetzt schon beinahe seit drei Wochen vorbei war. Bunte Plastikeier hingen in den unteren Ästen der Bäume, und auf dem grünen Frühlingsrasen tummelten sich aufblasbare Kaninchen.

Auch sie musste ihre Teppiche reinigen, Einkäufe machen und ihren Garten bestellen. Und das machte sie, trotz des Schlüssels in ihrer Hand, ebenfalls zu einer Langweilerin.

»Ich will ja gar nicht behaupten, dass ich die Ereignisse nicht spannend finde. Aber wenn das hier vorbei ist, werde ich froh sein, mich wieder zur Ruhe setzen zu können. Willy konnte es nicht mehr, und mein Vater wird es nie tun.«

Lächelnd trat sie an Max' Auto. »Mein Vater hat ihm die Uhr geschenkt. Das mit dem Schlüsselring habe ich erfunden, aber die Uhr hat mein Vater Willy zum Geburtstag geschenkt. Ich glaube, er hat sie sogar gekauft, doch das weiß ich nicht genau. Aber ich war dabei, als er den Spruch hat eingravieren lassen. Einer jede Minute.«

»Und was bedeutet das?«

»Dass jede Minute ein Trottel zur Welt kommt – die Dummen werden nicht alle«, erwiderte sie und stieg ins Auto.

11

An der Rezeption des Red Roof stand zwar derselbe Angestellte, aber Max sah ihm an, dass er ihn nicht wiedererkannte. Der einfachste und schnellste Weg, in Willys Zimmer zu gelangen, war, es zu buchen.

»Wir möchten 115«, erklärte Max.

Der Angestellte sah im Computer nach, ob das Zimmer frei war und erwiderte achselzuckend: »Kein Problem.«

»Wir sind sentimental.« Laine lächelte einfältig und schmiegte sich enger an Max.

Max reichte dem Mann das Geld. »So sentimental nun auch wieder nicht. Ich brauche einen Beleg.«

Als sie im Aufzug zu Willys Zimmer hinauffuhren, sagte Laine nachdenklich: »Er muss gewusst haben, wo ich wohne. Mein Vater hat es ja auch gewusst. Ich wünschte, er wäre zu mir nach Hause gekommen. Aber offenbar war ja jemand hinter ihm her – oder er hatte zumindest Angst davor –, und da hat er den Laden wohl sicherer gefunden.«

»Er war nur eine Nacht hier. Er hatte noch nicht einmal ausgepackt.« Max ging voraus zur Zimmertür. »Kleidung hatte er für ungefähr eine Woche dabei. Der Koffer war offen, aber er hatte bis auf ein Sakko nur seinen Toilettenbeutel herausgeholt. Vielleicht wollte er notfalls sofort wieder abhauen.«

»So haben wir ständig gelebt. Meine Mutter konnte unser ganzes Leben in zwanzig Minuten ein- und auch wieder auspacken.«

»Sie muss eine interessante Frau sein. Meine braucht ja alleine schon länger dazu, sich morgens zu überlegen, welche Schuhe sie anziehen soll.«

»Eine solche Entscheidung darf man auch nicht leichtfertig treffen.« Verständnisvoll legte sie ihm eine Hand auf den Arm. »Du musst mir keine Zeit geben, mich vorzubereiten, Max. Ich bin okay.«

Er öffnete die Tür, und sie trat in ein Standard-Doppelzimmer. Solche Zimmer machten manche Leute traurig, aber sie hatte sie wegen ihrer Anonymität stets als kleines Abenteuer empfunden.

In solchen Zimmern konnte man so tun, als wäre man irgendwo und irgendwer.

»Als Kind habe ich es geliebt, wenn wir auf der Fahrt von einer Wohnung zur anderen in solchen Motels übernachtet haben. Ich tat dann so, als sei ich ein Spion oder eine Prinzessin, die inkognito reiste. Mein Vater machte ein wunderbares Spiel aus allem. Er kaufte mir Süßigkeiten und Saft an Automaten, und meine Mutter tat so, als ob sie es missbilligen würde. Vermutlich brauchte sie allerdings irgendwann gar nicht mehr so zu tun.«

Sie betastete den billigen Bettüberwurf. »Na ja, genug Erinnerungen. Ich sehe keinen Hund hier.«

Obwohl Max das Zimmer bereits durchsucht hatte – wie auch die Polizei –, und es anschließend gereinigt worden war, begann er noch einmal von vorne mit der Prozedur.

»Dir entgeht nicht viel, oder?«, sagte Laine, als er fertig war.

»Ich gebe mir zumindest Mühe. Möglicherweise ist der Schlüssel die beste Spur, die wir haben. Ich werde die Schließfächer hier am Ort überprüfen.«

»Aber du meinst auch, dass er eine Million anderer Möglichkeiten zwischen hier und New York benutzt haben könnte, oder?«

»Ich werde alles überprüfen, und ich werde es herausfinden.«

»Ja, das glaube ich dir. Und während du das tust, gehe ich arbeiten. Ich lasse Jenny nicht gern so lange allein, jedenfalls nicht unter diesen Umständen.«

Er warf den Zimmerschlüssel aufs Bett. »Ich setze dich am Laden ab.«

Als sie wieder im Auto saßen, rieb sie sich die Hände an der Hose. »Du hättest es auch missbilligt. Die Motelzimmer, das Spiel. Das ganze Leben.«

»Ich verstehe, warum es dir gefallen hat, als du zehn warst. Aber ich verstehe ebenfalls, warum deine Mutter dich da herausgeholt hat. Sie hat das Richtige für dich getan. Was deinen Vater angeht…«

Sie wappnete sich gegen seine Kritik und gelobte sich im Stillen, nicht beleidigt zu sein. »Ja?«

»Viele Männer seiner… sagen wir mal, seiner Art, vernachlässigen Frau und Kinder und alles, was nach Verantwortung riecht. Er nicht.«

Ihre Schultern sanken herunter, und sie lächelte Max strahlend an. »Nein, er nicht.«

»Und nicht nur, weil du ein süßer kleiner Rotschopf mit geschickten Fingern warst.«

»Das hat nicht geschadet, aber du hast Recht, es war nicht der Grund. Auf seine einzigartige Art hat er uns geliebt. Danke.«

»Gern geschehen. Wenn wir einmal Kinder haben, kaufe ich ihnen auch Süßigkeiten aus dem Automaten – aber nur zu besonderen Gelegenheiten.«

Ihre Kehle wurde eng, und sie musste sich räuspern.

»Du planst aber weit voraus«, murmelte sie.

»Warum soll ich trödeln, wenn ich die Richtung schon weiß?«

»Mir kommt der Weg aber trotzdem noch ziemlich weit vor. Und mit vielen Kurven und Ecken.«

»Die Fahrt wird Spaß machen. Eine dieser Kurven können wir gleich schon nehmen. Ich brauche nicht in New York zu leben, falls du dir darüber Gedanken gemacht haben solltest. Ich glaube, die Gegend hier ist ganz gut dazu geeignet, drei Kinder großzuziehen.«

Sie hatte keinen Kloß im Hals, war aber nahe daran. »Drei?«

»Das ist eine Glückszahl.«

Sie wandte den Kopf und blickte aus dem Fenster. »Nun, die Kurve hast du glatt genommen. Hast du schon einmal überlegt, ein wenig das Tempo zu drosseln, bis wir uns, sagen wir mal, eine ganze Woche kennen?«

»In bestimmten Situationen lernen sich Menschen schneller kennen. Und das ist bei uns der Fall.«

»Was ist denn deine liebste Kindheitserinnerung, bevor du zehn warst?«

»Schwere Frage.« Er überlegte ein paar Sekunden lang. »Als ich Fahrrad fahren gelernt habe. Mein Vater rannte grinsend nebenher, gleichzeitig stand ihm aber die Angst im Gesicht geschrieben, nur dass ich das damals nicht erkannt habe. Es fühlte sich großartig an, als ich merkte, dass ich ganz alleine Fahrrad fahren konnte. Und bei dir?«

»Ich habe auf einem großen Bett im Ritz Carlton in Seattle gesessen. Wir hatten dort eine Suite, weil wir damals wirklich Geld hatten. Dad hatte beim Zimmerservice Krabbencocktail und Brathühnchen – weil ich beides so gerne mochte – und Kaviar bestellt, der mir als Kind nicht geschmeckt hat. Außerdem gab es noch Pizza und Milchshakes. Ein richtiges Traumessen für eine Achtjährige. Mir ist davon fast übel geworden.«

Sie schwieg einen Moment. »Offenbar kommen wir nicht ganz aus der gleichen Welt, Max.«

»Aber jetzt sind wir in der gleichen.«

Sie blickte ihn an. Er wirkte selbstbewusst und klug mit seinen starken Händen auf dem Lenkrad, seinem von der Sonne gesträhnten Haar, das der Wind zerzaust hatte, seinen gefährlichen Katzenaugen hinter der Sonnenbrille.

Gut aussehend, beherrscht, selbstsicher. Das Pflaster an seiner Schläfe war eine Erinnerung daran, dass er nicht immer der Sieger war, aber er blieb auch nicht der Unterlegene.

Mann meiner Träume, dachte sie, was mache ich nur mit dir?

»Du bist schwer abzuschütteln.«

»Ich bin dir ja auch in die Arme gestolpert, meine Süße, als ich mich in dich verliebt habe.«

Sie warf lachend den Kopf zurück. »Das ist eine blöde Bemerkung, aber ich habe offensichtlich eine Schwäche für schlagfertige Männer.«

Er hielt vor ihrem Laden. »Ich hole dich ab, wenn du zumachst.« Dann beugte er sich vor und gab ihr einen Kuss. »Arbeite nicht zu viel.«

»Das ist alles so seltsam normal. Ein kleines bisschen Normalität in einem Riesenbündel mit Seltsamem.« Sie fuhr leicht mit den Fingerspitzen über seinen Verband. »Sei vorsichtig, ja? Alex Crew weiß jetzt, wer du bist.«

»Ich hoffe, wir begegnen einander bald. Ich muss mich noch revanchieren.«

Normal blieb es auch den Rest des Tages über. Laine bediente Kunden, verpackte Waren, die versandt werden sollten, packte Lieferungen aus, die sie bestellt hatte. Solche Tage liebte sie eigentlich – es gab zwar viel zu tun, aber sie musste nichts überstürzen. Sie schickte Dinge an Leute, denen sie so gut gefielen, dass sie dafür bezahlt hatten, und packte Waren aus, die ihr so gut gefallen hatten, dass sie sie für den Laden bestellt hatte.

Trotzdem zog sich der Tag hin.

Sie machte sich Sorgen um ihren Vater und fragte sich, was er in seiner Trauer wohl Unvernünftiges anstellen würde. Außerdem sorgte sie sich um Max und was ihm passieren konnte, wenn Crew ihn aufstöberte.

Um ihre Beziehung zu Max machte sie sich ebenfalls Gedanken, und sie zerlegte und analysierte sie so lange, bis sie es selber Leid war.

»Sieht so aus, als ob wir endlich allein wären«, sagte Jenny, als der letzte Kunde den Laden verlassen hatte.

»Warum machst du nicht einfach eine Pause? Leg für ein paar Minuten die Beine hoch.«

»Ja, gerne. Und du tust das auch.«

»Ich bin nicht schwanger. Ich muss noch Papierkram erledigen.«

»Aber ich bin schwanger, und ich setze mich erst hin, wenn du mir Gesellschaft dabei leistest. Wenn du dich also nicht hinsetzt, dann zwingst du eine schwangere Frau, weiter auf den Beinen zu sein – und die sind geschwollen.«

»Oh, Jenny … deine Beine sind geschwollen?«

»Okay, noch nicht. Es könnte aber jederzeit passieren, und dann ist es deine Schuld. Also, komm, wir setzen uns hin.«

Sie zog Laine zu einem kleinen Sofa mit herzförmig geschwungener Rückenlehne. »Ich liebe dieses Möbel. Ich habe schon ein Dutzend Mal überlegt, ob ich es mir kaufen soll, aber ich habe absolut keinen Platz dafür.«

»Wenn du etwas wirklich liebst, findest du auch einen Platz dafür.«

»Das behauptest du ständig – aber dein Haus sieht gar nicht aus wie ein Antiquitätenlager.« Sie fuhr mit dem Finger über eine aufgedruckte Rose auf den Kissen. »Aber trotzdem, wenn es in einer Woche noch nicht verkauft ist, dann schlage ich zu.«

»Es würde toll in den kleinen Erker in deinem Wohnzimmer passen.«

»Ja, das stimmt, aber dann müsste ich dort auch andere Vorhänge haben und mir einen kleinen Tisch zulegen.«

»Natürlich. Und einen hübschen Teppich.«

»Vince bringt mich um.« Seufzend legte sie die Hände auf ihren Bauch. »Okay, Zeit, dass du auspackst.«

»Ich habe die letzte Lieferung schon ausgepackt.«

»Emotional auspackst. Du weißt ganz genau, was ich meine.«

»Aber ich weiß nicht, wo ich anfangen soll.«

»Fang einfach irgendwo an. Dir geht eine ganze Menge im Kopf herum, Laine. Ich kenne dich gut genug, um das zu sehen.«

»Glaubst du nach wie vor, mich zu kennen, nach allem, was du in den letzten Tagen erfahren hast?«

»Ja. Also, leg los. Was kommt als Erstes?«

»Max glaubt, er liebt mich.«

»Tatsächlich?« So gut es ging, richtete Jenny ihren schwerfälligen Körper auf. »Spürst du das, oder hat er es gesagt?«

»Er hat es gesagt. Du glaubst nicht an Liebe auf den ersten Blick, oder?«

»Doch. Es hat doch sowieso alles nur was mit Chemie und so zu tun. Auf PBS war mal eine Sendung darüber. Ich glaube jedenfalls, dass es PBS war, aber vielleicht war es auch der Lernkanal. Na ja, ist ja egal.« Sie wedelte mit der Hand. »Sie haben solche Studien über Anziehung, Sex und Beziehungen gemacht. Das basiert hauptsächlich auf chemischen Reaktionen, Instinkten, Pheromonen. Darauf baut man dann auf. Du weißt ja, dass Vince und ich uns kennen gelernt haben, als ich im ersten Schuljahr war. Ich bin nach Hause gegangen und habe meiner Mutter erklärt, ich würde Vince Burger heiraten. Es hat zwar eine Weile gedauert, bis wir so weit waren, weil das Gesetz es Sechsjährigen nicht erlaubt, zusammenzuziehen, aber es war trotzdem bestimmt von Anfang an die richtige chemische Mischung.«

Laine liebte die Vorstellung – die kontaktfreudige Jenny und der bedächtige Vince, die sie mit ihren Erwachsenenköpfen auf stämmigen kleinen Kinderkörpern sah. »Ihr kennt euch schon euer ganzes Leben lang.«

»Darum geht es nicht. Ob es nun Minuten, Tage oder Jahre sind, manchmal reicht ein kurzer Klick.« Jenny schnipste mit den

Fingern, um ihre Bemerkung zu untermalen. »Außerdem, warum sollte er dich nicht lieben? Du bist schön, klug und sexy. Wenn ich ein Mann wäre, wäre ich verrückt nach dir.«

»Das ist… das ist wirklich lieb von dir.«

»Und dann hast du noch diese interessante und geheimnisvolle Vergangenheit. Wie empfindest du für ihn?«

»Ich werde ganz schwach in seiner Nähe und kann keinen klaren Gedanken mehr fassen.«

»Ich habe ihn auch von Anfang an gemocht.«

»Ach was, Jenny, dir hat sein toller Hintern gefallen.«

»Und wie sieht es bei dir aus?« Sie kicherte, und Laine musste lachen. »Okay, abgesehen von seinem Hintern, er ist umsichtig – schließlich hat er seiner Mutter ein Geschenk gekauft –, er hat einen niedlichen Akzent und einen sexy Job. Henry mag ihn auch. Und Henry besitzt große Menschenkenntnis.«

»Das stimmt.«

»Und er hat wohl keine Bindungsängste, sonst hätte er nicht von Liebe geredet. Und außerdem«, fügte Jenny leise hinzu, »steht er auf deiner Seite. Das hat er laut und deutlich zum Ausdruck gebracht. Er steht auf deiner Seite, und das hat ihm Punkte von uns eingebracht.«

»Also sollte ich aufhören, mir Gedanken zu machen.«

»Das kommt darauf an. Wie ist er im Bett? Gladiator oder Poet?«

»Hmm.« Gedankenverloren fuhr sich Laine mit der Zunge über die Unterlippe. »Ein poetischer Gladiator.«

»O Gott!« Gespielt erschauernd sank Jenny in die Kissen. »Das ist das Beste. Halt ihn fest, Mädchen!«

»Vielleicht. Ja, vielleicht, wenn wir die Situation, in der wir stecken, heil durchstehen.«

Sie blickte auf, als die Türglocke ging. »Ich mache das schon. Bleib sitzen.«

Das Paar war in den Vierzigern, und Laine schätzte sie als wohlhabende Touristen ein. Die Frau hatte ein helles, dünnes Wildlederjackett an, und ihre Schuhe waren von Prada, ebenso ihre übergroße Umhängetasche. Guter Schmuck. Ein hübscher, eckig geschliffener Diamant und ein Ehering.

Der Mann trug ebenfalls ein Lederjackett, das nach italienischem Design aussah, und dazu ausgewaschene Jeans. Als er sich umdrehte, um die Tür zu schließen, sah Laine, dass er eine Rolex am Handgelenk hatte.

Sie waren beide fit und gebräunt. Country Club, dachte sie. Jedes Wochenende Golf oder Tennis.

»Guten Tag. Kann ich Ihnen behilflich sein?«

»Wir möchten uns nur ein wenig umschauen«, erwiderte die Frau lächelnd, und Laine sah an ihrem Gesichtsausdruck, dass sie sich nicht gern drängen ließ.

»Gerne. Lassen Sie es mich wissen, wenn ich Ihnen helfen kann.« Sie trat an die Theke und schlug einen ihrer Auktionskataloge auf.

Abwesend lauschte sie den Gesprächsfetzen, die an ihr Ohr drangen. Chuck und Terri wären bestimmt hingerissen von dieser Platte. War das nicht ein wundervoller Klapptisch? Hatte Grant nicht genauso eine Anrichte im Sommerhaus gehabt?

Ja, dachte Laine, hundertprozentig Country Club. Im Stillen wettete sie mit sich selber, dass die beiden für mindestens fünfhundert Dollar kaufen würden, bevor sie den Laden wieder verließen.

Wenn sie sich irrte, musste sie einen Dollar in die Blechschachtel in ihrem Büro legen. Aber da sie sich selten irrte, war die Dose fast leer.

»Miss?«

Laine blickte auf und gab Jenny ein Zeichen, sitzen zu bleiben. Lächelnd trat sie auf die Kundin zu.

»Können Sie mir etwas zu diesem Möbelstück sagen?«

»Oh, das ist besonders schön, nicht wahr? Ein Schachtisch, zirka 1850. Britisch. Handgefertigt mit Elfenbein- und Ebenholzintarsien. Er ist in hervorragendem Zustand.«

»Er würde gut in unser Spielezimmer passen.« Sie warf ihrem Mann einen Blick zu. »Was meinst du?«

»Ich finde ihn ziemlich teuer.«

Na gut, dachte Laine. Sie sollte also mit dem Mann handeln, während die Frau sich umschaute. Kein Problem.

»Sehen Sie hier den doppelten Spiralfuß. Er ist perfekt erhalten. Das ist ein einzigartiges Stück. Es stammt von einem Besitz auf Long Island.«

»Was ist hiermit?«

Laine lächelte dem Mann zu und trat zu seiner Frau. »Spätes neunzehntes Jahrhundert. Mahagoni«, sagte sie und fuhr mit der Fingerspitze über die Kante des Tisches mit Glaseinsatz. »Das Glas ist geschliffen und mit Gelenken versehen.« Sie hob die Platte vorsichtig an. »Ist die Herzform nicht hinreißend?«

»Ja, wirklich.«

Laine registrierte das Signal, das die Frau ihrem Mann sandte. Ich will beide, hieß es. Mach, dass es klappt.

Sie spazierte weiter durch den Laden, und Laine machte Jenny ein Zeichen, sie solle ihr die Fragen zu den Weingläsern beantworten, die sie gerade betrachtete.

In der nächsten Viertelstunde gab sie dem Mann das Gefühl, er handele den Preis herunter. Schließlich einigten sie sich, er kam sich äußerst durchtrieben vor, und die Frau bekam die Sachen, die sie haben wollte.

Alle haben gewonnen, dachte Laine, als sie die Rechnung schrieb.

»Warte, Michael, sieh nur, was ich entdeckt habe.« Aufgeregt lachend eilte die Frau zur Theke. »Meine Schwester liebt so etwas. Je alberner, desto besser.« Sie hielt einen schwarzweißen Porzellanhund hoch. »Da steht kein Preis dran.«

Laine starrte den Hund an. Sie lächelte mechanisch, aber das Herz klopfte ihr bis zum Hals. Beiläufig griff sie nach der Figur und ein kalter Schauer lief ihr über den Rücken.

»Albern ist das richtige Wort. Es tut mir Leid.« Ihre Stimme klang ganz natürlich. »Die Figur steht leider nicht zum Verkauf. Sie gehört nicht zu den ausgestellten Waren.«

»Aber sie stand da hinten auf dem Regal.«

»Sie gehört einem Freund von mir. Offenbar hat er sie dort abgestellt, ohne nachzudenken. Ich hatte keine Ahnung, dass sie da war.« Laine stellte den Hund unter die Theke, aus dem Blickfeld der Kundin. »Wir finden bestimmt etwas Ähnliches, das Ihrer Schwester auch gefällt. Und dann bekommen Sie es wegen der Enttäuschung zum halben Preis.«

Das ließ jeden Protest verstummen. »Nun, da war noch eine Katzenfigur. Eine siamesische Katze. Viel eleganter als der Hund, aber immer noch kitschig genug für Susan. Ich schaue sie mir noch einmal an.«

»Ja, sicher. Mr. Wainwright, wohin soll ich die Sachen schicken?«

Sie beendete die Transaktion und brachte die Kunden sogar noch unter nettem Geplauder zur Tür.

»Erfolgreiches Geschäft, Boss. Ich liebe es, wenn ihnen zusätzlich noch etwas auffällt und das auch noch nehmen.«

»Sie war diejenige mit den guten Augen, und er hatte die Brieftasche.« Benommen trat Laine wieder an die Theke und holte den Hund darunter hervor. »Jenny, hast du die Figur ins Regal gestellt?«

»Die? Nein.« Mit geschürzten Lippen musterte Jenny den Hund. »Er ist ja auf eine lächerliche Art ganz niedlich, aber für uns doch eigentlich ein bisschen zu sehr Flohmarkt, oder? Es ist doch keine bestimmte Stilrichtung wie Doulton oder Minton?«

»Nein. Er ist wahrscheinlich irrtümlich in irgendeiner der Kisten von der Auktion gelandet. Ich prüfe das mal nach. Ach sieh mal, es ist ja schon fast fünf. Willst du nicht gehen? Du hast mich heute früh über eine Stunde lang vertreten.«

»Das macht mir nichts aus. Aber ich habe Heißhunger auf einen Big Mac. Ich glaube, ich fahre auf der Wache vorbei und sehe mal, ob Vince Lust hat, heute bei Chez McDonald's zu dinieren. Wenn irgendwas ist, melde dich bei mir.«

»Ja, danke.«

Laine blätterte durch ihre Unterlagen, bis Jenny aus der Tür war. Dann wartete sie noch weitere fünf Minuten, für den Fall, dass die Freundin noch einmal zurückkkam.

Als sie sicher sein konnte, dass sie allein war, hängte sie das Geschlossen-Schild heraus und verriegelte die Tür.

Sie ging mit der Figur ins Hinterzimmer und legte auch dort den Riegel vor. Dann stellte sie den Hund auf ihren Schreibtisch und betrachtete ihn.

Die Klebelinie um den kleinen Korken am Bauch des Tieres war kaum zu sehen. Es war gute Arbeit, aber Big Jack war niemals schlampig. Neben dem Korken war ein verblichener Stempel. Made in Taiwan.

Ja, an solche Details dachte er. Sie schüttelte die Figur, aber nichts klapperte.

Sie schnalzte mit der Zunge und breitete eine Zeitung auf dem Schreibtisch aus. Den Hund stellte sie mitten darauf. Dann trat sie zu dem Schrank, in dem sie ihre Werkzeuge aufbewahrte. Sie holte einen kleinen Gummihammer heraus und wollte ihn gerade auf die Figur niedersausen lassen, als sie mitten in der Bewegung innehielt.

In diesem Moment stellte sie fest, dass sie Max liebte.

Sie legte den Hammer beiseite, setzte sich vor den Hund und starrte ihn an.

Sie konnte es nicht allein tun, weil sie Max liebte und sie es zusammen tun mussten. Von nun an mussten sie alles gemeinsam tun.

Und genau das hatte ihre Mutter bei Robert Tavish gefunden, dachte sie. Mit Jack hatte sie es trotz aller Aufregung und Abenteuer nie wirklich gehabt. Ihre Mutter war Teil des Teams gewesen und möglicherweise sogar Jacks große Liebe, aber eigentlich waren sie nie ein Paar gewesen.

Ihre Mutter und Rob aber waren ein Paar. Genau das wollte sie auch. Wenn sie sich schon in jemanden verliebte, dann wollte sie auch die eine Hälfte eines Paares sein.

»Na gut.«

Sie stand auf und wickelte den billigen Keramikhund so vorsichtig in Noppenfolie ein, als sei er aus antikem Kristall. Zum Schluss verpackte sie ihn noch in braunes Paketpapier und steckte das Päckchen in eine Stofftasche, in der sie schon einen anderen Gegenstand aus dem Laden verstaut hatte, den sie mit nach Hause nehmen wollte.

Als sie fertig war, machte sie noch die letzte Bestellung zum Versand fertig und räumte ihre Unterlagen weg. Punkt sechs stand sie an der Ladentür und wartete auf Max.

Er kam eine Viertelstunde zu spät, aber dadurch hatte sie wenigstens Zeit, sich zu beruhigen.

Er hatte kaum angehalten, als sie auch schon aus dem Laden trat und die Tür absperrte.

»Du bist stets pünktlich, was?«, sagte er, als sie ins Auto stieg. »Vermutlich sogar eher fünf Minuten zu früh.«

»Das stimmt.«

»Ich bin kaum jemals rechtzeitig. Können wir damit leben?«

»O ja. In dieser Zeit der ersten Verliebtheit klappere ich nur mit den Wimpern und lächle entzückt, wenn du auftauchst, ohne ein Wort darüber zu verlieren, dass du zu spät kommst. Später allerdings werden wir uns deswegen streiten.«

»Das wollte ich nur wissen. Was ist in der Tasche?«

»Ein paar Sachen. Hattest du Erfolg mit dem Schlüssel?«

»Das kommt auf den Standpunkt an. Ich habe zwar nicht das Schloss gefunden, in das er passt, habe aber zumindest schon einige ausgeschaltet, in die er nicht passt.«

»Ah, du bist also eher der Typ mit dem halb vollen Glas. Was habe ich doch für ein Glück.«

»Genau. Warte bloß, bis du siehst, was ich für später im Kofferraum habe.«

»Pornofilme und parfümierte Massagelotion?«

»Ach, verdammt, ich wusste doch, dass ich was vergessen habe.« Er warf ihr einen amüsierten Blick zu. »Du bist ziemlich aufgekratzt.«

»Ich habe in der letzten Stunde noch einen großen Abschluss gemacht, und das stimmt mich fröhlich.«

»Gut. Ich werde später noch mein Teil dazu beitragen.«

Er bog in ihre Straße ab und stellte sich hinter ihren Wagen. »Warum kommt Henry eigentlich nicht angerast, wenn er ein Auto hört?«

»Woher soll er wissen, wer es ist? Es könnte ja jemand sein, mit dem er gar nicht reden will.«

Sie stieg aus und wartete darauf, dass er den Kofferraum öffnete. Als sie das gebratene Hähnchen sah, strahlte sie.

»Du hast mir Hühnchen gekauft.«

»Nicht nur das, sondern auch die Zutaten für Schokoladen-Milchshake.« Er ergriff die beiden Einkaufstüten. »Ich habe auch an Krabbencocktail und Pizza gedacht, aber dann wäre uns wahrscheinlich beiden schlecht geworden. Also gibt es heute Abend nur Hühnchen und Eiscreme.«

Sie stellte ihre Tasche ab, schlang die Arme um ihn und küsste ihn leidenschaftlich.

»Hühnchen kann ich jeden Abend essen«, sagte sie, als sie sich nach einer Weile wieder von ihm gelöst hatte. »Das liegt an diesen geheimnisvollen Kräutern und Gewürzen, die mich jedes Mal aufs Neue verführen. Ich habe heute beschlossen, dass ich dich liebe.«

Er schaute sie zärtlich an. »Ja?«

»Ja. Komm, wir sagen es Henry.«

Henry schien zwar mehr an dem Hühnchen interessiert zu sein, ließ sich aber bereitwillig auf einen kleinen Ringkampf und einen Hundekuchen ein, während Laine den Tisch deckte.

»So etwas kann man von Papierservietten essen«, erklärte Max.

»Nicht in diesem Haus.«

Sie bereitete alles auf eine liebevolle, weibliche Art vor. Ihre bunten Teller machten aus dem gebratenen Hühnchen und der Schachtel mit Krautsalat ein Festmahl.

Dazu gab es Wein, Kerzen und Knabberzeug.

»Möchtest du wissen, warum ich beschlossen habe, dich zu lieben?« Sie genoss das Essen, aber es machte ihr genauso viel Freude, ihn zu beobachten.

»Weil ich so gut aussehe und so charmant bin?«

»Nein, das ist der Grund, warum ich mit dir geschlafen habe.« Sie räumte die Teller ab. »Ich habe beschlossen, dich zu lieben, weil du mich zum Lachen gebracht hast. Du warst lieb und klug, und du warst immer noch da, als ich das Spiel mit nächstem Monat gespielt habe.«

»Das Spiel mit nächstem Monat?«

»Das erkläre ich dir später. Vor allem habe ich beschlossen, dich lieben zu müssen, als ich etwas allein tun wollte und es nicht konnte. Ich wollte es nur mit dir tun, weil zwei Menschen, die ein Paar sind, wichtige und unwichtige Dinge gemeinsam machen. Aber bevor ich dir das alles erkläre, habe ich ein Geschenk für dich.«

»Im Ernst?«

»Ja, ich nehme Geschenke sehr ernst.« Sie stand auf und nahm das erste Päckchen aus ihrer Tasche. »Das ist eins meiner Lieblingsstücke, und ich hoffe, es gefällt dir.«

Neugierig riss er die Verpackung ab, und ein Grinsen breitete sich auf seinem Gesicht aus. »Du wirst es nicht glauben.«

»Hast du es schon?«

»Nein, aber meine Mutter. Das ist zufällig auch eins ihrer Lieblingsbilder.«

Das gefiel ihr. »Ich habe mir gedacht, dass sie Maxfield Parrishs Arbeiten mag, sonst hätte sie ihren Sohn ja nicht nach dem Künstler genannt.«

»Sie besitzt ein paar Drucke von ihm. Der hier hängt in ihrem Wohnzimmer. Wie heißt das Bild noch mal?«

»*Lady Violetta im Begriff Törtchen zu backen*«, erwiderte Laine. Sie betrachteten den gerahmten Druck einer hübschen Frau, die vor einer Truhe stand und einen kleinen Silberkrug in der Hand hielt. »Sie ist ganz schön heiß, und sie sieht dir auch ein bisschen ähnlich.«

»Nein, das stimmt nicht.«

»Sie hat aber rote Haare.«

»Das ist doch nicht rot.« Laine tippte mit der Fingerspitze über die rötlich-goldenen Haare des Modells und zog dann an einer ihrer Locken. »*Das* ist rot.«

»Na, ist ja auch egal. Ich werde auf jeden Fall immer an dich denken, wenn ich es anschaue. Danke.«

»Bitte.« Sie nahm ihm das Bild weg und legte es auf die Küchentheke. »Okay, und jetzt kommen wir zu der Erklärung, warum ich beschlossen habe, dich zu lieben und dir etwas zu schenken, damit du dein Lebtag daran denkst. Heute kam ein Ehepaar in meinen Laden«, fuhr sie fort und stellte ihre Tasche auf den Tisch. »Oberschicht, Geld in der zweiten oder dritten Generation. Nicht nur wohlhabend, sondern reich. Sie waren perfekt aufeinander eingespielt. So etwas bewundere ich. Subtile Signale, Rhythmus, das will ich auch.«

»Kriegst du.«

»Ja, das glaube ich dir.« Sie holte das Päckchen aus der Tasche, nahm eine Schere und begann es auszupacken.

»Während sie im Laden waren, Gläser, einen wundervollen

Tisch mit Glasplatte und einen einzigartigen Schachtisch kauften, entdeckte die Frau dieses andere Stück. Es war *überhaupt* nicht ihr Stil, kann ich dir sagen, aber offensichtlich der ihrer Schwester. Sie wurde ganz aufgeregt und brachte es zur Kasse, wo ich gerade die anderen Dinge zusammenrechnete. Sie wollte es unbedingt haben, aber es war nicht ausgezeichnet. Der Grund dafür war, dass ich es noch nie zuvor gesehen hatte.«

Sie sah ihm an, dass er wusste, was sie meinte. »Du liebe Güte, Laine, du hast die Diamanten gefunden.«

Sie stellte den ausgepackten Hund auf den Tisch. »Sieht so aus.«

12

Er ergriff ihn und betrachtete ihn. Als er ihn schüttelte, wie sie es auch getan hatte, musste sie lächeln.

»Er sieht wie ein gewöhnlicher, billiger Keramikhund aus.« Laine tippte mit dem Finger auf die Figur. »Aber er schreit förmlich nach Jack O'Hara.«

»Ja, das kannst du bestimmt beurteilen.« Er wog ihn in der Hand, als wolle er sein Gewicht prüfen. Dann blickte er sie an. »Und du hast ihn nicht einfach kaputtgeschlagen, um nachzuschauen.«

»Nein.«

»Hundert Punkte für dich.«

»Ja, aber wenn wir jetzt weiter darüber reden, ohne etwas zu tun, dann schreie ich wie eine Verrückte und zerschlage ihn in tausend Stücke.«

»Dann wollen wir es doch mal so versuchen.« Er schlug die Figur leicht auf den Tisch. Der niedliche Kopf brach ab, und die großen gemalten Augen starrten sie in stummer Anklage an.

»Na.« Laine stieß die Luft aus. »Ich hatte eigentlich gedacht, wir machen das feierlicher.«

»Je schneller, desto humaner.« Er fuhr mit den Fingern in die Öffnung und zog. »Steckt fest«, sagte er. Laine zuckte zusammen, als er die Figur noch einmal fest auf den Tisch schlug.

»Im Vorraum ist ein Hammer.«

»Oh, oh.« Er wickelte den Baumwolllappen ab und zog einen kleinen Beutel heraus. »Das ist wahrscheinlich wertvoller als alles, was sonst so in Müslipackungen steckt. Hier.« Er reichte ihr den Beutel. »Das ist jetzt deine Aufgabe.«

»Das ist lieb von dir. Du bekommst auch hundert Punkte.«

Das Adrenalin rauschte durch ihre Adern, was sowohl etwas mit der bevorstehenden Entdeckung zu tun hatte als mit der Tatsache, dass sie fremdes Eigentum in der Hand hielt. Einmal ein Dieb, immer ein Dieb, dachte sie. Man konnte aufhören zu stehlen, aber die Faszination blieb.

Sie löste die Kordel, zog den Beutel auseinander und ließ einen glitzernden Diamantenregen in ihre Handfläche gleiten.

Ein Laut drang aus ihrer Kehle, der so ähnlich klang wie das Aufstöhnen, das sie beim Orgasmus von sich gab. Mit verschleiertem Blick sah sie Max an. »Sieh nur, wie groß und glänzend sie sind«, murmelte sie. »Wecken sie in dir nicht auch den Wunsch, hinauszurennen und nackt im Mondschein zu tanzen?« Als er fragend eine Augenbraue hochzog, zuckte sie mit den Schultern. »Okay, das scheint nur bei mir so zu sein. Nimm sie besser an dich.«

»Das würde ich ja gerne, aber du hältst sie so fest umklammert, und ich möchte dir nur ungern die Finger brechen.«

»Oh, Entschuldigung. Ich muss wohl noch an meiner Heilung arbeiten. Haha. Die Hand will gar nicht aufgehen.« Zögernd schüttete sie Max die Diamanten in die offene Hand. Als er sie weiterhin mit hoch gezogenen Brauen anschaute, ließ sie lachend auch den letzten Stein hineinfallen.

»Ich wollte nur wissen, ob du auch aufpasst.«

»Ich lerne dich von einer ganz neuen Seite kennen, Laine, und irgendwas muss bei mir auch nicht ganz in Ordnung sein, denn mir gefällt es. Kannst du bitte den Tisch abräumen? Ich muss ein paar Sachen holen.«

»Nimmst du sie mit?« Sie blickte zur Tür.

»Das ist vermutlich das Sicherste.«

»Nur damit du es weißt«, rief sie ihm hinterher. »Ich habe sie gezählt.«

Sie hörte ihn lachen und ihr Herz flog ihm zu. Irgendwie hatte das Schicksal ihr den Mann beschert, der perfekt für sie war. Aufrichtig, aber auch so flexibel, dass ihn bestimmte Bedürfnisse, die unvermutet in ihr aufstiegen, nicht schockierten oder erschreckten. Verlässlich, aber auch ein bisschen gefährlich, sodass er nie langweilig wurde.

Es würde ihr gelingen, dachte sie, während sie die Scherben auf ein Blatt Zeitungspapier schob. Es würde ihnen gelingen.

Als er wieder hereinkam, sah er, dass sie den Kopf des Hundes auf ein Spitzendeckchen gestellt hatte. Er lachte.

»Du bist eine seltsame, unvorhersagbare Frau, Laine. Das gefällt mir an dir.«

»Komisch, ich habe gerade das Gleiche über dich gedacht. Was hast du denn geholt?«

»Unterlagen und Werkzeuge.« Er schlug den Aktenordner auf und beugte sich über die detaillierte Beschreibung der gestohlenen Diamanten. Dann setzte er sich und legte eine Juwelierlupe und eine Juwelenwaage auf den Tisch.

»Weißt du, was man damit macht?«

»Ja, seine Hausarbeiten. Gut, wir sehen es uns mal an.«

Er breitete die Diamanten auf dem Beutel aus und nahm einen in die Hand. »Er ist lupenrein. Mit bloßem Auge erkennt man weder Einschlüsse noch irgendwelche Makel. Was ist mit deinem?«

»Sieht perfekt aus.«

»Dieser hier wiegt…«, er legte ihn auf die Waage, »puh, starke sechzehnhundert Milligramm.«

»Acht Karat.« Sie seufzte. »Ich verstehe ein bisschen von Diamanten und von Mathe.«

»Okay, lass ihn uns mal genauer betrachten.« Mit einer kleinen Zange hielt er den Diamanten vor die Lupe. »Keine Fehler, keine Trübungen oder Einschlüsse. Hervorragende Brillanz und Feuer. Erstklassig.«

Er legte ihn beiseite, auf ein kleines Samttuch, das er ebenfalls mit heruntergebracht hatte. »Das ist der lupenreine Achtkaräter, russisch weiß, auf meiner Liste.«

»Das gäbe bestimmt einen wundervollen Verlobungsring. Ein bisschen protzig eventuell, aber was macht das schon?« Sein leicht entsetzter Gesichtsausdruck brachte sie zum Lachen. »Das war nur ein Scherz. Ich schenke uns einen Wein ein.«

»Tolle Idee.«

Er griff nach einem anderen Diamanten und wiederholte die Prozedur. »Bedeutet dieses Gerede über Verlobungsringe, dass du mich heiraten willst?«

Sie stellte ein Glas Wein vor ihn auf den Tisch. »Ja, das habe ich vor.«

»Du scheinst mir eine Frau zu sein, die durchzieht, was sie sich vornimmt.«

»Das hast du sehr gut wahrgenommen, Max.« Sie trank einen Schluck Wein und zauste ihm die Haare. »Nur zu deiner Information, ich ziehe den eckigen Schliff vor.« Sie gab ihm einen leichten Kuss. »Und die Platinfassung ohne großartige Schnörkel.«

»Habe ich notiert. Eigentlich sollten wir uns von dem Finderlohn für die Steinchen hier einen leisten können.«

»Die Hälfte des Finderlohns«, erinnerte sie ihn.

Er zog ihren Kopf an den Haaren zu sich herunter. »Ich liebe dich, Laine. Ich liebe alles an dir.«

Sie setzte sich neben ihn. »Eigentlich müsste ich außer mir vor Angst sein wegen dem, was zwischen dir und mir passiert. Und es müsste mich auch zu Tode erschrecken, dass diese hübschen, glänzenden Steinchen hier auf meinem Küchentisch liegen. Schließlich war schon mal jemand deswegen hier im Haus, und er könnte jederzeit wieder auftauchen. Und mir müsste schlecht vor Sorge um meinen Vater sein – ich weiß nicht, was er macht, und vor allem nicht, was Crew ihm antut, wenn er ihn findet.«

Nachdenklich nippte sie an ihrem Wein. »Und tief im Innern habe ich auch schreckliche Angst.« Sie legte sich die Hand aufs Herz. »Aber das spielt sich alles nur in meinem Unterbewusstsein ab. Eigentlich bin ich so glücklich, wie ich noch nie in meinem ganzen Leben war. Und weder meine Sorge noch die Angst können mir das kaputtmachen.«

»Baby, ich bin auch ein hervorragender Fang. In dieser Beziehung brauchst du überhaupt nicht nervös zu sein.«

»Ach, tatsächlich? Warum hat dich denn dann noch nie jemand eingefangen?«

»Keine war so wie du. Und was den Einbruch angeht: Wer auch immer es war, und wir nehmen ja an, dass es Crew war, hat das ganze Haus auf den Kopf gestellt und nichts gefunden. Warum sollte er also ein zweites Mal einbrechen? Und dein Vater ist sein ganzes Leben lang auf sicheren Füßen gelandet. Ich wette, er kommt auch dieses Mal klar.«

»Ich bin dir dankbar für deine Logik und deinen gesunden Menschenverstand.« Allerdings sah sie nicht so aus, als ob sie es ihm abkaufen würde. Er überlegte kurz, ob er ihr die .38er zeigen sollte, die an seinem Knöchel befestigt war, war sich jedoch nicht sicher, ob sie die Pistole eher beruhigen oder ängstigen würde.

»Weißt du, was wir hier haben, Ms. Tavish?«

»Was haben wir denn hier?«

»Fast aufs Karat genau etwas über sieben Millionen an Diamanten – ein Viertel der Beute.«

»Sieben Komma eins Millionen«, flüsterte sie andächtig. »Auf meinem Küchentisch. Ich sitze hier, sehe sie an und kann es nach wie vor nicht richtig glauben, dass er es tatsächlich durchgezogen hat. Er hat oft gesagt, Lainie, eines Tages, eines schönen Tages drehe ich ein ganz großes Ding. Ich schwöre dir, Max, meistens hat er sich nur selbst etwas vorgemacht, wenn er so etwas behauptet hat. Und jetzt sieh dir das an.«

Sie ergriff einen Stein und hielt ihn ins Licht, sodass er funkelte. »Sein ganzes Leben lang hat er von dem ganz großen Ding geträumt. Er und Willy müssen sich toll vorgekommen sein.« Sie stieß die Luft aus und legte den Diamanten wieder zu den anderen Steinen. »Okay, zurück in die Realität. Je eher die Dinger wieder dort sind, wo sie hingehören, desto besser.«

»Ich werde meinen Klienten kontaktieren und alles Notwendige veranlassen.«

»Musst du zurück nach New York?«

»Nein.« Er ergriff ihre Hand. »Ich fahre nicht weg. Wir stehen dies hier gemeinsam durch, immerhin sind drei Viertel des Kuchens noch draußen. Wohin wird dein Vater gehen, Laine?«

»Ich weiß nicht. Ich schwöre dir, ich habe keine Ahnung. Ich kenne seine Gewohnheiten nicht mehr. Ich hatte so lange keinen Kontakt mehr zu ihm, weil ich doch unbedingt eine ehrbare Bürgerin werden wollte. Und trotzdem… Gott, ich bin eine solche Heuchlerin…«

Sie rieb sich mit den Händen übers Gesicht und fuhr sich durch die Haare. »Ich habe Geld von ihm genommen. Das ganze College hindurch, hier ein bisschen, da ein bisschen. Ab und zu kam ein Scheck. Oder ich hatte einen Umschlag mit Bargeld in der Post. Auch nach meinem Examen. Ich habe alles zur Bank gebracht oder angelegt, sodass ich das Haus hier kaufen und mein Geschäft eröffnen konnte. Ich habe es genommen, obwohl ich wusste, dass es nicht von einer guten Fee kam. Ich wusste, dass er es gestohlen oder irgendjemanden darum betrogen hatte, aber ich habe es trotzdem genommen.«

»Soll ich dir deswegen etwa Vorwürfe machen?«

»Ich wollte doch ehrbar sein«, wiederholte sie, »habe aber dazu sein Geld genommen. Max, seinen Namen wollte ich nicht tragen, aber ich habe von seinem Geld gelebt.«

»Das hätte mir ebenfalls passieren können. Aber lass uns jetzt nicht mehr darüber reden, das ist zu unsicheres Terrain. Wir sind uns doch einig, dass du es jetzt nicht mehr nimmst und es ihm auch ganz deutlich sagst, wenn du ihn das nächste Mal siehst.«

»Wenn mir jemand einen Dollar für all die Male geben würde, wo ich ihm das ganz deutlich sagen wollte! Aber du hast Recht. Ja sicher, ich sage es ihm, und dieses Mal halte ich mich auch daran. Versprochen. Tust du mir einen Gefallen?«

»Ja.«

»Sag mir nicht, wo du die Diamanten aufbewahrst. Ich will nicht, dass er mich überreden kann, sie ihm zu geben, wenn er zurückkommt. Und das wäre durchaus möglich.«

Max ließ die Steine wieder in den Beutel gleiten und steckte ihn in die Tasche. »Ich kümmere mich darum.«

»Ich möchte dir helfen, den Rest zu finden. Aus mehreren Gründen. Ein Grund ist, dass ich so mein Gewissen beruhigen kann. Ein zweiter, dass es das Richtige ist. Aber der wichtigste Grund ist sicher, dass ich hoffe, meinen Vater zu schützen, wenn die Steine wieder ihren rechtmäßigen Besitzer haben. Ich könnte es nicht ertragen, wenn ihm etwas geschehen würde. Und irgendwo zwischen Gewissen und dem richtigen Handeln liegen auch die zweieinhalb Prozent Finderlohn.«

Er ergriff ihre Hand und küsste sie. »Weißt du, du hast dir ja vielleicht deine Ehrbarkeit gekauft, aber dieser gute Stil muss dir angeboren sein. Ich muss jetzt ein paar Dinge erledigen. Eventuell kannst du in der Zwischenzeit das Fudge aufwärmen?«

»Wenn ich so lange warte, bis wir beide unsere abendlichen Pflichten erfüllt haben, dann könnten wir die Sundaes im Bett essen – mit zusätzlicher Sahne.«

»Wenn das klappt, bin ich bestimmt der glücklichste Mann auf der Welt.« Sein Handy klingelte und Laine kicherte, als sie die ersten Takte von Satisfaction erkannte.

»Merk dir, was du gerade gedacht hast«, sagte er und nahm das Gespräch an. »Gannon.« Ein breites Grinsen überzog sein Gesicht. »Hey, Mama.«

Da er gegen den Herd gelehnt stehen blieb, wollte Laine hinausgehen. Aber er packte sie an der Hand und hielt sie zurück.

»Also haben dir die Gläser gefallen. Ich bin doch ein guter Sohn, oder? Dein Liebling.« Er runzelte die Stirn und klemmte sich das Handy zwischen Ohr und Schulter, damit er nach seinem Weinglas greifen und gleichzeitig Laine streicheln konnte. »Es ist unfair, in diesem Zusammenhang die Enkelkinder zu erwähnen. Luke hat sie ja schließlich nicht ausgesucht, um dir eine Freude zu machen. Bleib hier«, flüsterte er Laine zu. Dann ließ er sie los und nahm das Gerät mit der freien Hand.

»Ja, ich bin noch in Maryland. Ich habe einen Auftrag hier, Mama.« Er hörte schweigend zu, während Laine sich in der Küche zu schaffen machte, damit sie etwas zu tun hatte. »Nein, ich bin es noch nicht Leid, in Hotels zu übernachten und in Restaurants zu essen. Nein, ich sitze hier nicht wie angewachsen vor meinem Laptop und arbeite zu viel. Was ich tue? Ich bin bei einer sexy Rothaarigen, die ich vor ein paar Tagen kennen gelernt habe. Wir haben gerade darüber geredet, dass es später noch Schlagsahne gibt.«

Ungerührt registrierte er Laines schockiertes Aufkeuchen.

»Nein, das erfinde ich nicht. Warum sollte ich denn? Sie steht direkt neben mir. Willst du mit ihr sprechen?« Er hielt sich das

Handy ein wenig vom Ohr. »Sie sagt, ich bringe dich in Verlegenheit. Stimmt das?«

»Ja.«

»Du hast wahrscheinlich Recht, Mama. Sie heißt Laine, und sie ist das Hübscheste, was ich je in meinem Leben gesehen habe. Was hältst du von rothaarigen Enkelkindern?«

Er zuckte zusammen und hielt das Gerät auf Armlänge von sich entfernt. Deutlich hörte Laine die laute Stimme seiner Mutter, konnte aber nicht verstehen, was sie sagte.

»Kein Problem. Ich habe ja noch ein zweites Trommelfell. Ja, ich bin verrückt nach ihr. Ich will sie natürlich heiraten, aber sie mich nicht. Sobald… Doch, wir wollen heiraten. Mama… Mama, hol mal tief Luft, ja? Ja, sie macht mich sehr glücklich. Wirklich? Dann häng jetzt sofort auf, und ruf Luke an. Sag ihm, er ist wieder auf den zweiten Platz gerutscht, und ich bin dein Lieblingssohn. Oh, oh. Okay. Ich liebe dich auch. Tschüss.«

Er beendete das Gespräch und steckte das Handy wieder in die Hosentasche. »Ich bin ihr Lieblingssohn. Das wird Luke ärgern. Auf jeden Fall soll ich dir sagen, dass sie es nicht abwarten kann, dich kennen zu lernen, und wir sollen so schnell wie möglich nach Savannah kommen, damit sie eine kleine Verlobungsparty für uns geben kann. Was bei Marlene ungefähr zweihundert ihrer engsten Freunde und Familie bedeutet. Du darfst deine Meinung über mich nicht mehr ändern. Und sie hätte gerne, dass du sie morgen, wenn sie sich ein bisschen beruhigt hat, anrufst, damit ihr ein bisschen plaudern könnte.«

»Oh, mein Gott.«

»Sie ist darauf vorbereitet, dich zu lieben, weil ich es auch tue. Außerdem ist sie begeistert darüber, dass ich heiraten will. Daran kannst du sehen, was ich für ein guter Fang bin. Bei Marlene hast du jedenfalls einen Stein im Brett.«

»Mir ist ein bisschen übel.«

»Hier.« Er zog sein Handy aus der Tasche. »Ruf deine Mama an, dann kannst du ihr alles erzählen und sie auf mich vorbereiten. Dann haben wir gleichgezogen.«

Fassungslos starrte sie das Handy an. »Du meinst das ernst.«

»Ganz genau.«

»Du willst mich wirklich heiraten.«

»Das mit dem Wollen ist schon vorbei. Ich werde dich heiraten. Und wenn du nicht mitmachst, jagt Marlene dich bis ans Ende der Welt und macht dir das Leben zur Hölle.«

Lachend sprang sie ihn an, umklammerte ihn mit den Beinen und küsste ihn. »Ich wollte immer schon mal nach Savannah.« Sie nahm ihm das Handy aus der Hand und legte es auf die Küchentheke.

»Was ist mit deiner Mutter?«

»Ich rufe sie später an. Es sind zwei Stunden Zeitdifferenz, und da kann ich sie genauso gut erst in zwei Stunden anrufen. In der Zwischenzeit können wir ja etwas anderes tun.«

Da sie an seinem Ohrläppchen knabberte, bekam er eine ziemlich gute Vorstellung davon, was mit diesem anderen gemeint sein könnte. Er umfasste sie fester, um sie aus dem Zimmer zu tragen. »Was hast du mit unseren abendlichen Pflichten gemeint?«

»Ach, lass uns einfach mal unverantwortlich sein.«

»Ich liebe deine Art zu denken.«

Sie kitzelte ihn mit der Zunge am Hals. »Schaffst du es bis nach oben?«

»Süße, so wie ich mich im Moment fühle, könnte ich dich bis nach New Jersey tragen.«

Sie hüpfte leicht auf und ab, als er auf die Treppe trat. »Wir haben die Sahne vergessen.«

»Heb sie für später auf.«

Sie zog ihm das Hemd aus dem Hosenbund. »Angeber.« Mit den Händen glitt sie unter sein Hemd und über seinen Brustkorb. »Mmm, ich liebe deinen Körper. Er ist mir sofort aufgefallen.«

»Da kann ich nur sagen, dito.«

»Aber der Auslöser war er nicht.«

»Was denn?«, fragte er und wandte sich zum Schlafzimmer.

»Deine Augen. Du hast mich angesehen, und mir stockte der Atem. Ich konnte nicht mehr klar denken. Ich dachte nur noch … mmmh.« Sie hielt ihn weiter umklammert, als er sich mit ihr aufs Bett fallen ließ. »Und als du mich zum Abendessen eingeladen hast, da dachte ich – irgendwo im Hinterkopf –, dass ich gerne eine wilde, impulsive Affäre mit dir hätte.«

»Und das war ja auch so.« Er knöpfte ihr die Bluse auf.

»Und jetzt werde ich dich heiraten.« Entzückt zog sie ihm das Hemd über den Kopf und warf es achtlos beiseite. »Max, ich sollte dir besser sagen, dass ich zwar auch mit dir geschlafen hätte, wenn Henry dich nicht gemocht hätte, aber ich würde dich nie heiraten, wenn er etwas dagegen hätte.«

Er biss sie zärtlich in die Brust. »Fair ist fair.«

Sie bog sich ihm entgegen. »Ich schleiche mich hinter seinem Rücken hier herauf, um mit dir zu schlafen. Eigentlich sollte ich ein schlechtes Gewissen haben, aber ich tue es trotzdem.«

»Du bist eine richtige Schlampe.«

Lachend warf sie den Kopf zurück. »O Gott! Ich fühle mich wundervoll!«

Seine Hände glitten über ihren Körper. »Das brauchst du mir nicht zu sagen.«

»Max.« Sie umfasste sein Gesicht mit den Händen. »Ich liebe dich, Max. Ich werde dir eine gute Frau sein.«

Sie war alles, was er jemals gewollt hatte. Ihr ganzes Sein in all seinen Facetten erfüllte ihn so, wie noch niemand es getan hatte.

Er zog sie zu sich herunter und streichelte liebevoll ihre Haare und ihren Rücken. Und als sie seufzte, klang der lang gezogene, zufriedene Laut wie Musik in seinen Ohren.

Ihre Haut und ihre Lippen waren so weich, dass sie sich wie im Traum zärtlich umschlangen. Ob ihr wohl jemals jemand gezeigt hatte, wie kostbar sie war?

Er murmelte ihr alberne, romantische Dinge ins Ohr, während er sie auszog. Seine Hände glitten so vorsichtig über sie, als sei sie zerbrechlich wie Glas, kostbarer als Diamanten. Sie keuchte leise auf, als die Lust sich in sanften Wellen in ihr aufbaute, und gab sich ihm willig hin.

Intensive, leidenschaftliche Küsse brachten ihr Blut zum Rauschen, und langsame, träge Liebkosungen ließen ihre Haut prickeln. Sie trieb auf einem Fluss voller Gefühle.

Als die Erregung wuchs, umschlang sie ihn wieder, sodass sie beide auf dem Bett saßen. Ihre Küsse wurden drängender, und ihr Atem kam stoßweise.

Ununterbrochen murmelte sie seinen Namen, dann drückte sie

ihn zurück aufs Bett, setzte sich auf ihn und umfasste ihre Brüste mit den Händen. Ihre samtene Hitze umfing ihn. Er sah das wilde Pochen ihres Herzens, die Schauer, die über ihre Haut liefen, während sie ihn ritt.

Da beugte sie sich vor, sodass ihre Haare wie ein Vorhang über ihr Gesicht und seins fielen, packte ihn an den Schultern und krallte sich an ihm fest. Er war außer sich vor Lust.

Zunehmend schneller wurde der Rhythmus ihrer Hüften, und als sie kam, warf sie den Kopf zurück und schrie laut auf.

Auch er bäumte sich auf, zog sie zu sich herunter und ergoss sich in sie, mit den Lippen fest an ihrem Hals.

Er musste arbeiten. Es fiel ihm nicht gerade leicht, jetzt, da sein Körper noch warm war vom Sex und seine Gedanken ständig zu Laine wanderten. Aber die Arbeit war wichtig, nicht nur für seinen Klienten oder ihn selbst, sondern auch für Laine.

Je eher die Diamanten wieder dort waren, wo sie hingehörten, desto besser für alle Beteiligten.

Allerdings beendete das ihre Probleme keineswegs. Er erwartete zwar nicht, dass Crew noch einmal ins Haus eindringen würde, um nach der Beute zu suchen, aber er würde auch nicht aufgeben und verschwinden. Er hatte für die Steine getötet. Und er wollte sie alle haben.

Das war von Anfang an seine Absicht gewesen, dachte Max, während er seine Notizen auf dem Schreibtisch hin und her schob.

Er hätte Myers sicher nicht an einen so abgelegenen Ort gelockt, wenn er nicht vorgehabt hätte, ihn zu beseitigen und sich seinen Anteil unter den Nagel zu reißen. Er wollte sich von Anfang an seiner Partner entledigen und die gesamten achtundzwanzig Millionen behalten.

Ob sie es gespürt hatten? Jemand, der sein ganzes Leben lang krumme Dinger gedreht hatte, roch wahrscheinlich die Gefahr. Deshalb waren Jack und Willy auch abgehauen.

Und sie waren beide davon ausgegangen, dass sie bei Laine die Steine so lange verstecken konnten, bis sie sie sicher loswurden.

Dafür würde er Jack O'Hara später in den Hintern treten.

Dadurch hatten sie Crew direkt zu Laine geführt. Jetzt waren die Steine in Sicherheit – wenn auch nicht so, wie sie es geplant hatten –, Willy war tot, und Laine war zur Zielscheibe geworden.

Und Big Jack, dachte er angewidert, war wieder mal unter dem Radar durchgerutscht und abgetaucht.

Weit würde er sich allerdings nicht entfernen, da ja Willys Viertel vom Anteil sich noch in der Nähe befand. Wahrscheinlich hatte er sich irgendwo in der Gegend verkrochen. Das war gut, denn dadurch hatte Max genug Zeit und Gelegenheit, ihn zu finden und das nächste Viertel der Beute einzukassieren.

Er würde das Versprechen, das er Laine gegeben hatte, halten. Er war nicht daran interessiert, Big Jack der Polizei zu übergeben, aber er würde mit ihm abrechnen, weil er Laine in Gefahr gebracht hatte.

Und damit war er wieder bei Crew. Er war garantiert auch nicht weit weg. Dazu würde er vorsichtiger sein, seit er wusste, dass sich die Nachforschungen auf Angel's Gap konzentrierten. Die Schuld daran musste Max sich selbst geben.

Crew hatte für ein Viertel der Beute gemordet. Er würde für die andere Hälfte ganz bestimmt nicht vor einem weiteren Mord zurückschrecken.

An Crews Stelle würde Max sein Augenmerk auf O'Hara richten. Und zwischen den achtundzwanzig Millionen und Big Jack stand nur eins – Laine.

Er würde die Diamanten, die sie gefunden hatten, seinem Klienten übergeben und dann zusehen, dass er Laine nach Savannah brachte, damit sie in Sicherheit war. Wenn es sein musste, würde er sie sogar mit Beruhigungsmitteln voll stopfen, sie fesseln und irgendwo einsperren, damit keiner ihr etwas tun konnte. Allerdings, glücklich würden sie beide damit nicht sein, also war das wohl nicht der richtige Weg.

Crew würde abwarten und sich den günstigsten Zeitpunkt aussuchen, um Laine zu schnappen. Max hoffte nur, dass er dann bei ihr sein würde.

Sie wusste natürlich, dass Crew eine Gefahr war. Sie war ja weder begriffsstutzig noch dumm. Und natürlich war ihr klar, dass ein Mann, der Millionen stahl und dafür andere umbrachte, kaum freiwillig das Feld räumen würde, wenn ihm die eine Hälfte der Beute noch fehlte.

Jetzt ging es nicht mehr nur um den Fall und den fetten Finderlohn, sondern um ihr Leben. Und er würde alles tun, was er konnte, um sie zu schützen.

Er forstete seine Aufzeichnungen noch einmal durch und hielt plötzlich inne. Fast hätte er sich in dem leichten Schreibtischstuhl nach hinten geworfen, aber ihm fiel gerade noch rechtzeitig ein, dass dieser nicht dazu geschaffen war. Stattdessen beugte er sich vor und fuhr mit dem Finger über die Zeilen in seinem Ausdruck.

Alex Crew hatte Judith P. Fines am 20. Mai 1994 auf dem New Yorker Standesamt geheiratet. Ein Kind, männlich, Westley Fines Crew, geboren am 13. September 1996 im Mount Sinai Hospital.

Scheidung vor einem New Yorker Gericht am 28. Januar 1999.

Judith Fines Crew übersiedelte im November 1998 mit ihrem Sohn nach Connecticut. Danach zog sie noch einmal um. Der jetzige Wohnort war unbekannt.

»Na, das können wir doch herausfinden«, murmelte Max.

Bisher hatte er diese Spur noch nicht verfolgt. Seine Überprüfung von Judiths Nachbarn, Partnern und Familie hatte wenig ergeben, und es wies auch nichts darauf hin, dass sie noch Kontakt zu Crew hatte.

Er suchte so lange in seinen Aufzeichnungen, bis er seinen Bericht über Judith Crew, geborene Fines, gefunden hatte. Sie war siebenundzwanzig gewesen, als sie geheiratet hatten, und arbeitete in einer Kunstgalerie in Soho. Keine Vorstrafen. Obere Mittelschicht, solide Ausbildung – und äußerst attraktiv, wie Max feststellte, als er das Zeitungsfoto betrachtete, das er im Lauf seiner Nachforschungen über sie kopiert hatte.

Sie hatte eine Schwester, die zwei Jahre jünger war als sie, und weder sie noch ihre Eltern waren besonders mitteilsam gewesen. Judith hatte den Kontakt mit ihrer Familie und ihren Freunden abgebrochen. Irgendwann im Sommer 2000 war sie mit ihrem kleinen Sohn verschwunden.

Ob Crew sie wohl aufgespürt hatte? Wollte ein Mann mit einem solchen Ego nicht miterleben, wie er in seinem Sohn weiterlebte? Na ja, möglicherweise war er tatsächlich nicht sonderlich an einer Beziehung zu seiner Ex-Frau oder einem kleinen Jungen, der Forderungen stellte, interessiert, aber im Auge behalten würde er sie bestimmt, da war Max sich ganz sicher. Denn eines Tages war der kleine Junge erwachsen, und ein Mann wie Crew würde sein Erbe seinem eigenen Fleisch und Blut hinterlassen wollen.

»Okay, Judy und kleiner Wes.« Max lockerte die Finger wie ein Pianist. »Dann wollen wir doch mal sehen, wo ihr seid.« Er senkte seine Finger über die Tastatur und begann mit der Suche.

Freiwillig eine Polizeiwache zu betreten, ging ihm eigentlich gegen den Strich. Jack hatte nichts gegen Polizisten. Sie taten nur ihren Job, aber da sie dafür bezahlt wurden, Leuten wie ihm hinterherzuschnüffeln und in kleine vergitterte Zellen zu sperren, gehörten sie zu einer Spezies, die er lieber mied.

Manchmal jedoch brauchten selbst Kriminelle einen Polizisten.

Und wenn er diese Einheimischen hier nicht überlisten und aus diesen Hinterwäldlern nicht die Informationen herauskitzeln konnte, die er brauchte, dann sollte er sich am besten zur Ruhe setzen und einer ehrlichen Arbeit nachgehen.

Er wartete bis zur Nachtschicht. Jeder, der seinen Dienst erst nach sieben Uhr abends antrat, musste in der Hierarchie weiter unten angesiedelt sein.

Im Einkaufszentrum außerhalb der Stadt, hatte er sich seine Garderobe zusammengeklaut, damit er auch so aussah wie die Person, die er darstellen wollte. Jack glaubte fest daran, dass Kleider Leute machten.

Der Nadelstreifenanzug war von der Stange, und er hatte den Saum aus den Hosenbeinen herauslassen müssen, aber ansonsten passte er nicht schlecht. Der rote Schlips verlieh dem Ganzen noch zusätzlich eine harmlose Note.

Die randlose Brille hatte er bei einem WalMart mitgehen lassen, und obwohl er es sich nur ungern eingestand, sah er dadurch wesentlich besser. Allerdings fand er, dass er noch viel zu jung für eine Brille war.

Die braune Aktentasche aus Leder hatte er so bearbeitet, dass sie nicht mehr neu aussah, und er hatte sie so sorgfältig bestückt wie ein Mann, der zu einem Termin geht.

Nur ein guter Schauspieler bekam die Rolle.

Er war durch die Schreibwarenabteilung geschlendert und hatte sich mit Kugelschreibern, Notizblöcken, Klebezetteln und anderen Accessoires ausgestattet, die ein Mann von Bedeutung bei sich trug. Einen Moment lang hatte er sogar mit dem Gedanken gespielt, sich einen Palm zuzulegen. Er liebte Technologie.

Während er den Bürgersteig zur Polizeiwache entlangging, wurde sein Gang schlurfender, und seine Schultern sackten nach vorn. Mit einer geistesabwesenden Geste, die er vor dem Spiegel einstudiert hatte, schob er sich pausenlos die Brille auf die Nase zurück.

Seine Haare hatte er glatt zurückgekämmt, und sie mit einem Haarfärbemittel, das er am Nachmittag aus einer Drogerie entwendet hatte, glänzend schwarz gefärbt.

Peter P. Pinkerton, sein zeitweiliges Alter Ego, wäre sicher eitel genug, sich die Haare zu färben, zugleich aber auch bestimmt so nachlässig, dass er sich nicht darum scherte, ob es echt aussah.

Obwohl ihn noch niemand beachtete, war er bereits völlig in seine neue Rolle geschlüpft. Er zog seine Taschenuhr hervor – so etwas Affektiertes würde Peter gefallen – und blickte besorgt auf das Zifferblatt.

Peter machte sich ständig um irgendetwas Sorgen.

Er ging die kurze Treppe hinauf und trat in die Kleinstadtwache. Wie erwartet, befand er sich in einem kleinen, offenen Warteraum. Hinter der Theke saß ein uniformierter Beamter.

Es gab schwarze Plastikstühle, ein paar billige Tische und einige Zeitschriften, die alle nicht mehr aktuell waren.

Es roch nach Kaffee und Lysol.

Jack alias Peter zupfte nervös an seinem Schlips und schob seine Brille hoch, als er auf die Theke zutrat. An den Wänden hingen Informationsplakate und Ankündigungen irgendwelcher Festivitäten in der Stadt. Am kommenden Wochenende sollte in der Grundschule von Angel's Gap ein Spaghettiessen stattfinden.

Fast tat es ihm Leid, dass er es verpassen würde.

»Kann ich Ihnen helfen?«

Jack blinzelte den Beamten kurzsichtig an und räusperte sich. »Ich bin mir nicht ganz sicher, Officer... äh, Russ. Sehen Sie, ich hatte heute Nachmittag einen Termin mit einem Geschäftspartner, um ein Uhr, im Restaurant des Overlook Hotels. Einen Essenstermin. Aber er hat die Verabredung nicht eingehalten... und ich kann ihn nicht erreichen. An der Hotelrezeption hat man mir mitgeteilt, dass er gar nicht im Hotel eingecheckt hat. Und jetzt mache ich mir Sorgen. Er wollte sich unbedingt hier mit mir um diese Zeit treffen, und ich habe wegen dieses Termins extra die weite Fahrt von Boston hierher gemacht.«

»Wollen Sie etwa eine Vermisstenanzeige für einen Mann aufgeben, der erst seit knapp acht Stunden verschwunden ist?«

»Ja. Verstehen Sie doch, ich habe ihn nicht erreicht, und es war ein sehr wichtiger Termin. Ich mache mir Sorgen, dass ihm auf der Fahrt von New York hierher etwas passiert ist.«

»Name?«

»Pinkerton. Peter P.« Jack griff in die Innentasche seines Anzugs und zog eine Visitenkarte hervor.

»Der Name des Mannes, nach dem Sie suchen.«

»Ach ja, natürlich. Peterson. Jasper R. Peterson. Er handelt mit seltenen Büchern und wollte einen besonderen Band erwerben, an dem mein Chef höchst interessiert ist.«

»Jasper Peterson?« Der Beamte blickte ihn scharf an.

»Ja, genau. Er ist von New York nach Baltimore, glaube ich, gefahren, und wollte erst noch in D.C. Geschäfte machen, bevor er hier in der Gegend Termine wahrnimmt. Eventuell reagiere ich ja übertrieben, aber Mr. Peterson ist normalerweise äußerst zuverlässig.«

»Warten Sie bitte eine Minute, Mr. Pinkerton.«

Russ verschwand in einem der Hinterzimmer.

So weit, so gut, dachte Jack. Jetzt musste er nur noch überzeugend schockiert und entsetzt wirken, wenn sich herausstellte, dass der Mann, nach dem er gefragt hatte, kürzlich einen Unfall gehabt hatte. Willy würde es ihm verzeihen, wahrscheinlich würde er seine List sogar zu schätzen wissen.

Dann würde er so lange auf den Beamten einreden, bis er genau wusste, was der Tote bei sich gehabt hatte. Und wenn er sicher sein konnte, dass die Hundefigur dabei war, würde er sie aus der Polizeiwache stehlen.

Mit den Diamanten würde er sich so weit wie möglich aus Laines Nähe entfernen und eine so deutlich sichtbare Spur für Crew hinterlassen, dass ein blinder Mann auf einem galoppierenden Pferd sie verfolgen könnte.

Danach... na ja, man konnte nicht dauernd so weit im Voraus planen.

Mit zerstreut wirkendem Gesichtsausdruck wandte er sich wieder der Theke zu. Sein Magen krampfte sich zusammen, als statt des gelangweilten Beamten ein großer, blonder Polizist aus einer der Seitentüren trat.

Er wirkte nicht so schwer von Begriff, wie es Jack recht gewesen wäre.

»Mr. Pinkerton?« Vince musterte Jack. »Ich bin Chief Burger. Darf ich Sie in mein Büro bitten?«

13

Ein dünnes Rinnsal aus Schweiß kroch Jack über den Rücken, als er in das Büro des Polizeichefs von Angel's Gap trat. Wenn es um Recht und Gesetz ging, hatte er lieber mit untergeordneten Beamten zu tun.

Dennoch behielt er seine Rolle bei und zog sich penibel die Hose hoch, als er sich hinsetzte. Die Aktentasche stellte er ordentlich neben den Stuhl, genau wie Peter es getan hätte.

»Sie sind aus Boston, Mr. Pinkerton?«

»Ja, das ist richtig.« Bostoner Akzent liebte Jack wegen der distinguierten Aussprache am meisten. Er hatte ihn perfektioniert, indem er regelmäßig MASH angesehen und sich die Figur des Charles Winchester eingeprägt hatte. »Ich bin nur über Nacht hier und fahre morgen früh wieder. Aber da ich meinen Auftrag hier nicht erfüllen konnte, muss ich vielleicht umdisponieren. Es tut mir Leid, Sie mit meinen Problemen zu behelligen, Chief Burger, aber ich mache mir wirklich Sorgen um Mr. Peterson.«

»Kennen Sie ihn gut?«

»Ja, doch, ziemlich gut. Ich mache seit drei Jahren Geschäfte mit ihm – für meinen Arbeitgeber. Mr. Peterson handelt mit seltenen Büchern, und mein Arbeitgeber, Cyrus Mantz III.... vielleicht haben Sie ja schon von ihm gehört?«

»Nicht, dass ich wüsste.«

»Äh, nun, Mr. Mantz ist in Boston und Cambridge recht bekannt als Geschäftsmann und eifriger Sammler seltener Bücher. Er besitzt eine der größten Bibliotheken an der Ostküste.« Jack zupfte seinen Schlips zurecht. »Auf jeden Fall bin ich extra auf Mr. Petersons Wunsch hierher gekommen, wissen Sie, und hoffte, eine Erstausgabe von William Faulkners *The Sound and the Fury* – mit Schutzumschlag – erwerben zu können. Ich war mit Mr. Peterson zum Mittagessen verabredet...«

»Haben Sie ihn jemals gesehen?«

Jack blinzelte verwirrt. »Natürlich. Bei zahllosen Gelegenheiten.«

»Können Sie ihn beschreiben?«

»Ja, gewiss. Er ist ziemlich klein, ungefähr einsachtundsechzig... äh... und ich schätze, er wiegt ungefähr hundertvierzig Pfund. Etwa sechzig Jahre, graue Haare, und ich glaube, seine Augenfarbe ist braun.« Er kniff die Augen zusammen. »Glaube ich. Nützt Ihnen das etwas?«

»Ist das Ihr Mr. Peterson?« Vince streckte ihm die Kopie eines Fotos entgegen, das er aus den Polizeiakten gezogen hatte.

Jack schürzte die Lippen. »Ja. Auf diesem Bild ist er natürlich beträchtlich jünger, aber ja, das ist Jasper R. Peterson. Es tut mir Leid, aber ich verstehe nicht.«

»Der Mann, den Sie soeben als Jasper Peterson identifiziert haben, war vor ein paar Tagen in einen Unfall verwickelt.«

»Ach du meine Güte. Ach du meine Güte. Ich hatte schon Angst, dass so etwas geschehen ist.« Mit einer nervösen Geste nahm Jack die Brille ab und putzte die Gläser mit einem gestärkten weißen Taschentuch. »Ist er denn verletzt worden? Ist er im Krankenhaus?«

Vince wartete, bis er sich die Brille wieder auf die Nase gesetzt hatte. »Er ist tot.«

»Tot? *Tot*?« Ihm war, als schlüge ihn jemand mit einer Faust in den Magen, als er die Tatsache noch einmal ausgesprochen hörte. Mit bebender Stimme sagte er: »Oh, das ist ja schrecklich. Ich kann nicht… ich hätte mir nie vorstellen können… Wie ist es denn passiert?«

»Er wurde von einem Auto angefahren. Er war fast auf der Stelle tot.«

»Das ist ein solcher Schock.«

Willy. Gott, Willy. Jack wusste, dass er blass geworden war – er spürte förmlich, wie ihm das Blut aus dem Gesicht wich. Seine Hände zitterten. Am liebsten hätte er geweint, laut gejammert, aber er riss sich zusammen. Peter Pinkerton würde sich nie eine so offene Zurschaustellung seiner Gefühle gestatten.

»Ich weiß nicht so recht, was ich jetzt tun soll. Ich habe die ganze Zeit auf ihn gewartet, bin ungeduldig, sogar ärgerlich geworden, und er war… schrecklich. Ich muss meinen Arbeitgeber anrufen und ihm sagen… O Gott, das ist schrecklich.«

»Kannten Sie irgendjemanden von Mr. Petersons anderen… Geschäftspartnern, jemanden aus seiner Familie?«

»Nein.« Er zog an seinem Schlips, als schnüre er ihm die Luft ab. *Er hatte nur mich,* dachte Jack. *Ich war seine Familie. Und ich bin schuld daran, dass er tot ist.* Peter Pinkerton jedoch fuhr mit seinem arroganten Akzent fort: »Wir haben selten über etwas anderes als Bücher geredet. Könnten Sie mir sagen, wann er beerdigt wird? Mr. Mantz möchte bestimmt Blumen schicken oder eine wohltätige Spende machen.«

»Bis jetzt ist noch nichts festgelegt.«

»Oh. Nun.« Jack stand auf, setzte sich dann aber wieder. »Könnten Sie mir vielleicht sagen, ob Mr. Peterson das Buch dabei hatte, als er… Verzeihen Sie mir, wenn ich das so pietätlos sage, aber Mr. Mantz wird mich sicher danach fragen.«

Vince lehnte sich in seinem Stuhl zurück und wippte leicht, während er Jack mit geschultem Polizistenauge musterte. »Er hatte ein paar Taschenbücher dabei.«

»Sind Sie sicher? Tut mir Leid, wenn ich Ihnen Ungelegenheiten bereite, aber gibt es vielleicht eine Liste oder so etwas? Mr. Mantz ist ganz versessen auf diese Ausgabe – mit Schutzumschlag ist sie wirklich außerordentlich selten. Eine Erstausgabe in erstklassigem Zustand, wie uns versichert wurde, und er, Mr. Mantz, wird sehr... er wird darauf bestehen, dass ich es genau überprüfe.«

Vince öffnete eine Schublade und holte eine Aktenmappe heraus. »Hier steht nichts dergleichen. Kleidung, Toilettenartikel, Schlüssel, eine Uhr, ein Handy mitsamt Ladegerät, seine Brieftasche mit Inhalt. Das ist alles. Der Mann hatte nicht viel dabei.«

»Ich verstehe. Möglicherweise hat er es ja bis zu unserem Treffen in einem Safe deponiert. Und natürlich konnte er es vorher nicht mehr herausholen... Ich habe Ihre Zeit bereits über Gebühr beansprucht.«

»Wo wohnen Sie, Mr. Pinkerton?«

»Wohnen?«

»Heute Nacht. Wo sind Sie abgestiegen, für den Fall, dass ich Ihnen etwas über die Beerdigung mitteilen kann.«

»Ach so. Ich bin im Overlook. Ach du meine Güte, ach du meine Güte, ich weiß gar nicht, was ich Mr. Mantz sagen soll.«

»Und wenn ich Sie in Boston erreichen muss?«

Jack zog eine Karte hervor. »Hier sind meine Telefonnummern. Bitte, rufen Sie mich an, Chief Burger, wenn Sie irgendetwas in Erfahrung bringen.« Er reichte ihm die Hand.

»Sie hören von mir.«

Vince brachte ihn zur Tür und sah ihm nach.

Er würde nicht lange brauchen, um die Geschichte zu überprüfen. Aber da er durch die billige Brille in Laines blaue Augen geblickt hatte, würde er wahrscheinlich feststellen, dass die Namen Pinkerton und Mantz nur erfunden waren.

»Russ, ruf mal eben im Overlook an und frag nach, ob dieser Pinkerton da eingecheckt hat.«

Dieses Detail würde er überprüfen. Und dann würde er einen seiner Männer hinschicken, damit er den Mann heute Nacht überwachte.

Er würde sich noch einmal die Liste anschauen, um herauszufinden, woran O'Hara – wenn der Mann O'Hara gewesen war – interessiert gewesen war. Und da er verdammt sicher war, dass er keine Diamanten im Wert von Millionen im Hinterzimmer aufbewahrte, würde er eben nachschauen müssen, was womöglich darauf hindeutete.

Wo zum Teufel waren die Diamanten? Jack lief in raschem Schritt zwei Blocks weiter, bevor er wieder leichter atmen konnte. Polizeiwachen und der Geruch von Polizisten schlugen ihm auf die Lunge. Auf der Nachlassliste war kein Keramikhund gewesen. So etwas hätte selbst der misstrauischste Polizist aufgeführt. Damit war sein netter kleiner Plan, in die Requisitenkammer einzubrechen, also hinfällig geworden. Schließlich konnte er ja nichts stehlen, was gar nicht da war.

Als sie sich getrennt hatten, hatte Willy den kleinen Keramikhund noch bei sich gehabt. Sie hatten gehofft, Crew würde eher Jack verfolgen, sodass Willy ungehindert zu Laine gelangen und die Figur dort in Sicherheit bringen konnte.

Aber dieser hinterhältige Bastard Crew hatte Willy verfolgt. Den nervösen alten Willy, der nur seine Ruhe haben wollte und sich für den Rest seiner Tage an irgendeinen hübschen Strand zurückziehen, Aquarelle malen und Vögel beobachten wollte.

Er hätte ihn niemals allein lassen sollen, ihn niemals allein losschicken sollen. Jetzt war sein ältester Freund tot. Jetzt konnte er mit niemandem mehr über die alten Tage reden. Es gab niemanden mehr, der wusste, was er dachte, noch bevor er die Worte ausgesprochen hatte. Niemand, der seine Witze verstand.

Er hatte seine Frau und seine Tochter verloren. So etwas passierte eben. Er konnte Marilyn keinen Vorwurf daraus machen, dass sie gegangen war und Lainie mitgenommen hatte. Sie hatte ihn weiß Gott oft genug gebeten, es mal mit einem anständigen Leben zu versuchen. Und er hatte es ihr genauso oft versprochen. Und keines dieser Versprechen hatte er gehalten.

Man kann nicht gegen seine Natur ankämpfen, war Jacks Überzeugung. Und es lag in seiner Natur zu spielen. Was sollte er denn machen? Wenn Gott gewollt hätte, dass er nicht spielte, hätte er nicht so viele Möglichkeiten geschaffen.

Er wusste, dass es eine Schwäche war, aber Gott hatte ihn halt so geschaffen. Warum sollte er sich dagegen wehren? Menschen, die sich mit Gott anlegten, waren Blödmänner. Und Kate O'Haras Sohn Jack war mit Sicherheit keiner.

In seinem Leben hatte er drei Menschen wirklich geliebt. Marilyn, seine Lainie und Willy Young. Marilyn und Lainie hatte er gehen lassen, weil man nicht halten kann, was nicht bei einem bleiben will. Aber Willy war geblieben.

Solange Willy bei ihm war, hatte er Familie gehabt.

Nichts brachte ihn je wieder zurück. Aber eines Tages, wenn alles wieder gut war, würde er an irgendeinem schönen Strand stehen und sein Glas auf den Mann erheben, der sein bester Freund war.

In der Zwischenzeit jedoch hatte er zu tun und musste darüber nachdenken, wie er diesen kaltblütigen Killer austricksen konnte.

Willy war bei Laine gewesen, und er hatte den Hund bestimmt bei sich gehabt – warum hätte er sonst zu ihr gehen sollen? Natürlich war es möglich, dass er ihn versteckt hatte. Jeder vernünftige Mann hätte ihn in einem Schließfach deponiert, bis er sich seiner Sache sicher gewesen wäre.

Aber das war nicht Willys Stil. So wie Jack Willy kannte – und niemand kannte ihn besser –, hätte er darauf wetten können, dass Willy die kleine Figur bei sich hatte, als er ins Laines Laden marschiert war.

Und als er herausgekommen war, hatte er sie nicht mehr bei sich gehabt.

Damit blieben zwei Möglichkeiten. Entweder hatte Willy den Hund im Laden versteckt, ohne es Laine zu sagen. Oder Daddys kleines Mädchen sagte nicht die Wahrheit.

Das musste er herausfinden.

Zuerst einmal würde er sich in dem kleinen Unternehmen seiner geliebten Tochter umschauen.

Laine zeichnete etwas auf Millimeterpapier, als Max in ihr Arbeitszimmer trat. Vor ihr lagen zahlreiche winzige, ausgeschnittene Teilchen, die er nach kurzer Musterung als Papiermöbel erkannte.

»Ist das so etwas wie die Erwachsenen-Version eines Puppenhauses?«

»Ja, so in etwa. Es ist mein Haus, jedes einzelne Zimmer. Ich muss einige meiner Möbel ersetzen. Deshalb habe ich maßstabsgetreue Modelle der Sachen gemacht, die ich auf Lager habe. Und jetzt probiere ich aus, wie sie passen und wie ich sie aufstellen könnte, wenn ich sie hierher hole.«

Er starrte sie fasziniert an. »Ich frage mich, wie sich jemand, der sich über ein Sofa so sehr den Kopf zerbricht, Hals über Kopf mit mir einlassen konnte.«

»Wer sagt denn, dass ich nicht auch ein maßstabsgetreues Modell von dir angefertigt und es in verschiedenen Szenarios ausprobiert habe?«

»Huh.«

»Außerdem liebe ich das Sofa nicht. Ich finde es schön, und es gefällt mir, aber ich bin auch jederzeit bereit, mich davon zu trennen, wenn es einen Grund dafür gibt.«

»Das hast du dir eben erst ausgedacht, aber es gefällt mir.« Er lehnte sich an die Schreibtischkante. »Sieht so aus, als hätte ich Crews Ex-Frau und sein Kind aufgespürt. Anscheinend leben sie in Ohio, in einem Vorort von Columbus.«

»Glaubst du, sie weiß etwas?«

»Ich kann nur spekulieren, dass Crew Interesse an seinem Sohn hat. Welcher Mann würde seinen Nachwuchs, vor allem, wenn es ein Junge ist, nicht als Besitz ansehen? Mit der Ehefrau ist das anders, sie ist ja nur eine Frau und leicht zu ersetzen.«

»Ach, tatsächlich?«

»Von Crews Standpunkt aus. Ich sehe das anders. Ich finde, wenn man das Glück hat, der richtigen Frau zu begegnen, ist sie durch nichts zu ersetzen.«

»Das hast du dir eben erst ausgedacht, aber mir gefällt es.«

»Weißt du, wenn ich im Computer recherchiere, dann ziehe ich so lange an dem losen Ende, das ich erwische, bis es zu etwas führt oder im Nichts endet. Ich muss der Sache nachgehen. Also, ändern wir unsere Pläne. Morgen früh fahre ich als Erstes nach New York und gebe die Diamanten persönlich ab. Dann springe ich mal rasch in Ohio vorbei und sehe zu, ob ich von der ehemaligen Mrs. Crew oder dem Jungen etwas erfahren kann.«

»Wie alt ist der Kleine?«

»Ungefähr sieben.«

»Oh, Max, er ist noch ein Kind.«

»Du weißt doch, dass die manchmal besonders viel mitkriegen. Du meine Güte, Laine«, fügte er hinzu, als er ihren Gesichtsausdruck sah. »Ich tue ihm doch nichts. Ich will nur mit ihnen reden.«

»Wenn sie geschieden sind, will sie möglicherweise gar nichts mehr mit Crew zu tun haben. Vielleicht will sie ja auch nicht, dass ihr Sohn weiß, was sein Vater macht.«

»Das bedeutet nicht zwangsläufig, dass es der Junge wirklich nicht weiß. Eventuell taucht Daddy ja auch ab und zu mal auf. Überprüfen muss ich es auf jeden Fall, Laine. Ich breche morgen ganz früh auf. Wenn du mitkommen möchtest, buche ich einen Flug für uns beide.«

Sie wandte sich wieder ihrem Millimeterpapier zu und verschob mit dem Bleistift das ausgeschnittene Sofa. »Du kämst schneller voran ohne mich.«

»Wahrscheinlich, aber es wäre nicht so lustig.«

Lächelnd blickte sie auf. »Ein kurzer Ausflug nach New York und ein Abstecher nach Ohio. Klingt verlockend, aber ich kann nicht. Ich habe zu tun, ich habe Henry, und ich muss dieses Haus hier wieder herrichten. Außerdem muss ich üben, deine Mutter anzurufen.« Sie piekste ihn mit dem Bleistift, als er lachte. »Nein, Freundchen, ich möchte keinen Kommentar hören, so mache ich das eben.«

Er wollte sie nicht allein lassen, auch nicht nur für einen Tag. Natürlich lag das zum Teil daran, dass er frisch verliebt war, aber er machte sich auch Sorgen um sie. »Wenn du mitkämst, könntest du sie von unterwegs anrufen. Henry könntest du bei den Burgers lassen, den Laden könntest du für einen Tag zuschließen, und das Haus kriegen wir schon wieder in Ordnung, wenn wir zurück sind. Dein Millimeterpapier kannst du ja mitnehmen.«

»Du machst dir Sorgen, mich allein zu lassen, weil du deiner Arbeit nachgehen musst. Aber das brauchst du nicht. Und ehrlich gesagt, ist es auch nicht richtig. Ich sorge schon sehr lange für mich, Max, und das werde ich auch weiter tun, wenn wir verheiratet sind.«

»Wenn wir erst mal verheiratet sind, ist auch kein Mörder und Juwelendieb hinter dir her.«

»Kannst du mir das garantieren? Na komm«, fügte sie hinzu, ohne seine Antwort abzuwarten. »Geh deiner Arbeit nach. Ich werde meine tun. Und wenn du zurückkommst…«, sie ließ ihre Hand an seinem Oberschenkel entlanggleiten, »dann machen wir etwas gemeinsam.«

»Du versuchst, mich abzulenken. Nein, du hast mich schon abgelenkt.« Er küsste sie. »Wie wäre es damit? Ich tue meine Arbeit, du bleibst und tust deine Arbeit. Morgen Abend bin ich wieder zurück, früher sogar, wenn ich es schaffe. Aber bis ich zurück bin, gehst du zu dem Polizisten und seiner Frau. Henry nimmst du mit. Du bleibst vorläufig nicht hier alleine. Also, wir können uns jetzt darüber streiten, oder du lässt dich auf diesen Kompromiss ein.«

Sie streichelte weiter seinen Oberschenkel. »Ich streite gern.«

»Okay.« Er stieß sich vom Schreibtisch ab, als wolle er sich auf einen Zweikampf vorbereiten.

»Aber nicht, wenn ich der Meinung bin, dass die andere Person Recht hat. Es wäre ein unnötiges Risiko, wenn ich hier allein bliebe. Also werde ich Jenny und Vince auf den Geist gehen.«

»Gut. Na ja… gut. Willst du wegen etwas anderem streiten?«

»Später vielleicht?«

»Okay. Ich buche jetzt meine Flüge. Ach übrigens, besteht die Möglichkeit, dass das Sofa so lang wird, dass ein ausgewachsener Mann darauf sein Mittagsschläfchen halten kann?«

»Die Möglichkeit besteht durchaus.«

»Ich glaube, es wird mir gefallen, mit dir verheiratet zu sein.«

»Das glaube ich auch.«

Als Jack mit der Durchsuchung von Laines Laden fertig war, war es nach eins. Unzufrieden schloss er die Tür hinter sich. Er war bitter enttäuscht, dass er die Diamanten nicht gefunden hatte. Das Leben wäre so viel einfacher, wenn er jetzt einen kleinen Hund unter dem Arm hätte. Er könnte bereits auf dem Weg aus der Stadt sein – und dabei genug Brotkrumen hinter sich lassen, um Crew auf seine Fährte zu locken und Laine aus der Schusslinie zu holen.

Und dann wäre er in einem Kaninchenloch verschwunden. Vierzehn Millionen in Diamanten – selbst wenn er nur die Hälfte dafür bekäme, weil er sie schnell loswerden musste – würden ihm ein äußerst behagliches Kaninchenloch bescheren.

Zugleich jedoch empfand er eine Art verblüfften Stolz. Sieh mal einer an, was sein kleines Mädchen geschafft hatte – und dazu noch auf *ehrliche* Art und Weise. Wo zum Teufel hatte sie bloß gelernt, all diese Sachen zu kaufen? Die Möbel und den ganzen anderen Kram. Der Laden war hübsch. Sein kleines Mädchen besaß ein richtig schönes Geschäft. Und da er so neugierig gewesen war, einen Blick in ihren Computer zu werfen, wusste er auch, dass es offenbar sogar etwas einbrachte.

Sie hatte sich ein gutes Leben aufgebaut. Es war nicht ganz das, was er sich für sie vorgestellt hatte, aber wenn sie es so wollte, dann würde er es akzeptieren. Er verstand es zwar nicht, würde es nie verstehen, aber er würde es akzeptieren. Ja.

Sie würde nie wieder mit ihm auf Tour gehen. Diese Fantasie hatte er nach einem Blick auf ihr Haus, ihren Laden und ihr Leben endgültig begraben.

Seiner Meinung nach verschwendete sie damit ihr beachtliches Talent. Aber ihm war klar, dass ein Vater sein Kind nicht nach seinem Bild formen konnte, schließlich hatte auch er gegen seinen Vater aufbegehrt. Es war nur natürlich, dass Laine sich ihren eigenen Weg suchte.

Nicht natürlich war allerdings, dass sie ihren alten Vater zu betrügen versuchte. Sie hatte die Diamanten. Sie musste sie haben. Und wenn sie auf den verqueren Gedanken verfallen war, dass sie ihn schützen musste, indem sie ihm die Steine vorenthielt, dann musste er ihr das ganz schnell austreiben.

Es ist an der Zeit, mal ein ernsthaftes Vater-Tochter-Gespräch zu führen, dachte Jack.

Das bedeutete, dass er ein Auto knacken musste. Er hasste es, Autos zu stehlen, es war so… gewöhnlich, aber ein Mann brauchte schließlich ein Transportmittel, wenn seine Tochter sich in den Kopf gesetzt hatte, auf dem platten Land zu leben.

Er würde zu ihr fahren, mit ihr reden, sich die Diamanten holen und morgen früh wieder wegfahren.

Er entschied sich für einen Chevy Cavalier, ein nettes, solides Fahrzeug, tauschte jedoch zur Sicherheit das Kennzeichen gegen das von einem Ford Taurus aus, der ein paar Meilen weiter stand. Wenn alles glatt ging, würde der Chevy ihn durch Virginia nach North Carolina bringen, wo er einen Partner hatte, der das Auto für ihn verkaufen würde. Mit dem Bargeld konnte er sich einen neuen Wagen kaufen.

Er würde so viele Spuren hinterlassen, dass Crew ihm folgte und von Laine abließ.

Und dann hatte Jack einen Termin in Südkalifornien, wo er die glitzernden Steine in feste grüne Scheine eintauschen würde.

Danach gehörte ihm die Welt.

Er summte die Melodie der klassischen Rockmusik, die aus dem Autoradio drang, mit. Und seine Laune hob sich, als die Beatles fröhlich erklärten, dass man mit ein wenig Hilfe von Freunden weiterkäme.

Darüber wusste Jack alles.

Als Vorsichtsmaßnahme parkte er den Wagen ein Stück vom Haus entfernt. Der Hund war zwar freundlich, wie er sich erinnerte, wenn er sich nicht gerade vor Angst bepinkelte, aber Hunde bellten. Und er wollte kein Aufsehen erregen.

Er schaltete seine Taschenlampe ein und machte sich auf den Weg. Wieder einmal fragte er sich, was Laine wohl bewogen hatte, sich so einen Ort auszusuchen. Die einzigen Geräusche, die er, abgesehen von seinen Schritten auf dem knirschenden Kies, vernahm, waren eine Eule und ein gelegentliches Rascheln im Gebüsch.

Es roch nach Flieder, und lächelnd dachte er, wie schön es war, durch die Dunkelheit zu gehen und den Duft von Blumen zu riechen. Er könnte ja einen Strauß pflücken und ihn ihr als Friedensangebot vor die Haustür legen.

Auf einmal traf sein Lichtstrahl auf Chrom. Jacks Laune verschlechterte sich augenblicklich, als er über den Wagen leuchtete.

Hinter Laines Auto in der Einfahrt hatte der Polizist geparkt.

Mit zusammengekniffenen Augen musterte er das Haus. Alle Fenster waren dunkel. Fast zwei Uhr morgens, und hinter dem Auto seiner Tochter stand der Wagen eines Mannes.

Sein kleines Mädchen... er suchte nach einem Ausdruck, mit dem ein Vater umgehen konnte, ohne zu platzen. Sein kleines Mädchen machte mit einem Polizisten rum. Nach Jacks Verständnis waren auch Privatdetektive Polizisten, sie verdienten nur mehr als die Kerle mit der Polizeimarke.

Sein eigen Fleisch und Blut, mit einem Polizisten. Was hatte er nur falsch gemacht?

Seufzend blickte er auf seine Füße. Wenn der Typ im Haus war, konnte er es nicht riskieren, ein zweites Mal einzusteigen. Verdammt noch mal, er musste unter vier Augen mit Lainie reden, damit sie zu Verstand kam.

Na ja, irgendwann musste der Bulle ja mal gehen, dachte Jack. Er würde das Auto irgendwo verstecken und einfach warten.

Es musste Liebe sein, dachte Laine, dass sie so früh am Morgen aufstand, um Max um viertel vor sechs zu verabschieden. Natürlich gefiel ihr auch der Gedanke, dass sie damit Flexibilität zeigte, aber eigentlich wusste sie es besser.

Wenn sie und Max sich erst einmal aneinander gewöhnt hatten, dann würde nur zu bald der Alltag wieder einsetzen, natürlich ein wenig anders als vorher, aber auf jeden Fall Alltag.

Sie freute sich schon darauf, und mit diesem Gedanken im Kopf gab sie ihm einen besonders enthusiastischen Kuss an der Tür.

»Werde ich immer so verabschiedet, wenn ich nur einen Tag unterwegs bin? Heißt das, ich kann mich schon jetzt darauf freuen, mal länger wegzubleiben?«

»Nein, ich habe nur gerade daran gedacht, wie schön es sein wird, an dich gewöhnt zu sein und mich über deine kleinen Gewohnheiten und Eigenheiten zu ärgern.«

»Himmel, du bist eine seltsame Frau.« Er umfasste ihr Gesicht mit beiden Händen. »Soll ich mich etwa darauf freuen, dich zu ärgern?«

»Ja, und auch auf das Nörgeln. Ehepaare neigen dazu, aneinander herumzunörgeln. Wenn das der Fall ist, werde ich dich Maxfield nennen.«

»Untersteh dich.«

»Doch, ich glaube, das wird lustig. Ich kann es kaum erwarten, bis wir uns über das Haushaltsgeld oder die Farbe der Handtücher im Bad streiten.« Sie schlang ihm die Arme um den Hals und küsste ihn noch einmal leidenschaftlich. »Gute Reise.«

»Ich bin spätestens gegen acht wieder zu Hause. Ich rufe dich an.« Er drückte sein Gesicht in ihre Schulterbeuge. »Ich denke mir etwas zum Nörgeln aus.«

»Du bist süß.«

Er löste sich von ihr und streichelte Henry, der versuchte, sich zwischen sie zu drängen. »Pass auf mein Mädchen auf.« Dann ergriff er seine Aktentasche, zwinkerte Laine zu und ging zu seinem Auto.

Sie winkte ihm nach, trat wieder ins Haus und schloss wie versprochen die Tür hinter sich ab.

Das frühe Aufstehen machte ihr nichts aus. Sie würde in die Stadt fahren und sich ihren Warenbestand ansehen, um zu entscheiden, was sie mit nach Hause nehmen konnte. Dann würde sie mit Henry im Park spazieren gehen und sich später um die Reparatur ihrer beschädigten Möbel kümmern.

Sie konnte auch ein wenig im Internet surfen und sich Brautseiten anschauen. Laine Tavish heiratet! Vor Entzücken wirbelte sie herum, was Henry veranlasste, wie wild um sie herumzuspringen. Sie konnte sich auch ein paar Brautmodenmagazine kaufen, aber dazu würde sie ins Einkaufszentrum fahren müssen. Sie hatte keine Lust, jetzt schon die Klatschmaschinerie in der Stadt in Gang zu setzen.

Sie wollte eine große, protzige Hochzeit, und es überraschte sie, dass das möglich war. Sie wollte ein prächtiges und lächerlich teures Kleid – ein Kleid, das man sich nur einmal im Leben leistet. Und sie wollte sich stundenlang mit Blumen, Musik und Menüs beschäftigen.

Lachend lief sie nach oben, um sich anzuziehen. Es kommt alles wieder in Ordnung, dachte sie. Ihr Leben hatte eine unerwartete, schwierige Wendung genommen, aber jetzt wurde es langsam wieder normal. Und was war schon normaler als eine Frau, die von ihrer Hochzeit träumte?

»Ich muss Listen machen, Henry. Lauter Listen. Du weißt ja, wie gerne ich das tue.«

Sie knöpfte ihre taillierte weiße Bluse zu und zog dazu eine schmale blaue Hose an. »Natürlich müssen wir auch den Termin festlegen. Ich glaube, Oktober wäre ganz gut. Dann sind die Farben so schön, sie sind dann so *üppig*. Es wird ganz schön hart werden, alles bis dahin zu organisieren, aber ich schaffe das schon.«

Sie flocht sich die Haare zu einem Zopf und schlüpfte in ein Jackett mit kleinen weißblauen Karos.

Zuerst gehen wir schnell in den Park, dachte sie, und zog sich ihre bequemen Segeltuchschuhe an.

Als sie auf der halben Treppe war, begann Henry alarmiert zu bellen und raste wieder hinauf.

Laine erstarrte. Das Herz schlug ihr bis zum Hals. Bevor sie Henrys Beispiel folgen konnte, trat Jack aus dem Wohnzimmer.

»Holt der Hund seine Pistole?«

»Dad.« Sie schloss die Augen und stieß zitternd die Luft aus. »Warum tust du das? Kannst du nicht einfach anklopfen, verdammt noch mal?«

»So geht's doch schneller. Redest du immer mit dem Hund?«

»Ja.«

»Antwortet er dir auch?«

»Auf seine Art schon. Henry! Es ist alles in Ordnung, Henry. Er tut dir nichts.« Sie kam die Treppe herunter und musterte die gefärbten Haare und den zerknitterten Anzug. »Du bist bei der Arbeit, wie ich sehe.«

»Auf meine Art.«

»Du siehst aus, als hättest du in dem Anzug geschlafen.«

»Das habe ich auch getan.«

Sie zog die Augenbrauen hoch. »Du brauchst mich nicht anzugiften, Jack. Es ist nicht meine Schuld.«

»Ist es doch. Wir müssen miteinander reden, Elaine.«

»Das tun wir doch.« Sie nickte und marschierte in die Küche. »Hier ist Kaffee, und es ist auch noch ein Apfel-Muffin da, falls du Hunger hast. Kochen tu ich jetzt nichts.«

»Was *machst* du aus deinem Leben?«

Sein Tonfall war so heftig, dass Henry, der vorsichtig hinterhergeschlichen war, entsetzt bis zur Tür zurückwich.

»Was *ich* mit meinem Leben mache? Ich?« Sie trat mit der Kaffeekanne in der Hand vor ihn. Ihre hitzige Reaktion machte Henry Mut. Er stellte sich neben Laine und knurrte Jack an.

»Ist schon gut, Henry.« Erfreut und überrascht streichelte Laine den Hund. »Er ist nicht gefährlich.«

»Könnte ich aber sein«, murmelte Jack, aber eigentlich war er erleichtert, dass der Hund nicht ganz feige zu sein schien.

»Ich sage dir, was ich mit meinem Leben mache, Dad. Ich *lebe* es. Ich habe ein Haus, einen Hund, ein Geschäft, ein Auto – und Rechnungen, die ich bezahlen muss. Ich habe einen Klempner.« Sie schwenkte die Kanne, sodass beinahe der Kaffee überschwappte. »Ich habe Freunde, und ich kann mir in der Bücherei ein Buch ausleihen und weiß, dass ich immer noch hier bin, wenn ich es zurückgeben muss. Was machst du mit deinem Leben, Dad? Was hast du jemals damit gemacht?«

Seine Lippen bebten, und er stieß hervor: »So redet man nicht mit seinem Vater.«

»Nun, mit seiner Tochter auch nicht. Ich habe deine Art zu leben nie kritisiert, weil es dein Recht ist, so zu leben, wie es dir gefällt. Also kritisiere bitte auch nicht meine Art zu leben.«

Jacks Schultern sackten zusammen, und er steckte die Hände in die Taschen. »Du verbringst die Nächte mit einem Polizisten. Einem *Polizisten*.«

»Er ist Privatdetektiv, doch darum geht es gar nicht.«

»Es geht nicht ...«

»Ich verbringe die Nächte mit dem Mann, den ich liebe, und ich werde ihn heiraten.«

»Hei ...« Jack wich das Blut aus dem Gesicht. Er ließ sich erschüttert auf einen Stuhl sinken. »Mir sind die Knie weich geworden. Lainie, du kannst doch nicht heiraten. Du bist doch noch ein Kind.«

»Bin ich nicht.« Sie stellte die Kaffeekanne beiseite, trat zu ihm und legte ihm sanft die Hände auf die Wangen. »Ich bin kein Kind mehr.«

»Aber vor fünf Minuten warst du noch eins.«

Seufzend setzte sie sich auf seinen Schoß und legte den Kopf an seine Schulter. Henry wollte nicht abseits stehen und legte Jack mitfühlend die Schnauze aufs Knie.

»Ich liebe ihn, Daddy. Freu dich für mich.«

Er wiegte sie. »Er ist nicht gut genug für dich. Ich hoffe, er weiß das.«

»Bestimmt. Er weiß, wer ich bin. Wer wir sind«, fügte sie hinzu und blickte Jack an. »Und es ist ihm egal, weil er mich liebt. Er will mich heiraten und mit mir zusammenleben. Wir werden dir Enkel schenken.«

Wieder wurde er blass. »Lass uns nicht so weit in die Zukunft denken. Ich muss mich erst mal an den Gedanken gewöhnen, dass du nicht mehr sechs bist. Wie heißt er?«

»Max. Maxfield Gannon.«

»Schick.«

»Er ist aus Savannah, und er ist wundervoll.«

»Verdient er ordentlich?«

»Scheint so... aber ich verdiene ja auch nicht schlecht.« Sie strich ihm über die gefärbten Haare. »Stellst du mir jetzt all die Klischeefragen, die den Brautvater bewegen?«

»Ich überlege gerade.«

»Lass es. Du brauchst nur zu wissen, dass er mich glücklich macht.« Sie gab ihm einen Kuss auf die Wange, dann stand sie auf, um ihm einen Kaffee einzuschenken.

Geistesabwesend kraulte Jack Henry hinter den Ohren. »Er ist heute morgen ziemlich früh aufgebrochen.«

Laine blickte über die Schulter. »Ich habe es nicht gern, wenn du mein Haus beobachtest, Dad. Aber es stimmt, er ist früh aufgebrochen.«

»Wie viel Zeit haben wir, bis er zurückkommt?«

»Er kommt erst heute Abend zurück.«

»Okay. Laine, ich brauche die Diamanten.«

Sie holte eine Tasse aus dem Schrank und schenkte ihm Kaffee ein. Sie stellte sie vor ihm auf den Tisch, setzte sich und faltete die Hände im Schoß. »Tut mir Leid, aber ich kann sie dir nicht geben.«

»Hör mir mal zu.« Er beugte sich vor und griff nach ihren Händen. »Das ist kein Spiel.«

»Ach nein? Ich dachte, es wäre alles nur ein Spiel.«

»Alex Crew, der in der Hölle braten möge, sucht nach diesen

Steinen. Er hat einen Mann getötet, und er ist dafür verantwortlich, dass Willy tot ist. Er wird dir wehtun, Laine. Er wird dir sogar noch Schlimmeres antun, um die Diamanten zu bekommen. Für ihn ist es kein Spiel, sondern kaltes, brutales Geschäft.«

»Warum hast du dich überhaupt mit ihm eingelassen?«

»Das Funkeln hat mich blind gemacht.« Er presste die Lippen zusammen und lehnte sich zurück. Geistesabwesend griff er nach seiner Tasse Kaffee. »Ich habe geglaubt, ich könnte mit ihm umgehen. Er dachte, er hätte mich reingelegt, der Hurensohn. Dachte, ich hätte seinen falschen Namen und sein Gehabe gekauft. Ich wusste, wer er war, und was er alles gemacht hatte. Aber es war so ein großer Coup, Lainie.«

»Ja, ich weiß.« Sie streichelte seine Hand, weil sie sich nur zu gut vorstellen konnte, wie ihn der Glanz geblendet hatte.

»Ich habe mir von Anfang an gedacht, dass er uns hereinlegen wollte, aber ich glaubte, ich würde schon mit ihm fertig. Er hat Myers umgebracht – den Diamantenhändler. Der war einfach nur gierig und wollte das Geld. Aber damit hat sich alles geändert. Du weißt, dass ich nicht so arbeite, Lainie. In all den Jahren habe ich noch nie jemandem etwas getan. Ich habe die Leute beklaut, ihren Stolz verletzt, aber ich habe noch nie jemandem wehgetan.«

»Und du verstehst auch die Menschen nicht, die dazu in der Lage sind, Dad.«

»Du etwa?«

»Ja, besser als du. Dir geht es um das Spiel, um den Kick. Mehr um den Glanz als um die Beute selber«, fügte sie liebevoll hinzu. »Aber für Crew zählt nur das Geld. Er will alles. Und wenn er dafür jemanden umbringen muss, umso besser, weil das die ganze Geschichte nur noch schwieriger macht. Er hört erst auf, wenn er alles hat.«

»Dann gib mir die Diamanten. Ich kann ihn von hier weglocken und ihm klar machen, dass du sie nicht hast. Dann wird er dich in Ruhe lassen. Für ihn bist du unwichtig, aber mir ist niemand auf der ganzen Welt wichtiger als du.«

Es war die Wahrheit. Obwohl er so gut mit Lügen jonglieren konnte, sagte Jack die Wahrheit. Er liebte sie. Und ihr ging es genauso.

»Ich habe sie nicht. Aber ich würde sie dir auch nicht geben, wenn ich sie hätte, weil ich dich liebe.«

»Willy muss sie dabeigehabt haben, als er deinen Laden betreten hat. Er wäre nicht zu dir gekommen, um mit dir zu reden, wenn er nicht vorgehabt hätte, sie dir zu geben. Und er ist ohne sie wieder herausgekommen.«

»Ja, er hatte sie dabei, als er in den Laden kam. Ich habe gestern den kleinen Hund gefunden. Möchtest du das Muffin?«

»Elaine.«

Sie stand auf und legte das Gebäck auf einen Teller. »Max hat die Diamanten. Er bringt sie gerade nach New York zurück.«

Jack stockte buchstäblich der Atem. »Du ... du hast sie dem Polizisten gegeben?«

»Dem Privatdetektiv, ja.«

»Hat er dir eine Pistole an den Kopf gehalten? Hattest du einen Aussetzer? Oder hast du *einfach nur den Verstand verloren?*«

»Die Steine kommen dahin, wo sie hingehören. Es wird eine Pressemitteilung darüber geben, dass ein Teil der Beute wieder aufgetaucht ist. Damit sollte ich Crew los sein.«

Er sprang auf und raufte sich die Haare. Da Henry dachte, sein neuer Freund wolle mit ihm spielen, packte er sein Seil und hüpfte um ihn herum. »Er kann schon auf dem Weg nach Martinique sein. Oder nach Belize, nach Rio oder Gott weiß wohin. Heiliger Bimbam, wie konnte meine Tochter nur auf einen Betrug reinfallen, der so alt ist wie die Menschheit?«

»Er wird genau das tun, was er mir angekündigt hat. Und wenn er wieder da ist, geben wir beide ihm deinen Anteil, damit er damit genau das Gleiche machen kann.«

»Im Leben nicht.«

Um den Hund zu beruhigen, stand Laine auf und füllte Henrys Schüssel. »Henry, hier ist dein Fressen. Du wirst sie mir geben, Jack, weil ich nicht zulassen werde, dass mein Vater wegen eines Beutels voller Steine umgebracht wird.« Sie schlug mit den Händen auf den Tisch. »Ich habe keine Lust, meine Kinder anlügen zu müssen, wenn sie mich eines Tages fragen, was aus ihrem Granddaddy geworden ist.«

»Hör auf, solche Scheiße zu erzählen.«

»Du wirst sie mir geben, weil es das Erste ist, um das ich dich in meinem Leben bitte.«

»Verflucht noch mal, Laine. Verflucht und zugenäht.«

»Und du wirst sie mir geben, weil ich dir meinen Anteil schenke, wenn Max sie zurückgebracht und seinen Finderlohn kassiert hat. Na ja, die Hälfte meines Anteils, aber das sind immer noch eineinviertel Prozent von achtundzwanzig Millionen, Dad. Zwar nicht der Coup des Lebens, aber auch nicht zu verachten. Und danach werden wir alle glücklich und in Frieden leben.«

»Ich kann einfach nicht…«

»Betrachte es als Hochzeitsgeschenk.« Sie legte den Kopf schräg. »Ich möchte, dass du auf meiner Hochzeit tanzt, Dad. Und das geht nicht, wenn du ins Gefängnis kommst oder Crew dir im Nacken sitzt.«

Seufzend setzte er sich wieder. »Lainie.«

»Sie bringen dir kein Glück, Dad. Diese Diamanten sind verflucht. Sie haben dir Willy genommen, und du bist auf der Flucht. Nicht vor der Polizei, aber vor jemandem, der dich umbringen will. Gib sie mir. Max regelt das schon mit New York. Die Versicherungsgesellschaft will nur die Diamanten wiederhaben, du bist ihnen egal.«

Sie trat zu ihm und strich ihm über die Wange. »Mir aber nicht.«

Er blickte in das einzige Gesicht, das er mehr liebte als sein eigenes. »Na ja, was zum Teufel wollte ich überhaupt mit dem ganzen Geld?«

14

Laine trommelte mit den Fingern auf dem Steuer, während sie den dunkelgrünen Chevy musterte, der in ihrer Straße geparkt war.

»Weißt du, Schätzchen, deine Mutter machte auch immer so ein Gesicht, wenn sie…« Jack brach ab, als sie den Kopf drehte und ihn anstarrte.

»Du hast ein Auto gestohlen.«

»Ich würde eher sagen, ich habe es mir ausgeliehen.«

»Du hast ein Auto geknackt und bist damit vor mein Haus gefahren.«

»Was sollte ich denn tun? Trampen? Sei doch vernünftig, Lainie.«

»Entschuldigung. Es ist sicher äußerst unvernünftig von mir, wenn ich etwas dagegen habe, dass mein Vater ein gestohlenes Auto vor meinem Haus abstellt. Ich sollte mich schämen!«

»Jetzt sei doch nicht sauer«, murmelte er.

»Unvernünftig *und* sauer. Du magst es ja albern finden, aber du stellst jetzt dieses Auto sofort wieder da hin, wo du es gefunden hast.«

»Aber ... «

»Nein, nein.« Sie schlug die Hände vors Gesicht und presste die Finger an die Schläfen. »Nein, dafür ist es zu spät. Sie werden dich erwischen, du kommst ins Gefängnis, und ich werde erklären müssen, warum mein Vater es für vollkommen in Ordnung hält, ein Auto zu stehlen. Wir lassen es am besten einfach irgendwo am Straßenrand stehen. Nicht hier. Irgendwo. Himmel.«

Besorgt schob Henry seinen Kopf über die Lehne des Vordersitzes, um ihr übers Ohr zu schlabbern.

»Okay. Ist schon okay. Wir lassen das Auto außerhalb der Stadt stehen.« Sie holte tief Luft und richtete sich auf. »Es ist ja nichts passiert.«

»Wie zum Teufel soll ich denn ohne Auto nach New Jersey kommen? Denk doch mal nach, Lainie. Ich muss nach Atlantic City zum Schließfach, um die Diamanten herauszuholen und sie dir zu bringen. Das willst du doch, oder nicht?«

»Ja, das will ich.«

»Ich tue das doch für dich, Süße, wider besseres Wissen, nur weil du es willst. Was mein kleines Mädchen will, kommt für mich an erster Stelle. Aber ich kann nicht nach Atlantic City laufen, geschweige denn wieder zurück, oder?«

Sie kannte diesen Tonfall. Wenn Jack O'Hara so redete, konnte er neben einem fröhlich plätschernden, klaren Gebirgsbach auf Flaschen gefülltes Sumpfwasser verkaufen. »Es gibt Flugzeuge, Züge und gottverdammte Busse.«

»Fluch nicht in Gegenwart deines Vaters«, verwies er sie milde.
»Und du erwartest doch nicht im Ernst von mir, dass ich mit dem
Bus fahre?«

»Natürlich nicht. Aber natürlich nicht. Ich werde ja schon wieder sauer und unvernünftig. Du kannst mein Auto nehmen. Leihen«, fügte sie rasch hinzu. »Du kannst es dir für einen Tag ausleihen. Ich brauche es sowieso nicht, weil ich arbeiten und meinen
Kopf gegen die Wand schlagen muss, um meinen Verstand wiederzufinden.«

»Wenn du es so willst, Liebling.«

Sie verdrehte die Augen. »Ich kann es immer noch nicht fassen,
dass du Diamanten im Wert von Millionen in einem gemieteten
Schließfach deponiert und Willy mit der anderen Hälfte der Millionen hierher geschickt hast.«

»Wir mussten schnell handeln. Du meine Güte, Laine, wir hatten gerade herausgefunden, dass Myers umgebracht worden war.
Wir wären als Nächste dran gewesen, also habe ich meinen Anteil weggepackt und bin getürmt. Der verdammte Crew sollte
mich verfolgen – ich hatte ein sicheres Versteck. Willy sollte seinen
Anteil hierher bringen und dann zurückfahren, meinen Anteil holen und ihn versilbern. Das war unser Reisegeld, unser Polster.«

Um wie Könige an einem schönen Strand zu leben, dachte Jack.

»Ich ahnte doch nicht, dass Crew dich aufstöbern würde, das
hätte ich dir doch nie angetan, Baby. Crew sollte hinter mir her-
jagen.«

»Und wenn er dich gefunden hätte?«

Jack lächelte nur. »Das hätte ich nie zugelassen. Ich bin immer
noch ganz gut auf den Beinen, Lainie.«

»Ja, das bist du wohl.«

»Ich wollte Willy nur genug Zeit verschaffen. Er wäre nach
Mexiko gefahren und hätte das erste Viertel der Beute verscheu-
ert. Dann hätten wir uns getroffen, wären abgehauen und hätten
uns in Ruhe versteckt, bis sich die Wogen geglättet hätten.«

»Und dann wärt ihr zurückgekommen und hättet euch den
Rest bei mir abgeholt.«

»Ja, nach zwei oder drei Jahren vielleicht. Wir waren uns noch
nicht so ganz klar darüber.«

»Hattet ihr beide Schlüssel für das Schließfach in A.C.?«

»Ich habe niemandem auf der ganzen Welt so sehr vertraut wie Willy. Außer dir natürlich, Lainie«, fügte er hinzu und tätschelte ihr das Knie. »Ja, der Schlüssel ist jetzt bei den Bullen.« Nachdenklich schürzte er die Lippen. »Sie werden ein Weilchen brauchen, um es herauszufinden. Wenn sie es überhaupt jemals schaffen.«

»Max hat den Schlüssel. Ich habe ihn von Willys Schlüsselbund abgemacht und ihm gegeben.«

»Wie hast du denn ...?« Seine anfängliche Irritation schlug in väterlichen Stolz um. »Du hast ihn geklaut.«

»Sozusagen. Aber wenn du jetzt meinst, das sei das Gleiche wie ein Auto zu knacken, dann hast du dich geirrt. Das ist etwas ganz anderes.«

»Du hast ihn vor ihrer Nase eingesteckt, was?«

Ihre Lippen zuckten. »Möglich.«

Er versetzte ihr einen leichten Stoß mit dem Ellbogen. »Du bist immer noch ganz schön flink.«

»Offensichtlich. Aber ich will das eigentlich nicht.«

»Willst du nicht wissen, wie wir das Ding gedreht haben?«

»Ich kann es mir vorstellen. Euer Mann in der Börse nimmt die Figuren mit in sein Büro. Harmloser Schnickschnack, wer achtet schon darauf? Sie stehen einfach da herum. Dann trifft die Lieferung ein, und er ersetzt sie – oder zumindest einen Teil – durch falsche Steine und verteilt die echten auf die vier Figuren. Und kein Mensch merkt etwas.«

»Diesen Teil hat sich Myers ausgedacht. Er war gierig, aber er hatte keine guten Nerven.«

»Hmm. Er konnte nicht lange genug abwarten. Und man konnte ihm auch nicht trauen. Er hätte es höchstens ein paar Tage ausgehalten. Er löst den Alarm selber aus, damit man ihm nichts anhaben kann. Die Polizisten schwärmen aus, und die Ermittlungen beginnen. Die Figuren aber werden vor ihren Augen weggebracht.«

»Wir haben jeder eine genommen. Ich habe mich als Versicherungstyp verkleidet, bin in Myers' Büro gegangen und habe meinen Anteil in die Aktentasche gesteckt. Es war wunderbar.«

Er grinste. »Willy und ich haben ein paar Blocks weiter bei T.G.I. zu Mittag gegessen, und dabei wärmten uns vierzehn Millionen Dollar. Ich hatte Nachos. Nicht schlecht.«

Sie musterte ihn. »Ich sag ja gar nicht, dass es kein großer Coup war. Und ich behaupte auch nicht, dass ich den Kick nicht verstehe. Aber ich vertraue dir, Dad. Ich vertraue darauf, dass du dein Versprechen hältst. Ich brauche dieses Leben viel mehr, als du die Aufregung bei solchen Coups brauchst. Bitte, mach es mir nicht kaputt.«

»Ich werde alles in Ordnung bringen.« Er beugte sich vor und küsste sie auf die Wange. »Warte nur ab.«

Sie sah ihm nach, als er zu seinem gestohlenen Auto schlenderte. Einer jede Minute, dachte sie. »Mach mich nicht zu einem von ihnen, Dad«, murmelte sie.

Jack setzte sie mit Henry am Park ab, wobei sie darauf hoffte, dass es noch so früh war, dass niemand sich darüber wunderte, einen Mann mit ihrem Auto wegfahren zu sehen.

Eine halbe Stunde lang wanderte sie mit Henry durch den Park. Dann holte sie ihr Handy heraus und rief Max an.

»Gannon.«

»Tavish.«

»Hi, Baby. Was gibt's?«

»Ich … bist du am Flughafen?«

»Ja. Gerade in New York gelandet.«

»Ich dachte, ich sollte dir erzählen, dass mein Vater heute früh vorbeigekommen ist.«

»Ach ja?«

Seine Stimme klang auf einmal kühler, und sie zuckte zusammen. »Wir haben einiges geklärt, Max. Er holt jetzt seinen Anteil an den Diamanten. Er wird sie mir bringen, und dann kann ich sie dir geben, damit du … na ja, wie gehabt.«

»Wo sind sie, Laine?«

»Bevor ich dir das erzähle, möchte ich dir sagen, dass er fix und fertig war.«

»Ach ja?«

»Max.« Sie bückte sich, um das Stöckchen aufzuheben, das

Henry ihr vor die Füße gelegt hatte. Sie warf es weg, und der Hund raste begeistert kläffend hinterher. »Sie sind in Panik geraten. Als sie von Myers' Tod erfahren haben, sind sie schlicht in Panik geraten. Es war kein guter Plan, ohne Frage, aber sie haben impulsiv gehandelt. Mein Vater konnte sich nicht vorstellen, dass Crew von mir wusste, geschweige denn, dass er hier auftauchen würde. Er hatte gedacht, Willy gibt mir einfach die Figur, und ich verstecke sie ein paar Jahre lang, während sie…« Sie brach ab, als ihr klar wurde, wie blöd alles klingen würde.

»Während sie vom Rest der gestohlenen Diamanten ein herrliches Leben führten.«

»So ungefähr. Wichtig ist jetzt nur, dass er sie mir bringen will. Er holt sie gerade.«

»Wo?«

»Aus einem Schließfach in Atlantic City. Er ist auf dem Weg dahin. Ich denke, er wird den ganzen Tag brauchen, aber…«

»Womit fährt er dahin?«

Sie räusperte sich. »Ich habe ihm mein Auto geliehen. Ich weiß, dass du ihm nicht vertraust, Max, aber er ist mein Vater. Ich muss ihm vertrauen.«

»Okay.«

»Ist das alles?«

»Dein Vater ist dein Vater, Laine. Du hast getan, was du tun musstest. Aber ich, ich muss ihm nicht vertrauen. Und ich werde sicher keinen Schock bekommen, wenn wir erfahren, dass er in einer hübschen Casa in Barcelona lebt.«

»Er vertraut dir auch nicht. Er glaubt, du seiest auf dem Weg nach Martinique.«

»Höchstens St. Bart, da gefällt es mir besser.« Er schwieg kurz. »Du sitzt echt zwischen allen Stühlen, was?«

»Ich habe eben das Glück, euch beide zu lieben.« Sie hörte, dass sich die Geräusche im Hintergrund veränderten, und schloss daraus, dass er aus dem Terminal nach draußen gegangen war. »Du nimmst dir jetzt vermutlich ein Taxi.«

»Ja.«

»Okay, dann beenden wir das Gespräch. Bis heute Abend.«

»Ja, verlass dich darauf. Ich liebe dich, Laine.«

»Schön, dass du das sagst. Ich liebe dich auch. Tschüss.«

Max steckte das Handy in die Tasche und schaute auf die Armbanduhr, während er zum Taxistand ging. Je nach Verkehr konnte er in zirka zwei Stunden mit New York fertig sein und nach seinen Berechnungen dann problemlos einen Umweg über Atlantic City machen.

Wenn Laine schon zwischen allen Stühlen saß, dann wollte er wenigstens dafür sorgen, dass sie nicht zerquetscht wurde.

Laine ging vom Park zur Market Street, wobei Henry sein Bestes tat, um die verhasste Leine abzukauen.

»Regeln sind Regeln, Henry. Ob du es nun glaubst oder nicht, aber bis vor zwei Wochen habe ich mich sklavisch daran gehalten.« Der Hund warf sich winselnd auf den Bauch, und sie hockte sich vor ihn. »Hör mir zu, Kumpel. In dieser Stadt müssen Hunde an der Leine geführt werden. Wenn du damit nicht umgehen und dich nicht benehmen kannst, spielen wir nie mehr im Park.«

»Hast du Probleme?«

Schuldbewusst zuckte sie zusammen, als sie Vinces Stimme vernahm. Sie blickte in sein freundliches Gesicht. »Er will nicht an der Leine gehen.«

»Das muss er mit dem Stadtrat ausmachen. Komm mal her, Henry, ich habe noch ein Stück Krapfen, auf dem dein Name steht. Ich gehe ein Stück mit dir«, sagte er zu Laine. »Ich muss sowieso mit dir reden.«

»Klar.«

»Du bist früh auf den Beinen heute.«

»Ja. Ich hatte einiges zu erledigen. Danke«, fügte sie hinzu, als er die Leine nahm und Henry hinter sich herzerrte.

»In der letzten Zeit ist es hier ziemlich aufregend.«

»Ich freue mich schon darauf, wenn es wieder langweilig wird.« Er lächelte ihr verhalten zu. »Das glaube ich dir.«

Geduldig wartete er, bis sie ihre Ladentür entriegelt hatte. Während sie die Alarmanlage ausschaltete, ließ er Henry von der Leine und tätschelte den dankbaren Hund.

»Ich habe gehört, du warst vor ein paar Tagen auf der Wache.«

»Ja.« Sie trat zur Kasse und schloss sie auf. »Ich habe dir ja gesagt, dass ich Willy kannte, und ich dachte... ich wollte mich um seine Beerdigung kümmern.«

»Ja. Das ist in Ordnung. Es ist alles geklärt.«

»Gut. Das ist gut.«

»Es ist was Komisches passiert. Gestern Abend war jemand da, der sich auch für Willy interessierte. Allerdings hat er behauptet, er würde ihn unter dem anderen Namen kennen. Dem Namen, der auf der Karte stand, die du mir gegeben hast.«

»Wirklich? Warte, ich bringe Henry ins Hinterzimmer.«

»Das mach ich schon. Komm, Henry.« Er bestach ihn mit einem halben Krapfen, und der Hund folgte ihm willig. »Dieser Typ, der auf der Wache war, sagte, Willy – oder Jasper – handele mit seltenen Büchern.«

»Möglich, dass er sich dafür ausgegeben hat. Ich habe dir ja ge sagt, Vince, dass ich Willy seit meiner Kindheit nicht mehr gesehen habe. Und das ist die Wahrheit.«

»Ich glaube dir ja. Es war nur komisch.« Er lehnte sich an die Theke. »Genauso komisch wie die Tatsache, dass er fünf Schlüssel bei sich hatte. Und als wir gestern Abend nachgezählt haben, waren es nur noch vier.« Er schwieg. »Sag jetzt bloß nicht, wir hätten uns verzählt.«

»Nein, ich werde dich nicht anlügen.«

»Danke. Der Mann, der gestern Abend da war, hatte deine Augen.«

»Sagen wir lieber, ich habe seine. Wenn du ihn erkannt hast, warum hast du ihn dann nicht festgenommen?«

»Das ist kompliziert. Man nimmt einen Mann nicht fest, nur weil man etwas in seinen Augen sieht. Ich möchte dich jetzt um den Schlüssel bitten, Laine.«

»Ich habe ihn nicht.«

»Verdammt noch mal, Laine.« Er richtete sich auf. Laine kam es so vor, als fingen sich Sonnenstrahlen auf seinem Abzeichen, sodass es ihr direkt in die Augen strahlte.

»Ich habe ihn Max gegeben«, sagte sie rasch. »Ich versuche nur, das Richtige zu tun. Und ich möchte nicht dafür verantwortlich sein, dass mein Vater ins Gefängnis kommt oder umgebracht wird.«

»Richtig wäre, wenn du mich auf dem Laufenden hieltest. Der Diamantendiebstahl mag ja nur New York etwas angehen, Laine, aber einer der Verdächtigen ist in meiner Stadt gestorben. Einer oder sogar noch mehr seiner Komplizen sind in der Stadt oder waren zumindest hier. Damit riskiere ich meinen Job.«

»Du hast Recht. Es ist schwer für mich, immer das Richtige zu tun. Und ich weiß, dass du mir nur helfen willst. Ich habe Willys Anteil an den Diamanten gefunden, aber ich schwöre dir, ich wusste nicht, dass sie hier waren.«

»Wie hast du sie denn gefunden, wenn du es nicht wusstest?«

»Sie waren in so einer blöden Hundefigur. Köter, du weißt schon. Er muss sie wohl ins Regal gestellt haben, als er hier war, oder er hat sie irgendwo hineingelegt und Jenny oder Angie haben sie aufgestellt. Wahrscheinlich war es Angie. Jenny hätte mich vorher gefragt, und sie konnte sich auch nicht daran erinnern, die Figur jemals gesehen zu haben. Ich habe Max die Diamanten gegeben, und im Moment ist er gerade in New York und gibt sie zurück. Du kannst bei Reliance anrufen und das überprüfen.«

Er schwieg ein paar Sekunden lang. »Soweit sind wir noch nicht gekommen, dass ich das wirklich nachprüfen muss, Laine, oder?«

»Ich will dich und Jenny nicht als Freunde verlieren.« Sie holte tief Luft. »Ich will auch nicht meinen Platz in dieser Stadt verlieren. Ich wäre nicht beleidigt, wenn du anrufen würdest, Vince.«

»Genau aus diesem Grund brauche ich es nicht.«

Sie zerrte ein Taschentuch aus der Schachtel hinter der Theke. »Okay, okay. Ich weiß, wo noch ein Anteil ist – ich habe es heute früh erfahren. Bitte frag mich nicht, wie.«

»In Ordnung.«

»Der Schlüssel, den ich weggenommen habe, gehört zu einem Schließfach. Ich habe eben vom Park aus Max angerufen, und er wird auch diese Diamanten zurückgeben. Das ist dann die Hälfte. Was die andere Hälfte angeht, kann ich nichts tun. Max verfolgt Spuren. Mehr kann er auch nicht tun. Und wenn die Versicherung die eine Hälfte der Diamanten wiederhat, dann habe ich meine Pflicht erfüllt. Muss ich jetzt hier wegziehen?«

»Du würdest Jenny das Herz brechen. Ich will nur deinen Vater nicht hier haben, Laine.«

»Das verstehe ich. Heute Abend, spätestens morgen sollte das alles geklärt sein. Dann wird er fort sein.«

»Solange möchte ich, dass du in der Nähe bleibst.«

»Das kann ich dir versprechen.«

Je mehr sich Jack New Jersey näherte, desto mehr Gründe fielen ihm ein, warum es ein Fehler wäre, die Diamanten zurückzugeben. Dieser Gannon führte doch offensichtlich sein kleines Mädchen an der Nase herum, damit er seine dicke Provision kassieren konnte. War es nicht besser für sie, wenn sie das so früh wie möglich herausfand?

Außerdem würde er auch Crew wieder auf ihre Fährte locken, wenn er zurück nach Maryland fuhr. Im Übrigen war da noch die Tatsache, dass es ihm gar nicht recht war, die hübschen Steinchen abgeben zu müssen. Willy würde bestimmt auch wollen, dass er sie behielte. Und er konnte doch seinem toten Freund nicht den letzten Wunsch verwehren, oder?

Als er durch Atlantic City fuhr, ging es ihm schon beträchtlich besser, und er pfiff fröhlich vor sich hin. Er parkte den Wagen auf dem Parkplatz des Einkaufszentrums und überlegte dabei, dass er wohl am besten von hier aus direkt nach Mexiko flöge.

Laine würde er eine Ansichtskarte schicken. Sie würde es verstehen, schließlich wusste das Kind, wie man das Spiel spielte.

Langsam schlenderte er durch das Einkaufszentrum und blickte sich um. An Orten wie diesem juckte es ihn regelmäßig in den Fingern. Einkaufszentren, Ansammlungen von Läden, voller Leute mit Bargeld und Kreditkarten.

An solchen Orten wäre er am liebsten auf die Knie gesunken und hätte Gott für das Leben gedankt, das er führte – und dann all den Langweilern das Bargeld und ihre Kreditkarten geklaut.

Um das Gelände noch ein wenig sondieren zu können, kaufte er sich ein Schinken-Käse-Sandwich mit heißer Pfeffersauce, das er mit Kaffee herunterspülte. Danach suchte er die Toilette auf.

Zufrieden ging er zu den Schließfächern und steckte den Schlüssel in sein Fach.

Komm zu Papa, dachte er und öffnete die Tür.

Er gab einen Laut von sich, als hätte ihm jemand in den Magen geboxt. Im Fach lag nur ein Zettel, auf dem ein einziger Satz stand: *Hi, Jack, dreh dich mal um.*

Mit geballter Faust wirbelte er herum.

»Versuch's nur. Ich gebe dir Deckung«, sagte Max freundlich. »Und wenn du abhauen willst, denk dran, dass ich jünger und schneller bin als du. Das könnte peinlich für dich werden.«

»Du Hurensohn.« Er wagte es nicht, seine Stimme zu erheben, aber trotzdem drehten sich einige Köpfe in ihre Richtung. »Hinterhältiger Hurensohn.«

»Wer im Glashaus sitzt, sollte nicht mit Steinen werfen.« Max streckte die Hand aus. »Laines Autoschlüssel.«

Angewidert drückte Jack sie ihm in die Hand. »Du hast das, wonach du gesucht hast.«

»In etwa. Aber warum reden wir nicht im Auto weiter? Begleite mich lieber freiwillig«, entgegnete Max leise. »Wir würden nur eine Szene provozieren, die die Bullen auf den Plan rufen könnte. Laine würde das ebenfalls nicht gefallen.«

»Sie ist dir doch völlig egal.«

»So egal, dass ich nicht riskieren will, dass du der Polizei in die Arme läufst. Du hast nur eine Chance, O'Hara, und die hast du ihretwegen. Komm ins Auto.«

Jack überlegte, ob er flitzen sollte. Aber er kannte seine Grenzen. Außerdem würde er die Diamanten nie bekommen, wenn er jetzt abhaute. Also ging er mit Max zum Auto und setzte sich auf den Beifahrersitz. Max nahm hinter dem Steuer Platz, die Aktentasche auf den Knien.

»Hör zu, so machen wir es jetzt. Du klebst an mir wie Kaugummi an meiner Schuhsohle. Wir fliegen nach Columbus.«

»Was zum …«

»Halt's Maul, Jack. Ich muss eine Spur überprüfen und so lange sind wir beide siamesische Zwillinge.«

»Sie hat es dir gesagt. Mein eigen Fleisch und Blut. Sie hat dir gesagt, wo ich meinen Anteil versteckt habe.«

»Ja. Sie hat es mir gesagt, weil sie mich liebt. Und sie hat geglaubt, dass du dein Versprechen hältst und ihr die Diamanten bringst. Weil sie dich liebt. Ich liebe dich nicht, Jack, und ich denke mir, dass du andere Pläne hattest.«

Jack öffnete seine Aktentasche und holte ein Sparschwein aus Keramik heraus. »Du hast Sinn fürs Lächerliche, das muss ich dir lassen. Du, ich und das Schwein, wir fliegen jetzt nach Columbus. Anschließend fahren wir zurück nach Maryland. Und ich gebe dir die Chance, dieses Schwein Laine persönlich zu überreichen.« Er tippte mit dem Finger auf die kleine Keramikfigur, dann steckte er sie wieder in die Aktentasche. »Genauso, wie du es von Anfang an vorgehabt hast.«

»Wer sagt dir denn, dass das nicht stimmt?«

»Ich. Die Dollars haben dir ja förmlich aus den Augen geleuchtet, als du das Schließfach aufgeschlossen hast. Lass uns ein wenig Respekt füreinander zeigen. Mein Klient möchte die Steine zurück. Ich möchte meinen Finderlohn. Laine möchte, dass du in Sicherheit bist. Und wir werden dafür sorgen, dass alles so eintritt.« Er ließ das Auto an. »Wenn du kooperativ bist, sorge ich dafür, dass du eine reine Weste hast. Wenn du mich allerdings austricksen willst und Laine wehtust, dann jage ich dich wie einen tollwütigen Hund. Ich mache dich zu meiner Lebensaufgabe, das kann ich dir versprechen, Jack.«

»Du bluffst nicht. Ich merke, wenn ein Mann blufft.« Jack grinste fröhlich und beugte sich vor, um Max zu umarmen. »Willkommen in der Familie.«

»Die Aktentasche ist verschlossen, Jack.« Max wich zurück und legte die Tasche außer Reichweite auf den Rücksitz.

»Nimm mir den Versuch nicht übel«, erwiderte Jack heiter und lehnte sich in seinem Sitz zurück.

In seiner Hütte wählte Crew ein auberginenfarbenes Hemd aus. Er hatte den Schnurrbart abrasiert und ihn durch einen Schönheitsfleck ersetzt, der seiner Meinung nach gut zu dem kastanienbraunen Pferdeschwanz passte. Für diesen Ausflug brauchte er das Aussehen eines Künstlers. Er setzte noch eine Sonnenbrille mit kleinen runden Gläsern auf und betrachtete sich im Spiegel.

Wahrscheinlich war es unnötig, sich solchen Mühen zu unterziehen, aber ihm gefiel es, sich perfekt zu verkleiden.

Alles war bereit für Gesellschaft. Lächelnd blickte er sich in der Hütte um. Sicher, es war ein wenig rustikal, aber er bezweifelte, dass Ms. Tavish sich darüber beklagen würde. Sie würde sowieso nicht lange bleiben.

Er steckte die kleine Zweiundzwanziger hinten in den Gürtel und verdeckte sie mit dem Jackett. Alles andere, was er benötigte, befand sich in der Schultertasche, die er sich umhängte, als er aus der Hütte trat.

Er würde erst einmal einen Bissen essen, bevor er die Verabredung mit der attraktiven Ms. Tavish hatte. Heute Abend fand er dazu womöglich keine Zeit mehr.

»Ich habe die Kleinarbeit gemacht«, erzählte Jack, als er und Max ein Bier in der Bar am Flughafen tranken. »Ich habe Myers monatelang hofiert. Na ja, ich muss zugeben, von so einem großen Coup habe ich nie zu träumen gewagt. Ich habe eher klein gedacht und mir ein paar Hunderttausend für jeden vorgestellt. Und dann trat Crew auf den Plan.«

Jack schüttelte den Kopf und trank einen Schluck Bier. »Er mag ja viele Fehler haben, aber er denkt wirklich groß.«

»Sein Hauptfehler ist, dass er ein kaltblütiger Killer ist.«

Stirnrunzelnd versenkte Jack seine große Hand in einer Schale mit Nüssen. »Mich mit einem Mann wie Crew einzulassen, war der größte Fehler meines Lebens, und ich schäme mich nicht zuzugeben, dass ich einige Fehler gemacht habe. Die Aussicht auf die Steine hat mich ganz benommen gemacht, und ich konnte nicht mehr klar denken. Er hatte eine Vision für den Coup, er wusste, wie man es anstellen musste, an all die hübschen kleinen Steinchen zu kommen. Ich hatte die richtigen Verbindungen. Der arme Myers. Ich habe ihn da hineingezogen, habe mit ihm gespielt. Er hatte ein Zockerproblem, weißt du.«

»Ja.«

»Ich glaube, Spielen ist immer ein Problem. Da das Haus letztlich immer gewinnt, ist man besser das Haus. Spieler sind entweder so reich, dass es ihnen scheißegal ist, wenn sie verlieren, oder sie sind arme Schweine, die nur glauben, dass sie gewinnen können. Myers war ein armes Schwein. Er saß tief in der Scheiße, und ich habe ihn noch ein bisschen tiefer hineingeschubst – Gott möge mir vergeben. Er sah die Sache als seine ganz große Chance.«

Jack trank noch einen Schluck Bier. »Vermutlich stimmte das sogar. Auf jeden Fall ist die Angelegenheit glatt über die Bühne gegangen. Schnell und sauber. Ich dachte, sie würden Myers erwischen, aber stattdessen wurde er umgebracht. Keiner von uns wusste, wohin die anderen verschwanden. Willy und ich fuhren sofort aus der Stadt, ich deponierte das Sparschwein in A.C., und Willys Figur brachten wir zu einem Schließfach in Delaware. Dann haben wir uns ein schönes Hotelzimmer in Virginia genommen und haben feudal zu Abend gespeist, mit ein paar Flaschen Champagner. Das war eine gute Zeit«, sagte er und hob sein Glas.

»Die Sache mit Myers habe ich auf CNN gehört. Willy liebte CNN. Da hieß es dann, es sei wegen seiner Spielschulden passiert, aber wir wussten es besser. Wir haben uns sofort ein anderes Auto genommen und sind nach North Carolina gefahren. Willy hatte Angst. Teufel, wir hatten beide Angst, aber er war so nervös wie eine Hure in der Kirche. Er wollte am liebsten aussteigen, alles vergessen und sich in den Hügeln verstecken. Ich habe ihm das ausgeredet. Verflucht noch mal.«

Er musterte sein Bierglas, hob es dann wieder und trank einen kräftigen Schluck. »Ich wollte Crew auf meine Spur locken, und Willy sollte sich zurückschleichen, seinen Anteil holen und ihn zu Laine bringen. Sie hätte ihn eine Zeit lang verwahren können. Ich dachte, er sei in Sicherheit und weder ihm noch Laine könne etwas passieren.«

»Aber Crew wusste von ihr.«

»Ich habe Fotos von Laine in meiner Brieftasche.«

Er zog sie heraus und schlug sie auf.

Max sah Fotos eines Neugeborenen mit einem roten Haarbüschel auf dem Kopf, cremeweißer Haut und einem Ausdruck auf dem kleinen Gesicht, der zu sagen schien: Was zum Teufel tue ich hier eigentlich?

Dann gab es ein paar Bilder von Laine als Kind, auf denen sie so grinste, als ob sie mittlerweile wüsste, was sie tat. Dann Laine als Teenager, hübsch und würdevoll bei ihrer Graduierung. Laine in Shorts und Top, lachend am Strand. Das war offensichtlich auf Barbados gewesen.

»Sie war von Geburt an eine Schönheit, was?«

»Sie war das hübscheste Baby, das du je gesehen hast, und sie wurde mit jedem Tag hübscher. Nach ein, zwei Bieren werde ich immer sentimental.« Jack zuckte mit den Schultern. Das war nur eine von vielen gottgegebenen Schwächen. Er steckte die Brieftasche wieder weg.

»Irgendwann muss ich sie wohl Crew einmal gezeigt haben. Oder er hat nach etwas gesucht, das er bei Bedarf gegen mich verwenden konnte. Unter Dieben gibt es keine Ehre, Max, und jeder, der etwas anderes annimmt, ist ein Blödmann. Aber wegen Geld zu töten? Das ist nur krank. Ich wusste, dass es in ihm steckt – man kann es förmlich riechen –, aber ich dachte, ich könnte das Spiel gegen ihn gewinnen.«

»Ich werde ihn finden. Und ich werde ihn zur Verantwortung ziehen. Das ist unser Flug.«

Laine bemühte sich, nicht allzu hektisch, sondern nur beschäftigt zu wirken. Zum tausendsten Mal schaute sie auf die Uhr. Ihr Vater müsste mittlerweile auf dem Heimweg sein. Sie hätte ihm sagen sollen, er solle anrufen, wenn er zurückführe. Sie hätte darauf bestehen sollen.

Sie könnte Max noch einmal anrufen, aber das hatte keinen Zweck. Er befand sich jetzt auf dem Weg nach Columbus. Eventuell war er sogar schon da.

Sie musste einfach nur den Tag überstehen. Nur diesen einen Tag noch. Morgen würden die Nachrichten verkünden, dass ein großer Teil der gestohlenen Diamanten aufgetaucht sei. Dann konnte ihr nichts mehr passieren, ihrem Vater konnte nichts mehr passieren, und das Leben würde wieder einigermaßen normal werden.

Vielleicht würde Max von diesen Leuten in Ohio erfahren, wo er Crew finden konnte. Dann konnte die Polizei ihn verhaften, und sie würde niemals mehr vor ihm Angst haben müssen.

»Du bist überhaupt nicht bei der Sache.« Jenny gab ihr einen Schubs, als sie eine Käseplatte, die ein Kunde erworben hatte, an die Kasse brachte.

»Entschuldigung. Tut mir Leid. Ich war in Gedanken.« Sie rang

sich ein Lächeln ab. »Ich übernehme den Nächsten, der herein-
kommt.«

»Du könntest auch mit Henry spazieren gehen.«

»Nein, er ist heute genug spazieren gegangen. Außerdem erlöse
ich ihn ja in einer Stunde sowieso aus dem Hinterzimmer.«

Die Türglocke ging. »Den nehme ich.«

»Er gehört ganz dir.« Jenny zog die Augenbrauen hoch, als sie
den neuen Kunden musterte. »Bisschen alt für sein Aussehen«,
sagte sie leise und wandte sich ab.

Laine setzte ihr Willkommenslächeln auf und trat zu Crew.
»Guten Tag. Kann ich Ihnen behilflich sein?«

»Ja, das können Sie sicher.« Von seinen früheren Besuchen im
Laden wusste er, wo alles stand – und er wusste auch genau, wo
er Laine haben wollte. »Ich bin an Küchenutensilien interessiert,
vor allem an Butterfässern. Meine Schwester sammelt sie.«

»Da hat sie aber Glück. Wir haben gerade ein paar besonders
hübsche Stücke hereinbekommen. Soll ich sie Ihnen zeigen?«

»Bitte.«

Er folgte ihr durch den Laden in den hinteren Bereich zu den
Küchenmöbeln. Als sie an der Tür zum Hinterzimmer vorbeika-
men, fing Henry an zu knurren.

»Haben Sie einen Hund hier?«

»Ja.« Verwirrt blickte Laine zur Tür. Henry hatte wegen der Geräusche und Stimmen im Laden noch nie geknurrt. »Er ist harmlos – und er ist eingesperrt. Ich musste ihn heute mitnehmen.« Weil
sie die Verärgerung ihres Kunden spürte, ergriff sie ihn am Arm
und führte ihn in die Küchenecke.

»Das hier ist besonders hübsch für einen Sammler.«

»Mmm.« Es waren noch zwei Kunden und die schwangere Angestellte im Laden. Da die Kunden an der Kasse standen, bezahl-
ten sie wohl gerade. »Ich verstehe nichts davon. Was ist das?«

»Es ist eine viktorianische Kohlenkiste aus Messing. Wenn Ihre
Schwester antike, einzigartige Küchengegenstände liebt, dann ist
das ein Treffer.«

»Könnte sein.« Er zog die .22er aus seinem Gürtel und rammte
ihr den Lauf in die Seite. »Seien Sie ganz, ganz still. Wenn Sie
schreien, wenn Sie überhaupt eine Bewegung machen, erschieße

ich, angefangen mit Ihnen, alle in diesem Laden. Haben Sie mich verstanden.«

Panik stieg in ihr auf, dann wurde ihr eiskalt, als sie Jenny lachen hörte. »Ja.«

»Wissen Sie, wer ich bin, Ms. Tavish?«

»Ja.«

»Gut, das erspart mir die Vorstellung. Sie gehen jetzt unter einem Vorwand mit mir hinaus.« Er hatte ursprünglich vorgehabt, durch die Hintertür mit ihr zu verschwinden, aber der verfluchte Hund machte das unmöglich. »Wir werden sagen, Sie begleiten mich zur Ecke, um mir den Weg zu zeigen. Wenn Sie versuchen, Aufmerksamkeit zu erregen, bringe ich Sie um.«

»Wenn Sie mich töten, kommen Sie nicht an die Diamanten heran.«

»Hängen Sie sehr an Ihrer schwangeren Angestellten?«

Ihr wurde übel. »Ja, sehr. Ich gehe mit Ihnen. Ich werde Ihnen keine Probleme bereiten.«

»Äußerst vernünftig.« Er steckte die Pistole in die Tasche, ließ jedoch seine Hand darauf. »Ich muss zur Post«, sagte er. In normaler Lautstärke fuhr er fort: »Können Sie mir sagen, wie ich dorthin gelange?«

»Natürlich. Ich brauche auch Briefmarken, ich begleite Sie einfach.«

»Das wäre sehr nett.«

Sie drehte sich um und zwang sich zu gehen. Sie spürte ihre Beine kaum. Jenny blickte auf und lächelte ihr zu.

»Ich gehe nur rasch zur Post. Ich bin gleich wieder da.«

»Okay. Nimm doch Henry mit.« Jenny wandte sich zur Hintertür, hinter der das Knurren immer lauter wurde. Jetzt fing Henry auch noch an zu bellen.

»Nein.« Blindlings griff sie nach der Türklinke und zog ihre Hand rasch wieder zurück, als sie Crews berührte. »Er hat was gegen die Leine.«

»Ja, aber...« Stirnrunzelnd blickte Jenny ihr nach, als sie ohne ein weiteres Wort hinausging. »Komisch, sie... Oh, sie hat ihre Tasche vergessen. Entschuldigen Sie mich bitte einen Moment.«

Sie ergriff die Tasche, die unter der Theke lag, und war schon auf halbem Weg zur Tür, als sie auf einmal innehielt und sich zu den Kunden umdrehte. »Hat sie gesagt, sie wolle Briefmarken kaufen? Die Post hat doch ab vier geschlossen.«

»Ach, das hat sie bestimmt vergessen. Miss?« Die Kundin wies auf ihre Einkäufe.

»Das vergisst sie nie.« Jenny lief zur Tür und drückte sich die Hand auf den Bauch, als sie auf den Bürgersteig rannte. Laine bog gerade um die Ecke. Der Mann hielt sie am Arm – und sie gingen nicht in Richtung Post.

»O Gott, o mein Gott.« Sie stürzte wieder in den Laden, an den Kunden vorbei und sofort ans Telefon, wo sie in fliegender Hast Vinces direkte Durchwahl wählte.

15

Es war ein netter Vorort, eine Mittelschichtgegend mit gepflegten Rasenflächen und großen Laubbäumen, die so alt waren, dass ihre Wurzeln an einigen Stellen den Gehweg angehoben hatten. In den meisten Einfahrten parkten Kombis, typische Vorstadtwagen, die meisten mit Kindersitzen. Es standen so viele Fahrräder und Dreiräder herum, dass Max ohne weiteres daraus schließen konnte, welches Alter die Kinder hier hatten.

Das Haus war im Tudor-Stil gebaut, und die Blumenbeete und Büsche im Vorgarten waren äußerst gepflegt. Auf dem Schild vor dem Haus stand VERKAUFT.

Auch ohne das Schild hätte Max sofort gesehen, dass das Haus leer war. An den Fenstern waren keine Vorhänge, es standen keine Autos in der Einfahrt, und nichts deutete auf einen kleinen Jungen hin.

»Entwischt«, sagte Jack.

»Hey, Jack, danke für die Information.«

»Es muss ein blödes Gefühl sein, den weiten Weg zu machen und dann in einer Sackgasse anzukommen.«

»Es gibt keine Sackgassen, nur Umwege.«

»Nette Philosophie, mein Sohn.«

Max steckte die Hände in die Taschen und wippte auf den Fersen. »In solchen Gegenden gibt es meistens zumindest eine neugierige Nachbarin. Kommen Sie, wir klopfen mal an die Türen, Jack.«

»Wie lautet der Satz, den wir sagen?«

»Ich brauche keinen Satz. Ich habe eine Detektivlizenz.«

Jack nickte. Sie gingen auf das Haus zur Linken zu. »An solchen Orten reden die Leute gern mit Privatdetektiven, das macht ihr Leben aufregender. Aber ich kann mir nicht vorstellen, dass du der neugierigen Alice auf die Nase bindest, dass du nach Diamanten im Wert von achtundzwanzig Millionen suchst.«

»Nein. Ich werde versuchen herauszufinden, wo Laura Gregory – unter dem Namen hat sie hier gelebt – wohnt, um festzustellen, ob sie die Laura Gregory ist, die in einem Testament bedacht worden ist.«

»Gute Methode. Die Leute lieben Testamente.« Jack rückte seine Krawatte zurecht. »Wie sehe ich aus?«

»Du bist ein gut aussehender Mann, Jack, aber ich möchte mich trotzdem nicht mit dir verabreden.«

»Ha!« Er schlug Max auf den Rücken. »Ich mag dich, Max, ich mag dich wirklich.«

»Danke. Und jetzt sei still und lass mich reden.«

Sie waren noch ein paar Meter von der Haustür entfernt, als sie aufging. Eine Frau Mitte dreißig in einem verblichenen Sweatshirt und ausgewaschenen Jeans trat heraus. Durch die offene Tür drang die Musik aus Star Wars.

»Kann ich Ihnen behilflich sein?«

»Ja, Ma'am.« Max zückte seinen Ausweis. »Ich bin Max Gannon, Privatdetektiv. Ich suche nach Laura Gregory.«

Sie studierte den Ausweis eingehend, wobei ihre Augen vor Erregung funkelten. »Oh?«

»Nichts Schlimmes, Mrs....«

»Gates. Hayley Gates.«

»Mrs. Gates. Ich habe den Auftrag, Mrs. Gregory zu finden und festzustellen, ob sie identisch mit der Laura Gregory ist, die in einem Testament bedacht worden ist.«

»Oh«, wiederholte sie. Das Funkeln in ihren Augen verstärkte sich.

»Mein Partner und ich… Ich bin übrigens Bill Sullivan.« Zu Max' Verärgerung trat Jack vor, ergriff Mrs. Gates' Hand und schüttelte sie herzlich. »Wir hoffen eigentlich, mit Mrs. Gregory persönlich sprechen zu können, um überprüfen zu können, ob sie tatsächlich die Großnichte des verstorbenen Spiro Hanroe ist. Es hat in der Vergangenheit Streitigkeiten in der Familie gegeben, und einige Familienmitglieder, darunter auch Mrs. Gregorys Eltern, haben den Kontakt zueinander völlig abgebrochen.« Achselzuckend hob er die Hände. »Na ja, Familie. Da kann man nichts machen.«

»Ja, das kenne ich. Entschuldigen Sie mich einen Moment.« Sie steckte ihren Kopf durch die Tür. »Matthew? Ich bin hier draußen. Mein ältester Sohn liegt krank im Bett«, erklärte sie und zog die Tür ein wenig zu. »Ich würde Sie ja hereinbitten, aber es ist so unaufgeräumt.« Sie wies auf das Haus nebenan. »Sie hat es vor ungefähr einem Monat zum Verkauf angeboten – viel zu billig. Meine Schwester ist Maklerin, und sie hat es verkauft. Laura wollte es möglichst schnell loswerden. Sie ist weggezogen, noch bevor es verkauft war. An einem Tag hat sie noch ihren Sommerurlaub geplant, und am nächsten hat sie schon das Geschirr eingepackt.«

»Das ist aber seltsam«, warf Jack ein. »Hat sie gesagt, warum?«

»Nun, sie hat behauptet, ihre Mutter in Florida sei ernsthaft erkrankt und sie würde dorthin ziehen, um sie zu pflegen. Sie war drei Jahre lang meine Nachbarin, und ich kann mich nicht erinnern, dass sie auch nur einmal ihre Mutter erwähnt hat. Ihr Sohn und mein Ältester haben zusammen gespielt. Ihr Nate ist ein lieber Junge. Ruhig. Sie waren beide ruhig. Für meinen Matt war es nett, dass er gleich nebenan einen Freund hatte, und mit Laura konnte man gut auskommen. Ich habe mir allerdings oft gedacht, dass sie Geld hat.«

»Warum?«

»Es war nur so ein Gefühl. Sie hat halbe Tage in einem Geschenkladen im Einkaufszentrum gearbeitet, und mit ihrem Gehalt hätte sie sich das Haus, das Auto, ihren ganzen Lebensstil nicht leisten können. Sie hat mir mal erzählt, dass sie etwas geerbt hat. Witzig, dass ihr das jetzt schon zum zweiten Mal passiert, nicht wahr?«

»Hat sie Ihnen gesagt, wohin sie nach Florida zieht?«

»Nein. Nur Florida. Und sie hatte es schrecklich eilig wegzukommen. Sie hat viel von ihren oder Nates Sachen verkauft oder einfach verschenkt. Dann ist sie in ihr Auto gestiegen, und weg war sie. Ich glaube, das war so vor knapp drei Wochen. Sie meinte, sie würde anrufen, wenn sie sich eingerichtet hätte, aber bis jetzt hat sie sich nicht gemeldet. Mir kam es fast so vor, als würde sie vor etwas davonlaufen.«

»Vor was denn?«

»Ich...« Sie brach ab und sah die beiden Männer abschätzend an. »Hat sie auch bestimmt keinen Ärger?«

»Mit uns nicht«, erwiderte Max mit strahlendem Lächeln, bevor Jack den Mund aufmachen konnte. »Wir werden nur dafür bezahlt, dass wir die Erben von Hanroe finden und identifizieren. Glauben Sie denn, dass sie Probleme hat?«

»Ich kann es mir nicht vorstellen, aber ich habe mir gedacht, dass es irgendwo noch einen Mann – einen Ex-Mann – geben muss, wissen Sie? Sie hat sich nie mit Männern getroffen, jedenfalls nicht, solange sie hier gewohnt hat. Weder Laura noch Nate haben je seinen Vater erwähnt. *Aber*, in der Nacht, bevor sie das Haus angeboten hat, ist ein Mann vorbeigekommen. Er fuhr mit einem Lexus vor und hatte eine Schachtel dabei, in Geschenkpapier und mit einer Schleife, aber weder Nate noch Laura hatten Geburtstag. Er ist auch nur etwa zwanzig Minuten geblieben. Am nächsten Morgen rief sie meine Schwester an und bot das Haus zum Verkauf an. Dann hat sie ihren Job gekündigt, und wenn ich mich recht erinnere, hat sie Nate auch aus der Schule genommen.«

»Hat sie Ihnen gesagt, wer der Besucher war?«, fragte Jack beiläufig. »Sie haben sie doch bestimmt gefragt. Da ist man doch neugierig.«

»Nein, eigentlich nicht, aber ich habe natürlich erwähnt, dass ich das Auto gesehen habe. Sie sagte nur, es sei jemand gewesen, den sie von früher kannte, und wechselte das Thema. Aber *ich* glaube, es war ihr Ex. Offenbar hat sie schreckliche Angst bekommen. Man verkauft doch nicht einfach sein Haus und alle

Möbel und fährt weg, nur weil die Mutter krank ist. Hey, vielleicht hat er ja von der Erbschaft erfahren und wollte sich wieder bei ihr einschmeicheln, damit er an das Geld kommt. Manche Leute sind so niederträchtig.«

»Ja, da haben Sie wohl Recht. Danke, Mrs. Gates.« Max reichte ihr die Hand. »Sie haben uns sehr geholfen.«

»Wenn Sie sie finden, sagen Sie ihr, dass ich mich wirklich über einen Anruf von ihr freuen würde. Matt vermisst Nate sehr.«

»Ja, das machen wir.«

»Er war bei ihr«, sagte Jack, als sie wieder in ihrem Mietwagen saßen.

»O ja, und ich glaube nicht, dass sich in der Schachtel ein Geburtstagsgeschenk befand. Sie ist auf der Flucht.« Max blickte zu dem leeren Haus. »Vor ihm oder mit den Diamanten auf der Flucht. Oder beides?«

»Eine Frau, die so schnell abhaut, hat Angst«, war Jacks Meinung. »Es kann auch sein, dass er ihr die Diamanten zwar mitgebracht hat, sie aber gar nicht weiß, dass sie sich bei ihr befinden. Crew vertraut niemandem, vor allem nicht seiner Ex-Frau. Und nun? Fahren wir jetzt nach Florida, um was an unserer Bräune zu tun?«

»Sie ist nicht in Florida, und wir fahren zurück nach Maryland. Ich nehme ihre Spur schon auf, aber vorher habe ich noch eine Verabredung mit einer wunderschönen Rothaarigen.«

»Sie fahren.« Crew ließ die Pistole von Laines Nierengegend zu ihrer Wirbelsäule gleiten. »Leider müssen Sie rüberrutschen. Tun Sie es schnell, Ms. Tavish.«

Sie konnte schreien. Sie konnte weglaufen. Sie konnte sterben. Würde sterben, korrigierte sie sich, als sie vom Beifahrersitz hinter das Steuer kletterte. Da sie nicht sterben wollte, musste sie auf eine gute Chance zur Flucht warten.«

»Schnallen Sie sich an«, befahl Crew.

Als sie den Gurt über sich zog, spürte sie ihr Handy in der linken Tasche. »Ich brauche die Schlüssel.«

»Natürlich. Und jetzt warne ich Sie ein einziges Mal. Sie fahren normal und vorsichtig. Und sie beachten die Verkehrsregeln.

Wenn Sie auch nur einen einzigen Versuch machen, die Aufmerksamkeit auf sich zu lenken, erschieße ich Sie.« Er reichte ihr die Autoschlüssel. »Da können Sie sicher sein.«

»Das bin ich.«

»Dann fahren wir jetzt los. Fahren Sie aus der Stadt, und nehmen Sie die 68 nach Osten.« Er zeigte ihr die Pistole. »Ich werde nicht gerne gefahren, aber wir machen eine Ausnahme. Sie sollten Ihrem Hund dankbar sein. Wenn er nicht im Hinterzimmer gewesen wäre, dann wären wir dort hinausgegangen, und sie lägen jetzt im Kofferraum.«

Gott segne dich, Henry. »Ich ziehe diesen Platz vor.« Während sie fuhr, überlegte sie, ob sie das Gaspedal durchdrücken und das Lenkrad verreißen sollte, aber solche heroischen Aktionen funktionierten nur im Kino. Und in Filmen wurde mit Platzpatronen geschossen.

Aber sie musste unbedingt eine Spur hinterlassen. Und lange genug am Leben bleiben, damit jemand dieser Spur folgen konnte. »Hat sich Willy vor Ihnen so erschreckt, dass er auf die Straße gerannt ist?«

»Ja, das war eine dieser Schicksalswendungen oder schlichtes Pech. Wo sind die Diamanten?«

»Dieses Gespräch und mein Leben wären wohl ziemlich schnell vorbei, wenn ich es Ihnen sagen würde.«

»Zumindest sind Sie so intelligent, dass Sie nicht vorgeben, nicht zu wissen, wovon ich rede.«

»Was würde das bringen?« Sie warf einen Blick in den Rückspiegel, riss die Augen auf und kniff sie dann wieder zusammen. Sofort drehte er sich um. Im selben Moment steckte sie die Hand in die Tasche und drückte rasch auf die Taste für Wiederwahl. Jedenfalls hoffte sie, dass sie in der Eile die richtige Taste erwischt hatte.

»Sehen Sie nach vorne«, fuhr er sie an.

Sie umfasste das Lenkrad mit beiden Händen und dachte: Geh ans Telefon, Max. Geh ans Telefon und hör zu. »Wohin fahren wir, Mr. Crew?«

»Fahren Sie einfach.«

»Die 68 nach Osten ist lang. Wollen Sie auch noch Entführung zu Ihrem Vorstrafenregister hinzufügen?«

»Das stünde wohl kaum an erster Stelle.«

»Da mögen Sie Recht haben. Ich würde besser fahren, wenn Sie nicht ständig diese Pistole auf mich richten würden.«

»Je besser Sie fahren, desto geringer ist die Chance, dass sie losgeht und ein hässliches Loch in ihre schöne Haut brennt. Echte Rothaarige – was Sie und Ihr Vater ja vermutlich sind – haben so eine zarte Haut.«

Sie wollte nicht, dass er über ihre Haut nachdachte. Und noch viel weniger wollte sie ein Loch darin haben. »Jenny wird die Polizei verständigen, wenn ich nicht wiederkomme.«

»Dann wird es schon viel zu spät sein. Fahren Sie hier nur so schnell, wie es erlaubt ist.«

Sie beschleunigte auf fünfundsechzig. »Toller Wagen. Ich bin noch nie mit einem Mercedes gefahren. Er ist schwer.« Sie griff sich mit der Hand an den Hals, als ob sie aus Nervosität drauflos plapperte. »Aber er liegt gut auf der Straße. So eine schwarze Mercedeslimousine sieht aus wie ein Diplomatenwagen.«

»Sie lenken mich mit Ihrem Geschwätz nicht ab.«

»Ich versuche ja auch nur, mich selber abzulenken. Ich werde zum ersten Mal mit vorgehaltener Pistole entführt. Sie sind in mein Haus eingebrochen.«

»Wenn ich mein Eigentum gefunden hätte, dann bräuchten wir jetzt keinen Ausflug zu machen.«

»Sie haben ein ganz schönes Chaos angerichtet.«

»Ich hatte nicht viel Zeit.«

»Vermutlich nützt es nicht viel, Sie darauf hinzuweisen, dass Sie ja schon die Hälfte der Beute besitzen, wenn jeder Anteil ein Viertel war. Und ich finde, bei allem, was zehn Millionen übersteigt, ist der Rest zu vernachlässigen.«

»Nein, keineswegs. Bei der nächsten Ausfahrt fahren Sie raus.«

»326?«

»Süden, zur 144 nach Osten.«

»Na gut. 326 Süden zur 144 nach Osten.« Sie warf ihm einen Blick zu. »Sie sehen nicht so aus wie jemand, der sich häufig in Nationalparks aufhält. Wir wollen doch nicht campen, oder?«

»Sie und Ihr Vater haben mir beträchtliche Unannehmlichkeiten bereitet. Er wird dafür bezahlen.«

Sie folgte seinen Richtungsanweisungen und wiederholte sie jedes Mal genau. Sie konnte nur hoffen, dass der Ruf Max erreicht hatte, dass ihre Batterie noch geladen war und dass sie hier noch Empfang hatte.

»Alleghany Recreation Park«, sagte sie laut, als sie von der Hauptstraße auf Crews Anweisung hin in einen Kiesweg einbog. »Das bekommt dem Mercedes aber gar nicht.«

»Fahren Sie links.«

»Hütten. Rustikal, einsam.«

»Genau richtig.«

»Viele Bäume gibt's hier. Deerwalk Lane. Süß. Ich werde in eine Hütte an der Deerwalk Lane entführt. Das klingt ja nicht besonders bedrohlich.«

»Die letzte Hütte, auf der linken Seite.«

»Gute Wahl. Von dichten Bäumen umgeben und kaum zu sehen.«

Sie musste das Telefon ausschalten. Er würde es bestimmt finden, und wenn es eingeschaltet war, dann würde sie auch diesen winzigen Vorteil verlieren.

»Schalten Sie das Auto aus.« Er legte selber den Parkgang ein. »Geben Sie mir die Schlüssel.«

Sie gehorchte und blickte ihm dabei in die Augen. »Ich beabsichtige nicht, mich erschießen zu lassen. Ich werde weder mutig noch dumm sein.« Während sie das sagte, ließ sie rasch ihre Hand in die Tasche gleiten und schaltete ihr Handy aus.

»Steigen Sie hier hinten aus.« Er öffnete die hintere Wagentür und stieg selber aus. Die Pistole zielte auf ihr Herz, als sie über die Sitze kletterte.

»So, und jetzt gehen wir hinein und plaudern ein wenig.« Er stieß sie vor sich her zur Hütte.

Er hatte alles schnell geschafft, dachte Max, als er im Flughafen auf den Ausgang zuging. Er konnte Laine bei Jenny abholen – allerdings musste er erst einmal Jack unterbringen. Es wäre wohl keine gute Idee, seinen Schwiegervater in spe mit in das Haus eines Polizisten zu nehmen.

Als er einen Blick zurückwarf, stellte er fest, dass Jack immer

noch ganz grün im Gesicht war. Sie waren mit einem Propeller-
flugzeug von Columbus gekommen, und Jack war es gleich nach
dem Start übel geworden.

»Ich hasse diese Blechkannen, Blechkannen mit Flügeln.« Der
Schweiß stand ihm im Gesicht, als er sich an den Kühler von Max'
Auto lehnte. »Ich muss mich mal setzen.«

»Du kannst dich ins Auto setzen.« Er machte ihm die Tür auf
und schob ihn hinein. »Wenn du dich in meinem Wagen über-
gibst, trete ich dich in den Arsch, nur zu deiner Information.«

Er ging um sein Auto herum und setzte sich ans Steuer. Wahrscheinlich konnte Big Jack alle möglichen Krankheiten vortäu-
schen, aber er konnte unmöglich so viel Schauspieltalent besitzen,
dass er die Farbe wechseln konnte. »Hör zu. Ich bringe dich jetzt
zu Laine, und da bleibst du, bis ich mit ihm zurückkomme. Wenn
du abhaust, finde ich dich, zerre dich an den Haaren zurück und
verprügele dich. Ist das klar?«

»Ich will ins Bett. Ich will nur noch ins Bett.«

Amüsiert grinsend fuhr Max aus der Parklücke. Sein Handy fiel
ihm ein, und er holte es aus der Tasche. Während des Flugs hatte
er es ausschalten müssen, und als er es jetzt einschaltete, ignorierte
er das Piepsen, das ihm eine Voicemail ankündigte, sondern rief
sofort Laine an. Ihre Stimme auf dem Anrufbeantworter erklärte
ihm, er solle bitte eine Nachricht hinterlassen.

»Hey, Baby, ich bin wieder da und fahre gerade vom Flughafen weg. Ich muss noch was erledigen, dann hole ich dich ab. Ich
erzähle dir alles, wenn ich bei dir bin. Oh, und ich habe einiges
für dich. Später.«

Jack sagte mit geschlossenen Augen: »Es ist gefährlich, beim
Fahren solche Telefonate zu führen.«

»Halt's Maul, Jack.« Max wollte das Handy gerade weglegen,
als es klingelte. Das war bestimmt Laine. »Du bist aber fix. Ich
habe gerade … Vince?«

Wie ein Eisklumpen breitete sich die Angst in seinem Magen
aus. Er fuhr den Wagen an den Straßenrand. »Wann? Um Himmels willen, das ist ja schon über eine Stunde her. Ich bin sofort
da.«

Er warf das Handy auf die Ablage und gab Gas. »Er hat sie.«

»Nein, nein, das ist nicht wahr.« Jack wurde leichenblass. »Das kann nicht sein, nicht mein kleines Mädchen.«

»Er hat sie kurz nach fünf aus dem Laden geholt. Vince meint, sie seien in einer schwarzen Limousine davongefahren. Ein paar Leute haben gesehen, wie sie mit einem Mann in das Auto gestiegen ist, aber niemand konnte den Wagen richtig beschreiben.« Er drückte das Gaspedal seines Porsches durch. »Jenny hat den Kerl ziemlich genau beschrieben. Lange braune Haare, Pferdeschwanz, Schönheitsfleck, Sonnenbrille. Weiß, männlich, fünfundvierzig bis fünfzig, zirka einsachzig, schlank.«

»Die Haare sind falsch, aber er müsste es sein. Er wird ihr wehtun.«

»Darüber wollen wir jetzt nicht nachdenken. Wir müssen uns überlegen, wie wir ihn finden und sie da herausholen können.« Seine Hände waren eiskalt. »Er muss ja irgendwo sein. Wenn er glaubt, dass die Steine hier sind, wird er nicht allzu weit weg sein. Er braucht einen abgeschiedenen Ort, kein Hotel. Er wird sich bei dir oder bei mir melden. Er… Scheiße!«

Er griff nach dem Handy.

»Gib es mir. Wenn du uns umbringst, können wir ihr nicht mehr helfen.« Jack nahm ihm das Gerät weg und drückte auf die Taste für die Voicemail.

Sie haben zwei neue Nachrichten. Erste neue Nachricht, erhalten am 18. April um 17 Uhr 15.

Sie hörten Laines ruhige Stimme. »Die 68 nach Osten ist lang. Wollen Sie Ihrem Vorstrafenregister auch noch Entführung hinzufügen?«

»Clever«, hauchte Max. »Sie ist sehr clever.« Er wendete den Porsche und raste wie eine Rakete in Richtung der Autobahn.

Aufmerksam lauschte er dem Gespräch. Als es zu Ende war, musste er sich zwingen, Jack nicht zu bitten, es noch einmal abzuspielen, nur um Laines Stimme hören zu können. »Ruf Vince an, gib ihm die Beschreibung des Fahrzeugs und den Zielort durch, Alleghany Recreational Park. Sag ihm, wir sind unterwegs dorthin und dass Crew bewaffnet ist.«

»Aber wir warten nicht auf die Bullen, oder?«

»Nein, wir warten bestimmt nicht auf sie.«

Laine trat in die Hütte und blickte sich in dem geräumigen Wohnbereich mit dem Steinkamin und den dunklen, schweren Holzmöbeln um. Sie musste jetzt ihre Taktik ändern.

Hinhaltemanöver waren nicht schlecht. Alles, was ihn davon abhielt, sie zu schlagen oder zu erschießen, war gut und schön. Aber es zahlte sich nie aus, sich auf Hilfe in letzter Minute zu verlassen. Gewinnen konnte sie nur, wenn sie sich auf sich selber verließ.

Also drehte sie sich um und lächelte Crew freundlich an. »Lassen Sie mich Ihnen zunächst einmal sagen, dass ich Ihnen keinen Grund geben werde, mir wehzutun. Ich stehe nicht auf Schmerzen. Natürlich könnten Sie mir trotzdem wehtun, aber ich hoffe, dazu haben Sie zu viel... Stil. Wir sind zivilisierte Menschen. Ich habe etwas und Sie wollen etwas.« Sie trat zu einem karierten Polstersofa, setzte sich und schlug die Beine übereinander. »Lassen Sie uns verhandeln.«

»Das hier«, er wies auf seine Pistole, »spricht für sich.«

»Wenn Sie sie benutzen, bekommen Sie gar nichts. Möchten Sie mir nicht lieber ein Glas Wein anbieten?«

Nachdenklich neigte er den Kopf. »Sie sind ja ganz schön cool.«

»Ich hatte Zeit zum Nachdenken. Ich kann nicht leugnen, dass Sie mir Angst eingejagt haben, aber ich hoffe, Sie sind offen für einen vernünftigen Dialog.«

Im Geiste vergegenwärtigte sie sich rasch, was sie über ihn wusste.

Riesiges Ego, eitel, gierig, ein Soziopath und Mörder.

»Wir sind allein. Ich kann nicht entwischen. Sie sind am Drücker, aber trotzdem... Ich habe etwas, das Sie wollen.«

Lachend warf sie den Kopf zurück. Sie merkte ihm an, dass sie ihn überraschte. Gut. Bring ihn aus dem Gleichgewicht, gib ihm etwas zum Nachdenken. »O Gott, wer hätte geglaubt, dass mein alter Herr das zustande bringt? Er war sein ganzes Leben lang nur zweitklassig, und er ist mir wirklich auf die Nerven gegangen. Und jetzt kommt er mit dem Coup seines Lebens an. Teufel, ein Coup für zehn Leben. Und er wirft ihn mir direkt in den Schoß. Um Willy tut es mir allerdings Leid, er war ein lieber Mensch. Aber, Schnee von gestern.«

Einen Moment lang flackerte Interesse in Crews Blick auf. Dann zog er eine Schublade auf und holte Handschellen heraus.

»Also, Alex, wenn Sie mich fesseln wollen, möchte ich aber wirklich zuerst ein Glas Wein.«

»Glauben Sie, ich kaufe Ihnen das ab?«

»Ich verkaufe nichts.« Vielleicht kaufte er es ihr ja nicht ab, aber er hörte auf jeden Fall zu. Sie seufzte, als die Handschellen in ihrem Schoß landeten. »Na gut, wie Sie wollen. Wo soll ich sie festmachen?«

»Legen Sie den rechten Arm auf die Couch.«

Obwohl ihr bei der Vorstellung, sich selber fesseln zu müssen, die Kehle eng wurde, warf sie ihm einen schmollenden Blick zu. »Was ist mit dem Wein?«

Nickend trat er zur Küche und holte eine Flasche aus dem Schrank. »Cabernet?«

»Perfekt. Darf ich Sie fragen, wie ein Mann mit Ihren Fähigkeiten und Ihrem Geschmack ausgerechnet an Jack geraten ist?«

»Er war nützlich. Warum versuchen Sie eigentlich, die abgebrühte Opportunistin zu spielen?«

Sie zog erneut einen Schmollmund. »Ich finde mich nicht so besonders abgebrüht, eher realistisch.«

»Sie sind lediglich eine Geschäftsfrau aus der Kleinstadt, die das Pech hat, etwas zu besitzen, das mir gehört.«

»Ich empfinde das eher als Glück.« Sie nahm das Weinglas entgegen und trank einen Schluck. »Der Laden läuft gut. Alte, oft nutzlose Gegenstände zu verkaufen bringt gutes Geld. Und es verschafft mir Zutritt zu vielen Orten, an denen es noch mehr alte und manchmal ziemlich wertvolle Gegenstände gibt. Ich habe stets einen Fuß in der Tür.«

»Nun.« Sie spürte, dass er sie jetzt mit anderen Augen sah.

»Sehen Sie, Sie haben mit meinem alten Herrn ein Hühnchen zu rupfen. Für mich ist er nur ein Klotz am Bein. Und wenn er mir je etwas beigebracht hat, dann, nach der Nummer eins Ausschau zu halten.«

Crew schüttelte bedächtig den Kopf. »Sie sind zwar mit mir aus dem Laden gegangen, ohne einen Laut von sich geben – aber hauptsächlich, um die Angestellte zu schützen.«

»Ich hatte keine Chance gegen die Pistole, die Sie mir in die Seite gedrückt haben. Und Sie haben Recht, ich wollte nicht, dass Sie ihr was tun. Sie ist eine Freundin von mir, und sie ist im siebten Monat schwanger. Ich habe ein paar klare Grundsätze, Alex. Von Gewalt halte ich nichts.«

»Das ist ja unterhaltsam.« Er setzte sich. »Wie erklären Sie denn die Tatsache, dass Sie mit Gannon, dem Versicherungsdetektiv, eine Affäre haben?«

»Er ist großartig im Bett – aber selbst wenn er eine Niete auf diesem Gebiet gewesen wäre, hätte ich mit ihm geschlafen. Man soll seine Freunde um sich scharen, Alex, aber noch mehr seine Feinde. Ich bin über jeden seiner Schritte unterrichtet, noch bevor er sie macht. Und jetzt sage ich Ihnen was, um Ihnen meinen guten Willen zu beweisen. Er ist heute in New York.« Sie beugte sich vor. »Sie kochen irgendwas aus, um Sie auszuräuchern. Morgen wird es eine Pressemitteilung geben, in der steht, dass Max einen Teil der Diamanten zurückgegeben hat. Max denkt, dass Sie dadurch veranlasst werden, überstürzt und unklug zu handeln. Er ist clever, das muss man ihm lassen, aber bisher hat er Sie ja noch nicht gefunden.«

»Also bin ich wohl cleverer.«

»Vermutlich«, stimmte sie lächelnd zu. »Er ist Jack direkt auf den Fersen, und Gott weiß, ob mein lieber alter Dad ihn noch lange abschütteln kann. Aber er hat keinen Schimmer, wie er Sie zu fassen kriegen kann.« Ego, Ego, Ego. Füttere sein Ego. »Und jetzt versucht er es auf die Tour.«

»Interessant, aber ein Versicherungsdetektiv macht mir keinen Kummer.«

»Warum auch? Sie haben ihn ja schon mal überwältigt. Ich musste seine Wunden küssen.« Sie kicherte. »Und damit habe ich ihn so abgelenkt, dass Sie Zeit genug hatten zu verschwinden.«

»Jetzt soll ich Ihnen wohl auch noch dankbar sein. Sie können im Moment mit meinem Dank nichts anfangen. Wo sind die Diamanten, Ms. Tavish?«

»Nennen Sie mich Laine. Ich glaube, über die Förmlichkeiten sind wir hinaus. Ich habe sie – Jacks und Willys.« Sie schnurrte jetzt förmlich. »Was werden Sie denn mit all dem Geld tun, Alex?

Reisen, ein kleines Land kaufen, irgendwo am Strand Mimosas trinken? Finden Sie nicht auch, dass all die wunderschönen Dinge, die man mit so viel Geld anstellen kann, viel mehr Spaß mit einer gleichgesinnten Gefährtin machen?«

Sein Blick glitt zu ihrem Mund, dann wieder zu ihren Augen. »Haben Sie Gannon auch so verführt?«

»Nein, bei ihm habe ich so getan, als ob er mich verführen würde. Er ist der Typ, der jagen und erobern will. Ich habe viel zu bieten. Sie können die Diamanten haben. Und Sie können mich haben.«

»Ich kann sowieso beides haben.«

Sie lehnte sich zurück und trank noch einen Schluck Wein. »Ja, das könnten Sie. Männer, die Vergewaltigung als Vergnügen empfinden, sind meiner Meinung nach unterste Schublade. Wenn Sie dazugehören, habe ich Sie falsch eingeschätzt. Sie könnten mich vergewaltigen, mich schlagen, mich erschießen. Ich würde Ihnen sicher sagen, wo die Diamanten sind. Aber...« Wieder trank sie einen Schluck und ließ ihre Augen verschmitzt funkeln. »Sie würden nicht wissen, ob ich Ihnen die Wahrheit sage. Sie würden viel Zeit verschwenden, und für mich wäre es bestimmt recht ungemütlich. Das ist einfach unpraktisch, da ich doch bereit bin, mit Ihnen ein Abkommen zu treffen, das uns beiden genau das gibt, was wir wollen.«

Er stand auf. »Sie sind eine faszinierende Frau, Laine.« Geistesabwesend nahm er sich die Perücke vom Kopf.

»Mmm, besser.« Mit geschürzten Lippen musterte sie seine echten Haare. »Viel besser. Schenken Sie mir noch einmal nach?« Auffordernd hielt sie ihm ihr Glas entgegen. »Ich möchte Sie etwas fragen«, fuhr sie fort, während er die Flasche holte. »Falls Sie die restlichen Diamanten haben...«

»Falls?«

»Ich habe nur Ihr Wort darauf, dass es so ist. Meinen Vater betrachte ich nicht als verlässliche Quelle.«

»Oh, ich habe sie.«

»Falls das so ist, warum begnügen Sie sich dann nicht mit dem Spatz in der Hand und sehen zu, dass Sie Land gewinnen?«

Sein Gesicht versteinerte. Sein Lächeln wirkte wie eingefroren, und die Augen wie tot. »Ich gebe mich nicht mit der Hälfte zufrieden.«

»Das respektiere ich. Aber ich könnte es für Sie sehr angenehm machen, mit mir zu teilen.«

Er füllte ihr Glas und stellte die Flasche auf den Tisch. »Sex wird maßlos überschätzt.«

Sie lachte leise und kehlig. »Ach ja?«

»Sie können so attraktiv sein, wie Sie wollen, achtundzwanzig Millionen sind Sie nicht wert.«

»Jetzt haben Sie meine Gefühle verletzt.« Hol ihn näher ran, dachte sie, hol ihn näher ran und lenk ihn ab. Es wird wehtun, aber nur für eine Minute. Um sich dagegen zu wappnen, griff sie nach dem Weinglas. Dann setzte sie sich so hin, dass das Handy in ihrer Tasche gegen den Arm auf der Couch drückte.

Wie eine Furie sprang er sie an, zerrte ihren Kopf an den Haaren herunter und griff nach ihrer Tasche. Vor Schmerz und Angst wirbelten schwarze Punkte vor ihren Augen, aber sie stand mit zitternden Knien auf und starrte, wie sie hoffte, voller Abscheu auf die Weinflecken auf ihrer Hose.

»Ach, du meine Güte. Sie haben hoffentlich Club Soda im Haus.«

Er schlug ihr so heftig mit dem Handrücken ins Gesicht, dass die schwarzen Punkte in einem roten Funkenregen explodierten.

16

Max stellte seinen Wagen quer über den Kiesweg, knapp außer Sichtweite der letzten Hütte auf der linken Seite. Wenn Crew versuchte abzuhauen, musste er erst mal an dem Porsche vorbei.

Es war still und fast dämmerig. Er war auf dem Weg hierhin nur wenigen Menschen begegnet. Auch in den Hütten, an denen er vorbeigekommen war, war nichts los. Um diese Tageszeit waren die meisten Wanderer schon wieder zu Hause, und die Feriengäste bereiteten das Abendessen vor.

Er stellte den Motor ab und schloss das Handschuhfach auf.

»Wir können doch nicht einfach hier herumsitzen«, wandte Jack ein.

»Wir sitzen auch nicht einfach nur herum.« Max holte seine Pistole und Patronen heraus und warf Jack ein Fernglas in den Schoß. »Hab ein Auge auf die Hütte.«

»Wenn du mit der Pistole hineingehst, wird es Verletzte geben. Pistolen machen nur Ärger«, fügte Jack hinzu.

Max lud die Waffe und steckte sich die restlichen Patronen in die Tasche. »Die Polizei ist unterwegs. Sie werden einige Zeit brauchen, um das Gelände abzuriegeln und sich auf die Geiselnahme einzustellen. Sie wissen, dass er bewaffnet ist und dass er Laine in seiner Gewalt hat. Sie werden versuchen, mit ihm zu verhandeln.«

»Wie kann man denn mit einem Irren verhandeln? Mein Mädchen ist da drin, Max. Mein kleines Mädchen ist bei ihm.«

»Sie ist auch mein Mädchen. Und ich verhandle nicht.«

Jack wischte sich mit dem Handrücken über den Mund. »Wir warten hier aber auch nicht auf die Polizisten.«

»Nein, wir warten nicht.« Da das Fernglas noch unbenutzt in Jacks Schoß lag, nahm Max es und blickte zur Hütte. »Alles zu. Er hat die Vorhänge vor den Fenstern zugezogen. Von hier aus kann ich eine Tür und vier Fenster sehen. Wahrscheinlich gibt es noch eine Hintertür und noch weitere Fenster auf der anderen Seite. Hier kann er nicht raus, aber er könnte hinten heraus und versuchen, über eine der Nebenstraßen bis zur Hauptstraße zu gelangen. Ich glaube allerdings nicht, dass wir das zulassen werden.«

Er holte ein Messer mit einer gezackten Klinge aus dem Handschuhfach.

»Jesus Christus«, japste Jack.

»Kümmerst du dich damit um den Mercedes?«

»Ach, die Reifen.« Jack atmete erleichtert auf. »Ja, kann ich machen.«

»In Ordnung. Wir gehen folgendermaßen vor.«

Drinnen richtete Laine sich auf. In ihren Ohren rauschte es von dem Schlag, und sie fluchte im Stillen, weil sie sich nicht rasch genug bewegt hatte, um ihm auszuweichen, damit sie nicht die volle Wucht mitbekam.

Tränen standen ihr in den Augen, aber sie würde jetzt nicht heulen. Stattdessen starrte sie ihn böse an und legte die Hand auf ihren schmerzenden Wangenknochen. »Du Bastard. Du Hurensohn.«

Er packte sie an der Bluse und zerrte sie hoch. Sie riss sich mit dem freien Arm los und funkelte ihn wütend an. »Wen wolltest du anrufen, Laine? Den guten alten Dad?«

»Du Idiot!« Ihre Reaktion überraschte ihn so, dass er sie auf die Couch zurückfallen ließ. »Hast du mir etwa gesagt, ich solle meine Taschen ausleeren? Hast du gefragt, ob ich ein Handy habe? Es ist doch ausgeschaltet, oder etwa nicht? Ich trage es immer bei mir, wenn ich im Laden bin. Du warst doch die ganze Zeit bei mir, Einstein. Habe ich etwa jemanden angerufen?«

Er schien zu überlegen. Nachdenklich musterte er das Handy. »Es scheint ausgeschaltet zu sein.« Er schaltete es ein und das Gerät piepste. »Anscheinend hast du eine Nachricht. Willst du nicht mal nachschauen, wer versucht hat, dich zu erreichen?«

»Leck mich am Arsch.« Sie zuckte verärgert mit den Schultern und griff nach der Weinflasche, um ihr Glas erneut zu füllen. Ihre Hand blieb ganz ruhig, als sie hörte, wie Max verkündete, er sei wieder zurück.

»Na, siehst du? Hört sich das etwa so an, als ob ich versucht hätte, ihn zu erreichen? Vielleicht telepathisch – Jesus!« Er stand zu weit von ihr weg. Sie stellte die Flasche wieder auf den Tisch und legte die Hand an ihre verletzte Wange. »Hol mir mal Eis.«

»Ich mag Befehle nicht.«

»Ja, nun, und ich mag es nicht, von einem Typ verprügelt zu werden, der Probleme hat, sich zu beherrschen. Wie soll ich denn den blauen Fleck erklären? Du kannst mir glauben, er wird prachtvoll werden. Du hast alles nur noch komplizierter gemacht. Und weißt du was, Hitzkopf, mein Angebot von eben ist vom Tisch. Ich schlafe nicht mit Männern, die mich schlagen. Also wirklich nicht.« Sie trat einen Schritt vor, wobei sie weiter ihre Wange rieb.

»Jetzt geht es nur noch ums Geschäft. Keine Vergünstigungen mehr.«

»Du scheinst zu vergessen, dass hier nichts verhandelt wird.«

»Man kann über alles verhandeln. Du hast eine Hälfte, ich habe eine Hälfte. Du willst alles, während ich viel realistischer und weniger gierig bin als du. Nimm mir endlich die verdammten Dinger ab«, verlangte sie und klapperte mit den Handschellen. »Ich kann doch sowieso nicht abhauen.«

Seine Hand zuckte zu seiner linken Hosentasche, aber dann ließ er sie wieder sinken. »Ich glaube nicht. Nun ...«, er trat auf sie zu, »die Diamanten!«

»Wenn du noch einmal die Hand gegen mich erhebst, schwöre ich dir, dass ich sie der Polizei übergebe.«

»Du bist zart gebaut, Laine. Zarte Knochen brechen leicht. Du hast einen starken Willen, der sicher nicht so leicht zu brechen ist. Aber ich könnte mit deiner Hand anfangen. Weißt du, wie viele Knochen es in einer menschlichen Hand gibt? Ich erinnere mich nicht mehr genau, aber es sind schon einige.«

Seine Augen funkelten, als er das sagte, und nichts auf der ganzen Welt hatte ihr je mehr Angst eingejagt als sein amüsierter Blick. »Manche brechen, manche kann man nur zertrümmern. Es wird sehr wehtun. Und dann wirst du mir sagen, wo die Diamanten sind. Und du wirst mir die Wahrheit sagen, weil selbst ein starker Willen so große Schmerzen nicht aushalten kann.«

In ihren Schläfen pochte es. Ihr Herz schlug so heftig, dass ihr ganzer Körper taub wurde. »Nur jemand, der krank ist, kann diese Vorstellung genießen. Wenn dieser kleine Makel nicht wäre, hätte ich gerne etwas Zeit mit dir verbracht.«

Sie ließ ihn nicht aus den Augen. Ihr Überleben hing davon ab. »Ich stehle gern«, fuhr sie fort. »Ich mache mir gerne das, was anderen gehört, zu Eigen. Das finde ich erregend. Aber es ist keine Schmerzen wert. Und mein Leben ist mir wichtiger als die Diamanten. Das habe ich von meinem Vater gelernt. Ich glaube, wir haben den Punkt erreicht, wo dir die Diamanten mehr bedeuten als mir. Willst du wissen, wo sie sind? Es ist einfacher als du glaubst. Aber um sie zu bekommen, nun ...«

Ihr Herz hämmerte wie verrückt. »Komm her. Ich gebe dir einen kleinen Hinweis.«

»Du wirst mir alles sagen.«

»Ach, komm. Gönn mir das bisschen Spaß.« Sie spielte mit dem Anhänger, der an einer Kette um ihren Hals hing. »Wonach sieht das deiner Meinung nach aus?« Sie lachte leise. »Na komm schon, Alex, sieh ihn dir genauer an.«

Sie wusste, dass sie ihn hatte, als er näher trat und einen Blick auf den Anhänger warf. Sie beugte sich vor, als wolle sie ihr Weinglas ergreifen. »Eigentlich nur ein kleiner Bluff. Noch etwas, was ich von meinem Vater gelernt habe.«

Sie hob den Kopf, damit sich seine Aufmerksamkeit auf den Anhänger richtete. Sie hatte nur eine Chance. Er griff nach der Kette und beugte sich darüber.

In diesem Moment erhob sie sich und ließ die Weinflasche auf seinen Kopf krachen. Es gab ein hässlich knirschendes Geräusch, als das Glas auf den Knochen traf, und der Rotwein spritzte wie Blut hervor. Er taumelte und fiel auf den Rücken, während sie halb gebückt keuchend mit der zerbrochenen Flasche im Anschlag dastand.

Laine sank auf die Knie, und Übelkeit überflutete sie, als sie versuchte, nach ihm zu greifen. Sie musste die Schlüssel aus seiner Tasche holen, sie musste an die Pistole und das Telefon kommen. Sie musste hier weg.

»Nein! Verdammt noch mal.« Tränen der Frustration brannten ihr in den Augen. Er war genau außerhalb ihrer Reichweite zu Boden gegangen. Entschlossen richtete sie sich auf, kletterte über die Couch und versuchte, sie ein Stück weiter zu schieben. Nur ein bisschen näher noch. Noch ein bisschen.

Das Blut rauschte in ihren Ohren, und wie von Ferne hörte sie ihre eigene, verzweifelte Stimme, die ihr befahl, na los, na los, mach schon.

Sie warf sich wieder auf den Boden, bekam sein Hosenbein zu fassen und zog seinen Körper näher zu sich heran. »Der Schlüssel, der Schlüssel, o Gott, bitte, lass ihn den Schlüssel haben.«

Sie blinzelte zur Küche. Die Pistole lag auf der Theke. Bevor sie nicht die Handschellen aufgeschlossen hatte, war sie für sie nicht zu erreichen. Sie streckte den freien Arm so, dass ihr das Metall schmerzhaft ins Handgelenk schnitt, und es gelang ihr, in seine Tasche zu fassen.

Die Tränen stürzten ihr aus den Augen, als ihre zitternden Finger auf den Schlüssel stießen. Ihr Atem ging pfeifend, als sie ihn ins Schloss steckte. Das leise Klicken, mit dem es aufsprang, klang wie ein Pistolenknall in ihren Ohren. Dankgebete ausstoßend, schob sie die Handschellen vom Handgelenk.

»Denk nach. Atme tief durch und denk nach.« Sie setzte sich auf den Fußboden und nahm sich ein paar kostbare Sekunden, um die Panik loszuwerden.

Vielleicht hatte sie ihn getötet. Vielleicht war er aber auch nur ohnmächtig. Sie würde das jetzt auf keinen Fall nachprüfen. Aber wenn er nicht tot war, würde er sie verfolgen.

Mühsam rappelte sie sich hoch und begann keuchend, ihn zum Sofa zu ziehen. Sie würde ihn mit den Handschellen dort anketten. Genau. Das würde sie tun. Dann würde sie das Telefon und die Pistole an sich nehmen und Hilfe holen.

Erleichtert atmete sie auf, als die Handschellen zuschnappten.

Blut tröpfelte über sein Gesicht auf ihre Hand, als sie in sein Jackett griff, um das Handy aus der Innentasche zu holen.

Als auf einmal die Alarmanlage eines Autos losheulte, schrie sie auf und zuckte zusammen. Sie schaute zur Tür. Dort draußen war jemand. Jemand, der ihr helfen konnte.

»Hilfe«, flüsterte sie und stand auf. In diesem Moment packte Crew sie am Knöchel, und sie fiel mit dem Gesicht auf den Boden.

Sie schrie nicht. Mit wilden, grollenden Lauten trat sie nach hinten aus und versuchte, vorwärts zu kriechen. Als es Crew gelang, sie umzudrehen, ging sie mit Fingernägeln und Fäusten auf ihn los.

Der Alarm heulte weiter. Er zog sie näher zu sich heran, obwohl sie sich wie eine Wilde wehrte. Das Blut lief ihm übers Gesicht, und sie fügte ihm immer noch neue Wunden zu.

Plötzlich klirrte es, und ihr Arm landete in Glassplittern. Die Schmerzen gaben ihr die Kraft, sich erneut ein Stück von ihm zu entfernen. Sie robbte auf den Ellbogen vorwärts, und ihre Finger schlossen sich um den Rest der Weinflasche. Sie wirbelte herum und hielt sie wie einen Schlagstock in beiden Händen, als sie sie ihm noch einmal mit voller Wucht auf den Kopf schlug.

Irgendetwas krachte, aber er ließ sie los und sank zurück.

Wimmernd rutschte sie zurück.

Und so fand Max sie, als er in die Hütte stürmte. Sie kauerte auf dem Boden, Blut an den Händen, Bluse und Hose zerrissen und voller roter Flecken.

»Laine. Allmächtiger.« Er rannte zu ihr und die kalte Beherrschung, zu der er sich gezwungen hatte, um sie aus der Hütte zu befreien, zerbrach wie Glas. Er kniete sich neben sie und betastete sie mit zitternden Händen. »Bist du schlimm verletzt? Wo bist du verletzt? Hat er auf dich geschossen?«

»Was? Geschossen?« Vor ihren Augen verschwamm alles. »Nein. Ich bin ... es ist Wein.« Sie fing hysterisch an zu lachen. »Rotwein, und, ach ja, ein bisschen auch Blut. Aber vor allem sein Blut. Ist er tot?«, fragte sie fast beiläufig. »Habe ich ihn umgebracht?«

Er strich ihr die Haare aus dem Gesicht und fuhr mit dem Daumen vorsichtig über ihre angeschwollene Wange. »Hältst du noch durch?«

»Ja, klar. Kein Problem. Ich will nur noch ein bisschen sitzen bleiben.«

Max hockte sich vor Crew. »Er lebt«, sagte er, nachdem er seinen Puls gefühlt hatte. Er musterte das blutüberströmte Gesicht. »Du hast ihm sauber zugesetzt, was?«

»Ich habe ihm die Weinflasche über den Kopf gezogen.« Der ganze Raum drehte sich um sie, und die Luft wogte wie Wellen. »Zweimal. Du bist gekommen. Du hast meine Nachricht gehört.«

»Ja. Ich habe sie gehört.« Er betastete Crew, um festzustellen, ob er noch eine Waffe bei sich trug. Dann kehrte er zu Laine zurück. »Bist du sicher, dass du nicht verletzt bist?«

»Ja, ich fühle mich nur ziemlich benommen.«

»Okay.« Er legte seine Pistole neben sich auf den Boden und schlang die Arme um sie. Alle Angst, Wut und Verzweiflung der letzten Stunde überwältigten ihn. »Ich muss dich festhalten«, murmelte er. »Ich will dir nicht wehtun, aber ich muss dich jetzt einfach festhalten.«

»Ja, ich auch.« Sie schmiegte sich an ihn. »Ich auch. Ich wusste, dass du kommen würdest. Ich wusste, dass du mir helfen würdest. Aber das bedeutet nicht, dass ich mir nicht auch alleine helfen kann.« Sie löste sich ein wenig von ihm. »Ich habe dir doch gesagt, dass ich auf mich aufpassen kann.«

»Dem kann ich kaum widersprechen. Wollen wir mal versuchen, ob wir aufstehen können?«

Sie hielt sich an ihm fest und warf Crew einen Blick zu. »Ich habe ihn wirklich zusammengeschlagen. Ich fühle mich... stark und zufrieden und...«, sie schluckte und presste sich die Hand auf den Magen, »und mir ist ein bisschen schlecht.«

»Komm, wir gehen nach draußen an die frische Luft. Die Polizei ist auf dem Weg.«

»Okay. Zittere ich, oder bist du das?«

»Ein bisschen von beidem. Du hast bestimmt einen kleinen Schock, Laine. Wir gehen jetzt nach draußen, und da setzt du dich hin. Meinetwegen kannst du dich auch hinlegen, wenn das besser ist. Ich rufe den Krankenwagen.«

»Ich brauche keinen Krankenwagen.«

»Darüber können wir sicher diskutieren, aber Crew braucht garantiert einen. Na komm.«

Er führte sie hinaus. Jack sprang hinter der Hausecke hervor, das Messer in der einen und einen Stein in der anderen Hand. Laine dachte benommen, dass er irgendwie albern aussah.

Als er sie sah, ließ er beides fallen und stürzte auf sie zu, um sie in die Arme zu schließen.

»Lainie. Lainie.« Er drückte sein Gesicht an ihre Schulter und brach in Tränen aus.

»Ist ja schon gut. Mir ist nichts passiert. Schscht.« Sie umfasste sein Gesicht und küsste ihn auf die Wangen. »Es ist alles in Ordnung, Dad.«

»Ich hätte es nicht überlebt. Ich hätte...«

»Du bist gekommen. Du bist gekommen, als ich dich brauchte. Was habe ich für ein Glück, zwei Männer zu lieben, die da sind, wenn ich sie brauche.«

»Ich weiß nicht, ob ich zurückgekommen wäre«, setzte er an.

Zärtlich wischte sie ihm die Tränen von den Wangen. »Aber du bist zurückgekommen, oder? Und jetzt musst du gehen.«

»Lainie.«

»Die Polizei wird jede Minute hier sein. Ich habe das nicht alles durchgemacht, nur damit du jetzt eingesperrt wirst. Geh, bevor sie hier sind.«

»Ich muss dir noch so vieles sagen.«

»Später. Du kannst es mir später sagen. Du weißt doch, wo ich wohne. Bitte, Daddy, geh jetzt.«

Max trat zu ihnen mit dem Handy am Ohr. »Wir haben Crew. Laine ist völlig zerschlagen, aber es fehlt ihr nichts. Crew allerdings wird einen Arzt brauchen. Wie ist eure Notrufnummer? Gut. Wir warten.« Er schaltete das Gerät aus. »Vince und die anderen rollen an. Du hast noch ungefähr fünf Minuten«, sagte er zu Jack. »Du solltest dich besser in Bewegung setzen.«

»Danke.« Jack reichte ihm die Hand. »Vielleicht bist du – fast – doch gut genug für sie. Wir sehen uns. Bald«, fügte er an Laine gewandt hinzu. »Bald, meine Kleine.«

»Sie kommen.« Sie konnte die Sirenen schon hören. »Beeil dich.«

»Um Jack O'Hara zu fangen, braucht es mehr als Dorfpolizisten.« Er zwinkerte ihr zu. »Stell eine Kerze für mich ins Fenster.« Dann lief er auf die Bäume zu, winkte noch einmal – und wurde vom Wald verschluckt.

»Nun.« Laine holte tief Luft. »Weg ist er. Danke.«

»Für was?«, fragte Max, als sie ihn küsste.

»Dafür, dass du meinen Vater hast gehen lassen.«

»Ich weiß nicht, wovon du redest. Ich kenne deinen Vater ja gar nicht.«

Lachend rieb sie sich die Augen. »Ich glaube, ich muss mich jetzt erst mal wieder hinsetzen.«

Es war nicht schwer, Max davon abzubringen, mit ihr ins Krankenhaus zu fahren. Er war so erleichtert, dass sie am Leben war, dass er ihr alles zugestanden hätte. Das und Vinces Freundschaft nutzte Laine aus, um direkt nach Hause zu fahren.

Sie würde am nächsten Morgen bei dem Polizeichef eine ausführliche Aussage machen, aber vorläufig akzeptierte er ihren kurzen Bericht der Ereignisse.

Sie hatte mit einer Decke um den Schultern auf der Erde gesessen und Vince rasch das Notwendigste erzählt. Aber obwohl sie von ihrem Zusammenstoß mit Crew nicht mehr als blaue Flecken davongetragen hatte, war sie froh, als Max der Befragung ein Ende machte und sie kurzerhand zu seinem Auto trug.

Befriedigt sah sie zu, wie Crew auf einer Trage abtransportiert wurde.

Zu Hause blieb sie volle zwanzig Minuten unter der Dusche stehen. Sie empfand nur noch Dankbarkeit. Dankbarkeit für Max, Vince, das Schicksal, ja sogar für die digitale Kommunikation. Bevor ihr Handy kaputtging, würde sie es pensionieren und ihm einen Ehrenplatz geben.

Und solange sie lebte, würde sie nie wieder Cabernet trinken.

Sie trat aus der Dusche und trocknete sich sorgfältig ab. Das taube Gefühl war verschwunden, aber dafür schmerzten jetzt jeder Kratzer und jeder blaue Fleck höllisch. Sie schluckte vier Aspirin, dann nahm sie all ihren Mut zusammen und betrachtete sich im Spiegel.

»Oh. Autsch.« Sie gab einen Schmerzenslaut von sich, als sie sich umdrehte, um ihre Rückseite anzuschauen. Ihr ganzer Körper war voller blauer Flecken. Hüften, Schienbeine, Knie, Arme. Und ihre rechte Wange war völlig verquollen.

Aber das würde vergehen, dachte sie. Die Flecken würden verblassen und vergessen sein, und das Leben würde wieder normal werden. Und Alex Crew würde den Rest seines Lebens hinter Gittern verbringen. Sie hoffte nur, dass er an jedem einzelnen Tag ihren Namen verfluchen würde. Und sie hoffte, er würde jede Nacht von Diamanten träumen.

Wegen der blauen Flecken und Prellungen zog sie sich einen Trainingsanzug an und band sich die Haare lose im Nacken zusammen. Aus Eitelkeit jedoch schminkte sie sich sorgfältig, um die Schwellung auf der Wange wenigstens ein bisschen abzumildern.

Dann drehte sie sich um, breitete die Arme aus und sagte zu Henry, der ihr nicht mehr von der Seite gewichen war, seitdem sie ihn von Jenny abgeholt hatte: »Na, nicht so übel, oder?«

Max war in der Küche und machte gerade einen Topf mit Suppe heiß. »Ich dachte, du hast vielleicht Hunger.«

»Da hast du richtig gedacht.«

Er trat zu ihr und fuhr leicht mit dem Finger über ihre verletzte Wange. »Es tut mir Leid, dass ich nicht eher da war.«

»Wenn dir das Leid tut, spielst du damit meinen Mut und meine Cleverness herunter – und ich habe mir gerade dazu gratuliert.«

»Auf die Idee würde ich jetzt nicht gerade kommen, aber ich muss sagen, ich fühle mich betrogen. Ich hätte diesen Hurensohn zu gerne zu Brei geschlagen.«

»Das nächste Mal, wenn wir mit einem mordlustigen Soziopathen zu tun haben, darfst du ihn übernehmen.«

»Das nächste Mal.« Er wandte sich wieder der Suppe zu. Laine verschränkte ihre Finger.

»Es ist alles so schnell gegangen, Max.«

»Ja.«

»Ich könnte mir vorstellen, dass bei Leuten, die in intensiven oder gefährlichen Situationen aufeinander prallen, oft alles so schnell geht, weil die Emotionen sich so hochschaukeln. Und wenn dann alles wieder normal wird, dann bereuen sie es vermutlich, dass sie so impulsiv gehandelt haben.«

»Logisch.«

»Wir könnten es auch bereuen, wenn wir es so machen, wie wir es besprochen haben. Wir könnten es bereuen, uns in eine Beziehung oder auch in eine Ehe zu stürzen.«

»Das könnten wir.« Er klopfte den Löffel am Topfrand ab, legte ihn beiseite und drehte sich zu ihr um. »Machst du dir Gedanken deswegen?«

Sie presste die Lippen aufeinander, damit sie nicht zitterten. Da stand er an ihrem Herd, groß und schlaksig, mit seinen gefährlichen Augen und seiner lässigen Art. »Nein, nein. Ich mache mir keine Gedanken. Kein bisschen.« Sie stürzte sich in seine Arme. »O Gott, nein, ich mache mir keine Gedanken. Ich liebe dich so sehr.«

»Puh, das ist gut.« Er küsste sie leidenschaftlich, dann murmelte er: »Ich mache mir auch keine Gedanken. Übrigens, das habe ich dir in New York gekauft. Und es wäre jetzt nutzlos, wenn du anfingst, vernünftig zu werden.«

Er zog ein Schächtelchen aus der Tasche. »Ich glaube, ich habe genau deinen Geschmack getroffen.«

»Du hast dir noch die Zeit genommen, mir einen Ring zu kaufen?«

Er blinzelte. »Oh. Wolltest du einen Ring?«

»Blödmann.« Sie öffnete die kleine Schachtel, und ihr Herz wurde weit, als sie den viereckig geschliffenen Diamanten in der schlichten Platinfassung sah.« »Er ist perfekt. Einfach perfekt.«

»Noch nicht.« Er nahm ihn heraus und schob ihn ihr auf den Finger. »Jetzt ist er perfekt.« Zart küsste er ihre geschundenen Knöchel. »Ich werde mein Leben mit dir verbringen, Laine. Und heute Abend fangen wir damit an, indem du dich jetzt hierhin setzt und ich dir Suppe koche. Daran ist nichts Gefährliches.«

»Klingt nett. So nett und normal.«

»Wir können auch ein bisschen nörgeln, wenn du möchtest.«

»Klingt auch nicht übel. Vielleicht sollten wir vorher die restlichen Diamanten aus dem Weg räumen. Kann ich sie sehen?«

Er schaltete den Herd herunter und öffnete die Aktentasche, die er auf den Tisch gestellt hatte. Als er das Sparschwein herausholte, sank sie lachend auf einen Stuhl.

»Es ist wirklich eine schreckliche Vorstellung, dass ich wegen dem, was sich im Bauch eines Sparschweins befindet, vielleicht umgebracht worden wäre. Aber irgendwie ist es auch witzig. So ist Jack eben.«

»Ein Vertreter der Versicherungsgesellschaft holt sie morgen ab.« Er breitete eine Zeitung auf dem Tisch aus und ergriff den kleinen Hammer, den er im Vorraum gefunden hatte. »Möchtest du?«

»Nein. Fühl dich ganz wie zu Hause.«

Er musste ein paarmal kräftig zuschlagen, bevor er das Päckchen herausholen konnte. Dann schüttete er den glitzernden Wasserfall aus Steinen in Laines Hand.

»Sie sind faszinierend, nicht wahr?«

»Ich finde den an deinem Finger schöner.«

Sie lächelte. »Ich auch.«

Während er die Zeitung und die Scherben in den Mülleimer warf, legte sie die Diamanten auf das Samttuch. »Jetzt haben sie die Hälfte wieder. Und da Crew verhaftet ist, finden sie eventuell die andere Hälfte auch noch – in seiner Wohnung oder in einem Schließfach.«

»Möglich. Es kann gut sein, dass er einen Teil dort versteckt hat. Aber er ist nicht aus väterlicher Verpflichtung oder reiner Herzensgüte nach Columbus gefahren, um seinem Sohn ein Geschenk zu bringen. Seine Ex-Frau und der Junge wissen etwas.«

»Max, lass sie in Ruhe.« Sie griff nach seiner Hand. »Kümmere dich nicht mehr darum. Sie versuchen nur, ihn endlich loszuwerden. Sie will doch offenbar nur ihr Kind schützen, damit der Junge ein normales Leben führen kann. Wenn du sie ausfindig machst, wird sie sich gejagt fühlen und wieder davonlaufen. Ich weiß, wie das ist. Ich weiß, wie es für meine Mutter war, bis sie endlich Frieden gefunden und Rob kennen gelernt hat. Und mein Vater, nun, er ist ein Dieb, ein Betrüger und ein Lügner, aber er ist kein verrückter Killer.«

Sie schob ihm das Tuch mit den Diamanten zu. »Keine noch so große Menge Diamanten ist es wert, dass dieser unschuldige Junge mit der Tatsache leben muss, dass sein Vater ein Mörder ist. Es sind nur Steine, leblose Dinge.«

»Lass mich darüber nachdenken.«

»Okay.« Sie stand auf und küsste ihn auf den Scheitel. »Okay. Weißt du was, ich mache uns noch ein paar belegte Brote zu der Suppe. Du kannst in der Zwischenzeit in Ruhe die Diamanten mit deiner Liste vergleichen. Dann räumen wir sie weg und essen zu Abend wie ganz normale, langweilige Leute.«

Sie trat an den Brotkorb. »Wann glaubst du, bekomme ich mein Auto aus New Jersey zurück?«

»Ich kenne einen Typen, der es hierher fährt. In ein paar Tagen.« Er machte sich an die Arbeit. »Bis dahin fahre ich dich, oder du kannst meinen Wagen benutzen.«

»Siehst du, langweilig und normal. Senf oder Mayo auf den Schinken?«

»Senf«, sagte er geistesabwesend, dann schwieg er, während der Hund zu seinen Füßen schnarchte.

»Hurensohn.«

Sie warf ihm einen Blick über die Schulter zu. »Hmm?«

Er schüttelte den Kopf. »Warte mal.«

Laine schnitt die Sandwiches, die sie belegt hatte, in zwei Hälften. »Passt nicht, oder?« Sie stellte die Teller auf den Tisch. »Das habe ich befürchtet. Oder eigentlich nicht befürchtet. Ich hatte mich schon damit abgefunden. Das ist nicht das gesamte Viertel, oder?«

»Es fehlen ungefähr fünfundzwanzig Karat.«

»Oh, oh. Na ja, dein Klient akzeptiert es wahrscheinlich. Möglicherweise sind ja die Anteile nicht gleichmäßig aufgeteilt worden.«

»Das glaubst du doch selber nicht, oder?«

»Nein. Nein, ich bezweifle sogar sehr, dass das der Fall war.«

»Also hat es dein Vater eingesteckt.«

»Er hat sich seinen Anteil angeschaut, sich ein paar Steine als eine Art Versicherung herausgenommen und dann den verbliebenen Anteil in einen neuen Behälter – das Sparschwein – gesteckt. Die anderen Steine hat er behalten, vermutlich befinden sie sich in seiner Tasche oder in einem Beutel um seinen Hals. ›Leg nie all deine Eier in einen Korb, Lainie, der Henkel könnte abbrechen und dann hast du Rührei.‹ Willst du Kaffee zum Essen?«

»Ich will ein Bier. Und ich habe ihn gehen lassen!«

»Du musstest ihn sowieso gehen lassen.« Sie holte das Bier und setzte sich dann auf seinen Schoß. »Natürlich hättest du dir die Diamanten zurückgeholt, wenn du gewusst hättest, dass er sie hat, aber du hättest ihn auf jeden Fall gehen lassen. Also, eigentlich hat sich doch nichts geändert. Es sind nur mickrige fünfundzwanzig Karat.« Sie küsste ihn auf beide Wangen und schließlich auf den Mund. »Uns geht es doch gut, oder?«

Sie legte den Kopf an seine Schulter, und er strich ihr über die Haare. »Ja, uns geht es gut. Es könnte sein, dass ich deinem Vater in den Hintern trete, wenn ich ihn je wiedersehe, aber uns geht es gut.«

»Gut.«

Nachdenklich saß er da und streichelte ihr über die Haare. Auf dem Tisch standen Schinkenbrote, auf dem Herd Suppe. Auf dem Boden schnarchte ein Hund. Ein paar Millionen in Diamanten funkelten im Schein der Küchenlampe.

Uns geht es gut, dachte Max. Eigentlich geht es uns sogar großartig.

Aber sie würden nie ein langweiliges und normales Leben führen.

Zweiter Teil

Nora Roberts
ist
J. D. Robb

Ein gefährliches Geschenk

Die Zeiten ändern sich, und wir mit ihnen.

OVID

Verübt die ältesten Sünden auf die neueste Art.

SHAKESPEARE

17

New York, 2059

Sie sehnte sich nach ihrem Zuhause. Zu wissen, dass ihr eigenes Haus, ihr eigenes Bett, ihr eigenen *Dinge* auf sie warteten, ließ selbst den scheußlichen Nachmittagsverkehr vom Flughafen zu einem Vergnügen werden.

Unter den Taxis, Pendlern und panzerartigen Maxibussen kam es zu kleinen Zusammenstößen, belanglosen Winkelzügen, ausgemachter Heimtücke und bitterem Kampf. Über ihnen nahmen die Air-Trams, Flugschiffe und Mini-Shuttles den Himmel unter Beschuss. Aber das Beobachten der hier geführten Verkehrskriege machte sie wepsig genug, um sich vorzustellen, dass sie selbst auf den Fahrersitz sprang und sich in den Kampf warf. Und dies mit weitaus größerer Brutalität und Begeisterung als ihr Fahrer.

Mein Gott, wie sie New York *liebte*.

Während ihr Fahrer als ein Kämpfer einer ganzen Fahrzeugarmee, die sich ihren Weg in die Stadt erzwang, über den FDR schlich, unterhielt sie sich mit der Betrachtung der animierten Reklametafeln. Auf einigen wurden kleine Geschichten erzählt, was Samantha Gannon, selbst Schriftstellerin und immer für eine gute Story zu begeistern, sehr interessant fand.

Sieh mal diese hübsche Frau, überlegte sie, die sich an ihrem Urlaubsort neben dem Pool räkelt, ganz offensichtlich allein und einsam, während Paare im Wasser planschen und umherschlendern. Sie bestellt einen Drink, und beim ersten Schluck begegnen ihre Augen denen eines hinreißenden Mannes, der gerade dem Wasser entsteigt. Nasse Muskeln, tolles Lächeln. Ein zündender Moment, der sich in eine Mondlichtszene auflöst, in der das nun glückliche Paar Hand in Hand am Strand spaziert geht.

Moral? Trink Silby's Rum und sei bereit für Abenteuer, Romantik und wirklich guten Sex.

So leicht könnte es sein.

Aber für einige war es das ja auch. Bei ihren Großeltern hatte es gefunkt. Rum hatte dabei keine Rolle gespielt, jedenfalls in keiner der Versionen, die sie gehört hatte. Aber ihre Augen waren sich begegnet, und etwas hatte Klick gemacht und sich durch den Kreislauf des Schicksals gebrannt.

Da sie im kommenden Herbst sechsundfünfzig Jahre verheiratet waren, musste dieses Etwas, was immer es auch war, gute Arbeit geleistet haben.

Und aus diesem Grund, weil das Schicksal sie zueinander geführt hatte, saß sie im Fond eines großen, schwarzen Sedan und fuhr Richtung Stadt, fuhr nach zweiwöchiger Lesereise auf holprigen, endlosen Straßen, die sie durchs ganze Land geführt hatte, nach Hause, nach Hause.

Ohne ihre Großeltern und das, was sie getan hatten, den Weg, den sie gewählt hatten, hätte es kein Buch gegeben. Keine Lesereise. Kein Heimkommen. Ihnen verdankte sie alles – na ja, die Tour nicht, gestand sie ein. Dafür waren sie nicht verantwortlich.

Sie konnte nur hoffen, dass sie halb so stolz auf sie waren, wie sie das auf ihre Großeltern war.

Samantha E.Gannon, die nationale Bestsellerautorin von *Hot Rocks*.

War das nicht großartig?

Das Buch in fünfzehn Tagen in vierzehn Städten – von Küste zu Küste – zu bewerben, die Interviews, die Auftritte, die Hotels und das Umsteigen in die verschiedenen Verkehrsmittel, das war aufreibend gewesen.

Aber, wenn sie ehrlich war, auf seine verrückte Art auch fabelhaft.

Jeden Morgen hatte sie sich aus einem fremden Bett gewälzt, ihre verschlafenen Augen aufgerissen und sich im Spiegel angestarrt, um sich zu vergewissern, dass sie es war, die ihr da entgegenstarrte. Es passierte wirklich ihr, Sam Gannon.

Sie hatte es ihr ganzes Leben lang geschrieben, überlegte sie, jedes Mal, wenn sie die Familiengeschichte gehört, jedes Mal, wenn sie ihre Großeltern angebettelt hatte, sie ihr zu erzählen, ihnen mehr Einzelheiten entlockt hatte. Jede als Kind im Bett verbrachte Stunde hatte sie darauf verwendet, ihr Handwerk zu vervollkommnen, indem sie sich das Abenteuer vorstellte.

Es war ihr so romantisch, so aufregend vorgekommen. Und das Beste daran war, es ging um ihre Familie, ihr Blut.

Auch mit ihrem nächsten Projekt kam sie gut voran. Sie nannte es einfach *Big Jack*, und sie überlegte, dass ihr Urgroßvater dafür eine dicke Anklage bekommen hätte.

Sie wollte zu ihrer Arbeit zurückkehren, kopfüber eintauchen in Jack O'Haras Welt der Betrüger und Abzocker und einem Leben ständiger Flucht. Zwischen der Leseseise und den vorangehenden Auftritten hatte sie keine Stunde Zeit zum Schreiben gehabt. Jetzt war sie fällig.

Aber sie würde sich nicht gleich an die Arbeit setzen. Wenigstens achtundvierzig wohltuende Stunden würde sie nicht an Arbeit denken. Sie würde ihr Gepäck fallen lassen – und am liebsten alles verbrennen, was darin war. Dann würde sie sich in ihrem wunderschönen, stillen Haus einschließen. Sich ein Schaumbad einlaufen lassen und eine Flasche Champagner öffnen.

Die Nässe aufsaugen und trinken, dann erneut eintauchen und mehr trinken. Wenn sie Hunger bekam, würde sie sich was von AutoChef kommen lassen. Was, das war ihr egal, denn es war ihr Essen in ihrer Küche.

Und dann würde sie zehn Stunden lang schlafen.

Ihr Tele-Link würde sie ignorieren. Sie hatte mit ihren Eltern, ihrem Bruder, ihrer Schwester, ihren Großeltern von der Luft aus Kontakt aufgenommen und ihnen allen erzählt, sie werde für ein paar Tage untertauchen. Ihre Freunde und Geschäftspartner konnten ein, zwei Tage warten. Da sie das, was man wohl Beziehung nannte, vor über einem Monat beendet hatte, wartete nicht einmal ein Mann auf sie.

Auch das war gut so.

Sie setzte sich auf, als der Wagen auf den Bordstein zusteuerte. Zuhause! Wie immer hatte sie sich gedankenverloren treiben lassen und gar nicht gemerkt, dass sie zu Hause angekommen war.

Sie nahm ihr Notebook und ihre Reisetasche. Vor lauter Begeisterung gab sie dem Fahrer zu viel Trinkgeld, als dieser ihren Koffer und den Trolley für sie zur Tür trug. Sie war so glücklich, ihn weggehen zu sehen, so aufgeregt, dass er die letzte Person wäre, mit der sie sprechen musste, bis sie sich entschloss, wieder am Leben teilzunehmen, dass sie ihm beinahe einen Kuss auf den Mund gegeben hätte.

Sie verkniff es sich, winkte ihm zu und schleppte ihre Sachen in die winzige Diele dessen, was ihre Großmutter gern Sams Stadtpuppenhaus nannte.

»Ich bin wieder da!« Sie lehnte sich an die Tür, holte tief Luft und tanzte dann mit den Hüften wackelnd und Schulter kreisend über den Boden, »Meins, meins, meins. Alles meins. Baby, ich bin wieder da!«

Sie blieb abrupt stehen, die Arme von ihrem Freudentanz noch ausgebreitet, und starrte offenen Mundes in ihr Wohnzimmer. Tische und Stühle lagen übereinander und ihr hübsches kleines Sofa lag auf dem Rücken wie eine Schildkröte auf ihrem Panzer. Ihr Bildschirm stand nicht mehr an der Wand, sondern lag zerschmettert mitten auf dem Boden, zusammen mit einer Sammlung gerahmter Familienfotos und Hologramme. Sämtliche Gemälde und Drucke waren von den Wänden heruntergerissen worden.

Sam schlug die Hände vors Gesicht, bohrte ihre Finger in das kurze rote Haar und schrie los. »Um Gottes willen, Andrea! Wie zu Hause fühlen heißt noch lange nicht, dass du hier hausen kannst, wie du willst.«

Eine Party zu feiern war eine Sache, aber das hier… das ging zu weit. Da hatte jemand einen Tritt in den Hintern verdient.

Sie riss ihr Tele-Link aus der Tasche und schnauzte den Namen hinein. »Andrea Jacobs. Ehemalige Freundin«, fügte sie murmelnd hinzu, als die Verbindung hergestellt wurde. Mit zusammengebissenen Zähnen machte sie auf dem Absatz kehrt, ging aus dem Zimmer und stieg die Treppe hoch, während sie sich Andreas Ansagetext anhörte.

»Was zum Teufel hast du hier angerichtet«, schrie sie in das Tele-Link, »eine Bombe platzen lassen? Wie konntest du das tun, Andrea? Wie kommst du dazu, meine Sachen kaputtzumachen und mir zur Begrüßung diese Schweinerei zu überlassen? Wo zum

Teufel bist du? Renn lieber um dein Leben, denn wenn ich dich erwische ... Herrje, was ist das denn für ein Gestank! Dafür werde ich dich umbringen, Andrea.«

Der Gestank war so durchdringend, dass sie gezwungen war, sich den Mund mit der Hand zuzuhalten, als sie die Tür zum Schlafzimmer aufkickte. »Hier stinkt es, o mein Gott, ach herrje, mein Schlafzimmer. Das werde ich dir nie verzeihen. Ich schwöre bei Gott, Andrea, du bist tot. Licht!«, befahl sie.

Als die Beleuchtung anging und sie sich zwinkernd daran gewöhnt hatte, sah sie Andrea auf einem Haufen fleckiger Betttücher auf dem Boden liegen.

Sie sah, dass sie Recht gehabt hatte. Andrea war tot.

Fast wäre sie durch die Tür gewesen. Fünf Minuten später, und sie hätte frei gehabt und wäre auf dem Nachhauseweg gewesen. Dann hätte wahrscheinlich ein anderer den Fall übernommen. Und ein anderer verbrächte eine schweißtreibende Sommernacht mit einer aufgedunsenen Leiche.

Der letzte Fall war kaum abgeschlossen – und der war ein einziges Grausen gewesen.

Aber Andrea Jacobs gehörte jetzt ihr. In Freud und Leid.

Lieutenant Eve Dallas atmete durch einen Mundfilter. Sie funktionierten eigentlich gar nicht und sahen ihrer Meinung nach auch lächerlich aus, aber es half, den schlimmsten Gestank fern zu halten, wenn man es mit einer sehr reifen Leiche zu tun hatte.

Da der Thermostat im Raum auf angenehme 22 °C eingestellt war, hatte der Körper fünf Tage lang regelrecht gekocht. Er war von Gasen aufgebläht, hatte sich seiner Abfallstoffe entleert. Wer auch immer Andrea Jacobs die Kehle durchgeschnitten hatte, hatte sie nicht einfach getötet. Er hatte sie der Verwesung preisgegeben.

»Identifikation des Opfers. Jacobs, Andrea. Neunundzwanzig Jahre alt, weiblich, Gesicht Mischtyp. Die Kehle ist offenbar in einer von links nach rechts unten verlaufenden Bewegung aufgeschlitzt worden. Es gibt Hinweise darauf, dass der Mörder von hinten angegriffen hat. Aufgrund des Verfallzustands des Körpers lässt sich durch visuelle Untersuchung am Tatort nur schwer feststellen, ob andere Verletzungen oder durch Gegenwehr des Opfers entstandene Wunden vorhanden sind. Das Opfer trägt Straßenkleidung.«

Partykleider, stellte Eva fest, als ihr der verschmutzte Glitter am Saum des Kleides auffiel, die durch den Raum geschleuderten Stilettos.

»Sie kam nach einer Verabredung zurück, hat womöglich die Clubs abgeklappert. Hätte auch jemanden mitbringen können, obwohl es nicht danach aussieht.«

Sie sah sich im Raum um, während sie die Bilder in ihrem Kopf speicherte. Einen Moment lang wünschte sie sich, Peabody wäre hier. Aber sie hatte ihre frühere Assistentin und jetzige neue Partnerin früh nach Hause geschickt. Es würde nichts bringen, sie zurückzuordern und ihr den Abend zu verderben, den Peabody, wie Eve wusste, bei einem festlichen Abendessen mit ihrem derzeitigen Freund, einem echten Geizhals, verbrachte.

»Sie kam allein zurück. Hätte sie Begleitung gehabt, selbst wenn derjenige sie dann getötet hätte, wäre dieser zuerst auf Sex aus gewesen. Warum darauf verzichten? Und hier hat sich niemand gewehrt. Hier gab es keinen Kampf. Ein sauberer Schnitt. Keine weiteren Stichwunden.«

Sie richtete ihren Blick wieder auf den Körper und brachte Andrea Jacobs gedanklich zum Leben. »Sie kommt von ihrer Verabredung, ihrem Ausgehabend zurück. Hat ein paar Drinks gehabt. Vielleicht ist sie so dumm und geht die Treppe hoch, weil sie hört, dass jemand oben ist. Wir werden herausfinden, ob sie so dumm gewesen ist, aber ich wette, er hat sie gehört. Hörte sie hereinkommen.«

Eve ging hinaus in die Diele, blieb kurz stehen, ließ sie auf sich wirken und schaltete die Bewegungen der Leute vom Untersuchungsteam aus, die im Haus arbeiteten.

Sie ging zurück, stellte sich vor, wie sie diese himmelhohen Stöckelschuhe von den Füßen kickte. Ihre Riste würden weinen vor Erleichterung. Vielleicht hob sie einen Fuß, beugte sich ein wenig nach vorn, rieb ihn.

Und als sie sich aufrichtete, war er an ihr dran.

Kam von hinter der Tür, überlegte Eve, oder aus dem Schrank

an der Wand neben der Tür. Ging von hinten direkt auf sie zu, riss ihren Kopf an den Haaren nach hinten und schnitt dann.

Mit geschürzten Lippen studierte sie das Muster der Blutspritzer.

Sprudelte wohl aus der Drosselvene aufs Bett. Sie steht dem Bett zugewandt, er ist hinter ihr. Er wird nicht schmutzig. Ein schneller Schnitt nach unten, ein kleiner Schubs nach vorne. Noch im Fallen spritzt das Blut aus ihr heraus.

Sie warf einen Blick auf die Fenster. Die Vorhänge waren zugezogen. Als sie darauf zuging, um sie aufzuziehen, fiel ihr auf, dass auch die Rollos heruntergezogen waren. Das musste er getan haben. Wollte wohl nicht, dass jemandem das Licht, die Bewegung auffiel.

Sie ging wieder hinaus und steckte die Maske zu ihrer Untersuchungsausrüstung.

Das Untersuchungsteam und die Spurensicherung schlichen bereits in ihren Sicherheitsanzügen herum. Sie nickte einem Uniformierten zu. »Sagen Sie dem Sanitätsteam, sie ist fertig, um eingepackt, etikettiert und abtransportiert zu werden. Wo ist die Zeugin?«

»Ich habe sie nach unten in die Küche gebracht, Lieutenant.«

Sie überprüfte die Uhrzeit. »Suchen Sie Ihren Teamkollegen, und fangen Sie an, sich in der Nachbarschaft umzuhören. Sie waren als Erster am Tatort, richtig?

Er richtete sich ein wenig auf. »Ja, Lieutenant.«

Sie ließ einen Moment verstreichen. »Und?«

Sie hatte einen Namen. Mit Dallas wollte es sich schließlich keiner verderben. Sie war groß, schlank und trug jetzt leichte Sommerhosen, T-Shirt und Jackett. Er hatte gesehen, wie sie versiegelte, ehe sie das Schlafzimmer betrat, und am Daumen ihrer rechten Hand klebte ein wenig Blut.

Er war sich nicht sicher, ob er das ansprechen sollte.

Sie trug ihr braunes Haar kurz geschnitten. Ihre Augen waren von derselben Farbe und durch und durch Bulle.

Er hatte erzählen hören, dass sie faule Polizisten zum Frühstück verspeiste und zum Mittagessen wieder ausspuckte.

Er wollte den Tag überleben.

»Die Nachricht erreichte uns um sechzehn Uhr vierzig, Bericht von einem Einbruch und möglichem Mord unter dieser Adresse.«

Eve warf einen Blick zurück aufs Schlafzimmer.

»Meine Partnerin und ich nahmen an und trafen um sechzehn Uhr zweiundfünfzig am Tatort ein. Die Zeugin, als Samantha Gannon, Hausbewohnerin, identifiziert, empfing uns an der Tür. Sie war völlig aufgelöst.«

»Genauer. Lopkre«, fügte sie hinzu, als sie sein Namensschild gelesen hatte.

»Sie war hysterisch, Lieutenant. Sie hatte sich bereits übergeben, direkt vor der Eingangstür.«

»Ja, ist mir aufgefallen.«

Er entspannte sich ein wenig, da sie ihn offenbar nicht verspeisen wollte. »Hat sich wieder übergeben, an derselben Stelle, gleich nachdem sie uns die Tür geöffnet hat. Ist hier in der Diele mehr oder weniger zusammengeklappt und hat geweint. Immer wieder sagte sie, Andrea ist tot, oben. Meine Partnerin blieb bei ihr, während ich nach oben ging, um das zu überprüfen. Musste nicht weit gehen.«

Er verzog das Gesicht und nickte Richtung Schlafzimmer. »Der Gestank. Schaute ins Schlafzimmer, sah die Leiche. Den Tod konnte ich bereits von meinem Standort an der Türschwelle feststellen, ich habe den Raum nicht betreten, um nichts zu zerstören. Ich führte im ersten Stock eine kurze Untersuchung durch, um festzustellen, ob niemand anderer, tot oder lebendig, sich in den Räumlichkeiten aufhielt, dann forderte ich Verstärkung an.«

»Und Ihre Partnerin?«

»Meine Partnerin blieb die ganze Zeit über bei der Zeugin. Sie – Officer Ricky – hat eine sehr besänftigende Art auf Opfer und Zeugen. Es ist ihr gelungen, sie einigermaßen zu beruhigen.«

»In Ordnung. Ich schicke Ricky hinaus. Fangen Sie mit der Befragung an.«

Sie ging nach unten. Ihr fiel der Koffer gleich hinter der Tür auf, der Koffer mit dem Notebook, die protzige Handtasche, ohne die manche Frauen offenbar verloren waren.

Der Wohnbereich sah aus, als wäre ein heftiger Sturm durchgefahren, ebenso der kleine Medienraum neben der zentralen

Diele. Die Küche machte eher den Eindruck, als habe eine Meute verrückter Köche – von denen es nach Eves Auffassung zu viele gab – harte Arbeit geleistet.

Die Uniformierte saß in einer kleinen Sitzecke vor einem dunkelblauen Tisch, ihr gegenüber eine Rothaarige, die Eve auf Mitte zwanzig schätzte. Sie war so blass, dass die auf ihrer Nase und den Wangenknochen verteilten Sommersprossen sich wie auf Milch gestreuter Zimt abhoben. Ihre Augen waren von einem kräftigen, leuchtenden Blau, glasig von Schock und Tränen und rot gerändert.

Ihr Haar war kurz geschnitten – sogar noch kürzer als Eve es trug, betonte ihre Kopfform und sprang in kleinen Fransen in die Stirn. An ihren Ohren baumelten riesige Silberreifen, dazu trug sie Hose, Bluse und Jackett in New Yorker Schwarz.

Reisekleidung, vermutete Eve in Anbetracht der Koffer in der Diele.

Die Uniformierte – Ricky, wie Eve sich erinnerte – hatte mit leiser, beruhigender Stimme auf sie eingeredet. Jetzt brach sie ab und sah hoch zu Eve. Es war ein kurzer Blickwechsel – von Bulle zu Bulle. »Sie rufen die Nummer an, die ich Ihnen gegeben habe, Samantha.«

»Das werde ich tun. Danke. Danke, dass Sie bei mir geblieben sind.«

»Ist schon gut.« Ricky kam hinter dem Tisch heraus und ging dorthin, wo Eve wartete, gleich hinter der Schwelle. »Lieutenant. Sie ist ziemlich zitterig, aber sie wird noch eine Weile durchhalten. Aber sie wird wieder zusammenbrechen, so, wie sie sich an ihre Fingernägel klammert.«

»Welche Nummer haben Sie ihr gegeben?«

»Den Opfernotruf.«

»Gut. Sie schreiben einen Bericht über Ihr Gespräch mit ihr?«

»Mit Ihrer Erlaubnis, ja, Lieutenant.«

»Sorgen Sie dafür, dass es auch auf meinem Schreibtisch landet.« Eve zögerte einen Moment. Auch Peabody hatte eine sehr beruhigende Art, aber Peabody war nicht da. »Ich habe Ihrem Partner gesagt, er solle Sie zur Befragung in der Nachbarschaft mitnehmen. Suchen Sie ihn, sagen Sie ihm, ich hätte angeordnet, dass Sie erst mal am Tatort bleiben und er sich einen anderen Uniformierten für die Befragung suchen soll. Wenn sie zusammenbricht, wäre es besser, wenn wir jemanden in der Nähe haben, den sie schon kennt.«

»Ja, Lieutenant.«

»Und jetzt lassen Sie mich ein wenig allein mit ihr.« Eva ging in die Küche und blieb vor dem Tisch stehen. »Ms. Gannon? Ich bin Lieutenant Dallas. Ich muss Ihnen ein paar Fragen stellen.«

»Ja, Beth – Officer Ricky – hat mir schon gesagt, dass jemand… wie war bitte noch mal Ihr Name?«

»Dallas. Lieutenant Dallas.« Eve setzte sich. »Ich weiß, wie schwer das für Sie ist. Ich würde das gern aufzeichnen, wenn Sie damit einverstanden sind? Erzählen Sie mir doch einfach, was passiert ist.«

»Ich weiß nicht, was passiert ist.« Ihre Augen schimmerten, und ihre Stimme klang gefährlich belegt. Aber sie starrte auf ihre Hände und atmete ein paarmal ein und aus. Eve wusste diesen Kampf, sich unter Kontrolle zu halten, zu würdigen. »Ich kam nach Hause. Ich kam vom Flughafen nach Hause. Ich bin nicht in der Stadt gewesen. Ich bin zwei Wochen unterwegs gewesen.«

»Wo waren Sie?«

»Hm. Boston, Cleveland, East Washington, Lexington, Dallas, Denver, New L.A., Portland, Seattle. Eine Stadt muss ich vergessen haben. Oder auch zwei.« Sie lächelte matt. »Ich war auf einer Lesereise. Ich habe ein Buch geschrieben. Es ist verlegt worden – als Hörbuch und in Papier. Ich hatte wirklich Glück.«

Ihre Lippen zitterten, und sie verschluckte ein Schluchzen. »Es verkauft sich sehr gut, und sie – der Verlag – haben mich auf eine Lesereise geschickt, um es zu bewerben. Ich bin ein paar Wochen durch die Gegend gefahren. Ich bin gerade nach Hause gekommen. Gerade hier angekommen.«

An Samanthas flackerndem Blick, der im Raum Halt suchte, erkannte Eve, das sie sich dem nächsten Zusammenbruch näherte. »Leben Sie hier allein? Ms. Gannon?«

»Wie bitte? Allein. Ja, ich lebe allein. Andrea wohnt – hat nicht – o mein Gott –«

Ihr Atem ging stockend, und Eve sah an den weiß werdenden

Knöcheln ihrer zusammengepressten Hände, dass sie diesmal einen regelrechten Krieg gegen ihre Nerven führte. »Ich möchte Andrea helfen. Ich brauche Ihre Hilfe, damit ich mich an die Arbeit machen kann. Deshalb müssen Sie versuchen durchzuhalten, bis ich mir ein Bild gemacht habe.«

»Ich bin keine schwache Frau.« Sie rieb sich mit den Daumen heftig übers Gesicht. »Bin ich nicht. Ich kann gut mit Krisensituationen umgehen. Ich breche nicht einfach zusammen. Tue ich einfach nicht.«

Das glaube ich dir gleich, dachte Eve. »Jeder hat seine Grenzen. Sie kamen nach Hause. Sagen Sie mir, was passiert ist. War die Tür abgeschlossen?«

»Ja. Ich habe den Code für die Schlösser eingegeben und die Alarmanlage ausgeschaltet. Ich bin eingetreten und habe meine Sachen abgestellt. Ich war so glücklich, wieder in meinen eigenen vier Wänden zu sein. Ich war so müde, so glücklich. Mir war nach einem Glas Wein und einem Schaumbad. Dann sah ich das Wohnzimmer. Es war unfassbar. Ich war so wütend. Nur wütend und außer mir. Ich fischte mein Tele-Link aus der Tasche und rief Andrea an.«

»Wieso?«

»Oh. Oh. Andrea hat das Haus gehütet. Ich wollte das Haus nicht zwei Wochen lang leer stehen lassen, und sie wollte ihr Apartment neu streichen lassen. So passte es ganz gut. Sie konnte hier wohnen, meine Blumen gießen, meine Fische füttern … Ach herrje, meine Fische!« Sie wollte aufstehen, aber Eve hielt sie am Arm fest.

»Bleiben Sie.«

»Meine Fische. Ich habe zwei Goldfische. Lebende Fische, in meinem Arbeitszimmer. Dort habe ich noch gar nicht nachgesehen.«

»Bleiben Sie sitzen.« Eve hielt einen Finger hoch, um Samantha auf ihrem Platz festzuhalten, stand dann auf, ging zur Tür und winkte einen von der Spurensicherung herbei. »Überprüfen Sie das Büro, informieren Sie mich über den Zustand eines Goldfischpaares.«

»He?«

»Tun Sie, was ich Ihnen sage.« Sie kehrte an den Tisch zurück.

Über Samanthas Wange lief eine Träne, und ihre zarte Haut war fleckig. Aber sie war noch nicht zusammengebrochen.

»Andrea wohnte also hier, während Sie weg waren. Andrea allein?«

»Ja. Wahrscheinlich hatte sie hin und wieder jemanden hier. Sie ist sehr gesellig. Feiert gerne Partys. Das habe ich auch gedacht, als ich den Wohnbereich sah. Dass sie irgendeine verrückte Party gegeben und alles verwüstet hat. Ich habe auf ihren Anrufbeantworter eingeschrien, als ich nach oben ging. Ich habe schreckliche Dinge gesagt.« Sie ließ den Kopf in ihre Hände fallen.

»Entsetzliche Dinge«, murmelte sie. »Dann war da auf einmal dieser fürchterliche Gestank. Das brachte mich noch mehr in Rage. Ich platzte ins Schlafzimmer und... da lag sie. Da lag sie vor dem Bett auf dem Boden. All das Blut, das gar nicht mehr wie Blut aussah, sondern, na ja, Sie wissen schon. Ich glaube, ich habe geschrien. Vielleicht war ich auch kurz weggetreten. Ich weiß es nicht.«

Sie schaute wieder hoch, und in ihren Augen war ihre Erschütterung zu lesen. »Ich erinnere mich nicht. Ich weiß nur noch, dass ich sie gesehen habe und dann wieder die Treppe hinunterlief. Ich rief die neun-eins-eins. Und mir war übel. Ich rannte hinaus und übergab mich. Und dann hab ich was Dummes gemacht.

»Sie haben was Dummes gemacht?«

»Ich ging zurück ins Haus. Eigentlich weiß ich es besser. Ich hätte draußen bleiben und dort auf die Polizei warten oder zu einem Nachbarn gehen sollen. Aber ich konnte nicht klar denken, also kam ich zurück und blieb zitternd in der Diele stehen.«

»Das war keine Dummheit, Sie standen unter Schock. Das ist ein Unterschied. Wann haben Sie das letzte Mal mit Andrea gesprochen?«

»Ich weiß nicht genau. Ganz am Anfang der Lesereise. Aus East Washington, glaube ich. Nur um kurz nachzufragen.« Sie wischte sich eine zweite Träne aus dem Gesicht, als würde sie sich ärgern, sie dort anzutreffen. »Ich hatte schrecklich viel zu tun und kaum freie Zeit. Ich habe ein- oder zweimal angerufen, habe Nachrichten hinterlassen. Nur, um sie zu erinnern, wann ich nach Hause komme.«

»Hat sie Ihnen gegenüber je erwähnt, dass sie sich Sorgen macht? Jemand ihr Ärger bereitet oder sie bedroht?«

»Nein, nichts dergleichen.«

»Und was ist mit Ihnen. Sind Sie bedroht worden?«

»Ich? Nein, nein.« Sie schüttelte den Kopf.

»Wer wusste, dass Sie nicht in der Stadt sind?«

»Na ja … alle. Meine Familie, meine Freunde, Agentin, Verleger, Herausgeber, Lektor, Nachbarn. Es war kein Geheimnis, so viel steht fest. Ich war so berauscht wegen des Buchs, wegen der Chancen, dass ich fast jedem davon erzählte, der es hören wollte. Also … Es war ein Einbruch, glauben Sie nicht? Mein Gott, tut mir Leid, aber ich kann Ihren Namen einfach nicht behalten.«

»Dallas.«

»Glauben Sie nicht, dass es einfach ein Einbruch war, Lieutenant Dallas? Jemand hat Wind davon gekriegt, dass ich weg bin, und gedacht, das Haus sei leer, und –«

»Möglich. Wir müssen Ihre Sachen überprüfen, um herauszufinden, ob etwas fehlt.« Aber ihr waren die elektronischen Geräte und die Kunstwerke aufgefallen, die jeder Einbrecher, der auf sich hielt, mitgenommen hätte. Außerdem hatte Andrea Jacobs eine sehr hübsche Armbanduhr getragen und ziemlich viel Schmuck. Ob echt oder billig, das zählte kaum. Kein Dieb hätte so etwas zurückgelassen.

»Haben Sie in letzter Zeit irgendwelche ungewöhnlichen Anrufe oder Mails bekommen oder sonstige merkwürdige Kontakte gehabt?«

»Nun, seit das Buch erschienen ist, habe ich ein paar Mitteilungen bekommen – hauptsächlich über den Verlag. Leute, die mich treffen wollten oder denen ich dabei helfen sollte, ihr Buch herauszubringen oder deren Geschichte ich schreiben sollte. Manche davon waren schon ziemlich merkwürdig. Aber nicht bedrohlich. Und dann gab es noch welche, die mir ihre Theorie über die Diamanten erzählen wollten.«

»Was für Diamanten?«

»Aus dem Buch. In meinem Buch geht es um einen großen Diamantenraub am Anfang des Jahrhunderts. Hier in New York. Meine Großeltern waren darin verwickelt. Sie haben aber nichts gestohlen«, schob sie rasch nach. »Mein Großvater stellte in diesem Fall für die Versicherung die Nachforschungen an, und meine Großmutter – es ist kompliziert. Aber ein Viertel der Diamanten wurde nie gefunden.«

»Tatsächlich.«

»Wirklich ziemlich abgebrüht. Manche der Leute, die mit mir in Kontakt getreten sind, spielen bloß Detektiv. Das ist einer der Gründe für den Erfolg des Buches. Millionenschwere Diamanten – wo sind sie? Es ist mehr als ein halbes Jahrhundert her, aber soweit man weiß, sind sie nie aufgetaucht.«

»Sie publizieren unter Ihrem eigenen Namen?«

»Ja. Wissen Sie, die Diamanten und wie meine Großeltern sich kennen gelernt haben, das ist Teil der Familiengeschichte der Gannons. Das ist das eigentliche Herzstück des Buches. Die Diamanten sind der Kitzel, aber die Liebesgeschichte ist das Herz.«

Herz oder nicht Herz, überlegte Eve zynisch, ein paar Millionen in Diamanten sind schon ein teuflischer Kitzel. Und ein verdammt gutes Motiv.

»Okay. Haben Sie oder Andrea in letzter Zeit irgendwelche Beziehungen abgebrochen?«

»Andrea hatte keine Beziehungen – per se nicht. Sie mochte einfach Männer.« Ihre weiße Haut wurde flammend rot. »Das klingt jetzt irgendwie falsch. Ich meine, sie hat sich oft verabredet. Sie ist gern ausgegangen, hat es genossen, mit Männern auszugehen. Sie unterhielt keine ernsthafte monogame Beziehung.«

»Hatte sie mit irgendeinem der Männer, mit denen sie gern ausging, etwas Ernsteres?«

»Dergleichen hat sie nie erwähnt. Und das hätte sie. Sie hätte es mir erzählt, wenn einer von ihnen sie bedrängt hätte. Im Allgemeinen ging sie mit Männern aus, die das Gleiche wollten wie sie auch. Ein gute Zeit, keine Verpflichtungen.«

»Und wie ist das bei Ihnen?«

»Ich habe im Moment niemanden. Zwischen dem Schreiben und der Lesereise habe ich mich von einem Tag zum nächsten gehangelt und weder Zeit noch Lust dazu gehabt. Vor etwa einem Monat habe ich eine Beziehung beendet, aber da waren keine tieferen Gefühle im Spiel.«

»Sein Name?«

»Aber er hätte nie – Chad hätte niemals jemandem Leid zugefügt. Er ist ein kleines Arschloch – na ja, potenziell sogar ein großes Arschloch – aber er ist kein...«

»Es gehört zur Routine. Es hilft, Verdächtige auszuschließen. Chad?«

»Ach mein Gott. Chad Dix. Er wohnt in der East Seventy-First.«

»Verfügt er über die Codes, die ihm Zugang zu diesem Haus verschaffen würden?«

»Nein. Ich meine, er hat sie gehabt, aber nachdem wir uns getrennt hatten, habe ich sie verändert. Ich bin nicht blöd – außerdem war mein Großvater bei der Polizei, ehe er in private Dienste überwechselte. Er hätte mich gehäutet, wenn ich nicht die grundlegenden Sicherheitsvorkehrungen beachtet hätte.«

»Womit er auch Recht gehabt hätte. Wer sonst kannte die neuen Codes?«

Samantha strich sich mit den Händen durchs Haar, bis es in kurzen flammenden Spitzen abstand. »Die Einzigen, die sie außer mir kannten, waren Andrea und mein Reinigungsdienst. Dort liegen sie unter Verschluss. Es ist Maid in New York. Ach ja, und meine Eltern. Sie leben in Maryland. Ich gebe ihnen alle meine Codes. Für alle Fälle.«

Ihre Augen weiteten sich. »Die Überwachungskamera. Ich habe eine Überwachungskamera an der Eingangstür.«

»Ja, die wurde ausgeschaltet, und die Disketten fehlen.«

»Oh.« Sie gewann ihre Farbe zurück, rosig und kremig wie ein gesundes Mädchen. »Klingt sehr professionell. Aber wenn jemand so professionell vorgeht, warum verwüstet er dann das ganze Haus?«

»Das ist eine gute Frage. Ich werde irgendwann noch mal mit Ihnen sprechen müssen, aber fürs Erste ist es genug. Gibt es jemanden, den Sie anrufen möchten?«

»Ich kann mir nicht vorstellen, dass ich mit jemandem reden könnte. Ich bin ausgelaugt. Meine Eltern sind in Urlaub – sie segeln im Mittelmeer.« Sie biss sich auf die Lippen, als kaute sie einen Gedanken durch. »Ich möchte nicht, dass sie davon erfahren. Sie habe diese Reise fast ein Jahr lang geplant und sind erst vor einer Woche abgereist. Sie kämen auf dem schnellsten Weg zurück.«

»Wie Sie wollen.«

»Mein Bruder ist geschäftlich im All unterwegs.« Sie klopfte beim Überlegen mit den Fingern an ihre Zähne. »Er wird mindestens noch ein paar Tage weg sein. Und meine Schwester ist in Europa. Sie trifft sich in etwa zehn Tagen mit meinen Eltern, also kann ich sie alle aus dem hier raushalten. Ja, ich kann sie da raushalten. Ich werde mit meinen Großeltern in Kontakt treten, aber das hat auch bis morgen Zeit.«

Eve hatte eher daran gedacht, dass Samantha jemanden anrief, damit er bei ihr blieb, eine Stütze. Aber offenbar traf die anfängliche Selbsteinschätzung der Frau ins Schwarze. Sie war keine schwache Frau.

»Muss ich denn hier bleiben?«, fragte Samantha sie. »So sehr mir die Vorstellung auch zuwider ist, ich denke, ich möchte über Nacht doch lieber in ein Hotel gehen – na ja für eine Weile. Ich möchte nicht allein hier bleiben. Ich möchte nachts nicht hier sein.«

»Ich werde veranlassen, dass man Sie hinbringt, wohin Sie möchten. Ich muss nur wissen, wo ich Sie erreichen kann.«

»In Ordnung.« Sie schloss einen Moment lang die Augen und holte Luft, als Eve aufstand. »Lieutenant, sie ist tot. Andrea ist tot, weil sie hier war. Sie ist tot, nicht wahr, weil sie hier war, während ich weg war.«

»Sie ist tot, weil jemand sie umgebracht hat. Nur der allein, der dies getan hat, ist dafür verantwortlich. Sie sind es nicht. Sie ist es nicht. Es ist mein Job herauszufinden, wer dafür verantwortlich ist.«

»Sie sind gut in Ihrem Job, nicht wahr?«

»Ja. Das bin ich. Ich werde Sie von Officer Ricky in ein Hotel bringen lassen. Wenn Ihnen noch etwas einfällt, können Sie mich über die Polizeizentrale erreichen. Ach ja, diese Diamanten, über die Sie geschrieben haben. Wann wurden die gestohlen?«

»2003. Im März 2003. Damals ein Schätzwert von über achtundzwanzig Millionen. Über drei Viertel davon wurden gefunden und zurückgegeben.«

»Bleiben jede Menge Steinchen übrig. Danke für die Zusammenarbeit, Ms. Gannon. Tut mir Leid, wegen Ihrer Freundin.«

Sie ging nach draußen und arbeitete dabei verschiedene Theorien in ihrem Kopf durch. Einer von der Spurensicherung tippte ihr auf die Schulter, als sie vorbeikam.

»He, Lieutenant? Die Fische. Sie haben es nicht überlebt.«

»Mist.« Eve zwängte ihre Hände in die Taschen und verließ das Haus.

18

Sie hatte es weniger weit zu ihrer Wohnung als zur Zentrale, und inzwischen war es so spät geworden, dass sie es durchaus rechtfertigen konnte, sich die Fahrt zur Stadtmitte zu ersparen. Außerdem war ihre Ausrüstung zu Hause allem überlegen, womit die Polizei aufzuwarten hatte – abgesehen von der viel gepriesenen Abteilung für elektronische Ermittlungen.

Tatsächlich hatte sie Zugang zu einer Ausstattung, mit der die des Pentagons höchstwahrscheinlich nicht mithalten konnte. Einer der positiven Nebeneffekte ihrer Ehe, überlegte sie. Heirate einen der reichsten und einflussreichsten Männer der Welt – begeistert von elektronischem Spielzeug –, und du darfst damit spielen, wann immer du willst.

Wahrscheinlicher war allerdings, dass Roarke sie dazu überredete, sich doch von ihm bei der Benutzung dieser Geräte helfen zu lassen. Da Peabody für irgendwelche monotonen Arbeiten nicht zur Verfügung stand, hatte Eve vor, ihm das auch ohne größeres Wortgeplänkel zu erlauben.

Der Diamantenaspekt gefiel ihr, und sie wollte ein paar Daten dazu ausgraben. Welcher Assistent wäre besser geeignet, Daten über einen Bruch zusammenzutragen, als ein ehemaliger Dieb? Roarkes finstere Vergangenheit könnte sich am Ende geradezu als Plus herausstellen.

Insgesamt gesehen war die Ehe mit all ihren umheimlichen Winkeln und seltsamen Ecken doch eine gute Sache.

Die Rolle des Ermittlungsassistenten würde ihm sicher gut tun. Lenk ihn ab von den Offenbarungen, die aus dieser finsteren Vergangenheit erwachsen sind, und er wird sich bestimmt daran festbeißen. Wenn ein erwachsener Mann entdeckt, dass seine Mutter nicht das Miststück war, das ihn während seiner Kindheit ständig geschlagen und dann verlassen hat, sondern eine junge Frau, die ihn geliebt und die man umgebracht hat, während er noch ein Baby war – und zwar von seinem eigenen Vater –, dann wirft einen das schon aus der Bahn. Selbst einen Mann, der so ausgeglichen war wie Roarke.

Ihn helfen zu lassen würde also auch ihm helfen.

Das wäre auch eine kleine Entschädigung dafür, dass ihre Pläne für den Abend durchkreuzt wurden. Sie hatte eigentlich etwas Intimeres und wesentlich Schwungvolleres im Sinn gehabt. Summerset, ihr Fluch und Roarkes Majordomus, hatte Urlaub. Jede Minute zählte. Sie und Roarke wären allein im Haus, und es war – wie sie sich erinnerte – von keinerlei gesellschaftlichen oder geschäftlichen Verpflichtungen die Rede gewesen.

Sie hatte gehofft, diesen Abend damit zu verbringen, ihren Ehemann bis zur Besinnungslosigkeit zu vögeln und ihn dann diese Gunst erwidern zu lassen.

Doch gemeinsames Arbeiten hatte auch was.

Sie fuhr durch die großen Eisentore, die das von Roarke gebaute Imperium schützten.

Es war umwerfend, mit einem Rasen so grün, wie sie ihn in Irland gesehen hatte, riesigen Laubbäumen und wunderbar blühenden Büschen. Ein Heiligtum der Eleganz und des Friedens mitten im Herzen der Stadt, die sie beide als die ihre ansahen. Das Haus selbst war halb Festung, halb Schloss und inzwischen für sie der Inbegriff eines Zuhauses. Mit seinen vorspringenden und spitz nach oben stehenden Steinen erhob und erstreckte es sich würdevoll vor dem dunkler werdenden Himmel, und seine zahllosen Fenster flammten im Licht der untergehenden Sonne auf.

Während sie ihn besser kennen lernte, seine verzweifelte Kindheit und die eigensinnige Entschlossenheit niemals mehr zurückzukehren, hatte sie auch Roarkes Bedürfnis, ein derart luxuriöses

Heim zu schaffen – das ganz allein ihm gehörte –, begreifen, ja sogar schätzen gelernt.

Aus genau denselben Gründen hatte sie ihre Polizeimarke und das Gesetz als ihr Heim benötigt.

Sie ließ ihr hässliches Polizeifahrzeug vor dem ehrwürdigen Portal stehen, sprintete in der klebrigen Sommerhitze die Stufen hoch und tauchte ein in die himmlische Kühle des Foyers.

Schon brannte sie darauf, sich an die Arbeit zu machen, ihre vor Ort gemachten Notizen in eine Ordnung zu bringen, ihre ersten Spekulationen anzustellen, aber sie wandte sich an den Haus-Scanner.

»Wo ist Roarke?«

Willkommen zu Hause, liebste Eve.

Wie üblich brachte diese unpersönliche Stimme, die dieses spezielle Kosewort benutzte, sie ein wenig in Verlegenheit.

»Ja, ja. Beantworte meine Frage.«

»Er ist direkt hinter dir.«

»Herrgott noch mal!« Sie wirbelte herum und verkniff sich ein weiteres Schimpfwort, als sie Roarke sah, der lässig im Bogengang des Salons lehnte. »Warum nimmst du nicht gleich eine Sprengladung und zündest sie?«

»Das war nicht die Begrüßung, die ich erwartet hatte. Du hast Blut an deiner Hose.«

Sie schaute an sich herab. »Ist nicht meines.« Während sie abwesend daran herumrieb, musterte sie ihn.

Es war nicht nur seine Begrüßung, die ihre Herzfrequenz nach oben jagte. Das konnte passieren, passierte auch, indem sie ihn nur ansah. Es lag nicht am Gesicht. Oder nicht nur am Gesicht, sondern an den blendend blauen Augen, diesem unglaublichen Mund, der sich jetzt zu einem leichten Lächeln wölbte, oder dem Wunder an Flächen und Winkeln, die sich zu jenem umwerfenden Exemplar männlicher Schönheit verbanden, gerahmt von einer Mähne seidiger schwarzer Haare. Es war nicht nur diese hoch gewachsene, langgliedrige Statur, die, wie sie wusste, unter der geschäftsmäßigen Eleganz seines dunklen Anzugs voller Muskeln war.

Alles, was sie von ihm wusste, alles, was sie noch entdecken musste, verband sich und peitschte die Liebe wie einen Sturm durch sie hindurch.

Es war unvernünftig und unmöglich. Und das Wahrhaftigste und Echteste, was sie kannte.

»Wie hattest du denn geplant, mich zu Hause willkommen zu heißen?«

Er streckte eine Hand aus und verband seine Finger mit ihren, als sie den Marmorfußboden überquerten. Dann beugte er sich über sie, beugte sich zu ihr hinab, beobachtete sie, während er mit seinen Lippen die ihren streifte, beobachtete sie noch, als er den Kuss vertiefte.

»Etwas in der Art«, murmelte er und klang sehr irisch dabei. »Zum Auftakt.«

»Guter Auftakt. Was kommt als Nächstes?«

Er lachte. »Ich dachte an ein Glas Wein im Salon.«

»Wir allein, nur du und ich, trinken im Salon Wein.«

Die Schadenfreude in ihrer Stimme ließ ihn eine Braue hochziehen. »Ja, ich bin mir sicher, dass Summerset seinen Urlaub genießt. Wie freundlich von dir, dich zu erkundigen.«

»Bla bla.« Sie schlenderte in den Salon, ließ sich auf eins der antiken Sofas fallen und legte ihre Stiefel in voller Absicht auf eins der unbezahlbaren Tischchen. »Siehst du, was ich mache? Glaubst du nicht, das versetzt ihm einen Stich in den Hintern?«

»Das ist sehr kindisch, Lieutenant.«

»Was schlägst du vor?«

Er musste lachen und schenkte Wein aus einer bereits geöffneten Flasche in zwei Gläser. »Na dann.« Er gab ihr ein Glas, setzte sich und legte seine Füße ebenfalls auf dem Tisch ab. »Wie war dein Tag?«

»Ach nein, du zuerst.«

»Soll ich dir von meinen diversen Treffen erzählen, von den Fortschritten in der Planung zum Ankauf der Eton-Gruppe, der Eingliederung des Wohnkomplexes in Frankfort oder der Neuordnung der Nanotech-Abteilung in Chicago?«

»Ist schon gut, genug von dir.« Sie hob ihren Arm, um Platz zu machen, als Galahad, ihr riesiger Kater, mit einem Satz neben ihr auf dem Kissen landete.

»Habe ich mir gedacht.« Roarke spielte mit Eves Haaren und streichelte zugleich die Katze. »Wie geht's unserem neuen Detective?«

»Sie macht sich gut. Aber sie ist mit Papierkram überlastet. Muss erst die alten Sachen aufarbeiten, ehe sie mit was Neuem anfangen kann. Ich wollte eigentlich, dass sie sich ein paar Tage hinter den Schreibtisch klemmt, ehe sie mit ihrer glänzenden Polizeimarke hinaus auf die Straße geht.«

Sein Blick richtete sich auf den Blutfleck auf Eves Hose. »Aber du hast einen Fall am Bein.«

»Hm.« Sie schluckte den Wein und ließ ihn den rauen Tag glatt polieren. »Ich war allein am Tatort.«

»Hat der Lieutenant etwa Probleme damit, sich daran zu gewöhnen, dass er jetzt eine Partnerin anstatt einer Hilfskraft hat?«

»Nein. Vielleicht. Ich weiß nicht.« Sie schüttelte das ärgerlich ab. »Ich konnte sie doch nicht einfach in der Luft hängen lassen, oder?«

Er schnippte einen Finger zu der kleinen Vertiefung an ihrem Kinn. »Du wolltest sie nicht in der Luft hängen lassen.«

»Warum sollte ich auch? Wir arbeiten gut zusammen. Wir haben einen Rhythmus entwickelt. Ich konnte sie auch gut dabehalten. Sie ist eine gute Polizistin. Übrigens habe ich sie nur deshalb nicht hinzugezogen, weil sie den Abend schon großartig verplant hatte und zudem schon weg war. In diesem Job werden einem schon genug Pläne versaut, da muss ich ihr nicht auch noch ihre große Feier vermasseln.«

Er gab ihr einen Kuss auf die Wange. »Ganz reizend von dir.«

»War es nicht.« Ihre Schultern bewegten sich nach oben. »Es war leichter, als mir ihr Gemecker und Gejammer über vergebliche Reservierungen und ein schickes Kleid oder sonst was anzuhören, das jetzt überflüssig geworden war. Ich werde sie morgen ohnehin einweihen.«

»Warum weihst du mich nicht heute Abend schon ein?«

»Hatte ich vor.« Sie richtete ihren Blick auf ihn und grinste. »Ich denke, du könntest mir von Nutzen sein.«

»Und wir wissen doch, wie gern ich von Nutzen bin.« Seine Finger strichen über ihre Hüfte.

Sie stellte ihr Glas ab, hob dann das Schwergewicht Galahad hoch, der sich der Länge nach über ihren Schoß gelegt hatte.

»Dann komm mit mir, Kumpel. Ich brauche dich.«

»Das klingt... interessant.«

Er ging mit ihr los und zog den Kopf ein, als sie auf halber Treppe stehen blieb. »Gibt's ein Problem?«

»Ich dachte da an was. Weißt du noch, wie Summerset diesen Kopfsprung die Treppe runtergemacht hat?«

»Ist wohl unvergesslich.«

»Ja, gut, tut mir Leid, dass er sich seine Birne und so angeschlagen hat – aber weitaus schlimmer war für ihn wohl, dass seine Pläne, auch noch das Letzte aus diesem Haus rauszuholen, eine Weile auf Eis lagen.«

»Du bist wirklich zu einfühlsam, meine liebste Eve. Es kann nicht gut für dich sein, dir das Gewicht der Welt derart zu Eigen zu machen.«

»Ha ha. Dann war es also Pech. Die Treppe, meine ich. Wir müssen das reparieren, oder einer von uns ist der Nächste.«

»Und wie meinst du –«

Es war unmöglich, die Frage zu beenden, und schwer, sich daran zu erinnern, wie die Frage überhaupt gelautet hatte, denn ihr Mund lag heiß auf seinem, und ihre Hände zogen bereits heftig an seinem Gürtel.

Fast fühlte er sich, als drehten sich die Augen hinein in seinen Schädel und aus dem Hinterkopf wieder heraus.

»Glück kann man nie genug haben«, brachte er gerade noch heraus, ehe er sie herumwirbelte, sodass ihr Rücken auf die Wand traf und er ihr die Jacke herunterreißen konnte.

»Wenn wir nicht fallen und uns dabei umbringen, haben wir den Fluch gebannt. Das ist ein wirklich guter Anzug, habe ich Recht?«

»Ich habe noch andere.«

Sie lachte, zog an seinem Jackett, biss ihm in die Kehle. Er schlug auf den Verschluss des Waffengurts und schob die Riemen zur Seite, sodass er zusammen mit der Waffe die Stufen hinunterpolterte.

Alles Einzwängende folgte, dazu Taschen-Tele-Links, eine Krawatte aus Rohseide, ein einzelner Stiefel. Er hatte sie an der Wand festgenagelt, und sie war noch nicht ganz ausgezogen, als sie kam. Ihre Nägel gruben sich in seinen Nacken, glitten dann an ihm herunter, sodass sie seinen Hintern quetschen konnte. »Ich denke, es funktioniert.«

Atemlos lachte er auf und zog sie hinunter auf die Stufen. Sie rollten polternd nach unten. Schlugen auf, kletterten hoch. Zu ihrer Selbstverteidigung suchte sie mit ihrer Hand an einer der Spindeln des Geländers Halt und klammerte ihre Beine wie eine Schraubzwinge um ihn, damit sie nicht in einem Satz bis nach unten purzelten.

Er bearbeitete ihre Brüste, während ihre sich ihm entgegenreckenden Hüften ihn rasend machten. Als sie erschaudernd seinen Namen gurgelte, drückte er ihre Hand dazwischen und sah zu, wie sie noch einmal kam.

Bei allem, was er sich sein ganzes Leben lang gewünscht hatte, gab es nichts, was er mehr begehrte als sie. Je mehr er von ihr bekam, umso mehr sehnte er sich nach dem endlosen Kreislauf von Liebe, Lust und Verlangen. Er könnte mit allem leben, was zuvor war, und mit allem, was noch käme, solange es nur Eve gab.

»Nicht loslassen.« Er fasste unter ihre Hüften und hob sie hoch. »Noch nicht.« Und drang in sie ein.

Es folgte ein Augenblick besinnungsloser, explodierender Lust, und ihre Finger zitterten auf dem Holz. Die geballte Kraft seines Verlangens nach ihr und ihres Verlangens nach ihm brachten sie fast um. Benommen öffnete sie ihre Augen, sah in seine. Sie konnte sehen, wie er sich verlor in ihrer innigen Verbundenheit, als hätte Stahl sie zusammengeschmiedet.

Also wickelte sie sich um ihn und ließ nicht los.

Wie zwei Überlebende eines Erdbebens lagen sie auf der Treppe ausgebreitet. Sie war sich nicht einmal sicher, ob der Boden nicht noch bebte. Noch immer hatte sie einen Stiefel an, und ihre Hose hing mit der Innenseite nach außen am Knöchel dieses Beins. Zweifellos ein lächerlicher Anblick, aber sie konnte die Energie nicht aufbringen, sich darum zu kümmern.

»Ich bin mir jetzt ziemlich sicher, dass nichts passieren kann«, bemerkte sie.

»Das will ich hoffen, da ich keine Lust auf einen zweiten Versuch auf dieser Treppe habe – im Moment jedenfalls nicht.«

»Ich bin diejenige mit der Stufe im Rücken.«

»So ein Pech.« Er rollte sich auf sie, setzte sich, strich sein Haar nach hinten. »Das war… ich bin mir nicht ganz sicher. Denkwürdig. Ich würde sagen, denkwürdig.«

Auch sie würde es nicht so schnell vergessen. »Das meiste von unseren Sachen liegt unten.«

Er sah nach unten, wie sie auch. Während sie so verharrten, war bis auf ihr abgerissenes Keuchen kein Geräusch zu vernehmen.

»Da siehst du's, wie praktisch es ist, wenn einer da ist, der die Sachen aufhebt, wenn man heimkehrt.«

»Wenn ein gewisser Jemand – für die nächsten wunderbaren drei Wochen werden wir ohne diesen Namen auskommen – hier wäre, um hinter uns herzuräumen, wären dir nicht hier auf der Treppe die Sicherungen durchgebrannt.«

»Womit du Recht hast. Dann werde ich wohl die Sachen aufheben müssen. Du hast noch einen Stiefel an«, bemerkte er.

Sie überlegte einen Moment, entschied dann aber, dass es einfacher wäre, den Stiefel auszuziehen als die Hose zu entwirren. Als das geschafft war, hob sie alles auf, was in greifbarer Nähe lag.

Dann blieb sie sitzen, wo sie war, stützte ihr Kinn auf der Faust auf und sah zu, wie er die Unordnung beseitigte, die sie angestellt hatten. Ihn nackt zu sehen, war ihr nie unangenehm. »Ich muss das Zeug hier loswerden und mir was überwerfen.«

»Was hältst du davon, wenn du mir beim Essen erzählst, wie ich dir sonst noch von Nutzen sein kann?«

»Prima.«

Da sie der Bequemlichkeit halber in ihrem Arbeitszimmer essen wollten, ließ sie ihn das Essen auswählen. Den AutoChef bediente sie dann sogar selbst, um den Hummersalat zu bestellen, den er so gern mochte. Sie genehmigte sich noch ein zweites Glas Wein, da der Sex ihrer Meinung nach genügend Alkohol verbrannt hatte.

»Also gut, Frau mit Wohnung – privates Stadthaus – an der Upper Eastside – war zwei Wochen lang nicht in der Stadt. Eine Freundin hütete für sie das Haus. Besitzerin kommt an diesem Nachmittag nach Hause und sieht einen verwüsteten Wohnbereich vor sich. Sie behauptet, die Türen seien verschlossen, die Alarmanlage eingeschaltet gewesen. Sie geht nach oben. Es riecht streng, und das kotzt sie an, genauso wie die Schweinerei unten. Sie geht in ihr Schlafzimmer und trifft dort ihre Haushüterin tot an. Tot seit fünf Tagen, gemäß der vor Ort getroffenen Einschätzung. Aufgeschlitzte Kehle. Keine sonstigen sichtbaren Verletzungen. Alles deutet darauf hin, dass der Angriff von hinten erfolgt ist. Die Überwachungskamera am Eingang ist abgeschaltet worden, die Disketten wurden entfernt. Nichts deutet auf gewaltsames Eindringen hin. Das Opfer trug jede Menge Flitterzeug. Möglich – sogar wahrscheinlich –, dass das nicht echt ist, aber das Gerät, das sie ums Handgelenk trug, war eine gute Marke.«

»Vergewaltigung?«

»Meine vorläufigen Untersuchungen am Tatort geben darauf keinen Hinweis. Ich werde abwarten, was der Pathologe dazu meint. Sie war noch angezogen – Ausgehkleider. Wenn die Besitzerin des Hauses sich etwas beruhigt hat, werden wir überprüfen, ob irgendwas fehlt. Was ich gesehen habe, waren vermutlich Antiquitäten, originale Kunstwerke, Elektronik vom Feinsten. Bei meiner Tatortüberprüfung habe ich in einer Schublade auch Schmuck gefunden. Sah nach guter Arbeit aus, aber ich bin kein Experte. Vielleicht war es ein ganz normaler Bruch, der schief gelaufen ist, aber –«

»Und darin bist du Expertin.«

»Sah nicht danach aus, machte ganz und gar nicht den Eindruck. Sah so aus, als wäre jemand eingebrochen, weil er etwas Spezielles oder jemand Speziellen suchte. Machte eher den Eindruck, als sei diese Frau nach Hause gekommen, ehe er damit fertig war.«

»Dann also schlechtes Timing.«

»Absolut. Es war bekannt, dass die Hausbesitzerin sich nicht in der Stadt aufhielt. Möglicherweise hat er nicht damit gerechnet, dass jemand da war. Sie ging ins Schlafzimmer, er trat hinter sie, schlitzte ihr die Kehle von einem verdammten Ohr zum anderen auf und setzte dann seine Suche fort oder ging.«

»Nein, ein durchschnittlicher Einbrecher nicht. Die wollen schnell rein und schnell raus, keine Unordnung, kein Theater. Keine Waffen. Wenn man dich mit einer Waffe erwischt, wirst du länger eingebuchtet.«

»Du musst es ja wissen.«

Er lächelte nur. »Da ich nie erwischt oder eingebuchtet wurde, empfinde ich deinen trockenen Sarkasmus als unangemessen. Er ist nicht im üblichen Sinne eingebrochen«, fuhr Roarke fort, »also war der traditionelle Einbruch nicht seine Absicht.«

»Sehe ich auch so. Also nehmen wir uns Gannon und Jacobs – Hausbesitzerin, Opfer – vor, um herauszufinden, ob irgendwas klick macht und erklärt, warum jemand ihren Tod wünscht.«

»Ex-Ehemänner, Liebhaber?«

»Nach Aussage der Zeugin spielte Jacobs gern herum. Hat keinen eindeutigen Spielpartner. Gannon hat einen Verflossenen. Behauptet, sie hätten sich freundschaftlich getrennt, ohne großes Trara, vor einem Monat. Aber was das angeht, sind die Leute oft dumm, da wird gegrollt oder geschmachtet.«

»Du musst es ja wissen.«

Für einen kurzen Moment wusste sie nicht, worauf er anspielte – dann tauchte das Bild von Roarke auf, der einen ihrer Kollegen und ehemaligen One-Night-Stand vermöbelte. »Webster war kein Ex. Du musst schon mehr als zwei Stunden nackt mit jemandem zusammen sein, um dich als Ex zu qualifizieren. Das ist ein Gesetz.«

»Gut, ich lasse mich korrigieren.«

»Du kannst dein selbstgefälliges Grinsen ruhig sein lassen. Ich werde den Ex überprüfen. Chad Dix. Adresse an der Upper East.«

Es war zwar keine Pizza, aber der Hummersalat war gar nicht so schlecht, wie sie fand. Sie lud sich noch was auf den Teller, ehe sie ihre geistigen Akten durchging. »Das Opfer war eine Reisekauffrau, arbeitete für Work or Play Travel, Stadtmitte. Kennst du das?«

»Nein. Brauche ich nicht.«

»Es soll auch Leute geben, die aus anderen Gründen als Arbeit oder Vergnügen reisen. Beispielsweise, um zu schmuggeln.«

Er hob sein Glas, vertiefte sich in den Wein. »In gewisser Hinsicht könnte Schmuggel durchaus in die Kategorien Arbeit oder Vergnügen fallen.«

»Ich bin es leid zu sagen, dass du es ja wissen musst. Wir werden dieses Reisebüro mal unter die Lupe nehmen, aber ich glaube nicht, dass Jacob das Zielobjekt war. Es war Gannons Haus, waren Gannons Sachen. Sie war unterwegs – und man wusste, dass sie unterwegs war.«

»Arbeit oder Vergnügen.«

»Arbeit. Sie hat eine Lesereise für ein Buch gemacht. Und dieses Buch interessiert mich.«

»Wirklich? Da bin ich aber neugierig.«

»Ich lese doch«, sie nahm sich noch einen Nachschlag, »Zeug.«

»Akten zählen nicht.« Er gestikulierte mit seiner Gabel. »Aber mach weiter. Was interessiert dich an dem Buch?«

»Und es zählt doch«, murmelte sie. »Es ist eine Art Familiengeschichte, aber der große Knaller ist ein Diamantenraub Anfang des einundzwanzigsten Jahrhunderts hier in New York. Es –«

»Das Ding in der Forty-Seventh Street. *Hot Rocks*. Ich kenne das Buch.«

»Du hast es gelesen?«

»Ja, das habe ich. Die Rechte wurden letztes Jahr verkauft. Starline hat gekauft.«

»Starline? Publishing? Aber das gehört ja dir.«

»So ist es. Ich habe zufällig den Werbetext des für die Akquisition zuständigen Lektors in einem der Monatsberichte mitgekriegt. Es hat mich interessiert. Jeder – na ja, jeder mit gewissem Interesse – weiß Bescheid über das Ding in der Forty-Seventh Street.«

»Und du hättest dieses gewisse Interesse.«

»Hätte ich, ja. Diamanten im Wert von fast dreißig Millionen wandern aus der Börse. Etwa drei Viertel davon kehren wieder zurück. Aber da blieben immer noch jede Menge funkelnder Steine da draußen übrig. Gannon. Sylvia… Susan… nein, Samantha Gannon. Natürlich.«

Ja, Roarke konnte man gut gebrauchen. »Okay, jetzt weißt du, was ich weiß. Ihr Großvater hat dafür gesorgt oder war daran beteiligt, dass die Steine wieder zurückkamen.«

»Ja. Und ihr Urgroßvater – mütterlicherseits – war einer aus dem Team, das sie gestohlen hat.«

»Tatsächlich.« Sie lehnte sich zurück und dachte nach. »Wir gingen nicht in alle Einzelheiten.«

»Es steht im Buch. Sie hat diese Verbindung nicht verheimlicht. Die Verbindungen, diese zwei sich gegenüberstehenden Seiten, fördern den Verkauf sogar beträchtlich.«

»Fass mal die Höhepunkte zusammen.«

»Man wusste von vier Männern, die an dem Raubüberfall beteiligt waren. Einer war ein Insider, der hat die Weichen gestellt. Die anderen fungierten als Kunden oder Mitglieder des Ermittlungsteams, nachdem das Fehlen der Diamanten entdeckt worden war. Jeder von ihnen vereinbarte mit einem der Designer oder Großhändler oben ein Treffen. Jeder nahm eine Nippessache mit, die der Brancheninsider platziert hatte. Ein Gipshund, eine Flickenpuppe und so weiter.«

»Noch mal. Eine Puppe?«

»Versteckt, wo jeder sie sehen konnte«, erklärte er. »Ganz harmlos. In jedem Versteck befand sich ein Viertel Anteil des Raubs. Sie gingen am helllichten Tag hinein und wieder hinaus. Es heißt – und Samantha Gannon bestätigt das in ihrem Buch –, dass die beiden mit ihrem Anteil am Leib einen Block weit weg Mittagessen waren.«

»Sie gingen einfach raus.«

»Wirklich brillant in seiner Einfachheit. Es gibt einen Einzelhandelsbereich im Erdgeschoss. Fast ein Basar. Und damals – aber auch heute noch hin und wieder – liefen die Juweliere von Laden zu Laden, von Geschäft zu Geschäft und trugen ein Vermögen in Edelsteinen mit sich herum, die sie in Briefchen genannten Papierbechern verwahrten. Mit genügend Mumm, Kenntnissen und Insiderbeistand ist es leichter als du denkst, mit Klunkern im Tageslicht abzuhauen. Bei weitem leichter als ein Bruch nach Arbeitsschluss. Möchtest du Kaffee?«

»Schaffst du das?«

»Bestimmt.« Er stand auf, um in die Küche zu gehen. »Sie wären nie damit durchgekommen«, rief er zurück. »Über solche Steine wird akribisch Buch geführt. Es hätte schon sehr großer Geduld bedurft, so lange zu warten, bis genügend Zeit ins Land gegangen war, um sie in Geld zu verwandeln, sowie sorgfältige Recherche und eine gute Menschenkenntnis, um den richtigen Partner für diese Liquidation zu finden. Mensch bleibt eben Mensch. Und wer versucht nicht, sich was unter den Nagel zu reißen?«

»Sie sind mit dem Batzen abgehauen?«

»Nicht ganz.« Er kam mit einer Kanne und zwei Tassen zurück.

»Es ging eigentlich von Anfang an schief. Es begann mit unehrenhaftem Verhalten unter Dieben – wie das unweigerlich passiert. Einer der Bande – er hieß Crew – wollte sich nicht mit einem Viertel zufrieden geben, wenn er doch das Ganze haben konnte. Er war von ganz anderem Kaliber als O'Hara – das ist der Großvater – und die anderen. Die hatten es besser wissen müssen, als mit ihm gemeinsame Sache zu machen. Er lockte den Insider in die Falle – wahrscheinlich mit dem Versprechen auf ein besseres Geschäft. Er gab ihm zwei Kugeln ins Gehirn. Damals kamen mit alarmierender Regelmäßigkeit Kugeln zum Einsatz. Er nahm den Anteil seines Partners und hatte nun die Hälfte.«

»Und heftete sich an die Fersen der anderen.«

»Genau. Aber es sickerte durch, und sie tauchten unter, ehe er sie erwischen konnte. Und so kam am Ende O'Haras Tochter ins Spiel. Es wurde unschön, wie du feststellen wirst, wenn du das Buch liest. Ein weiterer von ihnen kam zu Tode. Sowohl Crew als auch der Versicherungsbulle kamen ihm auf die Spur. Der Bulle und die Tochter des Diebs verliebten sich jedoch glücklicherweise ineinander, und sie half ihm bei der Wiedererlangung der Hälfte, auf die O'Hara Zugriff hatte. Obwohl sie nach einigen Verwicklungen und Heldentaten auch Crew hochnahmen, wurde dieser noch nicht einmal drei Jahre nach Beginn seiner Haftstrafe im Gefängnis umgebracht. Seinen eigentlichen Anteil fanden sie in einem Sicherheitsdepot hier in der Stadt, zu dem sie durch einen Schlüssel geführt wurden, den er während seiner Haftzeit am Körper getragen hatte. Aber er hat nie preisgegeben, wo sich der andere Teil der Diamanten befand.«

»Das ist mehr als fünfzig Jahre her. Die könnten inzwischen doch längst verschwunden sein. Irgendwo in einer Schmuckschatulle in Form von Ringen, Armreifen, was auch immer.«

»Gewiss. Aber es macht doch mehr Spaß, sie sich in einer Gips-katze versteckt vorzustellen, die irgendwo in einem Trödelladen im Regal verstaubt, oder?«

Das mit dem Spaß konnte sie nicht nachvollziehen, das Motiv jedoch schon. »Sie erzählt in ihrem Buch von der Verbindung der Familie zu den vermissten Diamanten. Klingt sexy. Da wird wohl jemand beschlossen haben, dass sie sie haben muss oder weiß, wo sie sind.«

»Im Buch steht natürlich ein Dementi. Aber dennoch werden sich einige fragen, ob sie oder jemand aus der Familie sie hat. Wenn sie nach wie vor da draußen und außerdem noch ungefasst sind, ist ihr Wert heute weitaus höher als am Anfang des Jahr-hunderts. Allein schon die Legendenbildung treibt den Wert nach oben.«

»Wie viel?«

»Bescheiden geschätzt, fünfzehn Millionen.«

»An fünfzehn Millionen ist nichts Bescheidenes. Diese Summe könnte jede Menge Leute zur Schatzsuche treiben. Was, unter die-sem Gesichtspunkt betrachtet, den möglichen Täterkreis auf, sagen wir ein paar Millionen einengt?«

»Ich denke, es sind mehr, nach ihrer Lesereise bestimmt. Selbst diejenigen, die das Buch nicht gekauft oder gelesen haben, könn-ten die grundlegende Geschichte in einem ihrer Interviews mit-bekommen haben.«

»Nun, was wäre das Leben ohne Herausforderungen? Hast du je danach gesucht? Nach den Forty-Seventh-Street-Diamanten?«

»Nein. Aber es war oft sehr unterhaltsam, mit Freunden bei einem Glas Bier darüber zu spekulieren. Ich erinnere mich, dass man in meiner Jugend stolz war, dass Jack O'Hara – der lebend davonkam – Ire war. Manchen gefiel die Vorstellung, er habe den Rest sich doch noch geschnappt und seine Tage dann in Saus und Braus von den Erträgen gelebt.«

»Aber du glaubst das nicht.«

»Ich weiß nicht. Wäre ihm das gelungen, hätte Crew sich seiner so schnell entledigt wie ein Hund, der sich auf den Rücken dreht, um einen lästigen Floh loszuwerden. Crew war der Kaltblütige und derjenige, der das Versteck mit in die Hölle nahm. Vielleicht aus Boshaftigkeit, aber eher, denke ich, weil es dadurch seine waren. Seine blieben.«

»Dann war er wohl besessen?«

»Im Buch wird er so geschildert, und soweit ich herausfinden konnte, lag es Samantha Gannon sehr am Herzen, in ihrer Erzählung so wahrheitsgetreu wie möglich zu sein.«

»Also gut, dann werfen wir mal einen Blick auf unsere Darstellerliste.« Sie ging hinüber an den Computer auf ihrem Schreibtisch. »Das medizinische Gutachten und die forensischen Berichte bekomme ich frühestens morgen. Aber Gannon behauptete, das Haus sei abgeschlossen und mit der Alarmanlage gesichert gewesen, als sie zurückkam. Ich habe es mir genau angesehen, da hat sich keiner gewaltsam Zugang verschafft. Entweder kam er mit Jacobs rein oder auf eigene Faust. Ich tendiere zu Letzterem, was allerdings eine gewisse Erfahrung mit Sicherheitssystemen oder die Kenntnis des Codes voraussetzt.«

»Der Ex?«

»Gannon sagt, sie habe die Codes nach der Trennung verändert. Was aber nicht bedeuteten muss, dass er diese Veränderungen nicht herausgefunden hat. Während ich ihn mal kurz durchleuchte, könntest du mir alles heraussuchen, was du über die Diamanten und die beteiligten Personen finden kannst.«

»Höchst unterhaltsam.« Er schenkte sich Kaffee nach und nahm ihn mit in sein Arbeitszimmer, das sich an das von Eve anschloss.

Sie gab eine Standardsuche nach Chad Dix ein und brütete über ihrem Kaffee, während der Computer die Daten zusammensuchte. Kalt, aufwändig, sinnlos – das fiel ihr zum Mord an Andrea Jacobs ein. Es war kein in Panik begangener Mord. Dazu war die Wunde zu glatt, die Methode selbst zu überlegt. Wenn er schon von hinten kam, wäre es genauso leicht, genauso wirksam gewesen, sie bewusstlos zu schlagen. Ihr Tod hatte gar nichts gebracht.

Sie verwarf jede realistische Möglichkeit, dass ein Profi dahinter steckte. Der Zustand des Hauses rückte dies in den unteren Wahrscheinlichkeitsbereich. Ein verpfuschter Einbruch war zwar ein recht anständiges Cover für einen gezielten Mord, aber kein

Profi würde den Pfusch so gründlich verpfuschen und so viele leicht zu transportierende Wertgegenstände zurücklassen.

Dix, Chad, begann ihr Computer. *Wohnt in Nummer fünf der 41 East Seventy-Ninth Street, New York, New York. Geburtsdatum: 28. März 2027. Eltern: Mitchell Dix, Gracia Long Dix Unger. Geschieden. Geschwister: ein Bruder, Wheaton. Eine Halbschwester, Maylee Unger Brooks.*

Seine Ausbildung überflog sie, konzentrierte sich auf die Liste seiner Arbeitsverhältnisse. Finanzplaner für Tarbo, Chassie und Dix. Ein Geldmensch also. Sie ging davon aus, dass Typen, die gern mit anderer Leute Geld jonglierten, tatsächlich selbst gern einen Haufen davon hätten.

Sie studierte sein erkennungsdienstliches Foto. Breites Kinn, hohe Stirn, sauber rasiert. Gezielt auf hübsch gemacht, nahm sie an, mit seinem gepflegten braunen Haar und den ernsten braunen Augen.

»Computer. Hat die Person ein Vorstrafenregister? Einschließlich irgendwelcher Verhaftungen, bei denen die Anklage fallen gelassen oder das Verfahren eingestellt wurde.«

Wird bearbeitet ... Trunkenheit und ungebührliches Verhalten, Strafe bezahlt, 12. November 2049. Besitz illegaler Drogen, Strafe bezahlt, 3. April 2050. Zerstörung öffentlichen Eigentums, Trunkenheit in der Öffentlichkeit, Schadensersatz geleistet, Strafe bezahlt, 4. Juli 2050. Trunkenheit und ungebührliches Verhalten, Strafe bezahlt 15. Juni 2053.

»Da haben wir aber ein hübsches Muster entwickelt, Chad, nicht wahr? Computer, irgendwelche Strafregister wegen Alkohol und/oder Entziehungskuren wegen Drogenmissbrauchs?«

Wird bearbeitet ... Freiwilliges Rehabilitationsprogramm, Stokley Clinic, Chicago, Illinois. Vierwöchiges Programm vom 13. Juli bis 10. August 2050, abgeschlossen. Freiwilliges Rehabilitationsprogramm, Stokley Clinic, Chicago, Illinois. Zweiwöchiges Programm vom 16. Juni bis zum 30. Juni 2053, abgeschlossen.

»Und noch immer clean und nüchtern, Chad?«, wunderte sie sich. Ungeachtet dessen zeigte seine Akte auch keinerlei Hang zur Gewalttätigkeit.

Sie würde ihn am nächsten Tag befragen, tiefer nachbohren,

wenn es gerechtfertigt war. Jetzt holte sie sich die Daten des Opfers.

Andrea Jacobs war neunundzwanzig gewesen. Geboren in Brooklyn, einziges Kind, die Eltern noch am Leben, noch miteinander verheiratet. Sie wohnten jetzt in Florida, und Eve hatte ihr Leben zunichte gemacht, als sie ihnen vor ein paar Stunden mitteilte, dass ihr einziges Kind tot war.

Ihr erkennungsdienstliches Foto zeigte eine attraktive Blonde mit einem breiten, strahlenden Lächeln. Es gab kein Vorstrafenregister. Sie hatte acht Jahre lang für denselben Arbeitgeber gearbeitet und über denselben Zeitraum in ein und demselben Apartment gewohnt.

War von Brooklyn hergezogen, überlegte Eve. Hatte sich eine Arbeit und ein eigenes Zuhause gesucht. New Yorkerin von A bis Z. Da sie über die Erlaubnis der nächsten Verwandten verfügte, sich die Finanzen des Opfers anzusehen, gab sie den Code ein und rief die Daten auf.

Sie hatte sich einschränken müssen, aber nicht mehr als andere allein stehende Frauen, die schicke Schuhe liebten und die Nächte gern in Clubs verbrachten. Die Miete war bezahlt – die Rechnung bei Saks war überfällig, ebenso eine bei irgendeinem Clones. Eine kurze Nachforschung ergab, dass Clones ein Downtown-Laden war, der Designerklamotten verramschte.

Sie ließ die Daten stehen und kehrte zu ihren Notizen zurück, die sie zu einem Bericht ordnete. Es half ihr beim Nachdenken, wenn sie die Fakten, Beobachtungen und Behauptungen nahm und zu einem Ganzen miteinander verband.

Sie blickte auf, als Roarke in der Tür stand.

»Es gibt einiges an Information über die Diamanten, einschließlich detaillierter Beschreibungen und Fotografien. Und jede Menge über jeden der Männer, die angeblich an dem Raub beteiligt waren. Ich sammle noch. Ich lasse es gleich auf deinen Bildschirm übertragen.«

»Danke. Möchtest du sehen, was ich herausgefunden habe?«

»Nicht wirklich, nein.«

»Hast du Lust mitzukommen?«

»Mit Ihnen, Lieutenant? Immer.«

19

Sie kehrte zurück zum Tatort. Es war dunkel. Nicht so spät wie in der Mordnacht, überlegte sie, aber fast. Sie dekodierte das Polizeisiegel.

»Wie lange würde es dauern, den Alarm abzuschalten, die Schlösser zu dekodieren? Im Durchschnitt?«

»Aber Schatz, ich bin in solchen Dingen nicht Durchschnitt.«

Sie verdrehte die Augen. »Ist es ein gutes Sicherheitssystem? Brauchte man viel Erfahrung, um es zu knacken – oder einfach das richtige Werkzeug?«

»Erstens ist es ein gutes Viertel. Sicher und wohlhabend. Es herrscht beträchtlicher Fußgänger- und Straßenverkehr. Da würde man doch nicht herumstümpern, sodass alle sich fragen, was hat der Kerl da drüben vor? Selbst mitten in der Nacht – um welche Uhrzeit fand übrigens der Mord statt?«

»Die Todeszeit konnte anhand der Verfassung der Leiche nur geschätzt werden. Zwischen zwölf Uhr und ein Uhr morgens.

»Also nicht ganz so spät, vor allem wenn wir davon ausgehen, dass er bereits im Haus war. Wohl am späten Abend. Da möchte man nicht allzu viel Zeit verschwenden, um reinzukommen. Wenn ich es wäre – aber ich mache so etwas schon seit Jahren nicht mehr –, hätte ich mir das System vor der Tat angesehen. Mir entweder einen guten ersten Eindruck verschafft oder Nachforschungen angestellt und herausgefunden, welches Modell installiert war, das ich mir dann im Handel oder im Netz angesehen hätte. Ich hätte, bevor ich hier angetanzt wäre, gewusst, was ich zu tun hatte.«

Vernünftig, fand sie, unter Diebstahlsaspekten. »Und wenn du diese Vorarbeit geleistet hättest?«

Er gab ein tiefes, nachdenkliches Geräusch von sich und musterte die Schlösser. »Dann hätte man mit einiger Geschicklichkeit die Schlösser in vier Minuten auf – in drei, bei guter Fingerfertigkeit.«

»Drei bis vier Minuten also«, murmelte sie.

»Das ist länger als du glaubst, wenn du irgendwo stehst, wo du gar nicht sein solltest, und etwas machst, wozu du keine Berechtigung hast.«

»Ja, verstehe.«

»Wenn du Amateur bist, dauert es natürlich erheblich länger. Die Alarmanlage, na ja, wie du hier siehst, hat die Bewohnerin dankenswerterweise diese kleine Warnplakette hier angebracht, die allen Interessierten mitteilt, dass sie von der First Alarm Group beschützt wird.«

Eve stieß angewidert die Luft aus. »He, Herr Einbrecher, darf ich dir bei diesem Einbruch zur Hand gehen. Ihr Großvater war Bulle und hat dann als Privatdetektiv gearbeitet«, fügte Eve hinzu. »Hätte er ihr nicht gesagt, wie dumm es ist, für dein Sicherheitssystem zu werben?«

»Wahrscheinlich schon. Es könnte auch eine Finte sein. Damit wir uns nicht darüber streiten, gehen wir aber mal davon aus – oder gehen davon aus, dass unser Mörder davon ausgegangen ist, dass sie ihm die echten Daten an die Hand gegeben hat. Ihr gängigstes System für Wohnhäuser ist im Schloss selbst verdrahtet. Man muss es herausnehmen, während man am Schloss arbeitet. Dazu braucht man eine ruhige Hand. Dann muss man es auf der Schalttafel, die sie wahrscheinlich gleich hinter der Tür hat, wieder aktivieren. Das würde unseren Mann also eine weitere Minute kosten, sogar zwei, vorausgesetzt, er weiß, worum es geht. Besser wäre es gewesen, er hätte sich das System selbst angeschafft und dann an ihm geübt. Hast du mich hergebracht, damit ich mich daran versuche?«

»Ich wollte sehen –« Sie unterbrach sich, als ein Mann sie vom Gehweg aus ansprach.

»Was machen Sie da?«

Er war Mitte dreißig und sah aus, als würde er regelmäßig ins Fitnessstudio gehen. Feste Muskeln über einem schmalen Körperbau. Hinter ihm, auf der anderen Straßenseite, stand eine Frau im Licht, das durch eine offene Tür nach draußen fiel. Sie hatte ein Taschen-Tele-Link in ihrer Hand.

»Probleme?«, fragte Eve.

»Das frage ich Sie.« Der Mann rollte seine Schultern und wippte auf seinen Fußballen. Kampfhaltung. »Da ist keiner zu

Hause. Wären Sie ein Freund der Person, die hier lebt, sollten Sie das wissen.«

»Sind Sie ein Freund von ihr?«

»Ich wohne gegenüber.« Er deutete mit seinem Daumen. »Wir achten hier aufeinander.«

»Freut mich zu hören.« Eve zog ihre Dienstmarke heraus. »Sie wissen, was hier passiert ist.«

»Ja. Warten Sie eine Sekunde.« Er hob eine Hand hoch, drehte sich um und rief der Frau in der Tür zu: »Ist in Ordnung, Schatz. Es ist Polizei. Hatte ich mir schon gedacht«, sagte er, als er sich ihnen wieder zuwandte.« Aber ich wollte auf Nummer sicher gehen. Es sind schon jede Menge Polizisten zu uns gekommen und haben mit uns geredet. Tut mir Leid, dass ich sie erschreckt habe. Wir sind jetzt alle ein wenig nervös.«

»Kein Problem. Waren Sie am letzten Donnerstagabend auch hier?«

»Wir waren zu Hause. Wir waren direkt gegenüber, als hier…« Er glotzte auf das Gannon-Haus. »Mein Gott, ich darf gar nicht daran denken. Wir kannten auch Andrea. Wir waren bei Sam auf Partys eingeladen – und sie und meine Frau sind ein paar Mal mit Freundinnen zum Frauenabend ausgegangen. Wir waren direkt gegenüber, als das passiert ist.«

»Sie wussten also, dass Andrea Jacobs hier wohnte, während Ms. Gannon verreist war?«

»Meine Frau ging am Abend vor Sams Abreise zu ihrer Lesetour zu ihr – nur um sich zu verabschieden, ihr Glück zu wünschen, sie zu fragen, ob wir die Fische füttern sollten oder so. Sam sagte ihr, Andrea werde da sein und sich um alles kümmern.«

»Haben Sie Andrea Jacobs während der Abwesenheit von Samantha Gannon gesehen oder mit ihr gesprochen?«

»Ich glaube nicht, dass ich sie öfter als ein Mal gesehen habe. Ein kurzes Winken über die Straße. Ich verlasse das Haus fast jeden Tag um halb sieben. Gehe vor dem Büro zum Sport. Meine Frau geht um acht. Andrea hatte andere Zeiten, und deshalb werde ich nicht viel von ihr gesehen haben. Habe mir auch nichts dabei gedacht, dass ich sie nicht sah.«

»Aber heute Abend ist Ihnen aufgefallen, dass wir an der Tür waren. Liegt das an dem, was passiert ist, oder sind sie immer so wachsam?«

»Ich bin wachsam. Nicht wie ein Adler«, sagte er mit der Andeutung eines Lächelns. »Ich versuche einfach, die Augen offen zu halten, verstehen Sie. Und Sie beide haben sich hier irgendwie herumgetrieben, oder?«

»Ja. Wie jemand, der versucht, die Schlösser zu knacken und den Alarm auszuschalten. Ist Ihnen irgendwer aufgefallen, der nicht hierher gehört? Haben Sie in den letzten paar Wochen irgendwen an der Tür oder auch nur hier in der Gegend herumlungern sehen?«

»Die Polizei hat mich das Gleiche gefragt. Ich habe hin und her überlegt. Nein, mir ist nichts aufgefallen. Meiner Frau auch nicht, weil wir, seit es passiert ist, ständig darüber reden. Wir reden kaum noch über was anderes.«

Er atmete lange aus. »Und letzten Donnerstag sind meine Frau und ich gegen zehn Uhr ins Bett gegangen – haben dann dort noch was im Fernsehen angeschaut. Ich habe die Tür verschlossen, ehe wir nach oben gingen. Ich habe bestimmt nach draußen geschaut. Das tue ich gewohnheitsmäßig. Aber ich habe nichts gesehen. Keinen. Einfach schrecklich, was da passiert ist. Leute, denen so etwas zustößt, sollte man besser nicht kennen«, sagte er mit Blick auf das Haus. »Die sollte ein anderer kennen.«

Sie kannte sie, ging es Eve durch den Kopf, als sie zu Roarke zurückging. Sie kannte zahllose Tote.

»Mal sehen, wie lang es dauert«, sagte sie zu Roarke und deutete auf die Tür.

»Na gut.« Er zog ein kleines Lederetui aus seiner Tasche und suchte ein Werkzeug aus. »Du musst berücksichtigen, dass ich über dieses spezielle System weder Nachforschungen angestellt noch daran geübt habe.« Er ging in die Hocke.

»Ja, ja. Du bekommst dein Handicap. Ich möchte nur ein mögliches Szenario nachstellen. Ich glaube nicht, dass, wer auch immer sich dieses Haus unter die Lupe genommen hat, an Joe Fitness von gegenüber vorbeigekommen wäre. Nicht, wenn er sich eine Zeit hier im Viertel aufgehalten hat.«

»Während du dich mit ihm unterhalten hast, kamen ein halbes

Dutzend Leute an die Türen und Fenster und haben uns beobachtet.«

»Ja, habe ich bemerkt.«

»Wenn du dir was ansiehst, kannst du aber auch einfach vorbeigehen und Fotos machen.« Er richtete sich auf und öffnete die Tür. »Oder man könnte in einen ferngesteuerten Klon investieren, wenn man sich den leisten kann.« Während er sprach, öffnete er die Sicherheitsschalttafel hinter der Tür, baute eine Überbrückung ein und gab dann manuell einen Befehl ein. »Sich anders anziehen, einen anderen Gang annehmen. Man braucht einfach Geduld. Da, das hätten wir.«

»Du sagtest drei oder vier Minuten. Das waren keine zwei.«

»Ich sagte, jemand mit gewissen Fähigkeiten. Ich habe nicht gesagt, ich. Es ist ein anständiges System, aber Roarke Industries machen bessere.«

»Wenn ich das nächste Mal mit ihr rede, werde ich dich ins Spiel bringen. Er ging erst nach oben.«

»Bist du sicher?«

»Er ging erst nach oben, denn sonst hätte er doch unten die Lichter angelassen, nachdem er die Rollos heruntergezogen hatte. Und das wäre ihr aufgefallen, als sie nach Hause kam. Sie hätte das Licht und das Durcheinander im Wohnbereich bemerkt. Aber das hat sie nicht. Wenn wir davon ausgehen, dass sie über ein funktionstüchtiges Gehirn verfügte, dann wäre sie doch bei diesem Anblick sofort wieder hinausgelaufen und hätte die Polizei gerufen. Aber sie ging nach oben.«

Sie machte die Eingangstür wieder auf und ließ sie ins Schloss fallen. »Er hört sie. Sie sichert die Schlösser, stellt den Alarm ein. Vielleicht überprüft sie auch das Tele-Link hier auf Nachrichten.« Eve ging durch den Wohnbereich, umrundete das Durcheinander und achtete nicht auf die Chemiedünste, die der Reinigungstrupp zurückgelassen hatte. »Sie war aus gewesen, hat wahrscheinlich etwas getrunken. Sie hält sich hier unten nicht lange auf. Sie trägt Schuhe, die höllisch wehtun, aber sie zieht sie erst aus, als sie im Schlafzimmer ist. Verstehe zwar nicht, warum sie hier so lang darauf herumstöckelt, wo doch keiner ihre Beine bewundern kann. Na ja, okay. Sie geht nach oben.«

Eve ging nach oben. »Wetten, dass sie dieses Haus liebt. Sie hat fast zehn Jahre in einem Apartment verbracht. Bestimmt genießt sie es, so viel Platz zu haben. Sie geht ins Schlafzimmer und kickt diese verdammten Schuhe weg.«

»Ist zwar unwichtig, aber woher weißt du, dass sie die Schuhe nicht unten ausgezogen hat und barfuß mit ihnen in der Hand hochkam?«

»Hm? O ja, ihre Lage – und wie sie selbst lag. Hätte sie die Schuhe in der Hand getragen, als er sie aufgeschlitzt hat, wären sie näher an ihrem Körper zu Boden gefallen. Hätte sie sie nach oben getragen, hätte sie sich doch dem Schrank zugewandt oder sie wenigstens in Richtung Schrank geworfen. So würde ich das machen. Siehst du, wo ich stehe?«

Er sah, wo sie stand, genauso wie er die Blutspritzer und Flecken auf dem Bett, dem Fußboden, der Lampe und der Wand sah. Der Gestank wurde von den Chemikalien kaum überdeckt. Und er fragte sich, wie, wie in Gottes Namen, jemand jemals wieder in diesem Raum schlafen konnte. Mit dem Alptraum dieses Raumes leben konnte.

Dann fiel sein Blick auf seine Frau. Er sah dass sie wartete. Sah, dass ihre Polizistinnenaugen empfindungslos und stumpf waren. Sie lebte mit Alpträumen, im Wachen wie im Schlafen.

»Ja, sehe ich.«

»Die Schranktüren standen offen. Ich tippe auf den Schrank. Er hat nicht hier angefangen. Ich denke, er hat im Arbeitszimmer hinten im Flur angefangen. Das dürfte sein erster Halt gewesen sein, aber er ist nicht weit gekommen.«

»Warum?«

»Hätte er diesen Raum auf den Kopf gestellt, hätte sie die Unordnung bemerkt, sobald sie die Tür öffnete. Keine Verletzungen, die auf Gegenwehr schließen lassen, keine Anzeichen, dass sie versucht hätte, davonzulaufen oder zu kämpfen. Zweitens gibt es im Arbeitszimmer einen Arbeitsplatz, und der ist so ordentlich wie nur etwas. Deshalb gehe ich davon aus, dass er dort angefangen hat und eigentlich vorhatte, achtsam und ordentlich zu sein. Da kommt Jacobs herein und bringt seinen ganzen Plan durcheinander.«

»Und Plan B heißt dann Mord.«

»Ja. Er kann unmöglich den Arbeitsplatz übersehen haben, aber er hat keine Unordnung angerichtet. Bei allem anderen, was er durchsucht hat, ging es ihm nicht darum, ordentlich zu sein, aber den Arbeitsplatz hatte er schon abgesucht. Warum ihn also in Unordnung bringen?«

Roarke starrte auf den Schrecken aus Blut und Flüssigkeiten, die Boden und Wände besudelten. »Und einer Frau die Kehle durchzuschneiden spart Zeit.«

»Das könnte gezählt haben. Ich denke, er hörte sie hereinkommen, und anstatt zu warten, bis sie sich schlafen legte und Ruhe gab, anstatt sie bewusstlos zu schlagen, schlüpfte er hier hinein, versteckte sich im Schrank und sah sie eintreten und ihre verrückten Schuhe ausziehen. Schieb das Zeug hier weg, bitte. Wir haben das schon alles untersucht, der Tatort ist erfasst. Stell dich in den Schrank.«

»Du meine Güte.« Er schob die Kleiderhaufen und Kissen beiseite und betrat den offenen Schrank.

»Siehst du diesen Winkel? Das muss der Winkel sein, wenn man berücksichtigt, wie sie gelandet ist. Sie stand also so, mit abgewendetem Gesicht. Er kam von hinten, reißt ihren Kopf an den Haaren zurück – sie hatte langes Haar, und der Winkel der Wunde –, ja so muss es gewesen sein. Schnitt nach unten, von links nach rechts. Mach das. Die Haare stellst du dir vor.«

Er war mit zwei Schritten bei ihr, zog an ihren kurzen Haaren, täuschte den Schnitt mit dem Messer vor.

Sie stellte sich vor, einmal zusammengezuckt zu sein. Der Schock auf ihren Kreislauf, die Alarmlampen, die in ihrem Gehirn aufflammten, als der Körper schon starb. Und sah dabei zu Boden und brachte sich die Position der Leiche wieder in Erinnerung.

»So muss es gewesen sein. Ganz genau so. Er konnte unmöglich gezögert haben, nicht eine Sekunde lang. Wäre sie nur eine Sekunde lang gewarnt gewesen, hätte sie sich umgewandt, und der Winkel wäre ein anderer gewesen. Er muss schnell und überlegt gehandelt haben. Sieh nur, sie traf auf der Bettkante auf, als sie fiel. Die Spritzer legen das nahe. Trifft auf der seitlichen Bettkante auf, prallt ab, rollt, bleibt liegen. Dann machte er sich wieder an die Arbeit. Den größten Teil muss er durchsucht haben, nachdem er sie umgebracht hatte. Er muss noch ein, möglicherweise sogar zwei Stunden mit ihr im Haus verbracht haben, ist sogar noch einige Zeit hier in diesem Raum gewesen, während sie verblutete. Er hat gute Nerven. Und ist verdammt kaltblütig.«

»Lässt du Samantha Gannon überwachen?«

»Ja. Und ich werde sie beobachten, bis ich ihn kriege. Komm, lass uns gehen.«

Er wartete, bis sie wieder draußen in der heißen Sommerluft waren. Bis sie die Tür wieder versiegelt hatte. Dann strich er mit seinen Händen über ihre Arme und zog sie an sich, küsste sie sanft.

»Wofür war das?«, fragte sie.

»Das haben wir jetzt gebraucht.«

»Da hast du wohl Recht.« Sie nahm seine Hand und ging mit ihm die Außentreppe hinunter. »Das war nötig.«

Die Medien hatten bereits davon Wind bekommen. Eves Tele-Link im Büro der Polizeizentrale war verstopft mit Nachfragen, Bitten, Forderungen nach Information. Sie entledigte sich dieser mit einigem Vergnügen und schickte sie ans Medienzentrum. Sollten sie doch alle nach Blut schnüffeln so viel sie wollten, von ihr würden sie keins bekommen, bis sie fertig war.

Über kurz oder lang rechnete sie mit einem persönlichen Besuch von Nadine Furst. Aber damit würde sie sich befassen, wenn es so weit war. In der Tat bestand eventuell die Möglichkeit, sich die Spitzenreporterin von Channel 75 zunutze zu machen.

Sie gab das Programm für Kaffee ein und entschied, dass es nie zu früh war, der Gerichtsmedizin oder dem Labor auf den Wecker zu fallen.

Sie stritt sich mit dem Gerichtsmediziner, der mit ihrem Fall betraut war, und ärgerte sich gerade darüber, dass Morris, der Leiter der Gerichtsmedizin, Urlaub hatte, als im Einsatzraum vor ihrem Büro Geschrei und Pfiffe laut wurden.

»Es ist mir egal, ob ihr im Sommer unter Personalnotstand leidet«, belferte Eve. »Euch Leichen zu schicken ist zufällig kein

Hobby von mir. Ich brauche Ergebnisse, keine Entschuldigungen.«

Sie unterbrach die Verbindung und befand, dass dieser erste Arschtritt des Tages sie in genau die richtige Stimmung versetzt hatte, um im Labor die Welle zu machen. Mit mürrischer Miene reagierte sie auf das sich ihrem Büro nähernde Geklapper.

»Morgen, Dallas.«

Frisch zum Detective ernannt, hatte sich Peabody ihrer Uniform entledigt. Verdammt schade, wie Eve fand. Ihr stämmiger Leib, der in der blauen Uniform weitaus mehr Kurven zeigte, schmückte sich mit einer stramm sitzenden lavendelblauen Hose, einem bequemen Oberteil in Lila und einer weit geschnittenen Jacke, deren Stoff die beiden Farben in dünnen Streifen aufgriff. Statt ihrer abgetragenen und äußerst respektablen Polizistinnenschuhe trug sie spitze violette Schuhe mit kurzen dünnen Absätzen.

Was das Geklapper erklärte.

»Was zum Teufel haben Sie denn an?«

»Kleider. Das sind meine Kleider. Ich probiere verschiedene Stile aus, damit ich mich für meinen speziellen Arbeitsstil entscheiden kann. Ich denke auch an eine neue Frisur.«

»Wozu brauchen Sie eine neue Frisur?« An Peabodys dunkle Topffrisur war sie verflixt noch mal gewöhnt. »Warum müssen Leute immer neue Frisuren haben? Wenn Ihnen die alte nicht gefällt, warum hatten sie die dann überhaupt? Später gefällt Ihnen die neue Frisur nicht mehr, und sie müssen wieder was Neues haben. Mich macht das verrückt.«

»Verrückt macht einen viel.«

»Und was um Himmels willen sollen die darstellen?« Sie richtete den Finger auf die Schuhe.

»Sind die nicht großartig?« Peabody drehte ihr Fußgelenk, um sie herzuzeigen. »Sind auch überraschend bequem.«

»Das sind Mädchenschuhe.«

»Ich weiß nicht, wie ich Ihnen das klar machen soll, Dallas, aber ich bin ein Mädchen.«

»Meine Partnerin ist kein Mädchen. Ich habe keine weiblichen Partner. Ich habe Polizisten. Meine Partnerin ist ein Polizist, und das sind keine Schuhe für einen Polizisten. Sie klappern.«

»Die müssen nur eingelaufen werden.« Peabody wollte schon schmollen, da fiel ihr Blick auf die Akte und die Standfotos vom Tatort auf Eves Schreibtisch. »Was machen Sie da? Arbeiten Sie an einem alten Fall?«

»Er ist ganz frisch. Hab ihn gestern reingekriegt, kurz vor Dienstende.«

»Sie haben einen Fall reingekriegt und mich nicht dazugeholt?«

»Nicht jammern. Ich habe mich nicht gemeldet, weil Sie Ihren großen Abend hatten. Erinnern Sie sich noch, wie Sie das gesagt haben, als sei's ein Videotitel? Ich weiß, wie man an einem Tatort zu arbeiten hat, Peabody. Es gab keinen Grund, Ihre Pläne über den Haufen zu werfen.«

»Trotz Ihrer Meinung zu meinen Schuhen bin ich Polizistin. Ich rechne damit, dass meine Pläne über den Haufen geworfen werden.«

»Dieses Mal eben nicht. Verdammt, ich wollte, dass Sie ihn bekommen. Und wenn Sie das weiter aufbauschen, dann bringen Sie mich wirklich auf die Palme.«

Peabody sog ihre Lippen ein. Verlagerte ihr Gewicht, da die Schuhe doch nicht ganz so bequem waren, wie sie behauptet hatte. Dann lächelte sie. »Tue ich ja nicht. Ich weiß es zu schätzen. Es war wichtig für mich – und McNab hat sich große Mühe gegeben. Also danke. Es war ein großartiger Abend. Ich habe ein bisschen mehr getrunken, als mir gut getan hat. Deshalb bin ich heute Morgen ein wenig benebelt. Aber ein Schluck echter Kaffee sollte helfen.«

Sie richtete einen hoffnungsvollen Blick auf Eves AutoChef, wo es den echten Kaffee im Unterschied zu der als Kaffee getarnten Brühe draußen im Wachraum gab.

»Nehmen Sie sich einen. Dann setzen Sie sich. Ich werde Sie schon auf Touren bringen.«

»Fehlende Diamanten. Das kommt ja einer Schatzsuche gleich«, meinte Peabody. »Wie Beute. Könnte Spaß machen.«

Wortlos reichte Eve ihr eins der Standfotos von Andrea Jacobs Körper. Peabody stieß zwischen ihren Zähnen einen Pfiff aus. »Okay, dann halt kein Spaß. Kein Hinweis auf gewaltsames Eindringen? Vergewaltigung?«

»Nach Einschätzung am Tatort nicht.«

»Sie könnte jemanden mitgebracht haben. Schlechte Wahl. Soll vorkommen.«

»Wir werden das überprüfen. Ich habe mir ihr Konto angesehen. Ihre letzte Transaktion – die ganz nach Begleichung der abendlichen Rechnung aussieht – stammt aus dem Club Six-Oh. Sixtieth und Second, um drei viertel zwölf Uhr in der Nacht davor. Geschätzte Todeszeit liegt zwischen Mitternacht und ein Uhr.«

»Dann muss sie vom Club aus direkt zum Gannon-Haus gefahren sein. Wenn sie in Begleitung war, muss sie diese dort getroffen haben.«

»Wir prüfen das Umfeld«, erwiderte Eve und packte die Akte zusammen. »Wir unterhalten uns mit Gannons Ex, Jacobs Arbeitgeber und Kollegen, schauen im Club vorbei und machen einen Abstecher zur Pathologie, um denen auf die Füße zu treten.«

»Diesen Teil liebe ich. Da kann ich meine neue Dienstmarke blitzen lassen«, fügte sie hinzu, als sie zur Tür hinausgingen. Sie schnippte ihre Jacke auf, um die an ihrem Hosenbund befestigte Detective-Marke zu zeigen.

»Sehr hübsch.«

»Mein Lieblingsaccessoire.«

Die oberen Etagen von Tarbo, Chassie und Dix frönten offenbar der Theorie, dass zur Schau gestellter Überfluss die Klienten anzog, deren Finanzen einer Planung bedurften. Die mitten in der Stadt gelegenen Büroräume erstreckten sich über vier Stockwerke und protzten mit einem Informationszentrum von der Größe des Außenfelds der Yankees. Acht junge Männer und Frauen, die man sicherlich in erster Linie aufgrund ihres kessen Äußeren und weniger wegen ihrer kommunikativen Art eingestellt hatte, bemannten eine signalrote Theke, in der ein kleinerer Vorort Platz gefunden hätte. Sie waren allesamt mit einem PC ausgestattet und bedienten professionelle Zentren für Daten und Kommunikation.

Gemessen an dem strahlenden, identischen Lächeln, das sie alle aufgesetzt hatten, schienen sie alle eine hervorragende Mundhygiene zu betreiben.

Um sie herum gab es kleinere Theken mit weiteren flotten Männern und Frauen mit strahlenden Gebissen und zackigen Anzügen, drei Wartebereiche mit offenbar sehr bequemen Sesseln, ausgestattet mit Bildschirmen, damit man sich die Zeit mit Magazinen und Kurzvideos vertreiben konnte, umgeben von einem geschmackvoll bepflanzten Garten mit eigenem winzigen blauen Pool.

Quietschvergnügte, sich dauernd wiederholende Musik tanzte in gedämpfter Lautstärke durch die Luft.

Eve überlegte, dass sie nach einer Woche Arbeit unter ähnlichen Bedingungen wegen geistiger Verschmutzung in eine Gummizelle müsste.

Über einen weich gefederten grauen Teppich gelangte sie zur Haupttheke. »Chad Dix.«

»Mr. Dix finden Sie in Forty-Two.« Die helläugige, strahlende Brünette, tippte an ihren Bildschirm. »Es würde mich freuen, Ihnen eine seiner Assistentinnen zur Begleitung abzustellen. Wenn ich bitte Ihren Namen haben dürfte und Ihren Termin?«

Eve legte ihre Dienstmarke auf die glänzend rote Theke. »Lieutenant Dallas, NYPSD. Und ich würde sagen, dass mein Termin jetzt ist. Danke, wir schaffen es selbst hoch zu Forty-Two, aber Sie dürfen Mr. Dix gerne informieren, dass wir auf dem Weg zu ihm sind.«

»Aber um den Aufzug zu benutzen, müssen Sie erst freigegeben sein.«

Eve nahm ihre Marke und wackelte damit hin und her. »Dann sehen Sie zu, dass das passiert.« Sie steckte die Marke ein und strebte mit Peabody zu den Aufzügen.

»Darf ich das nächste Mal den fiesen Bullen spielen?«, flüsterte Peabody, als sie darauf warteten, dass die Türen aufglitten. »Ich muss doch üben.«

»Wenn Sie erst noch üben müssen, ist das meiner Ansicht nach nicht der richtige Beruf für Sie, aber sie dürfen es gern probieren.« Sie trat in den Aufzug ein. »Forty-Two«, befahl sie und lehnte sich an die Wand, während der Aufzug mit ihnen nach oben sauste. »Nehmen Sie die Assistentin, die man uns in den Weg schieben wird.«

»Super!« Peabody rieb sich die Hände. Dann rollte sie ihre Schultern und kreiste ihren Nacken.

»Ganz entschieden keine Berufung«, murmelte Eve, ließ Peabody aber vorangehen, als die Türen im zweiundvierzigsten Stock aufgingen.

Dieses Stockwerk sah nicht weniger opulent aus als das andere, doch das Farbmuster löste das Rot durch elektrisierendes Blau mit Silber ab. Die Wartezonen waren größer, dazu flimmerten über die Wandschirme verschiedene Finanzprogramme. Die Informationstheke hatte Größe und Gestalt eines kleinen Kneippbeckens. Doch sie hatten keinen Bedarf, denn die Assistentin kam im Eilschritt durch die Doppelglastür, die sich bei ihrem Näherkommen geräuschlos öffnete.

Die Assistentin war blond und trug ihr Haar mit den Sonnensträhnchen in einer Mähne von Korkenzieherlocken, die ihren Kopf wie ein Heiligenschein umsponnen. Sie hatte rosa Lippen und Wangen, babyblaue Augen und einen Körper, um dessen eindrucksvolle Kurven der schmale Rock und das Jackett in Zuckerwatteweiß wie angegossen saßen.

Weil Peabody ihre Chance nicht verpassen wollte, preschte sie vor und riss ihre Jacke auf. »Detective Peabody, NYPSD. Meine Partnerin, Lieutenant Dallas. Wir müssen wegen einer Ermittlung Chad Dix sprechen.«

»Mr. Dix ist gerade in einer Kundenbesprechung, aber ich sehe gerne in seinem Terminplan nach und mache einen späteren Termin für Sie fest. Wenn Sie mir eine gewisse Vorstellung von Ihren Geschäften vermitteln könnten und wie viel Zeit Sie benötigen?«

»In unserem Geschäft geht es um Mord. Und die Zeit, die wir benötigen, wird ganz von Mr. Dix abhängen.« Peabody senkte ihren Kopf und zog ihre Brauen zu einem strengen Blick nach unten, den sie voller Begeisterung vor dem Badezimmerspiegel einstudiert hatte. »Wenn es ihm nicht möglich ist, uns hier und jetzt zu empfangen, nehmen wir ihn gerne mit nach Downtown und halten unser Treffen dort ab. Sie können auch gern mitkommen«, fügte Peabody mit einem grimmigen Lächeln hinzu.

»Ich … wenn Sie mir eine Minute Zeit geben.«

Als die Assistentin davoneilte, stupste Peabody Eve mit dem

Ellbogen an. »In unserem Geschäft geht es um Mord. Ich fand das gut.«

»Hat aber nicht eingeschlagen.« Sie nickte, als die Blonde geschäftig zurückkam. »Lassen Sie uns Punkte zählen.«

»Wenn Sie bitte mitkommen möchten. Mr. Dix empfängt Sie jetzt.«

»Davon sind wir ausgegangen.« Peabody schlenderte hinter ihr her.

»Reiben Sie es ihnen doch nicht unter die Nase«, murmelte Eve. »Das ist geschmacklos.«

»Schach.«

Sie bewegten sich durch den fächerformigen Flur aufs breite Ende und ein weiteres Türenpaar zu. Diese waren aus Milchglas und öffneten sich, als die Assistentin sie antippte.

»Detective Peabody und Lieutenant Dallas, Mr. Dix.«

»Danke, Juna.«

Er saß hinter einem U-förmigen Arbeitsplatz mit der unvermeidlichen Fensterfront im Rücken. Seine Bürosuite verfügte über einen luxuriösen Sitzbereich mit mehreren breiten Sesseln und einem Regal voll antiker Spiele und Spielsachen.

Er trug einen steingrauen Anzug mit angedeuteten Nadelstreifen und eine geflochtene Silberkette unter dem Kragen seines schneeweißen Hemds.

»Officers.« Sachlich deutete er auf die Sessel. »Ich nehme an, Ihr Kommen steht im Zusammenhang mit der Tragödie bei Samantha Gannon. Ich habe vergangene Nacht davon in einem Medienbericht erfahren. Es war mir nicht möglich, Samantha zu erreichen. Können Sie mir vielleicht sagen, ob es ihr gut geht?«

»Soweit das möglich ist, ja«, erwiderte Eve. »Sie kannten auch Andrea Jacobs?«

»Ja.« Er schüttelte den Kopf und nahm wieder hinter seinem Schreibtisch Platz. »Ich kann nicht glauben, dass dies passiert ist. Ich habe sie durch Samantha kennen gelernt. Wir trafen uns öfter, als ich und Samantha noch zusammen waren. Sie war – das klingt vermutlich sehr klischeehaft, aber sie war einer jener Menschen, die voller Leben sind. Die Berichte sind sehr verschwommen, selbst noch heute Morgen. Es gab einen Einbruch?«

»Wir sind noch dabei, das herauszufinden. Sie und Ms. Gannon haben keinen Kontakt mehr miteinander?«

»Nein, nicht mehr auf romantischer Ebene.«

»Und woran liegt das?«

»Es hat nicht funktioniert.«

»Für wen?«

»Für keinen von uns. Sam ist eine sehr schöne, interessante Frau, aber wir fanden keinen Gefallen mehr aneinander. Wir beschlossen, die Beziehung zu beenden.«

»Sie kannten die Codes zu ihrem Haus.«

»Ich...« Er stockte und räusperte sich leise. »Ja, die kannte ich. Sie die meinen auch. Ich nehme an, sie hat sie geändert, nachdem wir uns getrennt hatten – wie ich die meinen.«

»Können Sie uns sagen, wo Sie in der fraglichen Nacht waren?«

»Ja, natürlich. Ich war hier, war bis kurz nach sieben im Büro. Ich hatte eine Verabredung zum Abendessen mit einem Kunden in einem Bistro – gleich unten an der Fifty-First. Juna kann Sie über den Kunden informieren, wenn das nötig sein sollte. Ich verließ das Restaurant gegen halb elf und fuhr nach Hause. Dort war ich etwa eine Stunde mit Schreibtischarbeit beschäftigt und sah mir die Medienberichte an, wie ich das jeden Abend tue, ehe ich ins Bett gehe. Da dürfte es fast Mitternacht gewesen sein. Dann ging ich ins Bett.«

»Kann das jemand bestätigen?«

»Nein, auf jeden Fall nicht mehr ab dem Zeitpunkt, da ich das Restaurant verlassen habe. Ich bin im Taxi nach Hause gefahren, aber die Nummer könnte ich Ihnen nicht mehr sagen. Ich hätte auch keinen Grund, in Sams Haus einzubrechen, um was zu stehlen oder um Himmels willen Andrea umzubringen.«

»Sie hatten im Lauf der Jahre erhebliche Probleme mit Drogenmissbrauch, Mr. Dix.«

Ein Kiefermuskel zuckte, und seine Augen wurden kalt. »Ich bin clean. Und das schon seit einigen Jahren. Ich habe Entziehungsprogramme mitgemacht und gehe weiterhin zu regelmäßigen Treffen. Falls nötig, erkläre ich mich auch zu einer Überprüfung bereit, aber nur mit entsprechendem Rechtserlass.«

»Wir werden Sie davon in Kenntnis setzen. Wann hatten Sie zum letzten Mal Kontakt zu Andrea Jacobs?«

»Das ist ein paar Monate her, mindestens sechs Wochen. Ich glaube, wir sind im Sommer alle zu einem Jazzclub downtown gefahren. Sam und ich, Andrea und der, mit dem sie damals liiert war, dazu ein paar andere Leute. Es war ein paar Wochen bevor Sam und ich uns trennten.«

»Haben Sie und Ms. Jacobs einander auch... getrennt getroffen?«

»Nein.« Seine Stimme klang ein wenig überreizt. »Ich habe Sam nicht betrogen und schon gar nicht mit einer ihrer Freundinnen. So sehr Andrea auch Männer mochte, wäre sie Sam doch nie ins Gehege gekommen. Das ist in jeder Hinsicht beleidigend.«

»Meine Arbeit bringt es mit sich, dass ich jede Menge Leute beleidige, und zwar in jeder Hinsicht. Mord und gute Manieren passen nicht zusammen. Danke für Ihr Entgegenkommen, Mr. Dix.« Eve stand auf. »Wir werden uns melden, wenn sich noch etwas ergibt.«

Sie war schon auf dem Weg zur Tür, drehte sich dann aber noch mal um. »Ach, übrigens, haben Sie Ms. Gannons Buch gelesen?«

»Natürlich.« Er lächelte ein wenig. »Sie hat mir schon vor einigen Wochen ein Vorabexemplar geschenkt. Und am Tag, als es herauskam, habe ich eins gekauft.«

»Irgendwelche Theorien über die Diamanten?«

»Faszinierende Geschichte, nicht wahr? Ich denke, Crews Ex-Frau ist damit abgehauen und hat sich irgendwo ein schönes Leben damit gemacht.«

»Könnte sein. Danke nochmals.«

Eve wartete, bis sie wieder hinunter ins Erdgeschoss fuhren. »Ihre Eindruck, Detective?«

»Ich mag es einfach, wenn Sie mich so nennen. Er ist gescheit, er ist gewitzt und er hat gar keine Kundenbesprechung gehabt. Er hat bloß seiner Assistentin gesagt, sie solle uns wenn möglich abwimmeln.«

»Ja. Die Leute reden halt nicht gern mit der Polizei. Warum nur? Er war vorbereitet«, fügte sie hinzu, als sie ausstiegen und die Lobby durchquerten. »Hat sich die fragliche Nacht genau zurechtgelegt – musste nicht mal an das Datum erinnert werden. Es ist sechs Tage her, und er hat nicht mal überlegen müssen. Rattert es herunter wie ein Schüler sein Zeugnis.«

»Und was die Tatzeit angeht, hat er kein Alibi.«

»Nein. Das ist womöglich auch der Grund, weshalb er uns eine Weile hinhalten wollte. Lassen Sie uns als Nächstes zum Reisebüro gehen.«

Eve fand, dass Work or Play unter Umständen als ein sehr fröhlicher Arbeitsplatz empfunden wurde. Bildschirme mit unerträglich hübschen Menschen, die in exotischer Umgebung herumtollten, füllten die Wände und sollten wohl potenzielle Reisende davon überzeugen, dass sie genauso unerträglich gut aussahen, wenn sie halb nackt an einem tropischen Strand herumtobten.

Ein halbes Dutzend Reisekaufleute saß an seinen Arbeitsplätzen, die alle mit persönlichen Erinnerungsfotos dekoriert waren, kleinen Puppen oder witzigen Briefbeschwerern, Postern.

Es waren alles Frauen, und das ganze Büro roch nach Mädchen. Eve musste an Sex mit Zuckerglasur denken. Sie trugen alle modische Alltagskleidung – jedenfalls ging sie davon aus, dass es modisch war –, selbst die Frau, deren Schwangerschaftsbauch danach aussah, als würde sie drei gesunde Babys darin herumtragen.

Schon ihr Anblick machte Eve nervös.

Noch schlimmer waren jedoch die sechs von Tränen geschwollenen Augenpaare und das gelegentliche Schluchzen oder Schniefen.

Es pulsierte nur so vor Östrogen und Gefühl im Raum.

»Es ist so unglaublich schrecklich. Ganz fürchterlich.« Die Schwangere hievte sich irgendwie aus ihrem Stuhl. Sie trug ihr strähniges braunes Haar hinten zusammengebunden. Ihr Vollmondgesicht hatte die Farbe von Milchschokolade. Sie legte ihre Hand auf die Schulter einer anderen, als diese zu weinen anfing.

»Es ist bestimmt einfacher, wenn wir in mein Büro gehen. Dies hier ist Andreas Arbeitsstation. Ich bin heute Morgen eingesprungen. Ich bin Cecily Newberry. Ich bin, na ja, der Boss.«

Sie ging voraus zu einem winzigen, ordentlichen Büro und schloss die Tür. »Die Mädchen sind – na ja, wir sind alle völlig durcheinander. Ich wollte Nara erst gar nicht glauben, als sie mich heute Morgen anrief und mir was von Andrea vorheulte und -brabbelte. Dann habe ich den Nachrichtenkanal eingeschaltet und mir den Bericht angehört. Entschuldigen Sie.« Sie legte eine Hand ins Kreuz und ließ sich auf einen Stuhl nieder. »Ich muss mich setzen. Es ist ein Gefühl, als hätte ein großer Bus auf meiner Blase geparkt.«

»Wann ist es denn so weit, Ms. Newberry?«, erkundigte sich Peabody.

»Noch zehn Tage.« Sie tätschelte ihren Bauch. »Es ist mein Zweites. Ich weiß auch nicht, was ich mir bei dieser Zeitplanung gedacht habe, dass ich es ausgerechnet in der Sommerhitze austragen muss. Ich bin heute extra reingekommen – eigentlich hatte ich vor, mir die nächsten paar Wochen freizunehmen. Aber ich bin hereingekommen, weil … nun, mir ware sonst nichts eingefallen, was ich hätte tun können. Tun sollen. Andrea hat hier fast so lange gearbeitet, wie ich den Laden habe. Sie führte ihn gemeinsam mit mir und wäre meine Vertretung im Mutterschaftsurlaub gewesen.«

»Sie ist immerhin einige Tage schon nicht mehr zur Arbeit erschienen. Waren Sie da nicht in Sorge?«

»Sie hatte sich Urlaub genommen. Heute sollte sie wiederkommen, weil ich meinen geplant hatte. O Gott.« Sie rieb sich ihr Gesicht. »Normalerweise nutzt sie unsere Vorteile und fährt irgendwohin. Aber sie hatte sich entschlossen, für ihre Freundin das Haus zu hüten und ihr Apartment streichen zu lassen, Einkäufe zu erledigen, wie sie sagte, und ein paar Wellnessbäder und Schönheitssalons in der Stadt aufzusuchen. Ich hatte gestern oder vorgestern damit gerechnet, dass sie sich bei mir meldet – nur um alles zur Übernahme durchzugehen. Aber ich habe mir wirklich nichts dabei gedacht, als ich nichts von ihr hörte. Offen gestanden habe ich mir gar nichts gedacht. Ich war so sehr mit diesem Baby, meiner kleinen Tochter zu Hause, dem Geschäft und dem Entschluss meiner Schwiegermutter, dass dies jetzt eine prima Zeit sei, um uns zu besuchen, beschäftigt, dass es mich von allem anderen ablenkte.«

»Wann haben Sie zum letzten Mal mit ihr gesprochen?«

»Vor ein paar Wochen. Ich mag – ich mochte Andrea wirklich

sehr, und es war ein wunderbares Arbeiten mit ihr. Aber wir hatten unterschiedliche Lebensstile. Sie war allein und ging gern aus. Ich bin unerhört verheiratet und ziehe eine Dreijährige groß, kriege noch ein Kind und führe ein Geschäft. Also haben wir uns außerhalb der Arbeit kaum gesehen oder miteinander geredet, es sei denn, es ging um die Arbeit.«

»Ist jemand aufgetaucht und hat nach ihr gefragt – speziell nach ihr gefragt?«

»Sie hat ihren Kundenstamm. Den haben die meisten meiner Mädchen. Kunden, die nur von ihnen bedient werden wollen, wenn sie eine Reise planen.«

»Dann wird sie auch eine Kundenliste haben.«

»Natürlich. Wahrscheinlich müsste ich jetzt irgendeinen Rechtsweg beschreiten, ehe ich einwillige, sie Ihnen zu überlassen, aber ich habe nicht vor, meine oder Ihre Zeit zu vergeuden. Ich habe sämtliche Passworte meiner Angestellten. Ich gebe es Ihnen. Dann können Sie alles von ihrem Arbeitsplatz kopieren, wovon Sie glauben, dass es Ihnen hilft.«

»Ich schätze Ihre Zusammenarbeit.«

»Sie war eine wunderbare Frau.« Die dunklen Augen schimmerten, füllten sich, liefen über. »Sie hat mich zum Lachen gebracht und hervorragende Arbeit geleistet. Ich wüsste nicht, dass sie jemals jemandem wehgetan hat. Sie war eins meiner Mädchen, wissen Sie. Sie war eine von mir.«

Es dauerte eine ganze Stunde, um die Akten zu kopieren, zu durchsuchen und zu dokumentieren, was sich am Arbeitsplatz befand, sowie die anderen Angestellten zu befragen.

Jede von Andreas Kolleginnen war mit ihr in Clubs, Bars, zu Partys ausgegangen, in Begleitung oder ohne. Es flossen viele Tränen, aber grundsätzlich Neues war nicht zu erfahren.

Eve konnte es kaum erwarten, diesem Mief aus Kummer und Lippenstift zu entfliehen.

»Machen Sie eine Standardüberprüfung ihres Kundenstamms. Ich werde mich noch mal mit Samantha Gannon unterhalten und diesem Arschloch von Gerichtsmediziner verbal ein paar verpassen.«

»Morris?«

»Nein, Morris bräunt sein edles Selbst an einem tropischen Strand. Wir haben Duluc erwischt. Sie ist langsamer als eine einbeinige Schnecke. Ich werde erst mal ihr auf die Zehen treten, und wenn dann noch Zeit ist, stürze ich mich auf Dickhead«, fügte sie hinzu und bezog sich dabei auf den Laborchef.

»Junge, das sollte für den Vormittag aber reichen. Vielleicht können wir Mittagessen gehen.«

»Vor Pathologie und Labor müssen wir uns noch mit dem Reinigungsdienst befassen. Haben Sie nicht erst vor ein paar Stunden gefrühstückt?«

»Ja, aber wenn ich jetzt anfange, Sie mit Mittagessen zu nerven, werden Sie nachgeben, bevor ich verhungert bin.«

»Detectives essen weniger oft als Hilfskräfte.«

»Habe ich nie gehört. Das sagen Sie jetzt nur, um mir Angst zu machen.« Sie trottete in ihren zunehmend unbequemeren Schuhen neben Eve her. »Stimmt's?«

20

Maid in New York war ein sich aufs Nötigste beschränkendes Ladenbüro, das auf alle Äußerlichkeiten verzichtete und sich voll und ganz auf den Service konzentrierte. Dieses Firmenprinzip wurde Eve ein wenig schnippisch von der Personalleiterin erklärt, die in einem Büro regierte, das noch kleiner und muffiger war als das von Eve in der Polizeizentrale.

»Wir halten den Überbau so klein wie möglich«, informierte Ms. Tesky mit dem vernünftigen Haarknoten und ebensolchen Schuhen. »Unsere Kunden sind an unseren Dienstleistungen interessiert – und kommen ohnehin kaum hierher. Und es geht ihnen um ihre eigenen Büros und Wohnungen.«

»Verstehe«, bemerkte Eve, und Teskys Nasenöffnungen zogen sich zusammen. Interessant zu beobachten.

»Unsere Angestellten sind unser Produkt und werden alle streng und umfassend befragt, getestet, durchleuchtet, ausgebildet und müssen in ihrem äußeren Erscheinungsbild, ihrem

Auftreten und ihren Fähigkeiten den höchsten Ansprüchen genügen.«

Angesichts Teskys stählernem Blick stellte Eve sich vor, dass ein Abschluss an der Police Academy dagegen vermutlich ein Kinderspiel war.

»Auch unsere Kunden werden überprüft, um die Sicherheit unserer Angestellten zu gewährleisten.«

»Das glaube ich gern.«

»Wir bieten unsere Haushaltsdienste für Privatwohnungen und Büros in Teams, paarweise oder mit Einzelpersonen an. Wir benutzen menschliches und Droiden-Personal. Wir sind in ganz New York und Umgebung und in New Jersey vertreten und bieten auf Nachfrage auch Zimmermädchen an, die mit einem Klienten verreisen, der unsere Dienste außerhalb der Stadt, außerhalb des Landes oder sogar außerhalb des Planeten in Anspruch zu nehmen wünscht.«

»Gut.« Sie fragte sich, wie viele der Mädchen zudem lizensierte Gesellschafterinnen waren, aber das tat hier nun nichts zur Sache. »Ich interessiere mich für den Angestellten oder die Angestellten, die für Samantha Gannons Wohnung verantwortlich waren.«

»Verstehe. Haben Sie einen Durchsuchungsbefehl? Ich behandle die Akten unseres Personals und unserer Klienten streng vertraulich.«

»Das glaube ich Ihnen. Ich könnte einen Durchsuchungsbeschluss beschaffen. Ein wenig Zeit, ein wenig Mühe, aber kein Problem. Doch da Sie mir diese Zeit und diese Mühe machen, während ich in einem Mordfall ermittle – übrigens einem wirklich abscheulichen, schmutzigen Mord, der einen ganzen Haufen Ihrer tatkräftigen Mädchen zum Reinigen erforderlich macht, muss ich mich schon fragen, warum Sie mich drosseln. Und ich frage mich, he, was hat Ms. Testy –«

»Tes -*ky*.«

»Genau. Was hat sie zu verbergen? Ich bin sehr argwöhnisch. Und wenn ich mich so etwas erst einmal frage, dann fange ich auch an zu graben. Und ich grabe immer weiter und besudle mit meinem argwöhnischen kleinen Finger ihre hübschen, ordentlichen Unterlagen. Es braucht nur einen Wink unsererseits ans

INS, und die schneien hier herein und machen noch mehr Unordnung, um ja sicherzugehen, dass Sie bei all Ihren Tests und Überprüfungen keine Illegalen übersehen haben.«

Die Nasenflügel zogen sich wieder zusammen. »Ihre Unterstellung ist eine Unverschämtheit.«

»Das höre ich immer wieder. Die Tatsache, dass ich von Geburt an argwöhnisch und beleidigend bin, heißt auch, dass ich wahrscheinlich ein noch größeres Schlamassel anrichte als die vom INS. Denn die denken nur mit dem Arsch. Was meinen Sie, Detective Peabody?«

»Da ich zu denen gehöre, die früher aufgeräumt haben, wenn Sie fertig waren, *Sir*, kann ich nur bestätigen, dass Sie auf jeden Fall ein größeres Durcheinander veranstalten als alle anderen. Außerdem werden Sie bestimmt was finden – das tun Sie immer –, was Ms. Tesky und ihrem Chef gewiss Unannehmlichkeiten bereiten wird.«

»Wie nennt man das noch mal? Auge um Auge? Ja. Wer mir auf die Hühneraugen tritt, der muss verdammt noch mal damit rechnen, dass er mehr als ein blaues Auge riskiert.«

Während Eves Rezitation hatte Ms. Tesky verschiedene interessante Farben angenommen. Zuletzt schien sie sich auf Fuchsia festgelegt zu haben. »Sie können mir nicht drohen.«

»Drohen? Menschenskind, Peabody, beleidigen, ja, aber habe ich jemals jemanden bedroht?«

»Nein, Lieutenant. Sie unterhalten sich nur auf Ihre ganz spezielle Weise.«

»Das will doch ich meinen. Ich unterhalte mich nur. So, nun wollen wir den Durchsuchungsbefehl anfordern, sollen wir? Und da wir uns schon die Zeit dazu nehmen und uns diese Mühe machen, lassen wir ihn gleich auch für die Finanzen und die zivilrechtlichen oder strafrechtlichen Fälle oder erhobenen Anklagen ausweiten wie natürlich auch auf die Personalakten.«

»Ich finde Sie sehr unsympathisch.«

»Da haben wir's wieder«, meinte Eve mit einem angedeuteten Lächeln. »Auge um Auge, schon wieder.«

Tesky wirbelte ihren Stuhl herum zu ihrem Schreibtischcomputer und gab den Code ein.

»Ms. Gannons Haus wird zweimal im Monat gereinigt, wobei vierteljährlich eine Großreinigung stattfindet, zudem hat sie eine Priorität in Notfällen und wenn sie Gäste hat vereinbart. Gestern wäre ihr regelmäßiger Service fällig gewesen.«

Es gruben sich noch ein paar zusätzliche Linien in Teskys Stirn ein. »Aber ihr Mädchen hat die Durchführung nicht bestätigt. Das ist einfach unakzeptabel.«

»Wer ist das Mädchen?«

»Tina Cobb. Sie hat sich in den letzten acht Monaten um das Gannon-Haus gekümmert.«

»Können Sie überprüfen, ob sie in letzter Zeit auch andere Aufträge nicht ausgeführt hat?«

»Einen Moment.« Sie rief ein anderes Programm auf. »Sämtliche Jobs bis zum Samstag sind durchgeführt und bestätigt worden. Den Sonntag hatte sie frei. Keine Bestätigung für das Gannon-Haus gestern. Bei ihrem Namen ist ein Marker, der besagt, dass der Kunde uns darüber informiert hat, dass sie nicht zur Arbeit erschienen ist. Sie musste ersetzt werden.«

Ms. Tesky tat, was jeder namens Tesky einfach tun musste. Sie kommentierte mit ›tst‹.

»Geben Sie mir ihre Adresse. »

Tina Cobb lebte in einem der Kästen, die nach dem Stadtkrieg am Rande der Bowery erbaut worden waren. Es waren Übergangswohnungen gewesen, da viele Gebäude ausgebrannt oder zerbombt gewesen waren. Der Übergangsbau stand jetzt schon länger als eine Generation. Anzügliche, kreative und oftmals mit keiner Grammatik zu erfassende Graffiti wirbelten über den entsteinten, wieder aufbereiteten Beton. Die Fenster waren gegen Vandalismus verrammelt, und die Herumtreiber auf den Treppen sahen aus, als wären sie glücklich, alles noch einmal niederbrennen und zerbomben zu können, nur um die Monotonie aufzubrechen.

Eve stieg aus dem Wagen, warf einen prüfenden Blick auf die Gesichter und tat so, als nehme sie das unverkennbare Aroma von Zoner gar nicht wahr. Sie zückte ihre Dienstmarke.

»Ihr könnt euch wahrscheinlich denken, dass das mir gehört«, sagte sie und deutete auf ihr Fahrzeug. »Was ihr euch aber wahrscheinlich nicht vorstellen könnt, ist, dass ich jeden, der sich daran zu schaffen macht, zur Strecke bringe und euch mit meinen Daumen die Augen herausdrücke.«

»He.« Ein Kerl in einem schmuddeligen Muskelshirt und einem blitzenden Silberring im Ohr zeigte ihr einen Vogel. »Fuck you.«

»Nein danke, aber reizend von dir, dass du fragst. Ich suche Tina Cobb.«

Es folgten Pfiffe und Buhrufe, Kussgeräusche. »Das ist ein schönes Stück Arsch.«

»Deine Meinung dazu wird ihr sicherlich gefallen. Ist sie da?«

Muskelshirt stand auf. Er streckte seine Brust heraus – so wie sie war – und stach mit dem Finger in Eves Richtung. Zu seinem Glück stoppte er vor der tatsächlichen Berührung. »Wozu Tina in die Mangel nehmen. Sie hat nichts ausgefressen. Das Mädchen arbeitet hart, kümmert sich um das, was ihr gehört.«

»Wer sagt denn, dass ich sie in die Mangel nehmen will? Sie könnte in Schwierigkeiten stecken. Wenn du ein Freund von ihr bist, wirst du ihr doch bestimmt helfen wollen.«

»Hab nicht gesagt, dass ich ein Freund von ihr bin. Hab nur gesagt, sie kümmert sich um das, was ihr gehört. Das tue ich auch. Warum nicht Sie auch?«

»Weil ich dafür bezahlt werde, mich um das zu kümmern, was anderen Leuten gehört. Und langsam frage ich mich, warum du eine einfache Frage nicht beantworten kannnst. In einer Minute werde ich mich um dich kümmern anstatt um Tina Cobbs.«

»Bullen sind alle Scheiße.«

Sie zeigte ihre Zähne zu einem schillernden Lächeln. »Möchtest du diese Theorie auf die Probe stellen?«

Er schnaubte, warf über seine Schulter einen Blick auf seine Kumpel, als wollte er ihnen zeigen, dass er keine Angst kannte. »Ist eh viel zu heiß für so was«, sagte er und ließ seine knochigen Schultern fallen. »Hab Tina schon ein paar Tage nicht mehr gesehen. Hab sie ja schließlich nicht im Visier. Ihre Schwester arbeitet da drüben in der Bodega. Warum fragen Sie die nicht?«

»Werde ich tun. Finger weg vom Auto, Jungs. Es ist zwar eine Schande, aber es ist meins.«

Sie überquerten die Straße. Eve nahm an, dass die Kussgeräusche und Einladungen zu einem sexuellen Abenteuer, die von der Treppe kamen, jetzt ihr und Peabody galten. Aber sie reagierte nicht darauf. Das dürre Arschloch hatte in einem Punkt Recht. Es war viel zu heiß, um sich darum zu kümmern.

Drinnen achtete sie auf das Mädchen an der Verkaufstheke. Klein, dünn, olive Hautfarbe, ein seltsames Frisurengebilde mit violetten Fransen über dem Pechschwarz.

»Ich könnte uns was holen«, bot Peabody an. »Etwas Essbares.«

»Dann machen Sie.« Eve trat an die Theke und wartete, bis die Kundin vor ihr ein Paket Milchpulver und eine winzige Schachtel Zuckerersatz bezahlt hatte.

»Kann ich Ihnen helfen?«, sagte die Frau, ohne großes Interesse zu bekunden.

»Ich suche Tina Cobb. Sie sind ihre Schwester?«

Die dunklen Augen wurden groß. »Was wollen Sie von Tina?«

»Ich möchte mit ihr reden.« Eve holte ihre Dienstmarke hervor.

»Ich weiß nicht, wo sie ist, okay? Sie wollte für ein paar Tage weg, und das geht ja wohl keinen was an, oder?«

»Sollte nicht.« Eve hatte Tina Cobb vom Auto aus überprüft und wusste, dass ihre Schwester Essie hieß. »Warum machen Sie nicht mal kurz Pause, Essie?«

»Ich kann nicht. Ich kann wirklich nicht. Ich arbeite heute allein hier.«

»Aber im Moment ist keiner im Laden. Hat sie Ihnen gesagt, wohin sie wollte?«

»Nein. Scheiße.« Essie setzte sich auf einen hohen Stuhl. »O Scheiße. Sie hat in ihrem Leben noch nie Ärger gehabt. Ihre ganze Zeit verbringt sie damit, für reiche Leute zu putzen. Vielleicht wollte sie nur einfach mal weg.« Jetzt schlich sich Angst in ihre Augen ein. »Vielleicht hat sie eine Reise gemacht.«

»Hatte sie ein Reise geplant?«

»Sie plant ständig. Wenn sie genug gespart hatte, wollte sie das tun und jenes und sechs Millionen andere Dinge. Nur, dass sie nie genug dafür gespart hatte. Ich weiß nicht, wo sie ist. Ich weiß nicht, was ich tun soll.«

»Wie lange ist sie denn schon weg?«

»Seit Samstag. Samstagabend ist sie ausgegangen und seitdem nicht wieder aufgetaucht. Kommt schon vor, dass sie nachts nicht nach Hause kommt. Tue ich manchmal auch nicht. Du triffst einen Jungen, du möchtest bei ihm übernachten, du tust es also auch.«

»Gewiss. Dann ist sie also seit Samstag weg.«

»Ja. Sonntag hatte sie frei, was soll's? Aber sie ist noch nie weggegangen, ohne es mich wissen zu lassen. Ich habe heute bei ihr in der Arbeit angerufen und nach ihr gefragt. Man sagte mir, sie sei nicht angetreten. Wahrscheinlich habe ich sie jetzt in Schwierigkeiten gebracht. Ich hätte nicht in der Arbeit anrufen dürfen.«

»Sie haben sie nicht als vermisst gemeldet?«

»Verflixt, man meldet doch nicht jemanden als vermisst, nur weil er ein paar Nächte nicht nach Hause kommt. Man geht nicht wegen jeder Kleinigkeit gleich zur Polizei. Hier in der Gegend wendet man sich ohnehin nicht an sie.«

»Hat sie was von ihren Sachen mitgenommen?«

»Weiß nicht. Ihre Maid-Uniform ist noch da, aber ihre rote Bluse und die schwarzen Jeans nicht. Auch nicht ihre neuen Sommersandalen.«

»Ich würde mir gern ihre Wohnung ansehen.«

»Sie wird sauer auf mich sein.« Essie nahm die weichen Tacos und Pepsis, die Peabody auf die Theke gelegt hatte und bediente sie. »Ach, zum Teufel. Sie hätte einfach nicht weggehen sollen, ohne mir was zu sagen. Das würde ich auch nicht tun. Ich muss abschließen. Mehr als fünfzehn Minuten sind nicht drin, sonst kriege ich wirklich Ärger.«

»Das ist nett.«

Es waren zwei winzige Räume mit einem Wulst im Wohnbereich, der als Küche diente. Die Spüle hatte etwa Breite und Tiefe einer hohlen Männerhand. Anstatt der teureren Rollos hingen vor den Fenstern manuell zu bedienende Markisen, die rein gar nichts gegen den Lärm von Straße und Himmel ausrichteten.

Eve hatte das Gefühl, sich an einem Verkehrsumschlagplatz zu befinden.

Die Zweisitzercouch ließ sich, wie Eve sich vorstellte, bestimmt in ein Bett verwandeln, die restliche Einrichtung bestand aus einem alten, rappeligen Unterhaltungsbildschirm und einer einzelnen Lampe in Gestalt einer Cartoon-Maus, die garantiert noch aus Kindertagen stammte.

Trotz seiner Beengtheit und Kargheit war es tadellos aufgeräumt. Und roch, wie sie merkwürdigerweise feststellte, genauso weiblich wie die von Mädchen beherrschte Reiseagentur.

»Zum Schlafzimmer geht es hier durch.« Essie deutete auf die Tür. »Als wir einzogen, hat Tina beim Münzewerfen gewonnen. Also hat sie das Schlafzimmer bekommen, und ich schlafe hier draußen. Aber es ist trotzdem ziemlich eng, wissen Sie. Wenn eine von uns einen Jungen hat, gehen wir deshalb auch normalerweise zu ihm.«

»Hat sie einen Jungen?«, fragte Eve, während Peabody Richtung Schlafzimmer ging.

»Sie trifft sich seit ein paar Wochen mit einem. Er heißt Bobby.«

»Hat Bobby auch einen Nachnamen?«

»Wahrscheinlich.« Essie zuckte mit den Schultern. »Ich kenne ihn nicht. Vermutlich ist sie bei ihm. Tina ist ganz und gar romantisch. Wenn sie sich verliebt, dann ganz und gar.«

Eve sah sich das Schlafzimmer an. Ein schmales Bett, ordentlich gemacht, eine Kommode in Kindergröße – wahrscheinlich von zu Hause mitgebracht. Darauf stand eine hübsche, dekorative Dose und eine billige Vase mit künstlichen Rosen. Eve hob den Deckel der Dose an, hörte eine Melodie klimpern und sah den billigen Schmuck, der darin lag.

»Den Schrank teilen wir uns«, sagte Essie, als Peabody ihre Nase in den kleinen Schrank steckte.

»Wo hat sie diesen Bobby denn kennen gelernt?«, wollte Peabody wissen und ging vom Schrank weiter zum Badezimmer.

»Das weiß ich nicht. Wir leben gemeinsam hier in diesem Kasten, aber wir versuchen einander aus dem Weg zu gehen, verstehen Sie? Sie sagte nur, sie habe einen Jungen kennen gelernt und er sei wirklich klasse und süß – und klug. Erzählte, dass er sich in Büchern und Kunst und so auskenne. Auf so was fährt sie ab. Eines Abends ist sie ausgegangen, um sich mit ihm in einer Kunstgalerie zu treffen.«

»Sie sind ihm nie begegnet?«, hakte Eve nach.

»Nein. Sie hat sich immer irgendwo mit ihm getroffen. Wir bringen die Jungs nicht oft mit hierher. Mein Gott, sehen Sie sich doch um.« Sie hatte den verlorenen, resignierten Ausdruck einer Frau, die wusste, dass die Regelung so am besten war. »Sie ist am Samstagabend weggegangen, weil sie sich mit ihm nach der Arbeit treffen wollte. Um ein Stück zu sehen oder so. Als sie nicht nach Hause kam, habe ich mir gedacht, dass sie bestimmt bei ihm geblieben ist. Nichts weiter. Aber da sie noch nie ihre Arbeit vernachlässigt hat und es noch nie passiert ist, dass ich so lange nichts von ihr gehört habe, mache ich mir langsam Sorgen.«

»Warum halten wir das nicht in einem Bericht fest?« Peabody tauchte aus dem Bad auf. »Eine Vermisstenmeldung.«

»O Mann, meinen Sie wirklich?« Essie kratzte sich an den zweifarbigen Haaren. »Und dann kommt sie hier angetanzt und findet heraus, dass ich das getan habe. Das wird sie mir dann monatelang unter die Nase reiben. Unsere Eltern müssen das aber nicht erfahren, oder? Das würde die völlig durcheinander bringen, und sie kämen sofort hysterisch angerannt und so.«

»Haben Sie dort mal nachgefragt? Möglicherweise ist sie ja für ein paar Tage nach Hause gefahren?«

»Ne. Ich meine ja, überprüft habe ich das. Ich habe meine Mama angerufen und gefragt, hallo, wie geht's und tralala. Sie sagte, Tina solle sich bei ihr melden, denn sie höre gern was von ihren Mädchen. Daher weiß ich, dass sie sich nicht gesehen haben. Meine Mutter würde ausrasten bei der Vorstellung, Tina sei mit einem Kerl zusammengezogen.«

»Wir werden darauf Rücksicht nehmen. Aber wollen Sie das nicht von Detective Peabody aufnehmen lassen?« Eves Blick fiel auf das ordentlich gemachte Bett.

»Die ist nicht zu einem ausgedehnten Fick zu einem Jungen gegangen«, sagte Eve, als sie wieder im Auto saßen. »Solche Mädchen ziehen nicht einfach los, ohne sich umzuziehen, ohne ihre Ohrringe und ihre Zahnbürste mitzunehmen. Sie hat in acht Monaten nicht einmal in der Arbeit gefehlt, und jetzt verpasst sie ausgerechnet ihren Dienst bei Gannon?«

»Du meinst also, sie wusste Bescheid?«

Eve dachte an das winzige saubere Apartment. Die kleine Spieldose mit den Souvenirs. »Nicht absichtlich. Aber ich bezweifle, ob man dasselbe auch über diesen Bobby sagen kann.«

»Wird nicht leicht sein, einen Jungen namens Bobby aufzuspüren. Kein vollständiger Name, keine Beschreibung.«

»Er hat irgendwo Spuren hinterlassen. Prüfen Sie mal, welche weiblichen Leichen wir haben. Jede, die seit Samstagnacht reingekommen ist. Wir fahren ohnehin runter zur Gerichtsmedizin. Wollen nur hoffen, dass wir sie dort finden.«

»Möchten Sie Ihr Taco?«

Eve wickelte es auf ihrem Schoß aus, überlegte dann jedoch, dass sie, würde sie es im Fahren essen, bestimmt den Rest des Tages Taco-Sauce auf ihrer Bluse hätte. Sie schaltete auf Automatik um, klickte sich ein paar Zentimeter nach hinten und fing zu futtern an.

Als das eingebaute Tele-Link aufblinkte, schüttelte sie den Kopf. »Aufnehmen«, sagte sie, den Mund voll eines geheimnisvollen Fleischzusatzproduktes und einer Sauce, die einem die Nasenhöhlen durchputzte.

»Nadine Furst«, verkündete Peabody.

»Zu schade, dass ich in der Mittagspause bin.« Sie trank die Pepsi und ging nicht auf den Anruf ein. »Eine Maid der Servicefirma macht also die Bekanntschaft mit einem Kerl namens Bobby, der sie in Kunstgalerien und ins Theater mitnimmt – aber er begleitet sie nie in ihre Wohnung oder lernt ihre Schwester kennen. In den drei Tagen, die sie vermisst wird, hat diese keinen Kontakt zu ihr, sie erscheint nicht bei der Arbeit. Ihr neuer Freund ruft auch nicht an, hinterlässt keine Nachricht, kommt nicht vorbei, um zu sehen, was los ist. Nichts.«

»Wenn sie mit ihm zusammen wäre, bräuchte er das nicht.«

»Richtig. Aber dieses Mädchen, das ihr Bett wie eine Pfadfinderin macht, meldet sich auf der Arbeit nicht krank und erzählt ihrer Schwester auch nicht, dass sie im warmen Liebesnest sitzt, verlangt nicht nach zusätzlichen Kleidern oder all den anderen Ausrüstungsgegenständen, die Frauen mit auf Sex-Safaris nehmen. Sie riskiert ihre Gehaltsüberweisung, vergisst ihre Familie, – und das alles in denselben Klamotten? Das kann ich nicht glauben.«

»Sie meinen also, sie ist tot.«

»Ich meine, sie hatte den Zugangscode zum Gannon-Haus. Und auf diesen Code hatte es jemand abgesehen. Wäre sie am Leben oder dazu in der Lage, hätte sie die Medienberichte gesehen oder gehört, die die Bildschirme mit dem neuesten Problem der Bestsellerautorin Samantha Gannon bombardiert haben – und sie hätte sich wenigstens bei ihrer Schwester gemeldet.«

»Drei weibliche Leichen in den letzten zweiundsiebzig Stunden«, berichtete Peabody. »Zwei ältere Obdachlose, Identität nicht ersichtlich. Die Dritte ist ein Knusperbraten, genauere Angaben fehlen noch.«

»Wo hat man die gefunden?«

»Verlassenes Grundstück«, entnahm Peabody ihrer Meldung. »Alphabet City. Sonntagmorgen gegen fünf Uhr. Jemand hat sie mit Benzin übergossen – mein Gott, da scheint einer noch einen Vorrat zum Anzapfen zu haben – und angezündet. Bis das jemand gemeldet hat, war sie schon geröstet. Mehr hab ich nicht.«

»Wer ist der Verantwortliche?«

»Warte mal. Aha! Es ist unser lieber Kumpel Baxter, mit tatkräftiger Unterstützung des bewunderswerten Officer Trueheart.«

»Das erleichtert die Sache. Versuch, ihn zu erreichen. Sieh zu, ob wir uns mit den beiden in der Leichenhalle treffen können.«

Eve konnte in dem weiß gefliesten Korridor vor dem Untersuchungsraum nur warten und Däumchen drehen, während Duluc eine Autopsie vollendete. Bei Morris fühlte sie sich nie derart durch die Mangel gedreht. Das wäre jetzt genauso wenig der Fall, wenn Duluc nicht vorsichtshalber die Türen des Untersuchungsraum dicht gemacht hätte.

Als der Summer brummte, um zu verkünden, dass sie fertig war, riss Eve die Türen auf und stapfte hindurch. Der Gestank unter dem Dunst aus Desinfektionsmitteln ließ ihre Augen tränen, aber sie kämpfte erfolgreich gegen den Würgeeffekt an und betrachtete Duluc finster.

Im Gegensatz zu Morris, der sowohl Witz als auch Stil hatte, war Duluc eine strenge Frau, die sich genau an die Vorschriften hielt. Sie trug ihren durchsichtigen Schutzanzug über einem makellosen weißen Laborkittel, dazu blassgrüne Gummihandschuhe. Ihr Haar war völlig unter der Schädelkappe verborgen. Um ihren Hals hing eine Schutzbrille.

Sie war keine einssechzig, stämmig gebaut und hatte ein flächiges Gesicht. Ihre Haut hatte die Farbe gerösteter Kastanien. Das einzig Gute an ihr – Eves Meinung nach – waren ihre Hände. Sie sahen aus, als könnten sie recht gut Klavier spielen, und waren in der Tat auch recht geschickt im Zertrennen von Leichen.

Eve deutete mit ihrem Kinn auf die Reste des Opfers auf dem Untersuchungstisch. »Ist das meine?«

»Wenn Sie damit fragen wollen, ob das die Überbleibsel des Opfers in Ihrem derzeitigen Ermittlungsfall sind, dann schon.«

Dulucs Stimme hörte sich in Eves Ohren stets an, als hätte sie eine zähe Flüssigkeit wie eine Blase in der Kehle sitzen. Beim Reden wusch sie sich die Hände. »Ich habe Ihnen doch gesagt, Sie bekommen meine Ergebnisse, sobald wie möglich. Ich lass mich nicht gern hetzen, Lieutenant.«

»Haben Sie die Auswertung aus der Toxologie?«

Duluc starrte sie an. »Drücke ich mich so unklar aus, oder wollen Sie mich nicht verstehen?«

»Nein, ich verstehe Sie recht gut. Sie halten mich hin, weil es sie geärgert hat, dass ich sie heute Morgen angefahren habe. Da müssen Sie drüber wegkommen, denn ihr ist es egal, ob wir sauer aufeinander sind.« Sie trat vor Andrea. »Sie möchte nur, dass wir handeln, also handeln wir.«

»Ihre Einschätzung am Tatort war exakt, was die Todesursache angeht. Eine einzige Schnittwunde an der Kehle. Ein scharfes, glattkantiges Messer. Vielleicht ein Stiletto. Es gibt keine Wunden, die auf Gegenwehr schließen lassen, keine anderen Spuren von Gewaltanwendung. Keine Vergewaltigung oder kürzlich erfolgter Geschlechtsverkehr. Ihr Blutalkohol war etwas hoch. Ich schätze, sie hatte vier Wodka Martinis – mit Oliven. Keine illegalen Substanzen. Ihre letzte Mahlzeit bestand aus einem Salat, Blattsalat mit Zitronendressing, etwa fünf Stunden vor dem Mord verzehrt.«

»Stimmen Sie mir zu, dass der Angreifer hinter dem Opfer gestanden hat?«

»Dem Winkel der Wunde nach zu schließen, ja. An der Größe des Opfers gemessen, sage ich, er oder sie ist etwa einsfünfundachtzig groß. Für einen Mann Durchschnitt, für eine Frau groß. Das wird alles in meinem offiziellen Bericht stehen, den ich Ihnen in angemessener Form zukommen lasse. Dieser Fall hier hat keinen Vorrang, Lieutenant, und wir haben unheimlich viel zu tun.«

»Die haben alle Vorrang. Sie haben eine weibliche Leiche. Knusperbraten, aus Alphabet City.«

Duluc seufzte schwer. »Ich habe kein Brandopfer auf meinem Plan stehen.«

»Auf irgendeinem muss es stehen. Ich muss die Leiche sehen und brauche die Daten.«

»Dann geben Sie einem der Aufseher Ihre Fallnummer. Ich habe anderes zu tun.«

»Es ist nicht mein Fall.«

»Dann brauchen Sie die Leiche auch nicht zu sehen oder die Daten.«

Sie wollte weggehen, aber Eve packte sie am Arm. »Eventuell wissen Sie nicht, wie das hier funktioniert, Duluc, aber ich bin Lieutenant im Morddezernat und kann mir sehr wohl jede Leiche ansehen, auf die ich Lust habe. Zufälligerweise wird Detective Baxter, der in diesem Fall die Ermittlungen leitet, sich hier mit mir treffen, da ich glaube, dass unser beider Fälle sich überschneiden. Wenn Sie mir weiterhin das Leben schwer machen, dann verspreche ich Ihnen, dass Sie den Kürzeren ziehen.«

»Ihre Haltung missfällt mir.«

»Wow. Es könnte einer mithören. Ich brauche die weibliche Leiche.«

Duluc riss sich los und stakste zum Arbeitsmonitor. Sie tippte ein und las die Daten vor. »Das nicht identifizierte weibliche Brandopfer befindet sich in Sektion C, Raum drei und wurde Foster zugeteilt. Er hat es noch nicht untersucht. Arbeitsrückstand.«

»Werden Sie mir Zugang verschaffen?«

»Habe schon dafür gesorgt. Wenn Sie mich jetzt bitte entschuldigen?«

»Kein Problem.« Sie rauschte durch die Türen. »Wie können diese Leute nur den ganzen Tag mit einem Stock im Hintern herumlaufen?«, wunderte sich Eve.

Sie bog in Sektion C ein, drückte gegen die Tür von Raum drei, die jedoch abgeschlossen war. »Scheiße!« Sie wirbelte herum und deutete auf einen der Aufseher, der in einem der Plastikstühle saß und vor sich hindöste. »Sie. Ich bin für diesen Raum angemeldet. Warum ist der abgeschlossen?«

»Duluc. Sie schließt alles ab. Bin überrascht, dass die Verkaufsautomaten nicht mit Sprengsätzen verbunden sind.« Er gähnte und streckte sich. »Dallas, stimmt's?«

»Das ist richtig.«

»Ich lasse Sie rein. Hab nur grad Pause gemacht. Doppelschicht heute. Wen wollen Sie denn sehen?«

»Weibliche Leiche.«

»Die kleine. Die gehört mir.«

»Dann sind Sie Foster?«

»Ja. Ich habe gerade einen Ungeklärten untersucht. Natürliche Ursache. Der Kerl war hundertundsechs, und seine zweite Pumpe hat den Geist aufgegeben, während er schlief. Schöner Abgang, wenn's schon sein muss.«

Er entriegelte die Tür und ließ sie ein. »Das ist kein guter Abgang«, fügte er hinzu und deutete auf die verkohlten Knochen auf dem Tisch. »Ich dachte, das sei Bax' Fall.«

»Ist es auch. Wir könnten allerdings eine Überschneidung haben. Er ist auf dem Weg hierher.«

»Für mich ist das in Ordnung. Ich war noch nicht dran an ihr.«

Er rief die Akte auf und überflog sie, während er seine Schutzkleidung aus dem Regal zog. »Die kam erst am Sonntag rein – und ich hatte den Tag frei – schöne Erinnerung. Bekommt ihr denn auch mal sonntags frei?«

»Hin und wieder.«

»Hat schon was, wenn man am Sonntagmorgen mal ausschlafen kann oder von Samstagabend bis Sonntagnachmittag durchschläft. Aber der Montag kommt regelmäßig.« Er schnalzte mit seiner Kappe. »Seit ich am Montagmorgen wiederkam, bin ich auf dem Laufenden. Bax hat mir aber in keinster Weise signalisiert, dass die hier zu einer Vermisstenmeldung passen könnte. Noch immer keine unbekannte weibliche Leiche«, sagte er und warf einen Blick zurück zu der auf dem Tisch liegenden Leiche. »Foto ist offenbar nicht drin. Hier kann uns nur das Gebiss weiterhelfen.«

»Was wissen wir?«

Er rieb sich die Augen und holte sich weitere Daten auf den Bildschirm.

»Weiblich, zwischen dreiundzwanzig und fünfundzwanzig. Einsdreiundsechzig, hundertzwanzig Pfund. Das ist eine Schätzung nach der virtuellen Rekonstruktion – so weit sind wir bis jetzt gekommen. Das sind nur die vorläufigen Einweisungsdaten.«

»Haben Sie Zeit, jetzt einen Blick auf sie zu werfen?«

»Sicher. Lassen Sie mich nur fertig anziehen.«

»Möchten Sie einen Kaffee?«

Er sah sie liebevoll an. »O Mama.«

Weil sie ihn schätzte, winkte sie Peabody zurück und ging selbst zum Verkaufsautomaten.

Sie bestellte drei, schwarz.

»Liebe meines Lebens, so geht das mit uns nicht weiter.«

Sie drehte sich nicht mal um. »Leck mich, Baxter.«

»Das tue ich ja, nachts, in meinen Träumen. Ich nehme einen davon.«

Sie sagte sich, dass er schließlich auf ihre Bitte hin gekommen war, programmierte einen vierten ein und warf einen Blick nach hinten. »Trueheart?«

»Ich nehme einen Lemon-fizz, wenn es Ihnen nichts ausmacht, Lieutenant. Danke schön.«

Er sah auch aus wie der Lemon-fizz-Typ mit seinem frisch rasierten, jungenhaften Gesicht. Hinreißend hatte Peabody ihn genannt. Und das ließ sich unmöglich leugnen. Ein All-American Boy, bildschön – was immer man auch darunter verstehen mochte –, in sommerlichem Blau.

Baxter wirkte dagegen geschleckt und glatt und zugeknöpft. Gut aussehend, aber mit Ecken und Kanten. Er stand auf gut geschnittene Anzüge und Frauen, die die Natur reichlich bedacht hatte.

Gute Polizisten, beide, überlegte Eve. Und es war ein gute Idee von ihr gewesen, den gewitzten Trueheart zu Baxters Assistenten zu machen.

»Auf die Tote«, sagte Baxter und stieß mit seinem Kaffeebecher leicht mit Eve an. »Was wollen Sie von unserer Leiche?«

»Sie könnte mit einer von mir in Verbindung stehen. Foster ist gerade dran an ihr.«

»Lassen Sie mich Ihnen was abnehmen, Lieutenant.« Trueheart nahm sein Lemon fizz und einen der Kaffees.

Eve weihte sie auf dem Weg zum Untersuchungsraum ein.

»Ob es nun ihr Putzmädchen ist oder nicht, jedenfalls wollte jemand, dass sie wirklich tot ist«, bemerkte Baxter. »Schädelbruch, Knochenbrüche. Wird wohl schon tot gewesen sein oder glücklicherweise bewusstlos, als er sie anzündete. Er hat sie nicht dort umgebracht, wo er sie angezündet hat. Loswerden und braten, das war es. Wir haben uns aufgrund der vorläufigen Daten mit der Vermisstenstelle in Verbindung gesetzt. Ohne Ergebnis. Haben die Gegend den ganzen Tag abgesucht. Keiner hat was gesehen oder gehört, keiner weiß was. Der Typ, der die Neun-eins-eins angerufen hat, sah das Feuer von seinem Fenster aus, aber nicht die Quelle. Behauptete, es sei zum Schlafen zu heiß gewesen, und er habe draußen auf der Feuerleiter gesessen. Der Anruf erfolgte um drei Uhr sechzehn. Die Feuerwehr hat den Anruf entgegengenommen und war um drei Uhr zwanzig am Tatort – die Jungs haben Sonderpunkte für Schnelligkeit verdient. Sie hat noch gebrannt.«

»Dann konnte er sie kaum sehr viel früher angezündet haben.«

Foster sah hoch, als sie eintraten. »Danke Lieutenant, stellen Sie ihn einfach da drüben ab. He Bax, immer locker?«

»Immer flockig locker, Baby.«

Foster fuhr mit dem Scanner über die Leiche. »Zeigefinger rechts gebrochen. Das ist ein alter Bruch. Frühe Kindheit. Zwischen fünf und sieben. Die Zähne habe ich schon gescannt. Hab sie an die nationale Datenbank zur Überprüfung geschickt. Das hier? Die Schädelverletzung?«

Eve nickte und trat näher.

»Ein schweres Trauma. Sehr wahrscheinlich irgendein beliebiger stumpfer Gegenstand. Ein Schlagholz vielleicht oder ein Rohr. Schädelfraktur. Sie hat drei gebrochene Rippen, ein gebrochenes Schienbein und Kieferknochen. An diesem Mädchen hat sich jemand ausgetobt. Sie war tot, ehe er das Benzin über sie goss. Und das ist ein Segen.«

»Er hat sie nicht dort umgebracht, wo er sie abgelegt hat«, bemerkte Baxter. Wir haben eine Blutspur gefunden, die von der Straße hinführt. Nicht viel Blut. Dort, wo er sie zusammengedroschen hat, muss sie weitaus mehr Blut verloren haben.«

»Dem Winkel der Brüche nach zu schließen – seht ihr das hier auf dem Bildschirm?« Foster nickte auf die betonten Linien in Blau und Rot. »Sieht aus, als hätte er zuerst gegen den Fuß getreten. Das muss passiert sein, als sie stand. Als sie zu Boden ging, machte er sich an die Rippen, das Gesicht. Der Schädel war der Gnadenstoß. Wahrscheinlich war sie bewusstlos, als er ihr den Schädel einschlug.«

Hat sie versucht wegzukriechen?, überlegte Eve. Hat sie im Schock und vor Schmerz geschrien und versucht, sich wegzuschleppen? »Um zu verhindern, dass sie wegrennt«, murmelte sie. »Nimm erst das Bein dran, damit sie nicht wegrennen kann. Es ist ihm egal, wie viel Lärm er macht. Ansonsten hätte er sich erst den Kopf vorgenommen. Es war Berechnung, berechnet, es wie Wut aussehen zu lassen. Aber es geschah nicht in Wut. Es geschah kaltblütig. Er muss einen Ort gehabt haben, wo es egal war, ob sie schrie. Schalldicht, privat. Und er muss den Transport zu diesem Platz privat durchgeführt haben.«

Das Datenzentrum piepte, und alle drehten sich um.

»Wir haben sie«, murmelte Baxter, und sie traten gemeinsam vor den Bildschirm mit den Daten. »Ist das die, die Sie suchen?«

»Ja.« Eve stellte den Kaffee beiseite und starrte in Tina Cobbs lächelndes Gesicht.

21

»Buchen Sie uns einen Konferenzraum. Ich möchte mich mit Baxter und Trueheart absprechen, wenn sie von Essie Cobb zurückkommen.« Eve betrat den Aufzug von der Parkebene der Polizeizentrale aus.

»Muss derselbe Mörder sein«, meinte Peabody.

»Muss gar nicht. Wir werden die Wahrscheinlichkeiten überprüfen. Nun lassen Sie uns alle derzeit vorhandenen Daten in einem Bericht zusammenfassen, dann schicken wir ihn Mira, damit sie uns ein Täterprofil erstellt.«

»Wollen Sie sich mit ihr treffen?«

Als die Türen aufglitten, rückte Eve nach hinten, da Polizisten und Zivilpersonen hereindrängten. Dr. Charlotte Mira war in der Stadt, vermutlich sogar an der ganzen Ostküste für ihre Täterprofile berühmt. Aber für eine Konsultation war es noch zu früh. »Noch nicht.«

Der Lift stoppte wieder, aber diesmal bahnte sie sich ihren Weg ins Freie, weil sie nicht von den Leibern und deren jeweiligen Ausdünstungen erdrückt werden wollte. Sie würden den Gleiter nehmen. »Erst stellen wir zusammen, was wir haben, machen ein paar Standardüberprüfungen, treffen uns mit Baxter und Trueheart. Wir brauchen ein Anschlussgespräch mit Samantha Gannon und müssen kurz beim Club vorbei.«

»Jede Menge sitzende Tätigkeit.« Peabody konnte nur dankbar sein. Ihre Schuhe brachten sie um.

»Reservieren Sie uns den Raum«, sagte Eve, als sie aus dem Gleiter kamen. Und blieb sofort stehen, als sie Samantha Gannon vor dem Morddezernat auf der Wartebank sitzen sah. Neben ihr, telegen wie üblich, eine sehr geschwätzige Nadine Furst. Eve murmelte ein lautloses *Scheiße*, aber ohne viel Kraft dahinter.

Nadine pustete ihr strähniges blondes Haar nach hinten und richtete ihr katzenhaftes Lächeln in Eves Richtung. »Dallas. He, Peabody, sieh mal einer an! Scharfe Schuhe.«

»Danke.« Bei der nächstbesten Gelegenheit würde sie sie verbrennen. Die Schuhe.

»Sollten Sie nicht vor irgendeiner Kamera sitzen?«, erkundigte sich Eve.

»Zu meinem Job gehört mehr, als hübsch auf dem Bildschirm auszusehen. Ich habe gerade ein Interview mit Samantha unter Dach und Fach gebracht. Ein paar Kommentare des leitenden Ermittlers würde dem natürlich die Krone aufsetzen.«

»Stellen Sie den Recorder ab, Nadine.«

Der Form halber seufzte Nadine, ehe sie ihren am Revers angebrachten Recorder deaktivierte. »Sie ist so streng«, bemerkte sie zu Samantha. »Ich weiß es wirklich zu schätzen, dass Sie sich für mich Zeit genommen haben, und es tut mir sehr Leid um Ihre Freundin.«

»Danke.«

»Könnte ich Sie auf ein Wort sprechen, Dallas?«

»Führen Sie Ms. Gannon doch inzwischen in die Lounge, Peabody. Ich bin gleich bei Ihnen.«

Eve wartete, bis sie sich entfernt hatten, und wandte sich dann mit kühlem Blick an Nadine.

»Ich mache doch nur meinen Job.« Nadine hob, ergeben um Frieden bittend, die Hände.

»Ich auch.«

»Gannon ist der Renner schlechthin, Dallas. Das Buch liefert auf allen Cocktailpartys die Spielvorlage. Alle spielen, wo sind die Diamanten. Wenn jetzt noch Mord dazukommt, ist es die Top-Geschichte, in allen Bereichen. Ich hatte Urlaubspläne. Drei spaßselige Tage im Weinberg, Beginn morgen. Ich habe abgesagt.«

»Sie wollten Wein machen?«

»Nein. Aber trinken wollte ich welchen. Martha's Vineyard, Dallas. Ich wollte mal aus der Stadt raus, heraus aus dieser Hitze. Hatte Sehnsucht nach einem Strand und einem großen kalten Erwachsenengetränk und einer Parade gebräunter männlicher Körper im Adamskostüm. Deshalb kann ich nur hoffen, Sie sagen mir jetzt, dass Sie das in Kürze abgewickelt haben werden.«

»Ich kann Ihnen nicht mehr sagen, als Sie aus dem Medienpool ohnehin schon wissen. Wir verfolgen jede Spur, et cetera pp. Das war es, Nadine. Mehr hab ich nicht.«

»Tja, leider. Na ja, ein Hologramm-Programm läuft schließlich immer. Das stelle ich auf Weinberg ein und verbringe dann eben eine Stunde im Reich der Fantasie. Ich bin jederzeit zu erreichen«, fügte sie hinzu, als sie davonschlenderte.

Hat zu schnell aufgegeben, fand Eve.

Auf ihrem Weg zu dem Raum, den man bei der Polizei Lounge nannte, dachte sie darüber nach. Es war ein Raum, der für Pausen und informelle Treffen gedacht war. Mehrere Tische, sogar ein durchgesessenes Sofa und einige Verkaufsautomaten.

Sie steckte ein paar Kreditchips ein und bestellte eine große Flasche Wasser.

Sie haben Aquafree gewählt, die natürliche Erfrischung in der Literflasche. Aquafree wird destilliert und abgefüllt in den friedlichen und unberührten Bergen von -

»Herrje, lass die Werbung und rück das blöde Wasser raus.« Sie donnerte mit der Faust gegen den Apparat.

Sie verstoßen gegen den City Code 20613-A. Jegliches Hantieren oder Vandalismus an diesem Verkaufsgerät kann zu einer Geld- oder Gefängnisstrafe führen.

Als Eve schon einen Schritt zurückging, um zuzutreten, sprang Peabody auf. »Dallas! Nicht! Ich hole sie. Ich hole die Flasche Wasser. Setzen Sie sich.«

»Es sollte doch möglich sein, was zum Trinken zu bekommen, ohne sich eine Lektion erteilen lassen zu müssen.« Sie ließ sich neben Samantha auf einen Stuhl fallen. »Tut mir Leid.«

»Nein, das ist schon in Ordnung. Es ist doch wirklich ärgerlich, dass man die ganze Liste der Zutaten, Nebenprodukte, Kaloriengehalt und all das vorgebetet bekommt. Vor allem, wenn man einen Zuckerriegel oder einen Napfkuchen bestellt.«

»Genau!« Endlich, sagte sich Eve, endlich mal jemand, der das ebenso sah.

»Sie hat wegen dieser Geräte in der ganzen Stadt Verfahren am Hals«, erklärte Peabody. »Ihr Wasser, Lieutenant.«

»Sie scheinen den Dingern ja um den Bart zu gehen.« Eve öffnete die Flasche und trank einen großen Schluck. »Schön, dass Sie gekommen sind, Ms. Gannon. Wir wollten ohnehin ein Treffen mit Ihnen vereinbaren. Sie haben uns geholfen, Zeit zu sparen.«

»Nennen Sie mich Samantha oder Sam – wenn Ihnen das Recht

ist. Ich hatte gehofft, Sie könnten mir was sagen. Hätte ich mich nicht mit der Reporterin unterhalten sollen?«

»Wir sind ein freies Land. Haben Pressefreiheit.« Eve ließ die Schultern fallen. »Sie ist okay. Haben Sie vor, erst mal in dem Hotel wohnen zu bleiben?«

»Ich – ja. Ich dachte, sobald Sie mir sagen, dass ich – mein Haus reinigen lassen kann. Es gibt Spezialisten, hat man mir gesagt, die sich mit... Tatorten auskennen. Reinigung von Tatorten. Ich möchte nicht zurück, ehe das nicht geschehen ist. Das ist feige.«

»Ist es nicht. Es ist vernünftig.« Und so wirkte sie heute auch, fand Eve. Ein sehr müde, vernünftige Frau. »Für diese kurze Zeit kann ich Ihnen dauerhaften Polizeischutz anbieten. Aber eventuell haben Sie auch vor, einen privaten Sicherheitsdienst zu beauftragen.«

»Sie glauben also nicht, dass es nur ein Einbruch war. Sie gehen davon aus, dass, wer auch immer Andrea umgebracht hat, hinter mir her war.«

»Ich finde einfach, wir sollten kein Risiko eingehen. Darüber hinaus werden Reporter, die nicht so höflich sind wie Nadine, sie ausspionieren und Ihnen Ärger machen.«

»Da dürften Sie wohl Recht haben. Gut. Ich werde das prüfen. Meine Großeltern sind sehr aufgebracht wegen der ganzen Sache. Ich habe es heruntergespielt, so gut es ging, aber... Verdammt, man kann ihnen nichts vormachen. Wenn ich ihnen jetzt auch noch erzählen muss, dass ich einen Bodyguard angeheuert habe und die Polizei mich bewacht, dann wird es lange dauern, bis alle sich wieder beruhigt haben. Ich lasse sie lieber in dem Glauben, es sei um Andrea gegangen.«

Ihre Augen, sehr hell, sehr blau, ruhten auf Eves. »Aber ich hatte genügend Zeit, das alles in meinem Kopf durchzuspielen. Eine durchwachte Nacht ist lang, und ich glaube das nicht. Sie glauben das auch nicht.«

»Nein, ich glaube es nicht. Ms. Gannon – Samantha. Die Frau, die abgestellt war, um Ihr Haus sauber zu machen, ist ebenfalls ermordet worden.«

»Das verstehe ich nicht. Ich habe doch noch niemanden bestellt, um mein Haus zu reinigen.«

»Ihr regulärer Reinigungsdienst. Maid in New York hat in den letzten paar Monaten Tina Cobb zu Ihnen geschickt.«

»Sie ist tot? Ermordet? Wie Andrea?«

»Haben Sie sie gekannt? Persönlich?«

Ohne zu überlegen, nahm Samantha sich Eves Wasserflasche und trank. »Ich weiß nicht, was ich davon halten soll. Gerade noch habe ich von ihr erzählt, vor zehn Minuten, habe Nadine von ihr erzählt.«

»Sie haben mit Nadine über Tina Cobb gesprochen?«

»Ich habe sie erwähnt – nicht namentlich. Nur den Reinigungsdienst und dass mir eingefallen ist – im Gespräch mit ihr eingefallen ist –, dass ich für diese Woche vergessen habe abzusagen.«

Kein Wunder, dass Nadine so rasch verschwunden war. Sie hatte bereits eine andere Strippe, an der sie ziehen konnte. »Kannten Sie sie?«

»Nicht wirklich. O mein Gott, das tut mir Leid«, sagte sie und starrte dabei auf die Flasche in ihrer Hand. Sie gab sie an Eve zurück.

»Kein Problem. Sie kannten Tina Cobb also nicht?«

»Ich bin ihr begegnet. Ich meine, sie war in meinem Haus, hat mein Haus *sauber gemacht*«, fügte sie hinzu und rieb sich die Stirn. »Kann ich mal kurz nachdenken?«

»Gewiss.«

Samantha stand auf und lief einmal durch den Raum, dann begann sie die nächste Runde.

»Sie reißt sich zusammen«, murmelte Peabody. »Versucht, sich zu beruhigen.«

»Ja, Sie hat Rückgrat. Macht es leichter für uns.«

Nach der zweiten Runde bestellte Samantha sich eine eigene Flasche Wasser und wartete geduldig, bis die Maschine ihren Vortrag beendet und das Gewählte aus dem Schlitz gespuckt hatte.

Sie kam zurück und öffnete die Flasche, als sie saß. Nach einem langen Zug nickte sie Eve zu. »Okay. Ich musste zu mir kommen.«

»Wenn Sie länger brauchen – kein Problem.«

»Nein. Sie war so ein kleines Ding. Tina. Jung und klein, obwohl sie vermutlich nicht viel jünger und kleiner war als ich. Ich habe mich oft gefragt, wie sie diese schwere Arbeit schafft. Normalerweise habe ich mich in meinem Büro verschanzt, wenn sie da war, oder mich außer Haus verabredet oder Erledigungen gemacht.«

Sie hielt inne und räusperte sich. »Ich komme aus einem Elternhaus mit Geld. Keine Berge, aber doch ganz angenehme Hügel. Wir hatten immer Hausgehilfen. Aber mein Haus hier? Es ist mein erstes eigenes Zuhause, und es war ein komisches Gefühl, jemanden um mich zu haben, der hinter mir aufräumte, wenn es auch nur ein paar Mal im Monat war.«

Sie strich sich mit den Händen übers Haar. »Aber das tut hier nun wirklich nichts zur Sache.«

»Ein wenig schon.« Peabody schob die Wasserflasche in Richtung Samantha, weil diese sie offenbar vergessen hatte. »Es vermittelt uns eine Vorstellung von dem, was sich zwischen ihnen beiden abspielte.«

»Da spielte sich nicht viel ab.« Sie nahm wieder einen Schluck. »Ich bin ihr einfach aus dem Weg gegangen. Sie war sehr freundlich, sehr effizient. Manchmal tauschten wir ein paar Worte miteinander, aber normalerweise machten wir uns beide an die Arbeit. Liegt es daran, weil sie in meinem Haus war? Ist sie tot, weil sie in meinem Haus war?«

»Wir überprüfen das«, sagte Eve. »Sie haben uns beim letzten Mal gesagt, der Reinigungsdienst habe ihre Codes für den Zutritt zum Haus und das Überwachungssystem.«

»Ja. Die sind unter Verschluss. Die Firma genießt einen hervorragenden Ruf. Ihre Angestellten durchlaufen alle eine intensive Überprüfung – ich finde das eigentlich ein wenig beängstigend und möchte das nicht über mich ergehen lassen müssen. Aber für jemanden wie mich, der nicht dauernd zu Hause sein kann, um den Reinigungsdienst einzulassen, war das ideal. Sie wusste, wie man reinkam«, murmelte Samantha. »Jemand hat sie dafür getötet.«

»Das wird wohl so sein. Hat sie jemals einen Freund erwähnt?«

»Nein. Über persönliche Dinge haben wir nicht miteinander geredet. Wir sind höflich und locker miteinander umgegangen, aber nicht persönlich.«

»Hat sie mal jemanden mitgebracht? Um ihr bei der Arbeit zu helfen?«

»Nein. Alle drei Monate kommt ein Reinigungsteam. Das stellt die Firma zusammen. Ansonsten war es nur ein Dienstmädchen, zweimal im Monat. Ich lebe allein und habe einen zwanghaften Ordnungsfimmel, angeblich von meiner Großmutter, wie meine Mutter behauptet. Mehr Hilfe brauche ich nicht im Haushalt.«

»Ihnen ist nie aufgefallen, wenn sie kam oder ging, ob jemand sie abgesetzt oder abgeholt hat?«

»Nein. Ich glaube, sie fuhr mit dem Bus. Einmal kam sie zu spät und entschuldigte das damit, dass der Bus im Stau stecken geblieben war. Sie haben mir noch nicht erzählt, wie sie umgebracht wurde. War es wie bei Andrea?«

»Nein.«

»Aber sie glauben dennoch an eine Verbindung. Für einen Zufall wäre es auch zu viel.«

»Wir überprüfen diese Verbindung sehr genau.«

»Ich hatte dieses Buch immer schon schreiben wollen. Von jeher. Pausenlos habe ich meine Großeltern angebettelt, mir die Geschichte zu erzählen. Bis ich sie in meinem Kopf rückwärts abspielen konnte. Ich habe mir lebhaft ausgemalt, wie meine Großeltern sich kennen gelernt haben, sah sie an ihrem Küchentisch sitzen mit einem Haufen Diamanten. Und wie sie den Sieg davontrugen. Ich fand es so befriedigend, dass sie gegen alle Erwartung gewonnen haben. Ihr Leben lebten, wie sie es sich vorstellten. Das ist doch der wahre Sieg, finden Sie nicht, wenn man so lebt, wie man leben möchte.«

»Ja.« Sie dachte an ihre Polizeimarke. Sie dachte an Roarkes Imperium. »Das ist es.«

»Der Schurke in diesem Stück, ich glaube, man kann ihn Alex Crew nennen, er hat getötet. Er hat für diese glitzernden Steine getötet – und, ich denke, weil es in ihm drin war. Er hat getötet, weil es in ihm drin war, genauso wie der Diamanten wegen. Er hätte auch meine Großmutter umgebracht, wenn sie nicht stark und klug genug gewesen wäre, ihn zu schlagen. Das hat mich besonders stolz gemacht. Deshalb wollte ich die Geschichte erzählen. Jetzt habe ich es getan, und zwei Menschen, die ich kannte, sind tot.«

»Dafür sind Sie nicht verantwortlich.«

»Das rede ich mir ebenfalls ein. Vom Kopf her weiß ich das. Aber ein Teil in mir trennt und beobachtet. Der Teil in mir, der unbedingt *diese* Geschichte erzählen will. Um niederzuschreiben, was jetzt passiert. Ich frage mich, was das aus mir macht.«

»Eine Schriftstellerin, würde ich sagen«, meinte Peabody.

Samantha lachte kurz auf. »Na ja, wird wohl so sein. Ich habe eine Liste erstellt von allen, die in Frage kommen könnten. Leute, mit denen ich mich über das Buch unterhalten habe. Merkwürdige Mails, die ich von Lesern oder Leuten bekommen habe, die behaupten, meinen Urgroßvater gekannt zu haben.« Sie zog eine Diskette aus ihrer Tasche. Aus der riesigen Tasche, die Eve tags zuvor aufgefallen war. »Ich weiß nicht, ob Ihnen das weiterhilft.«

»Alles hilft uns weiter. Hat Tina Cobb denn gewusst, dass Sie nicht in der Stadt sind?«

»Ich habe den Reinigungdienst darüber informiert, ja. Ich erinnere mich sogar, Tina erzählt zu haben, dass ich unterwegs sein werde. Und ich habe sie gebeten, sich um meine Zimmerpflanzen und die Fische zu kümmern. Ich war mir nicht sicher, ob Andrea wirklich bleiben konnte, Gewissheit hatte ich erst ein paar Tage, bevor ich fuhr.«

»Haben Sie dem Servicedienst mitgeteilt, dass jemand das Haus hütet?«

»Nein. Daran habe ich nicht gedacht. Die letzten Tage in New York waren der reinste Irrsinn. Ich hatte Medienauftritte, musste packen, machte holografische Interviews. Außerdem erschien es mir auch nicht so wichtig.«

Eve stand auf und streckte ihre Hand aus. »Danke für Ihr Kommen. Detective Peabody wird sich darum kümmern, dass Sie zurück in Ihr Hotel kommen.«

»Lieutenant. Sie haben mir nicht gesagt, wie Tina Cobb zu Tode kam.«

»Nein, das habe ich nicht. Wir bleiben in Kontakt.«

Samantha sah ihr hinterher, als sie den Raum verließ, und holte tief Luft. »Ich wette, sie kriegt es raus, oder? Ich wette, sie kriegt es fast immer raus.«

»Sie wird nicht aufgeben. Und das läuft auf dasselbe hinaus.«

Eve saß an ihrem Schreibtisch und gab die Daten zum Cobb-Fall in einen Unterordner ein, dann brachte sie ihre Unterlagen zum Mord an Andrea Jacobs auf den neuesten Stand.

»Computer, analysiere die Daten von zwei laufenden Ermittlungen und überprüfe sie auf Wahrscheinlichkeit. Welche Wahrscheinlichkeit gibt es, dass Andrea Jacobs und Tina Cobb von derselben Person umgebracht wurden?«

Analyse läuft....

Während der Computer arbeitete, schob sie sich vom Schreibtisch weg und trat an ihr winziges Fenster. Der Verkehr im Luftraum war relativ dünn. Offenbar suchten die Touristen in dieser Jahreszeit kühlere Orte auf als das schmorende Manhattan. Bürodrohnen schwirrten eifrig umher. Sie sah eine Sky-Tram halb leer vorbeidüsen.

Tina Cobb war mit dem Bus gefahren. Die Sky-Tram wäre schneller gewesen, aber diese Annehmlichkeit hatte ihren Preis. Dann war Tina demnach sehr sparsam mit ihrem Geld umgegangen. Hatte auf ein Leben gespart, das sie nie haben würde.

Analyse und Wahrscheinlichkeitsbeurteilung beendet. Wahrscheinlichkeit, dass Andrea Jacobs und Tina Cobb von derselben Person oder denselben Personen ermordet wurden, liegt bei achtundsiebzig Komma acht Prozent.

Hoch genug, überlegte Eve, wenn man die Einschränkungen des Computers berücksichtigte. Der kalkulierte nämlich die Unterschiede im Typus der Opfer, die unterschiedliche Vorgehensweise und die geografische Differenz der Fundorte mit ein.

Ein Computer konnte nicht sehen, was sie sah, oder fühlen, was sie fühlte.

Sie kehrte zurück, als ein Piepton eine Datenübertragung ankündigte. Die Spurensicherung hatte schnell gearbeitet, und sie setzte sich, um den Bericht zu lesen.

Es gab Fingerabdrücke von Gannon, Jacobs und Cobb. Man hatte im ganzen Haus keine anderen entdeckt. Die gefundenen

Haarproben passten zu Gannon und zum Opfer. Eve ging davon aus, dass man auch welche fände, die zu Cobb gehörten.

Er hatte Schutzkleidung getragen. Er hatte seine Hände und sein Haar abgedichtet. Ob er nun geplant hatte zu töten oder nicht, er hatte jedenfalls geplant, keinerlei Spuren von sich zu hinterlassen.

Wäre Jacobs nicht ins Haus gekommen, hätte er womöglich das ganze Haus durchsucht, ohne auch nur einen Gegenstand zu verrücken. Und Samantha wüsste überhaupt nichts davon.

Sie nahm zu *Maid-In-New-York* Kontakt auf, um ein paar Einzelheiten zu überprüfen, und fügte diesen, ihren Notizen bei, als Peabody eintrat.

»Gannon hatte ihre vierteljährliche Reinigung vor etwa vier Wochen«, teilte Eve ihr mit. »Wussten Sie, dass die Mannschaft Handschuhe und Haarschutz tragen muss? Sicherheitsbrillen und Schutzoverall. Alles Drum und Dran. Wie unsere Teams von der Spurensicherung. Fehlt nur noch, dass sie gleich alles von oben bis unten sterilisieren.«

»Ich überlegte gerade, dass McNab und ich uns eventuell auch so etwas leisten könnten. Wenn wir in der neuen Wohnung wohnen, wäre es doch nicht schlecht, wenn jemand drei- bis viermal im Jahr alles sterilisiert. Wir sauen nämlich ziemlich herum, wenn wir uns in Fahrt bringen und – Sie wisssen schon, es miteinander treiben.«

»Seien Sie still. Halten Sie den Mund. Sie wollen wohl, dass ich zusammenzucke.«

»Ich habe den ganzen Tag noch nicht über Sex und McNab gesprochen. Es war höchste Zeit.«

»Bevor Sie mir das Bild von Ihnen und McNab, die's miteinander treiben, in den Kopf gesetzt haben, wollte ich eigentlich sagen, dass Gannons Haus vor ein paar Wochen auf Hochglanz geputzt wurde und danach auch so blieb. Es gibt keine Fingerabdrücke außer ihren, denen des Hausmädchens und Jacobs. Er hat Schutzvorkehrungen getroffen, ehe er eintrat. Er ist sehr vorsichtig. Nimmt es sogar peinlich genau. Aber sofern dies kein direkt auf Jacobs abgezielter Überfall war, hat er nicht daran gedacht, dass jemand das Haus hütet. Was sagt Ihnen das?«

»Wahrscheinlich kennt er weder das Opfer noch Gannon, jedenfalls nicht persönlich. Nicht genug, um in persönliche Vereinbarungen wie diese eingeweiht zu sein. Er wusste, dass Gannon nicht in der Stadt sein würde. Das hätte er von dem Hausmädchen erfahren können oder auch, indem er die Medien verfolgte. Aber die Information, dass sie einen Haussitter hatte, konnte er nicht von dem Mädchen bekommen haben – oder dem Reinigungsservice –, weil sie es nicht wussten.«

»Er gehört nicht zum inneren Bekanntenkreis. Also fangen wir mit dem weiteren Kreis an. Und wir suchen nach einer sonstigen Verbindung zwischen Cobb, Gannon und Jacobs.«

»Baxter und Trueheart sind zurück. Wir haben Konferenzraum drei.«

»Dann trommeln Sie sie zusammen.«

Sie stellte im Konferenzraum eine Tafel auf und pinnte darauf die Fotos vom Tatort und vom Opfer fest, dazu Kopien der Tatortberichte und die Zeitschiene, die sie für den Mord an Jacobs erarbeitet hatte.

Sie wartete, bis Baxter mit seinem Fall genauso verfahren war, und überlegte, während sie sich einen lausigen Automatenkaffee programmierte, wie sie diese Sitzung angehen sollte.

Takt gehörte zwar nicht gerade zu ihren hervorragendsten Eigenschaften, aber einem Kollegen wollte sie dann doch nicht auf die Füße treten. Cobb war Baxters Fall. Und ihr höherer Rang rechtfertigte ihrer Auffassung nach nicht, dass sie ihm diesen wegnahm.

Als Kompromiss zwischen Stehen – und die Führung übernehmen – und Sitzen, lehnte sie sich mit der Hüfte an den Konferenztisch. »Haben Sie aus der Schwester Ihres Opfers noch was herausbekommen?«

Baxter schüttelte den Kopf. »Hat einiger Überzeugungsarbeit bedurft, ihr auszureden, mit ins Leichenschauhaus zu kommen. Sie sollte das nicht sehen. Zu dem, was sie Ihnen bereits erzählt hat, hatte sie nichts hinzuzufügen. Sie geht zu ihren Eltern. Trueheart und ich haben angeboten, es ihnen mitzuteilen oder sie wenigstens dorthin zu begleiten. Sie sagte, sie wolle es lieber allein tun. Dass es so für die Eltern leichter wäre. Diesen Bobby hat sie nie gesehen. Auch von den Treppenhockern und Nachbarn kann sich keiner erinnern, das Opfer mit einem Typen gesehen zu haben. Es gibt dort ein billiges DC-Gerät. Trueheart hat es auf Übertragungen hin überprüft.«

»Sie – Tina Cobb«, begann Trueheart, »hat von einem Konto, das auf einen Bobby Smith registriert ist, Nachrichten erhalten und welche dorthin verschickt. Nach einer kurzen Überprüfung konnten wir feststellen, dass das Konto vor fünf Wochen eingerichtet und vor zwei Tagen wieder aufgelöst wurde. Die angegebene Adresse hat sich als falsch erwiesen. Das Gerät sammelt die Übertragungsdaten nur über einen Zeitraum von vierundzwanzig Stunden. Wenn es Tele-Link-Transaktionen gab, ob hin oder her, brauchen wir die AEE, um diese auszugraben.«

»Yippee«, frohlockte Peabody kaum hörbar und erntete dafür einen giftigen Blick von Eve.

»Kümmern Sie sich um die Abteilung für Elektronische Ermittlungen?«, wollte Eve von Baxter wissen.

»Einen Versuch wäre es wert. Wahrscheinlich hat er öffentliche Tele-Links benutzt. Aber wenn sie auch nur eine oder zwei Übertragungen ausfindig machen, könnte uns das schon eine geografische Vorstellung vermitteln. Wir bekämen einen Stimmabdruck. Ein Gespür für ihn.«

»Sehe ich auch so.«

»Wir werden uns mit ihren Kolleginnen unterhalten. Vielleicht hat sie mit denen über ihren Kerl geplaudert. Nach Aussage ihrer Schwester hat sie ihn allerdings ganz für sich behalten. Wie ein großes Geheimnis. Sie war erst zweiundzwanzig, und ihre Akte ist lupenrein. Kein einziger Fleck.«

»Sie wollte heiraten und hauptberuflich Mutter werden.« Trueheart errötete, als sich aller Augen auf ihn richteten. »Ich habe mit der Schwester über sie gesprochen. Es, hm, ich denke, man erfährt etwas über den Mörder, wenn man das Opfer kennt.«

»Er ist mein Stolz und meine Freude«, lobte Baxter mit breitem Grinsen.

Eve ging durch den Kopf, dass Trueheart kaum älter als das Opfer war, über das sie redeten. Und dass er vor kurzem selbst beinah zum Opfer geworden wäre.

Ein knapper Blickwechsel mit Baxter sagte ihr, dass er dasselbe dachte. Beide gingen nicht weiter darauf ein.

»Der Theorie nach hat der Mörder eine romantische Beziehung als Lockmittel benutzt.« Sie wartete, bis Baxter nickte. »Euer Fall und unserer kommen durch sie zusammen. Sie war Samantha Gannons Hausmädchen und kannte als solches die Sicherheitscodes zu ihrem Haus und außerdem, ganz intim, die Gegenstände und die Anordnung in diesem Haus. Sie wusste auch, dass die Besitzerin für den Zeitraum von zwei Wochen nicht im Haus wäre. Aber sie wusste nicht, dass es jemanden gab, der das Haus hütete. Diese Vereinbarung wurde in letzter Minute getroffen, und das, soweit wir wissen, nur zwischen Jacobs und Gannon.«

»Lieutenant«, wie ein Schüler im Klassenzimmer hob Trueheart eine Hand, »es fällt mir schwer, davon auszugehen, dass jemand wie Tina Cobb Sicherheitscodes verrät. Sie arbeitete hart, und ihr Arbeitszeugnis ist so makellos wie alles andere auch. Keine einzige Beschwerde liegt in der Arbeit gegen sie vor. Sie macht mir nicht den Eindruck, als gäbe sie so ohne weiteres einen Sicherheitscode preis.«

»Da muss ich dem Jungen Recht geben«, bestätigte Baxter. »Freiwillig hat sie den bestimmt nicht rausgerückt.«

»Sie sind nie ein verliebtes Mädchen gewesen«, meinte Peabody zu Baxter. »Das kann einem den Blick trüben. Wenn Sie sich die Zeitschiene ansehen, wird deutlich, dass der Einbruch und der Mord an Jacobs vor dem Mord an Cobb liegen. Und wenn man den Zeitpunkt nimmt, als sie zuletzt gesehen wurde, und dann ihre Todeszeit, bleibt nicht viel dazwischen. Er hat sie immerhin ein paar Wochen lang bearbeitet, nicht wahr? Sie weich geklopft. Offenbar ist er davon ausgegangen, dass sie ihm die gewünschte Information eher freiwillig – durch Bettgeflüster oder dergleichen – geben würde, als wenn er es mit Gewalt versucht hätte.«

»Mein Stolz und meine Freude«, sagte Eve zu Baxter und erntete ein glucksendes Lachen. »Würde er sie schlagen oder foltern oder ihr drohen, löge sie ihn womöglich an oder würde konfus werden. Er entlockt es ihr, das ist sicherer. Aber ...«

Sie hielt inne, während ihr Stolz und ihre Freude die Stirn in Falten zog. »Verleitet er sie dazu, sagt sie es ihm vielleicht. Sie könnte aber auch Schuldgefühle entwickeln und berichtet ihrer Vorgesetzten von ihrem Fehltritt. Dieses Risiko besteht. Aber wie auch immer, wenn wir richtig liegen mit dieser Verbindung, dann hat er es herausbekommen. Und dann musste er, nachdem er eingebrochen war und Jacobs getötet hatte, die Spuren verwischen. Also brachte er Cobb um und hat sie irgendwo abgeladen. Hat sie getötet und sich ihrer derart entledigt, dass ihre Identifikation ihm lange genug Zeit gäbe, jede Verbindung, die von ihm auf Cobb hinweisen könnte, zu tilgen.«

»Aber was hat Gannon, was er haben möchte?«, wollte Baxter wissen.

»Es geht eher um das, was er glaubt, dass sie hat – oder wozu sie Zugang hat. Und das sind gestohlene Diamanten im Wert von einigen Millionen.«

Sie klärte sie auf und gab beiden eine Diskettenkopie ihrer Akte. Ohne es zu bemerken, hatte sie sich aufgerichtet und stand nun. »Je mehr wir über den alten Fall und die gestohlenen Edelsteine herausfinden, umso mehr erfahren wir über unsere aktuellen Fälle. Wenn wir unsere Zeit und unsere Anstrengungen bündeln, sind wir schneller und können mehr in Erfahrung bringen.«

»Damit habe ich kein Problem.« Baxter nickte zustimmend. »Wir schicken Ihnen beiden die Kopien unserer Berichte über Cobb. Welche Spur möchten Sie, dass wir verfolgen?«

»Spüren Sie Bobby auf. Er hat uns nicht viel zurückgelassen, aber irgendwas findet sich bestimmt. Schauen wir mal, was die AEE aus den Tele-Links des Opfer herausfiltern kann.«

»Jemand sollte sich ihre persönlichen Dinge ansehen«, fügte Peabody hinzu. »Vielleicht hat sie Erinnerungsstücke aufbewahrt. Mädchen tun das. Vielleicht was aus einem Restaurant, in dem sie gegessen haben.«

»Guter Tipp.« Baxter zwinkerte ihr zu. »Die Schwester hat erzählt, er habe Tina in eine Kunstgalerie und in ein Theaterstück mitgenommen. Wir werden das verfolgen. Wie viele Kunstgalerien und Theater gibt es eigentlich hier in New York?« Er ließ seine Hand auf Truehearts Schulter fallen. »Das wird mein ernsthafter Kumpel hier doch in ein paar hundert Stunden leicht herausfinden.«

»Jemand muss sie irgendwo gemeinsam gesehen haben«, stimmte Eve dem zu. »Peabody und ich werden weiter an Jacobs arbeiten. Wir führen sämtliche Informationen zueinander. Und als Hausaufgabe lesen wir alle Gannons Buch. Wir müssen jede Kleinigkeit über diese Diamanten und die Leute, die sie gestohlen haben, herausfinden. Unterricht beendet. Sie kommen in zehn Minuten zu mir, Peabody. Baxter? Haben Sie noch eine Minute Zeit?«

»Lehrers Liebling«, meinte Baxter und schlug sich dabei mit einem Augenklimpern Richtung Trueheart aufs Herz.

Um die Zeit zu überbrücken, bis sie allein waren, trat Eve vor die Tafel und studierte die Gesichter.

»Geben Sie ihm diese Drohnenarbeit, damit er mit seinem Hintern im Sessel bleibt?«

»So viel ich kann«, bestätigte Baxter. »Er lässt sich nicht unterkriegen – mein Gott, noch einmal so jung sein! Aber hundertprozentig ist er noch nicht wiederhergestellt. Also gebe ich ihm im Moment die leichte Arbeit.«

»Gut. Gibt es irgendwelche Probleme, diese Ermittlungen gemeinsam unter mir zu führen?«

»Sehen Sie sich das Gesicht an.« Baxter hob sein Kinn zum erkennungsdienstlichen Foto von Tina Cobb. Selbst das billige, offizielle Bild strahlte Jugend und Unschuld aus.

»Ja.«

»Ich kann sehr gut mit anderen zusammenarbeiten, Dallas. Und ich möchte unbedingt herausfinden, wer das zu dem gemacht hat.« Dabei deutete er mit dem Finger auf das Tatortfoto von Tina Cobb. »Also habe ich kein Problem damit.«

»Wären Sie denn auch damit einverstanden, wenn Peabody und ich uns der persönlichen Habe des Opfers annehmen? Peabody hat einen guten Blick für so was.«

»In Ordnung.«

»Wollen Sie in dem Club stöbern, in dem mein Opfer zuletzt gesehen wurde?«

»Kann ich machen.«

»Dann treffen wir uns morgen früh zur Besprechung. Um neun Uhr.«

»Machen Sie mich glücklich, und sagen Sie mir, dass wir uns bei Ihnen zu Hause im Büro treffen. Wo der AutoChef echtes Schweinefleisch und Eier von gackernden Hühnern serviert.«

»Hier – sofern ich nicht was anderes ausrichten lasse.«

»Spielverderberin.«

Eve fuhr durch den nervenaufreibenden Verkehr wieder hoch in die Stadt. In der Eighth ging über mehrere Häuserblöcke hinweg nichts mehr, und halb New York schien unter Missachtung sämtlicher Lärmvorschriften in bemitleidenswertem und sinnlosem Protest auf die Hupe zu drücken.

Ihre Lösung war da etwas direkter. Sie stellte die Sirene an, stellte sich quer und nahm die Kurve, um die Querverbindung runter zur Tenth zu nehmen.

Fünfzehn Blocks hatte sie zurückgelegt, als ihre Klimakontrolle zu stottern anfing und den Geist aufgab.

»Ich hasse die Technologie. Ich hasse den Wartungsdienst. Ich hasse dieses verdammt NYPSD-Budget, das mich mit so einem Scheißfahrzeug abspeist.«

»Na, na, *Sir*«, säuselte Peabody, während sie sich bückte, um manuell die Kontrolle zu bedienen. »Na, na.«

Nachdem ihr der Schweiß in die Augen zu rinnen begann, gab Peabody auf. »Sie wissen ja, ich kann den Wartungsdienst anrufen. Ja, wir hassen ihn wie die Pest, wie Rattengift auf einem Cracker«, schob sie eilig nach. »Und deshalb habe ich mir überlegt, dass ich doch auch McNab bitten könnte, mal ein Auge drauf zu werfen. In solchen Dingen ist er gut.«

»Großartig, schön, fabelhaft.« Eve ließ die Fenster herunter, ehe sie erstickten. Aber die stinkende, dampfende Luft draußen war nicht viel besser. »Wenn wir in der Wohnung von Cobb fertig sind, setzen Sie mich zu Hause ab und nehmen diese Katastrophe auf vier Rädern mit. Morgen früh können Sie mich abholen.«

Als sie sich dem Wohnhaus näherten, überlegte sie allen Ernstes, ob sie nicht einem der Stufenhocker einen Zwanziger in die Hand drücken sollte, damit er das verdammte Auto stahl. Doch stattdessen hoffte sie lieber, dass jemand drauffuhr, während sie im Haus waren.

Drinnen hörte sie Peabodys leises Wimmern. »Was ist?«

»Nichts. Ich habe nichts gesagt.«

Eves Augen wurden zu Schlitzen. »Es sind diese Schuhe, nicht wahr? Sie humpeln ja. Verflixt noch mal, und wenn wir jetzt irgendein Arschloch zu Fuß verfolgen müssten?«

»War vermutlich keine gute Wahl, aber ich bin noch dabei, meinen persönlichen Stil zu finden. Das kann zu Fehlgriffen führen.«

»Für morgen lassen Sie sich lieber was Normales einfallen. Etwas, womit Sie auch laufen können.«

»Ja, ja, ja.« Peabody zog unter Eves vorwurfsvollem Blick die Schultern ein. »Ich muss ja wohl nicht ständig *Sir* sagen, weil ich ja jetzt *Detective* bin. Und wir sind Partner und all das.«

»Nicht, wenn Sie diese Schuhe tragen.«

»Ich wollte sie eigentlich verbrennen, sobald ich heimkomme. Aber jetzt denke ich eher daran, mir ein Beil zu nehmen und sie in winzige Stücke zu hauen.«

Eve klopfte an die Tür des Apartments. Essie öffnete. Ihre Augen war rot verquollen, ihr Gesicht tränenfleckig. Sie starrte Eve einfach nur wortlos an.

»Wir sind Ihnen sehr dankbar, dass Sie von Ihren Eltern zurückgekommen sind, damit wir uns die Sachen Ihrer Schwester ansehen können«, begann Eve. »Ihr Verlust tut uns sehr Leid, und wir bedauern sehr, dass wir Sie jetzt noch behelligen müssen.«

»Ich werde wieder zurückfahren und bei ihnen übernachten. Ich musste mir ohnehin ein paar Sachen holen. Ich möchte hier nicht übernachten. Ich weiß gar nicht, ob ich hier wohnen bleiben möchte. Ich hätte sofort die Polizei informieren sollen. Als sie nicht nach Hause kam, hätte ich gleich anrufen sollen.«

»Es hätte nichts geändert.«

»Die anderen Polizisten, diejenigen, die es mir beigebracht haben. Sie sagten, ich solle sie mir nicht ansehen.«

»Da haben sie Recht.«

»Warum setzen Sie sich nicht, Essie.« Peabody trat ein und führte sie am Arm zu einem Stuhl. »Sie wissen, warum wir ihre Sachen durchsuchen müssen?«

»Für den Fall, dass Sie was finden, das Ihnen verrät, wer ihr das angetan hat. Mir macht es nichts aus, was Sie hier tun, sofern Sie den finden, der sie umgebracht hat. In ihrem ganzen Leben hat sie niemandem etwas zuleide getan. Manchmal ging sie mir auf die Nerven, aber das ist doch normal unter Schwestern, oder?«

Peabody ließ ihre Hand noch ein wenig länger auf Essies Schultern ruhen. »Bei meiner ist das so.«

»Sie hat keinem was getan.«

»Möchten Sie dabei sein, während wir das hier erledigen? Oder haben Sie vielleicht eine Freundin hier im Haus? Sie können gern weggehen, bis wir fertig sind.«

»Ich möchte mit keinem reden. Tun Sie nur, was Sie tun müssen. Ich komme klar hier.«

Eve nahm sich den Schrank vor, Peabody die Kommode. In den verschiedenen Taschen fand Eve eine winzige Flasche Mundspray, eine Probetube Lippenstift und einen Taschen-Organizer, der aber Essie gehörte.

»Ich hab was.«

»Was?«

»Im Metropolitan Museum geben sie diese kleinen Buttons aus.« Peabody hielt einen Anstecker hoch. »Das hat Tradition. Man steckt ihn sich an den Kragen oder ans Revers, dann wissen sie, dass man für die Ausstellung bezahlt hat. Wahrscheinlich hat er sie dorthin mitgenommen. So etwas hebt man sich auf, wenn man verliebt ist.«

»Die Wahrscheinlichkeit, dass sich im Metropolitan Museum jemand an sie erinnert, ist gering bis null, aber es ist ein Anfang.«

»Sie hat hier eine kleine Andenkenschatulle. Bus-Token, Kerzenstummel.«

»Packen Sie den Kerzenstummel ein. Wir überprüfen ihn auf Fingerabdrücke. Vielleicht stammt er aus seiner Wohnung.«

»Hier ist ein Taschenführer für das Guggenheim und ein Theaterverzeichnis. Sieht so aus, als hätte sie sich das aus dem Netz geholt. The Chelsea Playhouse hat sie mit einem kleinen Herz umrundet. Ist vom letzten Monat«, sagte sie, als sie sich an Eve wandte. »Bingo. Dahin ist er mit ihr gegangen, Dallas. Das ist ihre Ich-liebe-Bobby-Schachtel.«

»Packen Sie's ein. Packen Sie alles ein.« Sie ging hinüber zu dem verbeulten Metallregal neben dem Bett und riss die einzige Schublade auf. Drinnen fand sie einen Vorrat an klebrigen Bonbons, eine kleine Notfalltaschenlampe, verschiedene Pröbchen von Handkrem, Lotion, Parfüm, alles in einer Schachtel. Und in einer Schutzhülle eingeschweißt eine sorgfältig gefaltete Serviette. Auf dem billigen, recycelten Papier war in sentimentalem Rot vermerkt:

Bobby
Erste Verabredung
26. Juli 2059
Ciprioni's

Peabody trat hinter Eve und sah dieser über die Schulter. »Sie muss es mitgenommen haben, um es sich jeden Abend anzuschauen«, murmelte sie. »Hat es verschweißt, damit es nicht schmutzig wird oder einreißt.«

»Wir überprüfen Ciprioni's.«

»Brauche ich nicht. Es ist ein Restaurant. Italienisch, unten in Little Italy. Preiswertes, gutes Essen. Laut, normalerweise überfüllt, langsame Bedienung, unheimlich gute Pasta.«

»Er wusste nicht, dass sie diese Sachen mitgenommen hat, kleine Andenken wie dieses. Er hat sie nicht verstanden. Er kam nicht an sie ran. Er glaubte sich sicher. Keiner der Orte befindet sich irgendwo hier in der Nähe. Bring sie weg von dem Ort, an dem sie wohnt, wo Menschen leben, die sie kennt und die sie sehen könnten. Ihn sehen könnten. Bring sie an Orte, wo viele Menschen sind. Wem werden sie auffallen? Aber sie hebt Souvenirs auf, um ihre Verabredungen zu kennzeichnen. Sie hat uns eine hübsche Spur hinterlassen, Peabody.«

22

Nachdem sie Eve zu Hause abgesetzt hatte, fuhr Peabody in der Sauna auf Rädern weiter. Und Eve trat ein in die himmlische Kühle. Der Kater kam die Treppe heruntergetapst – für Eve hörte es sich eigentlich eher nach einem gesunden Elefantenbaby an – und begrüßte sie mit einer Reihe verärgerter Katzenknurrlaute.

»Was ist los, springst du für Somerset ein? Miststück, Mist-stück, Miststück.« Aber sie ging in die Hocke, um ihm mit der Hand übers Fell zu streichen. »Was zum Teufel macht ihr beiden denn hier den ganzen Tag? Ach, ist ja egal. Ich glaube nicht, dass ich das wissen möchte.«

Sie befragte die Hausanlage und erfuhr, dass Roarke nicht im Gebäude war.

»Herrje.« Sie sah hinunter zur Katze, die alles dransetzte, um sich an ihrem Bein in die Höhe zu krallen. »Komisch. Keiner da-heim, außer dir und mir. Na gut … ich geh ja schon. Du solltest mitkommen.« Sie raffte ihn an sich und schleppte ihn die Treppe hoch.

Nicht, dass es ihr was ausmachte, allein zu Hause zu sein. Sie war es nur nicht gewohnt. Und es war unheimlich ruhig, wenn man sich mal Mühe gab und lauschte.

Doch das würde sie jetzt erledigen. Sie wollte sich eine Hör-fassung von Samantha Gannons Buch herunterladen. Dann könnte sie anständig trainieren, während sie es sich anhörte. Schwimmen und entspannen. Unter die Dusche gehen und sich ein paar Details durch den Kopf gehen lassen.

»Man kriegt viel geschafft, wenn keiner da ist, um einen abzu-lenken«, erklärte sie Galahad. »Ich habe den größten Teil meines Lebens so verbracht, dass keiner um mich herum war, weißt du, also ist es auch kein Problem.«

Kein Problem, überlegte sie. Ehe sie Roarke kannte, war sie jeden Abend in ein leeres Apartment zurückgekehrt. Manchmal traf sie sich mit ihrer Kollegin Mavis, aber selbst wenn sie Zeit ge-habt hatte, nach der Arbeit ein wenig Dampf abzulassen mit der Frau, die eine Expertin darin war, kam sie doch allein nach Hause.

Sie war gern allein.

Wann hatte es aufgehört, dass sie gern allein war?

Mein Gott, wie lästig.

Sie legte den Kater auf ihrem Schreibtisch ab, aber er beklagte sich und stieß seinen Kopf gegen ihren Arm. »Okay, okay, nur eine Minute, hörst du?« Während sie ihn beiseite schob, nahm sie den Memo-Cube in die Hand.

»Hallo, Lieutenant.« Roarkes Stimme strömte heraus. »Ich bin davon ausgegangen, dass dies deine erste Anlaufstelle sein wird. Ich habe dir eine Hörfassung von Gannons Buch heruntergeladen, weil ich mir nicht vorstellen konnte, dass du dich mit der Papierfassung gemütlich hinlegst. Wir sehen uns, wenn ich nach Hause komme. Ich glaube, es sind frische Pfirsiche da. Warum nimmst du dir nicht einen anstatt des Schokoriegels, an den du gerade denkst?«

»Du glaubst wohl, du kennst mich in- und auswendig, schlauer Bursche? Der denkt, er kennt mich in- und auswendig«, sagte sie an die Katze gewandt. »Und das Ärgerliche daran ist, dass es stimmt.« Sie legte das Memo ab und griff nach den Kopfhörern. Schon als sie anfing, sie richtig zu platzieren, blinkte an ihrem Arbeitsgerät ein Licht auf, um eine Nachricht anzukündigen.

Wieder stupste sie die Katze beiseite. »Jetzt warte halt, um Himmels willen.« Sie rief die Nachricht auf und lauschte noch einmal Roarkes Stimme.

»Es wird spät heute, Eve. Ein paar Probleme, die erst noch gelöst werden müssen.«

Sie senkte den Kopf und studierte sein Gesicht auf dem Bildschirm. Ein wenig verärgert, wie ihr auffiel. Ein wenig gehetzt. Er war nicht der Einzige, der seinen Partner gut kannte.

»Wenn ich sie erledigt habe, bin ich sicherlich schon zu Hause, ehe du diese Nachricht bekommst. Wenn nicht, nun, dann komme ich so bald wie möglich. Wenn du mich brauchst, kannst du mich erreichen. Arbeite nicht zu hart.«

Sie berührte den Schirm, als das Bild verschwand. »Du auch nicht.«

Sie setzte die Kopfhörer auf, schaltete ein und brach dann, sehr zu Erleichterung der Katze, in die Küche auf. Sobald sie seine Schale mit Tunfisch gefüllt und abgestellt hatte, stürzte er sich darauf.

Während sie sich die Erzählung über den Diamantenraub anhörte, nahm sie sich eine Flasche Wasser und gleich darauf einen Pfirsich und lief dann durch das stille, leere Haus hinunter in den Gymnastikraum.

Sie legte ihre Kleider ab, hängte ihr Pistolenhalfter an einen Haken und zog sich einen kurzen, hautengen Body an.

Sie begann mit Dehnübungen, konzentrierte sich auf die Kassette und ihre Kondition. Dann ging sie hinüber an die Maschine, programmierte einen Hindernislauf ein, bei dem sie über verschiedene Objekte und Oberflächen laufen, klettern, rudern und mit dem Fahrrad fahren musste.

Als sie mit den Gewichten anfing, kannte sie bereits die Hauptcharaktere des Buchs und hatte eine Vorstellung von New York und einer Kleinstadt im Amerika zu Beginn des Jahrhunderts.

Gerüchte, Verbrechen, böse Jungs, gute Jungs, Sex und Mord. So viel hatte sich eigentlich nicht verändert, überlegte sie.

Sie aktivierte den Sparring-Droiden für eine Kampfrunde und fühlte sich gelenkiger, energiegeladener und besser, nachdem sie ihn vermöbelt hatte.

Sie holte sich eine zweite Flasche Wasser aus dem Mini-Kühlschrank und verordnete sich, um mehr Zeit für das Buch zu haben, eine Sitzung für Elastizität und Gleichgewicht.

Sie schälte sich aus dem Body, warf ihn in den Wäscheschlucker und ging nackt zum Schwimmbad. Die Hörfassung noch im Ohr, tauchte sie in das kühle blaue Wasser des Pools. Nach ein paar trägen Runden ließ sie sich in die Ecke treiben und schaltete per Stimme die Wasserdüsen ein.

Ihr langer Wonneseufzer hallte von der Decke zurück.

Man konnte so oder so allein zu Hause sein, überlegte sie.

Als ihr die Augen schwer wurden, gab sie sich einen Ruck und stieg aus dem Wasser. Sie zog sich einen Morgenmantel an, sammelte ihre Straßenkleidung und ihre Waffe ein und nahm den Aufzug hoch ins Schlafzimmer, ehe sie sich der verpassten Gelegenheit bewusst wurde.

Sie hätte nackt durchs Haus rennen können. Sie hätte nackt durchs Haus *tanzen* können.

Dieses kleine Vergnügen musste sie sich aufheben.

Nachdem sie geduscht und frische Sachen angezogen hatte, ging sie zurück in ihr Büro. Sie stellte die Hörfassung so lange ab, bis sie einige Details überprüft und sich ein paar Notizen gemacht hatte.

Ganz oben auf ihrer Liste standen: Jack O'Hara, Alex Crew, William Young und Jerome Myers. Young und Myers waren schon länger als ein halbes Jahrhundert tot, denn ihre Leben endeten schon vor dem ersten Akt des Dramas.

Crew war im Gefängnis gestorben, und O'Hara war bis vor seinem ein paar Jahre zurückliegenden Tod immer mal wieder draußen und drinnen. Die vier Männer also, die die Diamanten gestohlen hatten, waren tot. Aber die wenigsten Menschen gehen ohne Beziehungen durchs Leben. Familie, Bekannte, Feinde.

Eine Beziehung zu einem Dieb könnte bedeuten, dass man selbst an die Beute kommt. Als Belohnung, Erbe, Schuldbegleichung. Eine Beziehung zu einem Dieb könnte bedeuten, dass man weiß, wie man sich Zugang zu einem gesicherten Haus verschafft.

Blutsbande lassen sich nicht verleugnen, überlegte sie. Das sagte man oft. Sie hingegen hatte Grund zu hoffen, dass es nicht stimmte. Denn wenn es stimmte, was war sie dann, als Tochter eines Ungeheuers und einer Junkiehure? Wenn alles nur eine Frage der Gene, der DNA und der ererbten Wesenszüge war, welche Chance hatte dann ein Kind, das von zwei Menschen zu dem Zweck gezeugt worden war, daraus Profit zu schlagen? Es zur Hure zu machen. Es wie ein Tier aufwachsen zu lassen. Schlimmer als ein Tier.

Es im Dunkeln einzusperren. Allein und namenlos. Es zu schlagen. Es zu missbrauchen. Es zu verbiegen, bis es mit acht Jahren so weit war, dass es tötete, um zu entkommen.

Blut an ihren Händen. So viel Blut an ihren Händen.

»Verdammt, Verdammt, verdammt.« Sie presste ihre Augen zusammen und sperrte mit ihrem Willen die Bilder aus, ehe deren Geister sich zu einem weiteren Tagalbtraum verfestigen konnten.

Blutsbande sagten gar nichts. Die DNA macht aus uns nicht den, der wir sind. Wir machen uns selbst, wenn wir den Mumm dazu haben.

Sie zog ihre Dienstmarke aus der Tasche und hielt sie fest wie einen Talisman, wie einen Anker. Wir haben uns selbst gemacht, ging es ihr wieder durch den Kopf. Und dabei blieb es.

Sie legte ihre Dienstmarke auf den Schreibtisch, wo sie diese wenn nötig sehen konnte, aktivierte dann ihre Hörfassung erneut und verfolgte die Geschichte, während sie zugleich die Namen der vier Diebe zur Überprüfung eingab.

Weil ihr nach Kaffee war, erhob sie sich, um in die Küche zu gehen. Sie spielte mit dem Gedanken, eine ganze Kanne einzuprogrammieren, beschränkte sich dann aber doch auf eine einzige Tasse. Einer der gebunkerten Schokoriegel begann ihren Namen zu rufen. Den blöden Pfirsich hatte sie ja schließlich gegessen.

Sie grub ihn unter dem Eis im Gefrierschrank aus. Mit dem Kaffee in der einen, der gefrorenen Schokolade in der anderen Hand, ging sie zurück ins Büro. Und stieß fast mit Roarke zusammen.

Er sah sie an, zog die Braue hoch. »Abendessen?«

»Nicht gerade.« Er schaffte es, dass sie sich wie ein Kind fühlte, das was zum Naschen geklaut hatte. Aber sie war nie ein Kind *gewesen*, das sich etwas zum Naschen hätte klauen können. »Ich habe nur… Scheiße.« Sie riss sich die Kopfhörer herunter. »Gearbeitet. Hab eine kleine Pause gemacht. Und was ist mit dir?«

Er lachte und zog sie zu sich heran, um sie zu küssen. »Hallo, Lieutenant.«

»Auch Hallo. Achte nicht auf ihn«, sagte sie, als Galahad miauend und bettelnd angerutscht kam. »Ich habe ihn bereits gefüttert.«

»Zweifellos besser als dich selbst.«

»Hast du was gegessen?«

»Noch nicht.« Er legte eine Hand um ihre Kehle und drückte leicht zu. »Gib mir die Hälfte von deinem Riegel.«

»Er ist gefroren. Du wirst noch warten müssen.«

»Dann davon.« Er nahm ihren Kaffee und grinste in ihr mürrisches Gesicht. »Du riechst… köstlich.«

Als die Hand an ihrer Kehle entlangglitt, um ihren Nacken zu umfassen, wurde ihr klar, dass er sie meinte und nicht den Kaffee. »Zurück, Kumpel.« Sie stieß ihm einen Finger in die Brust. »Ich habe hier noch ein volles Programm. Aber da du noch nichts gegessen hast, könnten wir doch zu diesem Italiener in Downtown gehen, von dem ich gehört habe.«

Als er nichts sagte, sondern einfach nur an seinem Kaffee nippte und sie über den Tassenrand hinweg musterte, zog sie die Stirn kraus. »Wie bitte?«

»Nichts. Ich wollte nur sichergehen, dass du wirklich meine

Frau bist. Du möchtest zum Essen ausgehen und dich in ein Restaurant setzen, in dem auch andere Menschen sind.«

»Wir sind auch vorher schon mal zum Essen aus gewesen. Tausendmal. Was soll das also?«

»Hm. Was hat eine italienisches Restaurant in Downtown mit deinem Fall zu tun?«

»Klugscheißer. Vielleicht habe ich auch nur gehört, dass es dort wirklich gute Lasagne gibt. Und vielleicht erzähle ich dir den Rest unterwegs, weil ich gewissermaßen schon reserviert habe. Und zwar ehe mir klar war, dass du so spät kommen und eventuell keine Lust haben würdest auszugehen. Ich kann es auch morgen überprüfen.«

»Bleibt mir noch Zeit zum Duschen und mich aus diesem Scheiß-Anzug zu schälen? Ich komme mir vor, als wäre ich darin geboren.«

»Sicher. Aber ich kann auch absagen, wenn du dich ausruhen möchtest.«

»Lasagne könnte ich schon vertragen, solange es viel Wein dazu gibt.«

»Dann war's wohl ein großes Problem?«

»Eher ärgerlich als groß«, erzählte er ihr, als sie ihn zum Schlafzimmer begleitete. »Ein paar systemische Probleme. Eins in Baltimore, eins in Chicago, und beide erforderten meine persönliche Aufmerksamkeit.«

Sie schürzte die Lippen, während er sich zum Duschen auszog. »Dann warst du heute in Baltimore und in Chicago?«

»Mit einem kurzen Zwischenstopp in Philadelphia, da es gerade günstig war.«

»Hast du ein Käsesteak bekommen?«

»Nein, habe ich nicht. Für solche Sonderwünsche war keine Zeit. Volle Düsen«, befahl er, als er in die Dusche stieg. »Zweiundzwanzig Grad.«

Schon der Gedanke an eine Dusche bei dieser Temperatur ließ sie schaudern. Aber sie genoss es doch, ihn dabei zu beobachten, wie er sich vom kalten Wasser durchnässen ließ. »Und hast du sie auch lösen können? Die systemischen Probleme?«

»Darauf kannst du deinen hinreißenden Arsch verwetten. Ein

Ingenieur, ein Büromanager und zwei Vizechefs werden sich eine andere Arbeit suchen müssen. Eine überarbeitete Verwaltungsangestellte hat sich ein Eckbüro und einen neuen Titel ergattert – zusammen mit einer hübschen Gehaltserhöhung –, und ein junger Mann kann nun seine Beförderung zum Projektleiter feiern.«

»Wow, da warst du ja sehr fleißig da draußen, hast Leben verändert.«

Er strich seine wunderschöne feuchte Mähne schwarzen Haars nach hinten. »Das Spesenkonto ein wenig aufzublähen ist, ganz allgemein gesagt, eine altehrwürdige Tradition. Ich habe nichts dagegen. Aber gierig und schludrig sollte man nicht werden, und arrogant damit herumprotzen schon gleich gar nicht. Denn da fliegst du raus und musst dich fragen, wie um alles in der Welt du dir diese Eigentumswohnung auf Maui und deine Nebenfrau leisten sollst, die ihre kleinen Aufmerksamkeiten am liebsten in den kleinen blauen Schachteln von Tiffany sieht.«

»Warte mal.« Sie trat beiseite, als er aus der Dusche stieg. »Veruntreuung? Sprichst du von Veruntreuung?«

»Das war in Chicago. In Baltimore war es nur Ungeschicklichkeit, was irgendwie sogar noch ärgerlicher ist.«

»Hast du Anzeige erstattet? In Chicago?«

Er nahm sich ein Handtuch und fing an sich abzutrocknen. »Ich habe das geregelt. Und zwar auf meine Weise, Lieutenant«, sagte er, ehe sie etwas einwerfen konnte. »Ich hole doch nicht bei jeder Kleinigkeit die Polizei.«

»Das höre ich in letzter Zeit öfter. Veruntreuung ist ein Verbrechen, du Ass.«

»Ist es das jetzt? Finde ich gut.« Mit dem um die Hüfte geschlungenen Handtuch strich er an ihr vorbei und ging zu seinem Schrank. »Sie werden dafür bezahlen, dessen kannst du dir sicher sein. Könnte mir vorstellen, dass sie sich gerade jetzt bis zur Besinnungslosigkeit voll laufen lassen und bittere Tränen über den Selbstmord ihrer jeweiligen Karrieren vergießen. Die können froh sein, wenn sie jetzt noch einen Job kriegen, bei dem sie um einen Schreibtisch herumfegen müssen, anstatt dahinter zu sitzen. Oder Böden umgraben.«

Sie dachte nach. »Da hätten sie es mit den Bullen besser.«

Er sah sie an, ein wütendes, kaltes Grinsen im Gesicht. »Zweifellos.«

»Ich habe es schon mal gesagt, und ich sage es noch einmal. Du bist ein Kerl, vor dem man Angst haben muss.«

»So…« Er zog ein Hemd an und knöpfte es zu. »Und wie war dein Tag, liebste Eve?«

»Das erzähle ich dir unterwegs.«

Was sie dann auch tat, sodass er, als sie im Restaurant eintrafen, vollkommen auf dem Laufenden war.

Peabody hätte in ihrer Beschreibung nicht genauer sein können, wie Eve auffiel. Das Restaurant war gerammelt voll und laut, und es roch verheißungsvoll. Das Bedienungspersonal mit den weißen Latzschürzen über ihrer Straßenkleidung bewegte sich im Schneckentempo, wenn sie die mit Essen beladenen Tabletts zu den Tischen trugen oder leere Teller abservierten.

Wenn das Bedienungspersonal es nicht nötig hatte, sich fürs Trinkgeld die Hacken abzulaufen, dann konnte der Zulauf nur am guten Essen oder daran liegen, dass es schick war, hier gesehen zu werden. Aber in Anbetracht der einfachen Innenausstattung war wohl das Essen eher hervorragend.

Jemand trällerte etwas aus den Lautsprechern, auf Italienisch, wie Eve vermutete. Auch bei den kindlichen Wandgemälden dürfte es sich um italienische Örtlichkeiten handeln.

Die Stumpenkerzen an den Tischen fielen ihr auf. Genauso eine hatte Tina Cobb mit ihren Erinnerungsstücken aufbewahrt.

»Ich habe auf deinen Namen bestellt.« Sie musste ihre Stimme erheben und Richtung Roarkes Ohr zielen, um sich über den Lärm hinweg verständlich zu machen.

»Oh?«

»Alles war ausgebucht. Und da macht Roarke schneller einen Tisch frei als Dallas.«

»Ah.«

»Oh. Ah. Bla-bla.«

Er lachte, zwickte sie und wandte sich dann an den offenbar desinteressierten Maître d'. »Sie haben einen Tisch für zwei, auf den Namen Roarke.«

Der Mann war gedrungen. Sein fülliger Leib steckte in einem

altmodischen Smoking wie ein in einen Darm gepresstes Soja-würstchen. Seine gelangweilten Augen fielen ihm fast heraus, und er kam ruckartig auf die Beine. Als er sich verbeugte, wartete Eve nur darauf, dass er den Smoking sprengte – ein Würstchen, das man so lange gekocht hatte, bis es platzte.

»Aber ja! Mr. Roarke. Ihr Tisch wartet auf Sie.« Sein italienischer Akzent war ganz eindeutig New Yorkerisch gefärbt. Durch die Bronx nach Rom. »Bitte folgen Sie mir. Sch, sch.« Er scheuchte und drängelte Kellner und Gäste gleichermaßen, um ihnen einen Weg zu bahnen. »Ich heiße Gino. Bitte wenden Sie sich an mich, wenn Sie etwas brauchen. Egal was. Als Pasta bieten wir heute *Spaghetti con le polpettone* an, und unser Spezialgericht sind *Rollatini di pollo*. Sie wünschen Wein, ja? Eine Flasche unseres Barolos auf Kosten des Hauses. Er ist sehr fein. Edel und kühn, aber nicht zu stark.«

»Klingt ausgezeichnet. Danke sehr.«

»Nichts zu danken. Keine Ursache.« Er schnippte mit zwei Fingern einen Kellner herbei, der offenbar angewiesen worden war aufzupassen. Binnen kurzem wurde der Wein gebracht, geöffnet, eingeschenkt und für gut befunden. Im Nu lagen die Speisekarten auf dem Tisch, und das Personal wich zurück und wartete – und ignorierte weitestgehend die anderen Gäste, die nur darauf hoffen konnten, irgendwann im nächsten Jahrzehnt ebenfalls bedient zu werden.

»Bist du es niemals leid, dass alle vor dir katzbuckeln?«, wollte Eve von Roarke wissen.

»Lass mich mal überlegen.« Roarke trank seinen Wein und lehnte sich zurück. Lächelte. »Nein.«

»Hab ich mir schon gedacht.« Sie warf einen Blick auf die Speisekarte. »Was ist dieses Spaghetti-polepot-Zeugs, von dem er gesprochen hat?«

»*Polpettone*. Spaghetti mit Fleischbällchen.«

»Tatsächlich?« Sie spitzte die Ohren. »Okay, das wird mich aufbauen.« Sie legte die Speisekarte beiseite. »Was nimmst du?«

»Ich denke, ich werde die Lasagne mit den zwei Saucen probieren. Diesen Floh hast du mir ins Ohr gesetzt, und ich werde ihn nicht mehr los. Aber zuerst nehmen wir ein paar Antipasti, sonst enttäuschen wir unseren Wirt.«

»Dann wollen wir ihn doch glücklich machen.«

Sobald Roarke die Speisekarte abgelegt hatte, tauchten sowohl der Maître d' als auch der Kellner am Tisch auf. Eve überließ die Bestellung Roarke und zog das erkennungsdienstliche Foto von Tina Cobb aus ihrer Tasche. »Erkennen Sie diese Frau wieder?«, fragte sie Gino.

»Wie darf ich das verstehen?«

»Sie war hier bei Ihnen, hatte hier im Juli eine Verabredung. Erinnern Sie sich daran, sie gesehen zu haben?«

»Tut mir Leid«, sagte er. Er sah sie entschuldigend an und bedachte Roarke mit ebensolchem Blick. »Wir haben so viele Gäste.« Auf seiner Stirn perlte der Schweiß, er rang die Hände und stand da wie ein aufgeregter Student, der bei einer wichtigen Prüfung versagt.

»Werfen Sie doch einen Blick drauf. Vielleicht können Sie sich daran erinnern, sie hereinkommen gesehen zu haben. Jung, wahrscheinlich herausgeputzt für ihre Verabredung. Etwa einsachtundfünfzig groß, hundertzwanzig Pfund. Mit dem Leuchten der ersten Verabredung im Gesicht.«

»Ah…«

»Sie könnten mir einen Gefallen tun«, sagte Eve, ehe der Mann sich vor ihren Füßen in Tränen auflöste. »Zeigen Sie das hier doch bitte dem Bedienungspersonal, ob es einem davon bekannt vorkommt.«

»Sehr gern. Ich fühle mich *geehrt*. Wird sofort erledigt.«

»Ich hab es lieber, wenn sie gereizt sind oder die Schnauze voll haben«, entschied Eve, als er davoneilte. »Na ja, ob so oder so, die Chancen stehen schlecht.«

»Aber dafür bekommen wir ein gutes Essen. Und…«, er hob ihre Hand und küsste ihre Fingerknöchel, »ich bekomme eine Verabredung mit meiner Frau.«

»Hier ist wirklich der Teufel los. Wieso gehört dir das eigentlich noch nicht?«

Er hielt ihre Hand, während er seinen Wein trank. Nichts deutete auf den Mann hin, der den ganzen Tag von einer Stadt zur nächsten gehetzt war und Angestellte wegen Veruntreuung und Inkompetenz gefeuert hatte. »Würde dir das gefallen?«

Sie schüttelte nur den Kopf. »Zwei tote Frauen. Eine Mittel zum Zweck, die andere nur am richtigen Platz zur falschen Zeit. Er ist kein Mörder, der einen Plan verfolgt. Er tötet nur, wenn es ihm angebracht erscheint. Möchte damit ein Ziel erreichen. Und um es zu erreichen, benötigt er Werkzeuge und muss Hindernisse beseitigen. Etwas in der Art, was du heute getan hast, nur mit echtem Blut.«

»Hm«, lautete Roarkes Kommentar.

»Ich will damit sagen, dass man von einem Punkt A zu einem Punkt B kommen möchte, und wenn dazu Umwege nötig sind oder man jemanden niedermähen muss, dann macht man das. Ich meine, dass er Regie führte.«

»Verstehe.«

»Wäre Jacobs nicht dort gewesen, hätte er sie nicht töten müssen. Hätte er Jacobs nicht töten müssen, hätte er wahrscheinlich auch Cobb nicht umgebracht. Wenigstens nicht sofort, obwohl ich darauf wette, dass er sich schon überlegt hatte, wie er das anstellt, falls es nötig werden sollte. Hätte er die Diamanten gefunden – großer Zufall – oder wohl besser etwas entdeckt, was ihn zu ihnen führen könnte, hätte er diese Spur verfolgt.«

Sie nahm sich ein Grissini, brach es entzwei und mampfte es. »Er schreckt vor Mord nicht zurück und muss – weil er vorausdenkt – sich eine Möglichkeit überlegt haben, wie er Samantha Gannon loswird, wenn er den Preis erst einmal in der Hand hält. Aber er ist nicht in ihr Haus eingedrungen und hatte dabei bereits Mord auf dem Programm stehen.«

»Er passt sich den Gegebenheiten an. Begreift, was es bedeutet, flexibel zu sein und sozusagen sein Ziel nicht aus dem Auge zu verlieren. Was du bis jetzt hast, deutet nicht auf einen Mann hin, der in Panik gerät, wenn etwas seinen Spielplan umwirft. Er arbeitet damit und macht entsprechend weiter.«

»Eine ziemlich schmeichelhafte Beschreibung.«

»Ganz und gar nicht«, widersprach Roarke. »Denn seine Flexibilität und Konzentration sind völlig unmoralisch und selbstsüchtig. Wie du schon festgestellt hast, verfolgte ich – und verfolge ich – selbst auch meine Spielchen. Und ich kenne den verführerischen Sog, der von glitzernden Steinen ausgeht. Bargeld, so sexy es auch sein mag, zieht einen nicht auf die gleiche Weise an. Ihr Feuer, der blendende Glanz, die Farben und die Formen. Diese Anziehungskraft hat etwas Primitives, was einem direkt in die Eingeweide dringt. Doch wenn man wegen einer paar Klunkern töten muss, wird das Ganze entwürdigt. Für mich jedenfalls.«

»Aber sie zu stehlen, wäre okay für dich.«

Jetzt grinste er und nahm die andere Hälfte des Grissini. »Wenn man es richtig macht. Einmal – in einem anderen Leben natürlich – habe ich einen Londoner Paradiesvogel um ein paar seiner funkelnden Federn erleichtert. Sie hatte sie im Tresor aufbewahrt – im Dunkeln – eine Schande. Was hat man denn davon, wenn man diese Schönheiten wegsperrt, die doch nur darauf warten, wieder glänzen zu dürfen? Sie hatte ein Haus in Mayfair, bewacht wie der Buckingham Palace. Ich habe den Job allein ausgeführt, nur um zu sehen, ob ich es kann.«

Sie wusste, dass sie sich nicht darüber amüsieren sollte, konnte aber nichts dagegen tun. »Und ich wette, du konntest es.«

»Gewonnen. Mein Gott, was für eine Aufregung. Ich muss wohl zwanzig gewesen sein. Und doch weiß ich noch – weiß noch ganz genau –, wie es war, als ich diese Steine aus dem Dunkeln nahm und zusah, wie sie in meinen Händen lebendig wurden. Sie brauchen Licht, um lebendig zu werden.«

»Und was hast du damit gemacht?«

»Na ja, das ist eine andere Geschichte, Lieutenant.« Er schenkte beide Gläser nach. »Eine ganz andere Geschichte.«

Der Kellner servierte ihnen ihre Antipasti. In seinem Gefolge kam der Maître d' zurückgeeilt und zog eine Kellnerin am Arm.

»Erzähl es der *Signorina*«, befahl er.

»Okay. Ich glaube, dass ich sie bedient habe.«

»Sie glaubt es«, ertönte Ginos Echo. Er sang es fast.

»Sie und einen Mann?«

»Ja. Hören Sie, ich bin mir nicht hundertprozentig sicher.«

»Darf sie sich denn einen Moment setzen?«, fragte Eve Gino.

»Wie Sie möchten. Wie es Ihnen beliebt. Schmecken Ihnen die Antipasti?«

»Großartig.«

»Und der Wein?«

Weil er das Zucken in ihrem Auge auffing, trank Roarke einen Schluck. »Ein sehr feiner Wein. Eine wunderbare Empfehlung. Könnten wir vielleicht einen Stuhl für...«

»Ich heiße Carmen«, sagte die Kellnerin zu ihm.

Glücklicherweise stand ein freier Stuhl zur Verfügung, da Eve nicht daran zweifelte, dass Gino sonst einem anderen Gast seine Sitzgelegenheit persönlich weggenommen hätte, um Roarkes Bitte zu erfüllen.

Obwohl er nicht von ihrer Seite wich, ging Eve nicht weiter auf ihn ein, sondern wandte sich an Carmen. »Woran erinnern Sie sich?«

»Nun.« Carmen sah sich das Foto, das sie Eve zurückgegeben hatte, noch einmal genau an. »Gino meinte, es wäre eine erste Verabredung gewesen. Und ich glaube, mich daran zu erinnern, dass ich sie bedient habe. Sie war sehr aufgeregt und zappelig – als würde sie nicht oft weggehen, und sie sah so jung aus, dass ich sie überprüfen musste. Das war mir irgendwie zuwider, weil sie ganz rot wurde, aber alles war in Ordnung, denn sie war alt genug. Gerade so eben. Deshalb kann ich mich vermutlich auch an sie erinnern.«

»Und was ist mit ihm? Was wissen Sie noch von ihm?«

»Hm.... Er war nicht so jung wie sie, und er war sehr viel glatter. Als wäre er schon ein wenig herumgekommen. Er hat auf Italienisch bestellt, ganz beiläufig. Ich erinnere mich daran, weil einige Jungs das machen. Sie wollen damit nur ihre Show abziehen, während andere es einfach souverän machen. Er machte es souverän. Und er war auch nicht knickerig beim Trinkgeld.«

»Wie hat er bezahlt?«

»Bar. Ich kann mich immer erinnern, wenn jemand bar zahlt, vor allem wenn sie mich nicht bescheißen.«

»Können Sie ihn beschreiben?«

»Ach, ich weiß nicht. So genau habe ich nicht aufgepasst. Ich glaube, er hatte dunkle Haare. Nicht zu dunkel. Ich meine nicht...« Sie sah zu Roarke, und ihre Augen wanderten prüfend über sein Haar und hätten geseufzt, wenn sie gekonnt hätten. »Nicht schwarz.«

»Hehe. Carmen.« Eve tippte ihr auf die Hand, um ihre Aufmerksamkeit umzulenken. »Wie war die Hautfarbe?«

»Er war Weißer. Aber er war gebräunt. Daran erinnere ich mich jetzt. Als hätte er einen wirklich guten Bräuner oder einen netten Urlaub gehabt. Nein, er hatte helles Haar! Das stimmt. Er hatte blondes Haar, denn es stand in heftigem Kontrast zu seiner Bräune. Glaube ich. Er war sehr aufmerksam zu ihr. Wenn ich jetzt darüber nachdenke, fällt mir ein, dass er jedes Mal, wenn ich vorbeikam, ihr entweder zuhörte oder Fragen stellte. Viele Typen – ach, die meisten – hören nämlich nicht zu.«

»Sie sagten, er sei älter gewesen als sie. Wie viel älter?«

»Du liebe Zeit, das ist schwer zu sagen. Zu erinnern. Ich glaube nicht, dass es eine Geschichte mit väterlichem Freund und so war.«

»Und wie war er gebaut?«

»Das kann ich echt nicht sagen. Er saß, wissen Sie. Kein Fettsack jedenfalls. Sah ganz normal aus.«

»Piercings, Tattoos?«

»Ach je. Nicht, dass ich wüsste. Er hatte eine wirklich gute Armbanduhr. Die fiel mir auf. Als ich ihnen den Kaffee brachte, war sie gerade weg, um sich frisch zu machen, und da überprüfte er die Uhrzeit. Sah wirklich geil aus, dünn und silbrig mit perlenartiger Oberfläche. Wie nennt man das noch mal?«

»Perlmutt?«, schlug Roarke vor.

»Ja. Jawohl, Perlmutt. Ein ganz geiles Ding. Sah teuer aus.«

»Wären Sie bereit, mit dem Polizeizeichner zusammenzuarbeiten?«

»Dann sind Sie von der Polizei? Wow. Was haben die denn angestellt?«

»Wir sind nur an ihm interessiert. Ich würde gerne mit Ihnen einen Termin für die Zentrale ausmachen. Wir können Sie abholen lassen.«

»Ach ja. Das wäre mal was anderes. Ist bestimmt toll.«

»Wenn Sie mir sagen, wie wir Sie erreichen können, wird sich jemand bei Ihnen melden.«

Eve nahm sich eine Olive vom Teller, als Carmen ihren Stuhl wegschaffte. »Ich liebe es, wenn sich was rauskristallisiert, obwohl die Chancen schlecht stehen.« Sie sah die sich in ihre Richtung bewegenden Pastateller und hatte Mühe, das Wasser nicht aus dem Mund tropfen zu lassen. »Gib mir eine Minute, um das zu regeln.«

Sie zog ihr Tele-Link heraus, um die Zentrale anzurufen und eine Sitzung für ein Phantombild zu vereinbaren. Während sie dem Dienst habenden Sergeant zuhörte, der ihr ein paar markige Fragen stellte, wickelte sie die Spaghetti auf ihre Gabel.

Sie beendete das Gespräch und schob sich die Pasta in den Mund. »Nadine geht mit der Querverbindung auf Sendung.«

»Wie bitte?«

»Entschuldige.« Sie schluckte und wiederholte ihre Äußerung ein wenig verständlicher. »Habe mir schon so etwas gedacht, nachdem sie mit der Gannon gesprochen hat.«

»Problematisch?«

»Wenn es riskant wäre, hätte ich sie davon abgehalten. Und zu ihrer Ehre muss ich sagen, dass sie auf mich gehört hätte. Nein, problematisch ist es nicht. Er wird es irgendwo mitkriegen und wissen, dass wir Fäden haben, an denen wir ziehen können. Bringt ihn zum Nachdenken, wird ihn verwundern.«

Sie stach in einen Fleischkloß, teilte eine Gabel voll ab und wickelte Pasta darum. »Wer zum Teufel dieser Bobby Smith auch sein mag, er wird jedenfalls heute Abend viel zum Nachdenken haben.«

Und das hatte er auch. Er war von einer Cocktail Party zeitig heimgekommen, auf der er sich tödlich gelangweilt hatte. Die immer gleichen Leute, die gleichen Gespräche, der gleiche *ennui*. Nie was Neues.

Natürlich hätte er jede Menge zu erzählen. Aber er fand, dass seine letzten Aktivitäten wohl kaum als Gesprächsstoff für eine Party geeignet waren.

Er hatte den Bildschirm eingeschaltet. Ehe er ausgegangen war, hatte er seinen Unterhaltungsapparat so programmiert, dass er bei bestimmten Stichworten automatisch aufzeichnete. Gannon, Jacobs – da sie offenbar so hieß –, Cobb. Die süße kleine Tina. Ganz gewiss hatte die köstliche Nadine Furst auf Channel 75 einen ausführlichen Bericht gesendet, der alle diese Schlüsselwörter miteinander verband.

Dann hatten sie also die Verbindung hergestellt. Er hatte nicht damit gerechnet, dass die Polizei das so rasch hinkriegte. Obwohl das egal war.

Er zog sich seine Haushosen und den Seidenmantel an. Dann schenkte er sich einen Brandy ein und stellte sich einen kleinen Teller mit Früchten und Käse zurecht, damit er es bequem hatte, wenn er sich den Bericht noch einmal ansah.

Auf dem Sofa des Medienzimmers in seinem zweigeschossigen Apartment an der Park Avenue knabberte er seinen Brie und die sauren grünen Weintrauben, während Nadine ihre Geschichte noch einmal darlegte.

Nichts, was ihn mit dem naiven kleinen Hausmädchen in Verbindung brachte, schloss er. Er war vorsichtig gewesen. Sicher, ein paar Übertragungen hatten stattgefunden, aber alle über das Konto, das er zu diesem Zweck eingerichtet hatte. Außerdem waren sie von einem öffentlichen Apparat abgeschickt und empfangen worden. Er hatte sie immer an Orte ausgeführt, wo man sich in der Menge verlor. Und als er zu dem Schluss kam, dass er sie umbringen musste, hatte er sie zu dem Gebäude in der Avenue B mitgenommen.

Die Firma seines Vaters renovierte dieses Haus. Es war unbewohnt, und da etwas Blut geflossen war – tatsächlich sogar erhebliche Mengen davon –, hatte er sauber gemacht. Selbst wenn er ein paar Stellen vergessen haben sollte, würden den Zimmerleuten und Installateuren wohl kaum ein paar neue Flecken neben den alten auffallen.

Nein, nichts vermochte ein dummes Hausmädchen vom Servicedienst zu einem gut ausgebildeten, sozial aufgestiegenen und kultivierten Sohn eines der ersten Geschäftsleute der Stadt in Verbindung zu bringen.

Nichts ihn mit dem ernsten, sich durchs Leben wurstelnden jungen Künstler Bobby Smith verbinden.

Diese Künstlergeschichte war brillant gewesen – und ganz natürlich. Er konnte recht gut zeichnen und hatte die naive und törichte Tina mit einer kleinen Skizze ihres Gesichts betört.

Natürlich hatte er eine Busfahrt machen müssen, um das »zufällige« Treffen einzufädeln. Ein grauenhaftes Unterfangen. Es war ihm unvorstellbar, wie Leute so etwas aushalten konnten, aber seiner Meinung nach hatten diejenigen, die das taten, auch nichts Besseres verdient.

Danach war alles so einfach gewesen. Sie hatte sich in ihn verliebt – es hatte ihn kaum Mühe gekostet. Ein paar billige Verabredungen, ein paar Küsse und seelenvolle Blicke – und schon hatte er sein Entrée ins Gannon-Haus gehabt.

Er hatte nur ziellos um sie herumstreichen und eines Morgens mit ihr mitfahren müssen – und behaupten, dass er sie an der Bushaltestelle neben dem Stadthaus getroffen habe und nicht mehr habe schlafen können, weil er ständig an sie denken müsse.

Oho, da war sie aber errötet und nervös geworden – und mit ihm direkt zur Eingangstür des Gannon-Hauses geschlendert.

Er hatte sie dabei beobachtet, wie sie den Code eingab – sich die Sequenz gemerkt – und war dann gegen ihren halbherzigen und geflüsterten Protest hinter ihr ins Haus geschlüpft, um ihr noch einen Kuss zu stehlen.

O Bobby, das kannst du nicht machen. Wenn Miz Gannon das merkt, bekomme ich Ärger. Ich könnte gefeuert werden. Du musst gehen.

Dabei hatte sie gekichert, als wären sie Kinder, die einen Streich spielten. Und dann war es ganz einfach gewesen, sie zu beobachten, wie sie rasch den Code für Alarm eingab. Ganz einfach.

Nicht ganz so einfach, musste er sich jetzt eingestehen, ganz und gar nicht so einfach war es für ihn gewesen, wieder hinauszugehen und sie winkend zurückzulassen. Einen Augenblick lang, einen brenzligen Augenblick lang hatte er erwogen, sie gleich umzubringen – ihr dieses lächelnde, *gewöhnliche* Gesicht einzuschlagen und es dann hinter sich zu haben. Hatte sich vorgestellt, nach oben zu gehen, die Gannon aufzuspüren und das Versteck der Diamanten aus ihr herauszuprügeln.

So lange auf sie einzuschlagen, bis sie ihm alles, aber auch *alles* erzählt hatte, was nicht in diesem lächerlichen Buch stand.

Aber das war nicht im Plan vorgesehen. In seinem sorgfältig entworfenen Plan.

Dann wieder, überlegte er achselzuckend, sind Pläne dazu da, um geändert zu werden. Und so war eben Mord daraus geworden. Zweifacher.

Nach einem Toast auf sich trank er seinen Brandy.

Die Polizei konnte Spekulationen über sämtliche Verbindungen anstellen, nie würde sie ihn damit in Beziehung bringen, einen Mann wie ihn, mit jemand so Gewöhnlichem wie dieser Tina Cobb. Und Bobby Smith? Ein Hirngespinst, ein Geist, eine Rauchwolke.

Den Diamanten hatte ihn das alles nicht näher gebracht, aber das käme noch. O ja, das stand noch an. Und er *langweilte* sich Gott sei Dank nicht mehr.

Samantha Gannon war der Schlüssel. Er hatte ihr Buch immer und immer wieder gelesen – nach der ersten schockierenden Lektüre, als er so viele Geheimnisse seiner Familie dort vor sich ausgebreitet sah. Es verwunderte ihn, erstaunte ihn, machte ihn wütend.

Warum hatte man ihm nicht erzählt, dass irgendwo Millionen Dollar, *Millionen* versteckt waren. Diamanten, die von Rechts wegen ihm gehörten.

Der liebe alte Papa hatte dieses kleine Detail in seinen Erzählungen ausgelassen.

Er wollte sie haben. Er würde sie haben. Es war wirklich ganz einfach.

Damit könnte er, würde er mit seinem Vater und dessen langweiliger Arbeitsethik brechen. Käme weg von der Langeweile, dem ständig gleichen Freundeskreis.

Er wäre, wie sein Großvater – einzigartig.

Er dehnte seine Glieder und rief ein anderes Programm auf, sah sich die Reihe von Interviews an, die er aufgenommen hatte. In jedem davon war Samantha beredt, klug, attraktiv. Und genau aus diesen Gründen hatte er keinen Versuch unternommen, direkt mit ihr in Kontakt zu treten.

Nein, die beschränkte, blauäugige Tina war ein viel sichererer, raffinierterer Zug gewesen.

Und doch freute er sich schon darauf, Samantha besser kennen zu lernen. Sehr viel intimer kennen zu lernen.

23

Eve wachte auf, und wie gewöhnlich war Roarke schon aufgestanden, fertig angezogen und saß im Sitzbereich des Schlafzimmers bei einer Tasse Kaffee mit der Katze vor dem Bildschirm, um die morgendlichen Börsennachrichten zu verfolgen.

Er aß, wie sie mit einem verschlafenen Auge feststellen konnte, etwas, das nach frischer Melone aussah, und gab auf einem Tele-Link manuell Codes, Zahlen und offenbar auch Staatsgeheimnisse ein.

Sie grunzte einen guten Morgen und stolperte ins Badezimmer davon.

Als sie die Tür schloss, hörte sie Roarke mit dem Kater sprechen. »Vor dem Kaffee ist sie nicht gerade in Hochform, nicht wahr?«

Als sie aus dem Bad kam, schaltete er den Bildschirm auf Nachrichten um, gab den Ton dazu und nahm sich ein Bagel vor. Sie riss es ihm aus der Hand, mopste sich seinen Kaffee und nahm beides mit zu ihrem Schrank.

»Du bist genauso schlimm wie die Katze«, beklagte er sich.

»Aber schneller. Ich habe eine Morgenbesprechung. Hast du den Wetterbericht gehört?«

»Heiß.«

»Saumäßig heiß oder einfach nur heiß?«

»Wir haben August und das in New York. Also rate mal.«

Resigniert zog sie etwas aus dem Schrank, was nach fünf Minuten im Freien nicht gleich wie Gips an ihr klebte.

»Oh, ich habe ein paar Informationen über die Diamanten für dich. Habe gestern mal ein wenig rumgeschnüffelt.«

»Tatsächlich?« Sie drehte sich zu ihm um und rechnete fast schon mit seiner Kritik, dass ihre Bluse nicht zu ihrer Hose oder das Jackett nicht zur Hose passte. Aber offenbar hatte sie heute eine glückliche Hand gehabt und Sachen ausgesucht, die seinen Ansprüchen gerecht wurden. »Ich hatte nicht damit gerechnet, dass du bei all deinen Arschtritten Zeit dafür gefunden hast.«

»Das hat mich einige Zeit und Mühe gekostet. Aber ich habe

mir zwischen den Blutbädern ein wenig Vergnügen gegönnt. Ich habe es gerade eben für dich zusammengestellt, während du dir noch ein wenig Schönheitsschlaf gegönnt hast.«

»Soll das ein Seitenhieb sein?«

»Schätzchen, wieso soll es ein Seitenhieb sein, wenn ich dir sage, wie schön du bist?«

Sie antwortete darauf mit einem Schnauben, während sie sich ihre Waffe anlegte.

»Diese Jacke sieht gut an dir aus.«

Sie beäugte ihn misstrauisch, während sie ihren Waffengurt unter ihrer Schulter festmachte. »Aber?«

»Kein Aber.«

Sie war hellbraun – obwohl er bestimmt eine andere Bezeichnung dafür hatte. Wie etwa Pumpernickel. Es wollte ihr nicht einleuchten, warum man Farben unverdrossen so seltsame Namen verpasste.

»Meine reizende Stadtkriegerin.«

»Lass gut sein. Was hast du herausgefunden?«

»Herzlich wenig.« Er tippte auf die Diskette, die er auf den Tisch gelegt hatte. »Die Versicherungsgesellschaft ist für ein Viertel davon aufgekommen – dazu auf den Rest das Honorar von fünf Prozent für den Privatdetektiv. Es war also ein schwerer Verlust. Hätte noch viel schlimmer sein können, aber Versicherungsgesellschaften halten nun mal in der Regel gar nichts davon, Auszahlungen von mehreren Millionen leisten zu müssen.«

»Das ist ihr Risiko«, sagte sie schulterzuckend. »Wer nicht zahlen will, braucht gar nicht erst mitzuspielen.«

»Das ist wohl wahr. Sie haben O'Haras Tochter in die Mangel genommen, bekamen aber nichts aus ihr heraus. Dazu kam noch, dass sie diejenige war, die es gefunden hat – oder dem Versicherungsdetektiv geholfen hat, die Steine wiederzufinden. Und sie hat ganz wesentlich dazu beigetragen, dass Crew von der Polizei geschnappt werden konnte.«

»Ja, so weit bin ich auch. Erzähl mir doch was, wovon ich noch nichts weiß.«

»Sie haben sich die Familie des Insiders vorgeknöpft, seine Kollegen und seine Mitarbeiter. Ohne Ergebnis, aber sie haben sie jahrelang beobachtet. Bei allen von ihnen konnte eine Veränderung des Lebensstils festgestellt werden, ohne dass sie, sagen wir, in der Lotterie gewonnen hätten. Also müssen sie auch Beute gemacht haben. Aber Crews Exfrau oder sein Sohn konnten nie gefunden werden.«

»Er hatte ein Kind?« Sie gab sich einen geistigen Fußtritt dafür, sich nicht weiter um die Überprüfungen gekümmert zu haben, nachdem sie am gestrigen Abend wieder zu Hause waren.

»Offenbar ja. Obwohl das nicht in Gannons Buch steht. Er war verheiratet und geschieden und hatte einen Sohn, der gerade mal acht Jahre alt gewesen sein dürfte, als der Raub erfolgte. Mit der Standardüberprüfung, beginnend sechs Monate nach der Scheidung, konnte ich nichts über sie herausfinden.«

Da ihr Interesse entfacht war, kehrte sie zurück in den Sitzbereich. »Sie ist untergetaucht?«

»Wie es aussieht, ist sie untergetaucht und auch dort geblieben.«

Während des Erzählens hatte er sich noch ein Bagel und Kaffee genommen. Jetzt saß er wieder. »Ich könnte sie aufspüren, wenn du willst. Dazu bräuchte es etwas mehr als einen Standarddurchlauf und auch länger Zeit, denn wir gehen schließlich ein halbes Jahrhundert zurück. Würde mir aber nichts ausmachen. Solche Aufgaben finde ich immer sehr unterhaltsam.«

»Und warum steht davon nichts im Buch?«

»Ich finde, das solltest du Samantha lieber selbst fragen.«

»Ganz genau. Das ist ein roter Faden.« Sie dachte darüber nach, als sie ihre Ausrüstung in diversen Taschen verstaute. Handy, Memobook, Tele-Link, Handschellen. »Wenn du dafür Zeit hast, wäre das großartig. Ich werde es Feeney übergeben. Die AEE sollte doch in der Lage sein, eine Frau und ein Kind aufzuspüren. Wir haben heute besseres Spielzeug dafür als die damals vor fünfzig Jahren.«

Sie musste an den Chef der Abteilung für Elektronische Ermittlungen denken, ihren früheren Partner und guten Freund. »Wetten, dass auch ihn das richtig aufpulvern wird. Peabody holt mich ab.« Sie sah auf ihre Armbanduhr. »Und zwar jetzt gleich. Ich werde zu Feeney Kontakt aufnehmen, mal sehen, ob er etwas Zeit hat.«

Sie nahm die Diskette. »Sind die Daten der ehemaligen Mrs. Crew hier drauf?«

»Natürlich.« Er hörte das Signal vom Tor und ließ nach kurzer Überprüfung Peabody herein. »Ich werde dich nach unten begleiten.«

»Bist du denn heute in der Stadt?«

»Das habe ich vor.« Während sie nach unten gingen, strich er ihr mit der Hand übers Haar, hörte jedoch auf, als sie ihren Kopf drehte und ihn anlächelte. »Was soll das?«, wunderte er sich.

»Vielleicht finde ich dich einfach nur hübsch. Oder ich erinnere mich, dass die Treppe auch schon mal für was anderes gut war. Vielleicht aber auch, aber nur vielleicht, weil ich weiß, dass da unten kein knochiges Arschgesicht mit Droidengehirn wartet, dessen Lippen sich verziehen, wenn ich hinausgehe.«

»Du vermisst ihn.«

Das Geräusch, das sie daraufhin machte, begleitete ein spöttisches Grinsen. »Also bitte. Du brauchst wohl eine Pille.«

»Du brauchst die. Du vermisst die Routine, den Tanz.«

»Ach so, ich. Und du hast mir jetzt das Bild vom tanzenden Somerset in den Kopf gesetzt. Es ist schrecklich. Er trägt eines dieser...« Sie machte Streichbewegungen über ihre Hüfte.

»Tutus?«

»Ja, genau.«

»Besten Dank, dass du mir das jetzt in *meinen* Kopf gesetzt hast.«

»Ich teile nun mal gern. Weißt du was? Du bist wirklich hübsch.« Sie blieb am Fuß der Treppe stehen, packte ihn mit beiden Händen an den Haaren und zog seinen Kopf für einen langen glutvollen Kuss an ihren Mund.

»Nun, das treibt mir jetzt ganz andere Bilder in den Kopf«, japste er, als sie ihn freiließ.

»Mir auch. Und das ist gut so.« Befriedigt schritt sie zur Tür und zog sie auf.

Sofort legte sich ihre Stirn in Falten, denn neben Peabody sah sie das junge AEE-As McNab aus dem erbsengrünen Polizeifahrzeug klettern. Sie sahen aus wie... Sie hätte nicht sagen können, wie sie aussahen.

Sie war daran gewöhnt, McNab, das Modischste, was die Zentrale zu bieten hatte, in etwas Merkwürdigem zu sehen, das den Augen wehtat. Deshalb ließen die peperonifarbene glänzende Hose mit ihren Dutzend Taschen und das leuchtend blaue Tank-Shirt mit seinem – ha ha – Peperonidruck darauf sie nicht lange innehalten. Auch nicht seine hüftlange Weste in knallrot oder die blauen Springerstiefel, die bis zu seinen Knubbelknien reichten.

Das war McNab, wie er leibte und lebte, das golden glänzende Haar in einem langen, glatten Pferdeschwanz nach hinten gebunden, sein schmales, seltsam attraktives Gesicht halb hinter einer roten Sonnenbrille mit verspiegelten blauen Gläsern verborgen und mit etwa einem Dutzend Silberspikes geschmückt, die an seinen Ohren glitzerten.

Aber ihre Hilfskraft – jetzt Partnerin, wie sie sich wieder in Erinnerung rufen musste – war eine ganz andere Geschichte. Sie trug hauteng Leggins, die mitten in der Wade endeten und die Farbe von ... Schimmel hatten, befand Eve. Schimmel, wie er auf Käse wächst, den man ganz hinten im Kühlschrank vergessen hatte. Dazu trug sie ein malerisches, blusiges Oberteil in derselben Farbe, das aussah, als hätte sie ein paar Wochen darin geschlafen, und ein kackfarbenes Jackett, das ihr bis zu den Knien hing. Anstatt der schicken Schuhe, mit denen sie sich durch den gestrigen Tag geschleppt hatte, war ihre Wahl heute auf etwas Sandalenartiges gefallen, das aus einem Seil zu bestehen schien, zusammengeknotet von einem verrückten Pfadfinder. Von Hals und Ohren hingen ihr jede Menge Ketten und Anhänger und Steine in komischen Farben.

»Was stellen Sie denn dar, einen recht wohlhabenden Straßenhändler aus einem Drittweltland oder dessen Schmuseaffen?«

»Dies ist eine Anerkennung meines Aufwachsens in einem freien Jahrhundert. Und es ist bequem. Alles Naturstoffe.« Peabody rückte ihre Brille mit den dicken runden Gläsern zurecht. »Überwiegend.«

»Ich finde, sie sieht scharf aus«, meinte McNab und drückte Peabody rasch an sich. »Irgendwie mittelalterlich.«

»Sie finden also, dass Baumrinde scharf aussieht«, entgegnete Eve.

»Ja. Lässt mich an Wald denken. She-Body, die nackt durch den Wald läuft.«

Peabody rempelte ihn an, kicherte aber dabei. »Ich bin auf der Suche nach meinem Detective-Look«, erklärte sie Roarke. »Daran arbeite ich.«

»Ich finde, Sie sehen reizend aus.«

»Ach, sei *still*«, lautete Eves Antwort, da Peabodys Wangen sich rosa färbten. »Haben Sie den Misthaufen hier repariert bekommen?«, fragte sie McNab.

»Es gibt gute und schlechte Nachrichten. Die schlechte Nachricht lautet, dass dies hier ein Schrottding mit einer defekten Klimaanlage ist – also auch nichts anderes als jedes andere Polizeifahrzeug auf der Straße. Die gute Nachricht lautet, dass ich ein Frickelgenie bin und sie wieder hingekriegt habe, sie läuft jetzt, weil ich ein paar Ersatzteile herumliegen hatte. Sie wird durchhalten, bis Sie Glück haben und das ganze Fahrzeug zu Schrott fahren oder es Ihnen von irgendeinem Arschloch geklaut wird.«

»Danke. Rücksitz«, befahl sie. »Hinter dem Fahrer. Ich habe nämlich Angst, blind zu werden, wenn ich Sie im Rückspiegel sehe.« Sie wandte sich an Roarke. »Bis später.«

»Ich freue mich darauf. He.« Er nahm ihr Kinn in seine Hand, ehe sie losgehen konnte, und strich, obwohl sie zurückzuckte, sanft mit seinen Lippen über ihre. »Passt auf meine Polizistin auf.«

Peabody seufzte, als sie in den Wagen rutschte. »Ich liebe es, wie er das sagt. Meine Polizistin.« Sie drehte sich um, bis sie McNab in die Augen sah. »Du sagst das nie zu mir.«

»Das funktioniert nicht, wenn man selbst auch Polizist ist.«

»Ja, und den Akzent hast du auch nicht drauf. Aber du bist prima.« Sie zog ihm eine Schnute.

»Und die bist meine absolute weibliche She-Body.«

»Aufhören, aufhören, aufhören! Die Neuronen in meinem Kopf explodieren gleich.« Eve schlang sich den Sicherheitsgurt um. »In diesem Fahrzeug kein Gesülze. Kein Gesülze in einem Radius von zehn Metern um mich herum. Dies ist mein offizieller Bannkreis für Gesülze. Zuwiderhandelnde werden mit einem Bleirohr bewusstlos geschlagen.«

»Sie haben kein Bleirohr«, bemerkte Peabody.

»Ich werde mir eins beschaffen.« Während sie aufs Tor zufuhr, streifte sie Peabody mit einem Seitenblick. »Warum tragen Sie etwas derart Verknittertes? Es sieht Scheiße aus.«

»Es ist der Naturzustand dieses Naturmaterials. Meine Schwester hat den Stoff gewebt.«

»Und warum hat sie ihn dann nicht geglättet oder sonst was damit angestellt, während sie damit beschäftigt war? Kaum zu fasssen, wie viel Zeit ich in letzter Zeit mit der Diskussion Ihrer Kleidung vergeude.«

»Ja. Klingt auch ein wenig eisig.« Ihr Lächeln verwandelte sich in ein Stirnrunzeln, als sie an ihren Beinen hinuntersah. »Finden Sie, dass diese Hose meine Beine dick aussehen lässt?«

»Ich kann Sie nicht hören, weil mir gerade was im Hirn geplatzt ist und meine Ohren mit Blut gefüllt sind.«

»Wenn das so ist, werden McNab und ich uns wieder unserem so abrupt unterbrochenen Gesülze zuwenden.« Sie schrie auf, als Eve schlangengleich ihre Hand ausstreckte und ihr ans Ohrläppchen ging. »Herrje. War doch nur ein Versuch.«

Eve erachtete es als Beweis ihrer erstaunlichen Selbstkontrolle, dass sie auf ihrem Weg zur Zentrale keinem von beiden den Kragen umdrehte. Um ihre Akte sauber zu halten, ging sie ihnen schon in der Garage aus dem Weg und stieg allein in den Aufzug. Es stand für sie außer Zweifel, dass sie noch Sabberworte oder Küsse austauschen mussten, ehe sie sich trennten, um ihre jeweiligen Dezernate aufzusuchen.

Und dem schläfrigen, befriedigten Ausdruck in Peabodys Augen nach zu schließen, als diese hereinkam, nahm Eve an, dass dieses Lippenverschließen von Fummelei begleitet gewesen war.

Eine unerträgliche Vorstellung.

»Besprechung in fünfzehn Minuten«, verkündete Eve brüsk. »Ich habe einige neue Daten und muss diese überprüfen. Ich würde gern Feeney dabeihaben, wenn er es einrichten kann. Für die Verfolgung einer Spur benötigen wir eine Personenfahndung, die über fünfzig Jahre zurückgeht.«

Peabody wurde wieder nüchtern. »Die Diamanten. Suchen wir nach einem der Diebe? Sind die nicht alle tot?«

»Nach den Akten, ja. Wir suchen nach der Ex-Frau und dem Sohn von Alex Crew. Sie haben sich kurz nach der Scheidung in Luft aufgelöst und wurden auch in Gannons Buch nicht erwähnt. Ich möchte wissen, warum.«

»Möchten Sie, dass ich Feeney anrufe?«

»Das mache ich schon. Sie vereinbaren mit Gannon einen Termin für morgen.«

»Ja, *Sir*.«

Nachdem sie die Diskette geladen hatte, die Roarke ihr gegeben hatte, und sich Kaffee geholt hatte, rief Eve Feeneys Büro in der AEE an.

Sein vertrautes Gesicht mit den Hängebacken tauchte auf dem Bildschirm auf. »Noch zweiundsiebzig Stunden«, sagte er, bevor sie etwas sagen konnte, »dann bin ich hier raus.«

Sie hatte vergessen, dass er kurz vor seinem Urlaub stand, und kalkulierte den Zeitfaktor bei ihren internen Daten mit ein. »Hast du Zeit für eine Personenfahndung, ehe du dich mit deinem Sonnenschutz und dem Partyhut hier verabschiedest?«

»Hab nicht gesagt, das ich jetzt schon nicht mehr im Dienst bin. Wenn es um eine Personenfahndung geht, kann ich außerdem auch einen meiner Jungs dransetzen.« Für Feeney gab es in seiner Abteilung nur Jungs, ungeachtet der Chromosomen.

»In diesem Fall brauche ich jemandem von hervorragender Intelligenz und wollte dich deshalb bitten, dich persönlich darum zu kümmern.«

»Wie viel Butter hast du denn noch auf Vorrat, um sie mir um den Bart zu schmieren? Ich muss noch jede Menge i-Punkte setzen, ehe ich hier loskomme.«

»Es geht um mehrfachen Mord, eine ganze Ladung Diamanten und das Verschwinden zweier Personen vor mehr als einem halben Jahrhundert. Aber solltest du zu sehr damit beschäftigt sein, dein Hawaihemd zu bügeln, kann ich auch ein paar Drohnen anfordern.«

»Für das Hawaihemd ist die Frau zuständig.« Er sog die Luft durch die Nase ein und stieß sie wieder aus. »Fünfzig Jahre?«

»Und ein paar Zerquetschte. Ich habe hier eine Sitzung gegen zehn Uhr.«

»Die, zu der du McNab abgezogen hast?«

»Genau die.«

Er zog an seinen Lippen und kratzte sich am Kinn. »Ich werde da sein.«

»Danke.« Sie schaltete ab und öffnete dann Roarkes Akte, um sich mit den Daten vertraut zu machen. Während diese lief, machte sie Kopien davon und legte sie zu dem Packen, den sie bereits für das Team zurechtgelegt hatte, machte noch einen für Feeney.

Und dachte sehnsüchtig an die Zeit zurück, als Peabody diese ganze Stöhnarbeit erledigt hatte.

Und so war sie die Letzte, die im Konferenzraum erschien.

»Detective Peabody, informieren Sie Captain Feeney über die laufenden Ermittlungen.«

Peabody zwinkerte. »Was?«

»Haben Sie so viel um die Ohren, dass Sie nichts mehr hören? Fassen Sie den Fall zusammen, Detective, und informieren Sie Captain Feeney.«

»Ja, *Sir*.«

Ihre Stimme quäkte ein wenig, und anfangs verhaspelte sie sich mit den Daten, aber es freute Eve, dass Peabody dann doch zu ihrem Rhythmus fand. Es würde allerdings noch eine Weile dauern, ehe sie souverän genug war, um ein Team zu leiten. Aber sie verfügte über einen regen Verstand – und wenn sich die Aufregung erst einmal gelegt hatte, auch über eine sehr offene und verständliche Methode der Datenvermittlung.

»Danke, Detective.« Eve wartete, bis Feeney sich seine Notizen gemacht hatte. »Baxter, haben Sie im Club was über Jacobs erfahren?«

»Keine Anhaltspunkte. Sie war Dauergast. Kam allein oder mit einer Verabredung oder eine Gruppe. In der fraglichen Nacht war sie allein dort, und sie ging auch allein. Hat getanzt, ein paar Drinks zu sich genommen, mit ein paar Jungs geplaudert. Der Barkeeper weiß, dass sie allein wegging, weil sie sich beim letzten Drink mit ihm unterhalten hat. Ihm klagte, sie habe eine Trockenperiode. Da keiner, den sie in letzter Zeit getroffen habe, es ihr habe machen wollen. Wir haben ein paar Namen bekommen, die wir heute auch überprüfen werden, aber es sieht nach Pleite aus.«

»Ja, verfolgen Sie das zu Ende. Entsprechend der Informationen, die wir bei Cobb gefunden haben, habe ich ihr Foto in dem Restaurant herumgezeigt – es ist Ciprioni's –, in dem sie vermutlich eine Verabredung mit dem Mann hatte, der uns als Bobby Smith bekannt ist.«

»Sie waren im Ciprioni's?«, staunte Peabody.

»Ich musste was essen, ich musste eine Spur verfolgen. Zwei Fliegen mit einer Klappe.«

»Andere Leute mögen das italienische Essen«, murmelte Peabody.

Eve ging nicht auf sie ein. »Ich traf die Kellnerin, die im Juli ihren Tisch bediente. Sie erinnert sich an Cobb, und ich habe für sie einen Termin mit dem Phantombildzeichner vereinbart, damit dieser ihrer Erinnerung an Cobbs Begleitung ein wenig auf die Sprünge hilft. Wir können dann die Museen, Galerien und Theater damit abklappern, die sie vermutlich besucht hat. Eventuell erinnert sich ja jemand an die beiden.«

»Das übernehmen wir«, sagte Baxter. »Wir haben schon ein paar überprüft.«

»Gut. Nachdem die Medien nun in einer Sendung auf eine mögliche Verbindung zwischen diesen beiden Morden hingewiesen haben, weiß unsere Zielperson, weiß so gut wie sicher, dass wir eine Verknüpfung hergestellt haben und dementsprechend ermitteln werden. Ich empfinde das aber nicht als negativ für unsere Ermittlungen.«

Sie ließ es sacken. »In Ihren Unterlagen finden Sie Daten zu Alex Crew, einem der Diamantendiebe, der Einzige der vier, der gewalttätiges Verhalten gezeigt hat. Meine Quelle hat ermittelt, dass Crew eine Ex-Frau und einen Sohn hatte. Diese beiden Individuen sind zwischen Scheidung und Raub verschwunden. Ich möchte sie finden.«

»Crew könnte sie umgebracht haben«, schlug Peabody vor.

»Ja, daran habe ich auch gedacht. Er hatte kein Problem damit, einen seiner Partner umzubringen oder zu versuchen, die Tochter eines anderen umzubringen. Er war kein unbeschriebenes Blatt und wurde auch anderer Verbrechen beschuldigt. Er bekam lebenslänglich. Eine Ex umzubringen, hätte durchaus ins Bild gepasst. Ebenso ein Kind zu verletzen oder zu töten. Sein Kind.«

Väter taten so etwas, ging ihr durch den Kopf. Väter konnten genauso Ungeheuer sein wie alle anderen auch.

»Tot oder lebend, ich möchte sie finden. Wir haben ihre Geburtsnamen und wissen, wo sie vor ihrem Verschwinden gelebt haben. Peabody und ich werden heute Morgen mit Gannon sprechen.« Sie sah Peabody stirnrunzelnd an.

»Um elf Uhr im Rembrandt.«

»Womöglich verfügt sie über weitere Informationen über die beiden, dank ihrer Familie oder der Recherchen für ihr Buch. Ich möchte von ihr auch eine Begründung hören, warum sie die zwei nicht im Buch erwähnt hat, während andere drinstehen. Bist du bei der Suche dabei, Feeney?«

»Bin dabei.«

»Ah… Roarke hat angeboten, falls nötig, als ziviler Berater mitzuhelfen. Da er mir die vorliegenden Daten zusammengestellt hat, wäre er auch daran interessiert, sie weiter zu verfolgen.«

»Ich habe kein Problem damit, den Jungen einzuspannen. Ich werde ihn kontaktieren.«

»McNab, bringen Sie alles über Cobbs Gespräche und Verbindungen heraus. Die Kommunikationssysteme von Gannon und Jacobs haben wir bereits im Haus. Setzen Sie sich mit dem Officer in Verbindung, der mit der Überprüfung dieser Geräte betraut ist.«

»Mach ich.«

»Ich habe Gannon bedrängt, einen privaten Sicherheitsdienst in Betracht zu ziehen. Sie scheint nicht abgeneigt zu sein. Wir werden einen Mann für sie abstellen, solange das Budget es erlaubt. Dieser Übeltäter ist sehr zielgerichtet. Sucht sich seine Opfer sehr genau aus. Beide Opfer standen mit Gannon in Verbindung. Sollte er das Gefühl haben, dass sie ihm im Weg ist oder über Informationen verfügt, die er haben möchte, wird er nicht zögern, sie sich vorzuknöpfen. Derzeit haben wir keine andere Spur zu ihm als ein Verbrechen, das fünfzig Jahre zurückliegt. Wir brauchen mehr.«

Auf dem Weg zurück ins Dezernat beobachtete Eve müßig zwei

Zivilbeamte, die sich mit einer gefesselten Frau mit einem Gewicht von etwa dreihundert Pfund abmühten, die mit Obszönitäten nur so um sich warf. Da beide Polizisten Schnittwunden und Blutergüsse im Gesicht hatten, ging Eve davon aus, dass die Gefangene sie nicht nur mit Verwünschungen bedacht hatte, ehe sie ihr die Handschellen anlegten.

Mein Gott, wie sie ihren Job liebte.

»Peabody, ins Büro.«

Sie ging voran und schloss die Tür – worauf Peabody mit einem verdutzten Blick reagierte. Dann programmierte Eve zwei Tassen Kaffee ein und deutete auf einen Stuhl.

»Stecke ich in Schwierigkeiten?«

»Nein.«

»Ich weiß, dass ich das Briefing nicht gut hinbekommen habe. Es hat mich eine Minute gekostet, bis ich der Sache gewachsen war. Ich –«

»Sie haben es gut gemacht. Sie sollten sich mehr auf die Daten als auf sich selbst konzentrieren. Unsichere Polizisten können keine Teams leiten. Auch keine Polizisten, die sich alle zwei Minuten selbst in Frage stellen. Sie haben sich die Sporen verdient, Peabody. Sie müssen davon nur Gebrauch machen. Aber darum geht es jetzt gar nicht.«

»Die Kleidung ist …« Sie verstummte unter dem starren Blick von Eve. »Wieder unsicher. Ich steck's weg. Und worum geht es dann?«

»Ich arbeite nach dem Dienst sehr viel. Regelmäßig. Geh noch mal an den Tatort, um eine Spur ausfindig zu machen, arbeite verschiedene Szenarien durch oder arbeite in meinem Arbeitszimmer mit dem Tele-Link oder dem Computer. Gehe den Fall mit Roarke durch. So arbeite ich. Ist es ein Problem für Sie, wenn ich Sie nicht permanent mit hinzuziehe?«

»Nun, nein. Also … ich denke, ich versuche einen Partnerrhythmus zu finden. Vielleicht tun Sie das auch.«

»Vielleicht. Es hat nichts damit zu tun, dass ich Sie übergehen möchte. Das möchte ich klarstellen. Der Job ist mein Leben, Peabody. Ich atme ihn, ich esse ihn, und ich schlafe mit ihm. Aber ich fordere das nicht von anderen.«

»Wenn Sie das brauchen, mir soll's recht sein.«

»Ja, ich brauche das. Und dafür gibt es Gründe. Meine Gründe. Und das sind nicht die Ihren.«

Sie richtete ihren Blick auf den Kaffee und musste an die vielen Opfer denken – und diese führten alle zurück zu ihr, einem Kind, blutend und gebrochen in einem eiskalten Hotelzimmer in Dallas.

»Ich kann nicht anders. Und ich werde das auch in Zukunft nicht anders handhaben. Ich brauche das. Aber Sie brauchen das nicht. Weshalb Sie aber nicht weniger Polizist sind als ich. Und wenn ich auf eigene Faust etwas unternehme, ist das in keinster Weise gegen Sie gerichtet.«

»Ich kann es auch nicht immer wegstecken.«

»Das kann keiner von uns. Aber wer keinen Weg findet, damit umzugehen, arbeitet sich kaputt, wird gemein, betrinkt sich oder gerät außer sich. Es gibt Mittel und Wege. Man hat eine Familie und Interessen außerhalb. Aber es ist Scheiße, das muss einmal gesagt werden, dass Sie sich McNab geangelt haben.«

Peabodys Lippen kräuselten sich. »Das muss wehgetan haben.«

»Ein wenig.«

»Ich liebe ihn. Es ist verrückt, aber ich liebe ihn.«

Eve sah ihr in die Augen, eine kurze, aber ruhige Bestätigung. »Ja, das habe ich verstanden.«

»Und das ist ein Unterschied. Aber ich verstehe auch, was Sie sagen. Ich kann es nicht immer wegstecken, aber manchmal muss ich das. Also tue ich's. Wahrscheinlich wird es mir nie gelingen, es so wie Sie im Kopf herumzuwälzen, aber das ist in Ordnung so. Wahrscheinlich werde ich mir jemanden suchen, den ich ärgern kann, wenn ich herausfinde, dass Sie ohne mich ermitteln.«

»Verstehe. Dann ist das klar zwischen uns?«

»Das ist klar.«

»Dann lassen Sie mich jetzt allein, damit ich noch was arbeiten kann, ehe wir Gannon treffen.«

Sie feilschte um ein Beratungsgespräch mit Mira und bekam nach hitzigen Verhandlungen mit der Assistentin der Ärztin ein dreißigminütiges Gespräch während der Mittagspause bewilligt. Es sollte in der Kantine der Polizeizentrale stattfinden. Eve war es unbegreiflich, wie jemand in Miras Position sich der Schmach eines Kantinenessens aussetzen konnte, aber sie fand sich damit ab.

Nach einigem Gehampel gelang es ihr, ihren Bericht an Commander Whitney auf den späten Nachmittag zu verschieben.

Bei einem weiteren Anruf drohte sie mit Konsequenzen von anatomisch zweifelhafter Wahrscheinlichkeit und endete mit einer Bestechung in Form von Logensitzen bei einem Spiel der Mets. Diese Kombination brachte ihr vom Leiter des technischen Labors das Versprechen ein, ihr bis zwei Uhr nachmittags für beide Fälle vollständige Berichte vorzulegen.

Nachdem sie ihre Arbeit am Tele-Link als erledigt ansah, grapschte sie sich ihre Akten und gab Peabody das Zeichen für den Aufbruch in den Außendienst.

Peabody stemmte die Hände in die Hüften. »Das ist eine Rückkehr zum Tatort, eine ganze Weile nach der Tat.«

»Wir haben kein Verbrechen begangen, also kehren wir technisch gesehen auch nicht zurück.« Eve achtete nicht auf die Menschen, die an ihr vorbeihasteten oder -schlichen, als sie an der Ecke Fifth und Forty-Seventh stand. »Ich wollte mir einen Eindruck von dem Ort hier verschaffen.«

»Wurden in den Stadtkriegen ziemlich hart getroffen«, bemerkte Peabody. »War vermutlich ein leichtes Ziel. Prestigekäufe. Haben und nicht haben. All die hier zur Schau gestellten ausgefallenen Schmuckstücke, während die Wirtschaft eine Bauchlandung machte, die Illegalen auf der Straße wie Sojawürstchen verkauft wurden und sie alle die Knarren wie modische Accessoires umschnallten.«

Sie trat näher an eins der Schaufenster heran. »Glänzend.«

»Drei Jungs gehen also rein, machen mit dem vierten einen kleinen Tauschhandel und treten dann mit den Taschen voller Diamanten wieder heraus. Keiner ist darauf vorbereitet, da der Insider ein langjähriger, vertrauenswürdiger Mitarbeiter ist, der sich nichts hat zu Schulden kommen lassen.«

Während Eve sprach, betrachtete sie sich die Schaufensterauslagen und die Menschen, die stehen blieben, um sich davor zu drängen und angesichts des Glanzes in Träumereien zu versinken. Gold und Silber – Metalle – Rubine und Smaragde, Diamanten so strahlend wie die Sonne – Steine. Da man sie nicht als Brennmaterial verwenden konnte und sie einen im Winter nicht warm hielten, fiel es ihr schwer, eine Beziehung zu ihrer Sogwirkung herzustellen.

Doch sie trug einen Goldreif um ihren Finger und unter ihrer Bluse einen strahlenden, glitzernden Diamanten an einer Kette. Symbole, überlegte sie. Einfach nur Symbole – aber würde sie um sie kämpfen?

»Der Insider muss ebenfalls den Laden verlassen«, fuhr sie fort, »ihnen praktisch auf den Fersen folgen und direkt untertauchen. Man wird mit dem Finger auf ihn zeigen, und er weiß das, als er einsteigt. Aber er möchte bekommen, was er sich in den Kopf gesetzt hat, und wirft dafür alles andere weg. Und wird ausgenommen, ehe er sich noch auf die Schulter klopfen kann. Crew hat ihn umgebracht, also musste Crew auch gewusst haben, wie man an ihn rankommt. Nicht nur in Hinblick auf seine Behausung, sondern wie man ihn herauslockt.«

Sie blickte hoch, wie das auch ein Tourist tun würde, zu den oberen Stockwerken. Keine Schwebebahnen an einem solchen Gebäude – und ein knappes Jahrhundert davor auch nicht, wie sie vermutete. Es war nach den Kriegen wieder aufgebaut worden, aber im Wesentlichen genauso wie sie es von dem historischen Bild her kannte, das sie sich angesehen hatte.

Und von der Ecke aus, die es beherrschte, reihten sich darin Geschäft um Geschäft, Schaufenster um Schaufenster voller Körperschmuck. Dieser einzelne, quer zur Stadt stehende Block beherbergte Waren in Millionenhöhe. Ein Wunder, dass nicht täglich eingebrochen wurde.

»Sie haben sich nicht mal die Mühe gemacht, die Überwachungskameras auszuschalten«, fuhr sie fort. »Rein und raus, ohne ins Schwitzen zu kommen. Aber die Polizei hätte doch herausgefunden, wer sie waren. Jeder von ihnen, bis auf den Insider, hatte eine Akte, und der Insider wäre durch seine Spielschulden aufgeflogen. Also blieben sie einfach untergetaucht, hielten die Steine unter Verschluss und warteten darauf, dass sich draußen alles beruhigte. Wissen Sie, warum es hätte funktionieren können?«

»Die Ermittlungen hätten sich, anfangs jedenfalls, auf den Insider konzentriert. Sie wären davon ausgegangen, dass er sich das ausgedacht, es geplant und durchgeführt hat. Er ist weg, die Diamanten sind weg. Sie sind ihm auf der Spur.«

»Ja, während der Rest von ihnen sich in alle Winde zerstreut und ausharrt. Crew war so klug, ihn zu eliminieren. Aber er rannte weg, ohne die Leiche zu beseitigen. Sehr viel klüger wäre es gewesen, den Kerl in den Fluss zu werfen. Dann hätte die Polizei viel Zeit und Arbeitskräfte darauf verschwenden müssen, einen Toten zu suchen. Er hat die Sache auch deshalb nicht zu Ende gedacht, weil er nur haben wollte. Und als er es hatte, wollte er noch mehr. Deshalb ist er im Gefängnis gestorben. Dieser Kerl, unser Kerl, der ist ein wenig klüger.«

Sie studierte ein Grüppchen von drei Frauen, die sich vor einem Schaufenster drängten und entzückt »Oh« und »Ah« riefen. Tja, das Zeug glänzte und glitzerte. Sie war sich zwar nicht ganz sicher, warum Leute glänzen und glitzern wollten, doch sie taten es – und das seit Urzeiten.

»Aber er ist besessen«, meinte Peabody. »Crew war von den Diamanten besessen, denke ich. So steht es jedenfalls im Buch. Er musste sie alle haben. Er konnte sich nicht mit seinem Anteil zufrieden geben, egal, was es kostete. Und ich denke, in dieser Hinsicht ist unser Kerl auch nicht anders. Er ist besessen. Und auch versessen. Als läge auf ihnen – den Diamanten – ein Fluch.«

»Es sind Steine auf der Grundlage von Kohlenstoff, Peabody. Tote Gegenstände.« Unbewusst rieb sie mit dem Finger über den tropfenförmigen Diamanten, den sie an einer Kette unter ihrer Bluse trug. »Sie sind einfach nur da.«

Peabody schaute kurz zurück zum Schaufenster. »Glänzend«, wiederholte sie mit verschwommenem Blick und herabhängendem Kiefer.

Eve musste lachen. »Kommen Sie, wir gehen raus aus dieser Hitze und treffen uns mit Gannon.«

24

Das Rembrandt war, wie Eve feststellte, eins jener kleinen, exklusiven Hotels im europäischen Stil, das fast wie ein Geheimnis in New York verborgen lag. Keine Wolkenkratzertürme oder eine kilometerweite Lobby, kein messinggerahmter Eingang. Sondern ein reizendes altes Gebäude, das früher einmal ein sehr teures Wohnhaus gewesen sein musste und nach wie vor elegante Diskretion ausstrahlte.

Anstatt wie üblich den Portier anknurren zu müssen, kam dieser in seiner gediegenen marineblauen Uniform mit Kappe auf sie zu und begrüßte sie mit respektvollem Nicken.

»Willkommen im Rembrandt Hotel. Möchten Sie sich anmelden, Madame?«

»Nein.« Sie zeigte ihre Dienstmarke, aber seine höfliche Art dämpfte die Freude etwas. »Ich bin hier, um mich mit einer Ihrer Gäste zu treffen.«

»Soll ich mich für die Dauer Ihres Besuchs um einen Parkplatz kümmern?«

»Nein, lassen Sie dieses Fahrzeug genau da stehen, wo es steht.«

»Selbstverständlich«, sagte er, ohne mit der Wimper zu zucken oder zu stöhnen, und nahm ihr damit den restlichen Wind aus den Segeln. »Genießen Sie Ihren Aufenthalt im Rembrandt Hotel, Lieutenant. Ich heiße Malcolm, falls Sie meine Hilfe in Anspruch nehmen möchten, solange sie hier sind.«

»Ja. Gut. Danke.« Sein Auftreten brachte sie derart aus der Fassung, dass sie ihre eigene Firmenpolitik vergaß. Sie holte zehn Kreditchips heraus und reichte sie ihm.

»Danke vielmals.« Er war vor ihr an der Tür und hielt sie ihr auf.

Die Empfangshalle war klein und wie eine sehr geschmackvoll eingerichtete Diele mit tiefen Sesseln und poliertem Holz, spiegelndem Marmor und Gemälden ausgestattet, die vermutlich Originale waren. Es gab Blumen, aber nicht die gigantischen Arrangements, die Eve meist ein wenig beängstigend fand, sondern kleine, hübsche Buketts, die man auf die verschiedenen Tische verteilt hatte.

Statt eines Empfangsschalters mit einem Heer uniformierter, grinsender Angestellter gab es hier eine Dame an einem antiken Schreibtisch.

Die immer auf Sicherheit bedachte Eve sah sich um und entdeckte vier diskret platzierte Kameras. Das war doch schon was.

»Willkommen im Rembrandt Hotel.« Die Frau war schlank und in blasses Pfirsich gekleidet, das kurze Haar war blond, schwarz und rosé gesträhnt. »Wie kann ich Ihnen helfen?«

»Ich bin hier mit Samantha Gannon verabredet. In welchem Zimmer finde ich sie?«

»Sekunde bitte.« Die Frau setzte sich wieder und warf einen Blick auf den Bildschirm ihrer Schreibtischeinheit. Sie sah mit einem entschuldigenden Lächeln zu Eve hoch. »Tut mir Leid. Aber wir haben keinen Gast dieses Namens.«

Sie hatte diese Worte kaum ausgesprochen, als schon zwei Männer aus einer Seitentüre traten. Eve war sofort klar, dass es Sicherheitskräfte waren, bewaffnet, wie sie anhand ihrer Haltung feststellen konnte.

»Gut. Ich bin im Dienst.« Das war an die Männer gerichtet, und sie hob dabei die rechte Hand. »Lieutenant Dallas, Morddezernat. Meine Partnerin, Detective Peabody. Wir weisen uns sofort aus.«

Sie griff mit zwei Fingern nach ihrer Dienstmarke und hielt dabei ihre Augen auf das Sicherheitsteam gerichtet. »Ihre Überwachung ist besser, als man es auf den ersten Blick vermuten würde.«

»Wir sind sehr auf den Schutz unserer Gäste bedacht«, erwiderte die Frau und überprüfte erst Eves Dienstmarke, dann die von Peabody. »Die sind in Ordnung«, sagte sie und nickte den beiden Männern zu. »Miss Gannon erwartet Sie. Ich rufe sie nur kurz an, um ihr mitzuteilen, dass Sie hier sind.«

»Schön. Und womit sind Sie ausgerüstet?« Eve nickte Richtung Sicherheitsteam, und einer der Männer schob seine Jacke beiseite, um einen Multiaktions-Hand-Stunner mittlerer Reichweite in einem Halfter mit Schnellverschluss zu enthüllen. »Das sollte reichen.«

»Miss Gannon erwartet Sie, Lieutenant. Sie ist im vierten Stock. Ihr Officer befindet sich im Alkoven neben dem Aufzug. Er wird Sie zu ihrem Zimmer führen.«

»Besten Dank.« Sie ging mit Peabody zu den beiden Aufzügen. »Sie hat Umsicht bewiesen, indem sie sich ein solches Hotel ausgesucht hat. Solide Sicherheitsüberwachung, wahrscheinlich ein Service, der alle Wünsche befriedigt, ehe man sie formuliert hat.«

Sie traten ein, und Peabody gab den Befehl für den vierten Stock. »Wie viel wird eine Nacht hier wohl kosten, was meinen Sie?«

»Ich kenne mich da überhaupt nicht aus. Ich habe zudem keine Ahnung, warum die Leute nicht zu Hause bleiben. Egal, wie schnieke das Hotel ist, man hat doch stets einen Fremden neben sich wohnen. Und noch einen weiteren über dem Kopf, den anderen unter den Füßen. Und ständig kommen und gehen Pagen und Zimmermädchen und sonst jede Menge Leute.«

»Sie haben ein Händchen dafür, einem jegliche Romantik auszutreiben.«

Als sie ausstiegen, wartete der Uniformierte schon auf sie. »Lieutenant.« Er zögerte und hatte offenbar ein Problem.

»Fällt es Ihnen schwer, mich um eine Überprüfung meiner Personalien zu bitten, Officer? Woher wollen Sie denn wissen, ob ich nicht im zweiten Stock zugestiegen bin, Dallas und Peabody das Hirn rausgeblasen und mich ihrer leblosen Körper entledigt habe, um dann den Rest des Wegs in der Absicht hochzufahren, Sie über den Haufen zu schießen und mich danach auf die zu beschützende Person zu stürzen?«

»Ja, *Sir.*« Er nahm ihre Erkennungsmarken und überprüfte sie mit seinem Hand-Scanner. »Sie ist in vierhundertvier, Lieutenant.«

»Hat seit Beginn Ihrer Schicht irgendwer versucht, zu ihr zu gelangen?«

»Sowohl Zimmermädchen als auch Zimmerservice, beides von der zu schützenden Person angeordnet, beide vor Bewilligung des Eintritts untersucht. Und Roarke, der sowohl unten in der Lobby, von der zu schützenden Person wie auch von mir untersucht wurde.«

»Roarke.«

»Ja, *Sir*. Er war in den letzten fünfzehn Minuten bei unserer Schutzbefohlenen.«

»Hm. Ziehen Sie sich zurück, Officer. Nehmen Sie zehn.«

»Ja, *Sir*. Danke, *Sir*.«

»Werden Sie sauer auf ihn sein?«, murmelte Peabody. »Ich meine auf Roarke?«

»Weiß ich noch nicht.« Eve klingelte und war zufrieden, dass sie etwas warten musste, denn das sagte ihr, dass Samantha den Sicherheitsschlitz benutzte.

Samantha hatte Schatten unter den Augen und eine Blässe, die schlaflose Nächte verriet. Doch sie hatte sich sorgfältig gekleidet, trug eine dunkle Hose und eine weiße, maßgeschneiderte Bluse. An ihren Ohren hingen winzige eckige Ringe, ein dazu passendes Armband lag um ihr Handgelenk.

»Lieutenant, Detective. Ich denke, Sie kennen einander«, fügte sie hinzu, als sie auf Roarkes deutete, der einen ausgezeichnet duftenden Kaffee trank. »Ich habe diese Querverbindung nicht hergestellt. Dass Sie mein Verleger sind. Ich kannte natürlich den Zusammenhang, aber bei allem... bei allem, was passiert ist, hat es einfach nicht klick gemacht.«

»Du kommst viel herum«, sagte Eve zu Roarke.

»So viel wie möglich. Ich wollte eine unserer geschätztesten Autorinnen besuchen und sie von einem Sicherheitsdienst überzeugen. Ich glaube, du hast in diesem Fall einen privaten Sicherheitsdienst empfohlen, Lieutenant.«

»Das habe ich.« Eve nickte. »Eine gute Idee. Wenn er Sie damit versorgt«, teilte sie Samantha mit, »dann bekommen Sie den besten.«

»Ich musste gar nicht überzeugt werden. Ich möchte ein langes und glückliches Leben führen und nehme alles an, was dazu beizutragen vermag. Möchten Sie Kaffee? Oder sonst etwas?«

»Ist das echter Kaffee?«

»Sie hat eine Schwäche dafür«, lächelte Roarke. »Sie hat mich wegen des Kaffees geheiratet.«

In Samanthas Wangen kehrte etwas Farbe zurück. »Über Sie beide könnte ich ein ganz tolles Buch schreiben. Glamour, Sex, Mord, die Polizistin und der Gazillionär.«

»Nein«, sagten beide wie aus einem Munde, und Roarke lachte.

»Besser nicht. Um den Kaffee kümmere ich mich, Samantha. Setzen Sie sich doch. Sie sind sicher müde.«

»Und man sieht es.« Samantha setzte sich mit einem Seufzer und ließ Roarke in den Küchenbereich gehen, um Kaffee und Tassen zu holen. »Ich kann nicht schlafen. Ich kann nur arbeiten. Ich vergrabe mich in die Arbeit, aber sobald ich aufhöre, kann ich nicht schlafen. Ich möchte nach Hause, finde aber schon den Gedanken daran unerträglich. Ich bin meiner selbst so überdrüssig. Ich lebe, bin wohlauf und gesund, andere sind das nicht. Und ich drehe mich in einer permanenten Spirale des Selbstmitleids.«

»Gönnen Sie sich eine Pause.«

»Dallas hat Recht«, warf Peabody ein. »Sie sind wochenlang nur herumgerannt und haben, als sie heimkamen, etwas erlebt, was fast jeden umhauen würde. Alles ist auf einen Schlag über Sie hereingebrochen. Ein wenig Selbstmitleid schadet nicht. Sie sollten ein Beruhigungsmittel nehmen und sich acht bis zehn Stunden Auszeit gönnen.«

»Ich hasse Beruhigungsmittel.«

»Da können Sie dem Lieutenant die Hand reichen.« Roarke kam mit einem Tablett herein. »Freiwillig würde sie auch keine nehmen.« Er setzte den Kaffee ab. »Soll ich das Feld lieber räumen?«

Eve betrachtete ihn eindringlich. »Noch störst du nicht. Ich werde es dich wissen lassen, wenn es so weit ist.«

»Das glaube ich dir sofort.«

»Warum haben Sie Alex Crews Familienbindungen in Ihrem Buch unerwähnt gelassen, Samantha?«

»Bindungen?« Samantha beugte sich vor, um ihre Tasse aufzunehmen – und vermied Augenkontakt, wie Eve auffiel.

»Insbesondere Crews Ex-Frau und seinen Sohn. Sie haben erstaunliche Details über Myers' Familie und wie diese nach seinem Tod zurechtkam zusammengetragen. Sie schreiben sehr ausführlich über William Young und Ihre eigene Familie. Aber obwohl Crew bei Ihnen eine Schlüsselrolle zukommt, wird nicht erwähnt, dass er eine Frau und ein Kind hatte.«

»Woher wollen Sie wissen, dass er Frau und Kind hatte?«

»Ich stelle die Fragen. In Ihren Recherchen haben Sie diese Details nicht übersehen. Warum also stehen sie nicht im Buch?«

»Sie bringen mich in eine missliche Lage.« Samantha hielt den Kaffee in der Hand und rührte und rührte, obwohl sich die winzige Zuckermenge, die sie eingestreut hatte, schon längst aufgelöst haben musste. »Ich habe etwas versprochen. Ich hätte dieses Buch nicht ohne den Segen meiner Familie schreiben können. Vor allem nicht ohne die Erlaubnis meiner Großeltern. Und ich habe ihnen versprochen, dass ich Crews Sohn aus der Geschichte rauslasse.«

Als sie merkte, was ihre Hand da tat, klopfte sie mit dem Löffel an den Tassenrand und stellte die Tasse ab. »Er war ein kleiner Junge, als das passierte. Meine Großmutter hatte das Gefühl – und hat es heute noch –, dass seine Mutter versuchte, ihn vor Crew zu schützen. Ihn vor Crew verstecken wollte.«

»Wie kam sie darauf?«

Samantha fuhr sich mit ihren Fingern durch die Haare. »Das darf ich Ihnen nicht erzählen. Ich habe geschworen, weder darüber zu schreiben noch in einem Interview darüber zu reden. Nein.« Sie hob abwehrend ihre Hände, ehe Eve sprechen konnte. »Ich weiß, was Sie sagen wollen, und Sie haben absolut Recht. Dies sind keine gewöhnlichen Umstände. Hier geht es um Mord.«

»Dann beantworten Sie meine Frage.«

»Ich muss telefonieren, ich muss mit meiner Großmutter darüber reden – und das löst wieder eine ganze Kette von Anfragen, Debatten und Sorgen bei ihr und meinem Großvater aus. Ein weiterer Grund meiner Schlaflosigkeit.«

Sie presste ihre Finger an die Augen, ehe sie die Hände in den Schoß fallen ließ. »Sie möchten, dass ich zu ihnen nach Maryland komme und bei ihnen bleibe. Ansonsten fallen sie hier über mich her. Es ist schwer genug, sie davon abzuhalten, meine Eltern und Geschwister anzurufen. Ich halte sie hin, und ich nehme Roarkes Angebot dankend an, auch sie zu sichern, bis dieser Fall gelöst ist. Bis es so weit ist, bleibe ich hier. Ich denke, es ist wichtig, dass ich das durchstehe, dass ich mich – auf meine Weise – um das kümmere, was jetzt passiert, wie sie sich damals dem gestellt haben, was ihnen widerfahren ist.«

»Dazu gehört aber auch, dass Sie dem Chefermittler sämtliche Daten zukommen lassen, die in dieser Ermittlung weiterhelfen können.«

»Ja, auch darin gebe ich Ihnen Recht. Aber erlauben Sie mir doch, sie zuerst anzurufen, zuerst mit ihr zu sprechen. In meiner Familie werden gegebene Versprechen nicht gebrochen. Das ist für meine Großmutter wie eine Religion. Ich werde jetzt ins Schlafzimmer gehen und sie anrufen, wenn Sie ein paar Minuten warten möchten.«

»Machen Sie nur.«

»Bewundernswert«, sagte Roarke, als sie gegangen war. »So viel Wert auf ein gegebenes Wort zu legen, vor allem der Familie gegenüber, wo es doch eigentlich umso leichter fällt, ein Versprechen zu brechen, je intimer man sich kennt. Oder es jedenfalls den Umständen nach zurechtzubiegen.«

»Ihr Großvater hat jede Menge Versprechen gebrochen«, überlegte Eve. »Jack O'Hara hat Laine und Laines Mutter gegenüber viele Versprechen gebrochen. Also wollte Samanthas Großmutter diesen Teufelskreis beenden. Wenn du nicht vorhast, dein Wort zu halten, dann gib es erst gar nicht, so hart das sein mag. Das muss man respektieren.«

Sie warf einen Blick Richtung Schlafzimmer, dann sah sie Roarke wieder an. »Ich finde es großartig, dass du ihr und den Maryland-Gannons eine Sicherheitsüberwachung anbietest. Aber du hättest dafür auch einen Angestellten schicken können.«

»Ich wollte sie kennen lernen. Sie hat dich irgendwie angerührt, und ich wollte wissen, warum. Jetzt weiß ich es.«

Als Samantha ein paar Minuten später aus dem Schlafzimmer auftauchte, waren ihre Augen verweint. »Entschuldigung. Es ist mir zuwider, ihr Sorgen zu bereiten. Ihnen Sorgen zu bereiten. Ich werde schleunigst nach Maryland fahren müssen, um sie zu beruhigen.«

Sie setzte sich und stärkte sich mit einem Schluck Kaffee. »Judith und Westley Crew«, begann sie. Sie teilte ihnen die grundlegenden Daten mit, die sie hatte, und zog zusätzlich ihre Notizen hinzu, um ihre Erinnerung aufzufrischen.

»Wissen Sie, als mein Großvater ihre Spur aufnahm und

herausfand, dass Crew dort gewesen war, ging er davon aus, dass er dem Kind etwas gegeben haben könnte, worin die Diamanten versteckt waren. Zumindest ein Teil davon. Ein sicherer Platz, um sie aufzubewahren, während er seiner Arbeit nachging.«

»Hat er damals schon über die Hälfte davon verfügen können?« Eve machte sich Notizen.

»Ja. Nach den im Safe sichergestellten Diamanten fehlte noch ein Viertel der Beute. Crews Ex-Frau und Sohn waren weg. Alles deutete darauf hin, jedenfalls für meine Großmutter, dass sie sich vor Crew versteckten. Geänderte Namen, ein Job, der kein Aufsehen erregte, eine Nachbarschaft, in der die Mittelschicht zu Hause war. Dann der überstürzte Aufbruch – sie verkaufte alles, was möglich war, verschenkte es und verschwand. Es sah aus, als wäre sie erneut auf der Flucht, weil er sie ausfindig gemacht hatte. Oder den Jungen, was für meine Großmutter wahrscheinlicher war. Ein kleiner Junge, wissen Sie, den seine Mutter vor einem Mann schützen wollte, dessen Gefährlichkeit und Besessenheit sie inzwischen erkannt hatte. Wenn man sich seinen Hintergrund ansieht – den von Crew –, seine Kriminalakte, sein Verhaltensmuster, dann tat sie gut daran, Angst zu haben.«

»Sie könnte aber auch das Weite gesucht haben, weil Diamanten im Wert von mehreren Millionen in ihrem Besitz waren«, meinte Eve.

»Ja. Aber das glaubten meine Großeltern nicht. Und ich glaube nicht, dass ein Mann wie Crew sie ihr gegeben hätte, ihr davon erzählt hätte. Sie und den Jungen benutzte, das ja, aber ohne ihr so viel Macht zu geben. *Er* musste die Zügel in der Hand halten. Er hätte sie bestimmt wiedergefunden, wenn er das gewollt hätte. Für mich steht außer Zweifel, dass er die Frau bedroht hat – und sie ausrangiert oder erledigt hätte, wenn sein Sohn älter gewesen wäre. Alt genug, um Crew mehr zu interessieren und ihm von Nutzen sein zu können. Mein Großvater ließ es sein, stellte die Suche nach den verbliebenen Diamanten ein. Weil meine Großmutter ihn darum gebeten hat.«

»Sie war auch einmal ein junges Mädchen«, sagte Roarke mit einem Kopfnicken, »das man entwurzelt hatte und mit dem man ständig durch die Gegend zog, das nie ein gemütliches Zuhause und dessen Sicherheit erfahren hatte. Und wie Crews Ex-Frau hatte ihre Mutter ebenfalls eine Wahl getroffen. Sich von ihrem Mann getrennt, um das Kind zu schützen.«

»Ja, Ja. Der Großteil der Diamanten war wieder dort, wo sie hingehörten. Und es waren, wie meine Großmutter oft gern sagt, schließlich nur Dinge. Der Junge und seine Mutter waren endlich sicher. Hätte man sie verfolgt, und ich zweifle nicht daran, dass mein Großvater sie aufgespürt hätte – er war sehr gut darin –, wären sie wieder in ein Schlamassel geraten. Dem Jungen wären die ganzen Schandtaten seines Vaters vorgehalten worden, und sehr wahrscheinlich hätte er selbst auch irgendwann Schlagzeilen gemacht. Sein Leben wäre durch diese eine Sache zerstört gewesen und wenigstens stark verändert worden. Also haben sie es keinem gesagt.«

Sie beugte sich vor. »Das bedeutet, Lieutenant, dass sie Informationen zurückgehalten haben. Wahrscheinlich haben sie damit gegen das Gesetz verstoßen. Aber sie haben es aus den bestmöglichen Gründen getan. Sie hätten selbst mehr bekommen können. Fünf Prozent mehr von über sieben Millionen, wenn sie sie aufgespürt hätten. Sie haben es nicht getan, und die Welt hat sich auch ohne diese paar Steine weitergedreht.«

Samantha verteidigte nicht nur sich und ihre Großeltern, fiel Eve auf. Sie verteidigte eine Frau und ein Kind, die ihr nie begegnet waren. »Ich habe keinerlei Interesse daran, Ihre Großeltern hier mit reinzuziehen. Aber ich bin daran interessiert, Judith und Westley Crew zu finden. Die Diamanten als solche gehen mich nichts an, Samantha. Ich bin nicht für Raub zuständig, sondern für Mord. Zwei Frauen sind tot, und Sie können sehr gut das eigentliche Zielobjekt sein. Das Motiv dafür sind die Diamanten. Und das ist der Punkt, an dem sie mich zu interessieren beginnen. Auch ein anderer könnte auf die Idee kommen, Nachforschungen anzustellen und herausfinden, dass Crew Frau und Kind hatte. Dann wären sie Zielobjekte.«

»Mein Gott, ja.« Samantha kniff betroffen die Augen zu. »Daran habe ich nie gedacht. Das habe ich nie in Erwägung gezogen.«

»Es wäre auch möglich, dass die Person, die Andrea Jacobs und

Tina Cobb umgebracht hat, mit Crew in Verbindung steht. Es könnte sein Sohn sein, der beschlossen hat, sich das zu holen, was er als Eigentum seines Vaters ansieht.«

»Wir sind immer davon ausgegangen... Alles, was meine Großeltern über Judith herausgefunden haben, zeigte, zeigte ganz deutlich, dass es ihr um nichts anderes ging, als ihrem Sohn ein normales Leben zu ermöglichen. Wir sind davon ausgegangen, dass sie Erfolg damit hatte. Nur weil sein Vater ein Mörder, ein Dieb, ein Schurke war, bedeutet das noch lange nicht, dass sein Sohn dieses Bild übernommen hat. Ich glaube nicht, dass wir so funktionieren, Lieutenant. Dass unser Schicksal genetisch besiegelt ist. Tun Sie das?«

»Nein.« Sie warf einen Seitenblick auf Roarke. »Nein, das tue ich nicht. Aber ich glaube daran, dass es Menschen gibt, die, unabhängig von ihren Eltern, böse geboren werden.«

»Ein glücklicher Gedanke«, murmelte Roarke.

»Ich bin noch nicht fertig. Egal, wie wir geboren werden, es endet damit, dass wir Entscheidungen treffen. Die richtigen, die falschen. Ich muss Westley Crew finden und mir ein Bild davon machen, welche Entscheidung er getroffen hat. Das muss ausgeschlossen werden, Samantha. Es muss aufhören.«

»Sie werden sich das nie verzeihen. Wenn sich hier irgendwie der Kreis schließen sollte und ich jetzt diejenige bin, die es trifft, werden meine Großeltern sich nie verzeihen, dass sie vor all den Jahren diese Entscheidung getroffen haben.«

»Ich hoffe, sie sind klüger«, meldete sich Roarke zu Wort. »Sie haben eine Entscheidung für ein Kind getroffen, das sie noch nicht einmal kannten. Wenn dieses Kind als Mann Entscheidungen traf, liegt es an ihm. Es hängt allein von uns ab, was wir mit unserem Leben machen.«

Sie brachen gemeinsam auf. Eve verarbeitete die neue Information in ihrem Kopf zu einem Muster. »Du musst sie für mich finden«, sagte sie zu Roarke.

»Verstanden.«

»Es gibt Zufälle, aber meistens ist es Bockmist. Ich glaube nicht, dass irgendein Typ Gannons Buch gelesen hat, sich anschließend darauf versteift, die vermissten Diamanten zu suchen und ein paar Frauen umzubringen, um sie zu finden. Das Buch hat das Ganze in Gang gebracht, aber die Beziehung reicht viel weiter zurück. Wie lange vor Erscheinen des Buchs hat man denn angefangen, es hochzupuschen?«

»Das finde ich heraus. Es wird auch eine Liste von Leuten geben – Rezensenten, Einkäufer, denen Vorabexemplare geschickt wurden. Man wird leider auch die Mundpropaganda mit berücksichtigen müssen. Die Menschen, mit denen die Verlagsleute, die Werbeabteilung und andere darüber gesprochen haben.«

»Bei uns erscheint ein ganz großartiges Buch«, begann Peabody. »Es geht um einen Diamantenraub direkt hier in New York.«

»Genau so. Der Mann, nach dem ihr sucht, könnte es an irgendeiner Theke mitbekommen haben. Hat vielleicht einen Bekannten oder war auf einer Party mit einem der Lektoren, einem Rezensenten, jemandem vom Verkauf, der davon erzählt hat.«

»Das macht doch bestimmt Spaß, das durchzuackern? Gib mir die Liste«, wiederholte sie, als sie in der Lobby aus dem Aufzug stiegen. »Und lass mich wissen, wen du für sie als Sicherheitskraft abgestellt hast. Ich möchte, dass meine Leute deine Leute kennen. Oh, und ich brauche zwei Logenplätze für das Mets-Spiel.«

»Für dich oder zum Schmieren?«

»Zum Schmieren. Bitte, du weißt doch, dass ich Yankee-Fan bin.«

»Wie konnte ich nur. Wie möchtest du sie denn haben?«

»Schick einfach die Bevollmächtigung dafür zu Dickhead ins Labor. Berenski. Danke.«

»Gib mir einen Abschiedskuss.«

»Ich habe dir bereits heute Morgen einen Abschiedskuss gegeben. Zwei sogar.«

»Das dritte Mal bringt Glück.« Er drückte seine Lippen fest auf ihre. »Wir bleiben in Verbindung, Lieutenant.« Er ging hinaus. Noch bevor er auf dem Gehweg war, kam ein schnittiges schwarzes Auto an der Bordsteinkante zum Stehen, und der Fahrer sprang heraus, um die Tür zu öffnen.

Wie Magie, fand Eve.

»Ich würde gern mit ihm in Verbindung bleiben. Jederzeit, Überall. In jeder Hinsicht.«

Eve drehte langsam ihren Kopf. »Haben Sie was gesagt, Peabody?«

»Wer, *Sir*, ich, *Sir*? Nein. Absolut nichts.«

»Dann ist es gut.«

Als Nächstes übernahm sie das Treffen mit Mira, während Peabody an ihrem Schreibtisch zu Mittag aß und die Akte auf den neuesten Stand brachte. In puncto Essen ging Eve davon aus, dass Peabody das bessere Los gezogen hatte.

In der Kantine war es immer voll und immer laut, egal, zu welcher Tageszeit man kam. Eve musste zwangsweise an eine Schulcafeteria denken, nur dass das Essen sogar noch schlechter war und die meisten Menschen, die es hinunterschlangen, bewaffnet waren.

Mira war vor ihr da und hatte eine Nische belegt. Entweder hatte sie großes Glück gehabt, überlegte Eve, oder ihren Einfluss geltend gemacht und einen Platz reservieren lassen. Jedenfalls war die Nische schon ein Aufstieg im Vergleich zu den winzigen zusammengeschobenen Vierertischen oder dem Thekenservice, wo die Polizistenärsche über schäbigen Stühlen hingen.

Mira war – technisch gesehen – keine Polizistin und sah schon gar nicht so aus wie eine. Eve fand, dass sie auch nicht wie eine Kriminologin, eine Ärztin oder eine Psychiaterin aussah. Obwohl sie all das war.

Sie sah aus wie eine gut gekleidete Frau, die man sich beim Durchstöbern der exklusiven Geschäfte entlang der Madison gut vorstellen konnte.

Womöglich hatte sie ihr Kostüm in einem dieser Läden gekauft. Denn nur wer sehr modisch oder sehr mutig war, würde diese Zitronenschaumschattierung in einer Stadt wie New York tragen, wo einem der Dreck aus dem Asphalt ansprang und sich an jede verfügbare Oberfläche klammerte wie Lauge an die Haut.

Aber das Kostüm war fleckenlos und wirkte kühl und frisch. Es betonte die Strähnchen in Miras weichem braunen Haar und ließ ihre Augen blauer erscheinen. Dazu trug sie eine dreifach geschlungene Goldkette mit Steinen, deren kräftiges Gelb wie kleine Stücke Sonnenlicht glänzte.

Sie trank etwas aus einem großen Glas, das so frostig aussah wie ihr Kostüm, und lächelte über dessen Rand hinweg, als Eve ihr gegenüber in der Nische Platz nahm.

»Sie sehen erhitzt und gehetzt aus. Sie sollten einen hiervon nehmen.«

»Was ist das?«

»Köstlich.« Ohne Eves Zustimmung abzuwarten, bestellte Mira einen Drink über den Speisekartencomputer, der neben der Nische angebracht war. »Und wie geht es Ihnen sonst?«

»Gut.« Eve brauchte üblicherweise einen Moment, um sich anzupassen, wenn Smalltalk verlangt war. Aber mit Mira war es eigentlich kein richtiger Smalltalk. Den führten Leute, denen ihr Gegenüber piepegal war und die vor allem ihre eigene Stimme hören wollten. Mira lag ihr Gegenüber am Herzen. »Gut. Summerset macht ganz weit weg Urlaub. Das baut mich richtig auf.«

»Dann hat er sich von seinen Verletzungen aber schnell erholt.«

»Auf dem einen Bein war er noch ein wenig wackelig, aber sonst ging's.«

»Und wie geht es Ihrem frisch gebackenen Detective?«

»Sie hat Spaß daran, ihre Dienstmarke zu zücken, und freut sich darüber jedes Mal noch unbändig. Und sie schafft es, das Wort Detective mehrmals am Tag in einen Satz einzubauen. Sie zieht sich absolut komisch an. Richtig abstoßend. Ansonsten kommt sie gut zurecht.«

Eve musterte das Getränk, das aus dem Serviceschlitz kam. Es sah tatsächlich recht gut aus. Sie nippte vorsichtig daran. »Schmeckt wie Ihr Kostüm. Kühl und sommerlich und ein wenig aufgemotzt.« Sie ließ sich ihre Worte noch einmal durch den Kopf gehen. »Das hörte sich jetzt wahrscheinlich nicht gut an.«

»Doch.« Mit einem Lachen lehnte Mira sich zurück. »Ich danke Ihnen. Eine Farbe wie diese. Völlig unpraktisch. Aber genau deshalb konnte ich nicht widerstehen. Ich habe gerade ihr Jackett bewundert und wie gut diese wunderbare Farbe von getoastetem Brot Ihnen steht. Meine Haut würde dabei wie Schlamm aussehen. Und ich kann Einzelstücke nicht mit demselben Schick tragen, wie Sie das tun.«

»Einzelteile?«

Mira brauchte einen Moment, bis ihr klar wurde, dass ihre Lieblingspolizistin mit diesem grundlegenden Begriff aus der Modewelt nichts anzufangen wusste. »Jacketts, Hosen, was auch immer, alles, was einzeln verkauft wird und nicht zu einem Ganzen wie etwa einem Kostüm oder Anzug gehört.«

»Ha. Einzelteile. Na so was. Und ich dachte immer, es seien einfach Jacken, Hosen, was auch immer.«

»Mit Ihnen einzukaufen, das würde mir Spaß machen.« Diesmal übertönte Miras Lachen die übellaunigen Geräusche der Kantine. »Und jetzt sehen Sie aus, als hätte ich Sie gerade mit meiner Gabel unter dem Tisch gepiekst. Eines Tages werde ich Sie rankriegen, aber ehe ich Ihnen jetzt den Appetit verderbe, frage ich Sie doch lieber, was Mavis macht.«

»Es geht ihr gut.« Obwohl Eve sich nicht sicher war, ob Schwangerschaft nicht ein ebenso großer Appetitverderber war wie Einkaufen. »Man käme nie darauf, dass sie da drinnen irgendwas ausbrütet, wenn sie nicht damit hausieren ginge. Sie und Leonardo könnten sich auch ein Kleinluftschiff mieten. Er entwirft für sie jede Menge Umstandskleidung, aber ich sehe eigentlich keinen Unterschied.«

»Grüßen Sie alle von mir. Ich weiß, dass Sie zum Thema kommen möchten. Aber bestellen wir doch lieber zuerst. Ich nehme den griechischen Salat. Normalerweise kann man den hier ganz gut essen.«

»Ja, das ist gut.«

Mira bestellte zwei über den Speisecomputer. »Stellen Sie sich vor, ich kann mich noch an das ein oder andere über den Raub an der Börse erinnern. Das machte damals riesige Schlagzeilen.«

»Wie das? Sie sind zu jung.«

»Also, das hat mich jetzt für den ganzen Tag aufgebaut. Tatsächlich war ich erst, ach nein ... wie deprimierend. Ich muss etwa vier gewesen sein. Aber mein Onkel ging damals zufällig mit einer Frau, die in der Börse einen Laden hatte. Sie war Schmuckdesignerin und befand sich im Haupttrakt, als der Raub stattfand. Ich erinnere mich, dass meine Eltern sich darüber unterhielten. Als ich ein wenig älter war, entwickelte ich ein derartiges Interesse an Verbrechen, dass ich mich in die Einzelheiten vertiefte. Die, wenn auch entfernte, Familienbeziehung, hat die Aufregung für mich nur noch gesteigert.«

»Gibt es sie noch? Die Designerin?«

»Keine Ahnung. Es hat nicht geklappt zwischen ihr und meinem Onkel. Ich weiß nur, dass sie keinen blassen Schimmer hatte, bis die Sicherheitskräfte alles absperrten. Sie kannte auch den Insider nicht. Das jedenfalls habe ich von meinem Onkel erfahren, als ich mich später bei ihm danach erkundigte. Aber ich bin mir sicher, dass ich für Sie den Namen in Erfahrung bringen kann, wenn Sie sie ausfindig machen möchten.«

»Könnte ich, aber wahrscheinlich geht das in die falsche Richtung. An diesem Punkt jedenfalls. Erzählen Sie mir was über den Mörder.«

»Gut. Die Tat, die Morde selbst, haben keine Priorität für ihn. Die sind Nebenprodukte. Seine Opfer und seine Methoden unterscheiden sich, passen sich den jeweiligen Notwendigkeiten an. Sein Hauptinteresse gilt seinen eigenen Bedürfnissen. Die Tatsache, dass beides Frauen waren, sogar attraktive Frauen, tut nichts zur Sache – und ich bezweifele, dass er eine Ehefrau oder eine ernsthafte Beziehung hat, denn das stünde im Widerspruch zu seiner Selbstbezogenheit. Es gibt keine sexuell motivierten Beweggründe, trotz seiner Romanze mit Tina Cobb, denn diese war nur Mittel zum Zweck, aber zu seinen eigenen Bedingungen.«

»Sie an Orte mitzunehmen, die er bevorzugte, sollte seinen überlegenen Intellekt und Geschmack beweisen.«

»Genau. Keiner der Morde hatte etwas Persönliches. Er sieht das große Bild aus seinem eigenen, eingeschränkten Blickwinkel. Cobb konnte er instrumentalisieren und ausbeuten. Das tat er dann auch. Er plant und überlegt, und daraus folgt, dass er wusste, er könnte sie töten, wenn sie für ihn keinen Nutzen mehr hatte. Er kannte sie, hat es darauf angelegt, sie zu kennen. Er kannte ihr Gesicht, die Berührung ihrer Hand, den Klang ihrer Stimme, war womöglich sogar körperlich intim mit ihr, wenn ihn das seinem Ziel näher brachte, und dennoch bestand für ihn keine persönliche Bindung.«

»Er hat ihr Gesicht zerstört.«

»Ja, aber nicht aus Wut, nicht aus einer persönlichen Gefühlsregung heraus. Aus Selbstschutz. Beide Morde waren das Ergebnis seines Bedürfnisses nach Selbstschutz. Er entfernt, zerstört, eliminiert alles oder jeden, der sich seinem Ziel oder seiner persönlichen Sicherheit in den Weg stellt.«

»Aber als er Cobb eliminierte, war Gewalt im Spiel.«

»Ja.«

»Er hat ihr wehgetan. Um Informationen aus ihr herauszubekommen?«

»Wäre möglich. Wahrscheinlicher aber ist, dass er die Polizei in die Irre führen wollte, sie glauben machen wollte, es sei ein Mord aus Leidenschaft. Es mag beides gewesen sein. Er dürfte überlegt haben. Er hat Zeit zum Überlegen. Er nahm Cobb an Orte mit, wo es von Menschen wimmelte – weg von ihrer Ägide. Aber seine Wahl spiegelt einen gewissen Stil wider. Kunst, Theater, ein im Trend liegendes Restaurant.«

»Spiegelt seine Ägide wider.«

»Er hat es offenbar gern angenehm, ja.« Der erste Salatteller kam durch den Schlitz, und Mira stellte ihn vor Eve. »Er ist in Gannons Haus eingedrungen, als er wusste, dass sie nicht da war. Er hat darauf geachtet, die Alarmanlage auszuschalten, die Disketten mit den Aufzeichnungen mitzunehmen. Um sich zu schützen. Er brachte eine Waffe mit – obwohl er davon ausging, dass das Haus leer war, brachte er sein Messer mit. Er bereitet sich auf Eventualitäten vor, macht Umwege, wenn es nötig ist. Er hat keinen Versuch unternommen, das Eindringen und den Mord als einen schief gelaufenen Einbruch zu kaschieren, indem er Wertgegenstände mitnahm.«

»Weil das bereits passiert war? Weil Alex Crew diese Methode bei Laine Tavish angewandt hat?«

Mira nahm den zweiten Teller und lächelte. »Daran erkennt man das mächtige Ego, nicht wahr? Er will nichts wiederholen, er will erschaffen. Dazu der Respekt vor Kunst und Antiquitäten. Er betreibt keinen Vandalismus, zerstört keine Kunstwerke, keine wertvollen Möbel. So etwas empfände er als unter seiner Würde. Er kennt sich in diesen Dingen aus, besitzt wahrscheinlich selbst auch welche. Strebt ganz gewiss danach, welche zu besitzen. Aber wäre es nur Verlangen, hätte er mitgenommen, was seinem Sinn für Ästhetik entsprach oder seiner Habsucht. Er ist sehr eingeschränkt.«

»Er ist also gebildet und kultiviert?«

»Kunstgalerien, Museen, West Village Theater?« Mira hob die Schultern. »Er hätte das Mädchen auch mit nach Coney Island nehmen können, zum Time's Square, zu einem Dutzend Plätzen, zu denen ein junger Mann aus dem gleichen Umfeld wie sie ein Mädchen zu einem Rendezvous ausgeführt hätte. Aber das hat er nicht.«

»Weil es, wie der Diebstahl von Kunstwerken und Elektronik, unter seiner Würde gewesen wäre, in Coney Island lediglich Würstchen zu essen.«

»Hm.« Mira pickte in ihrem Salat herum. »Es geht ihm nicht um Ruhm und Berühmtheit oder Aufmerksamkeit. Er ist nicht auf der Suche nach Sex oder auch nur Reichtum im herkömmlichen Sinn. Er sucht etwas ganz Spezielles.«

»Alex Crew hatte einen Sohn.«

Miras Brauen gingen nach oben. »Tatsächlich?«

»Ein Kind zu der Zeit, als das alles passierte.«

Sie informierte Mira und ließ die Ärztin dann die neuen Daten verarbeiten, während sie aß.

»Ich weiß, worauf Sie hinauswollen. Der Sohn hört von dem Buch oder liest es und erfährt dabei, dass eine Nachfahrin seines früheren Partners direkt hier in New York lebt, über ausreichend Informationen verfügt, um ein Buch zu schreiben, und sehr wahrscheinlich noch mehr weiß. Womöglich sogar Zugang zu den Diamanten hat. Aber hätte er dies alles schon die ganze Zeit über gewusst, warum hat er dann nicht versucht, sie zu finden oder schon früher an die Gannons heranzukommen?«

»Vielleicht kannte er die ganze Geschichte erst, als das Buch erschien. Vielleicht war ihm die Verbindung nicht klar.« Eve fuchtelte mit ihrer Gabel. »Außerdem ist es meine Aufgabe, das herauszufinden. Von Ihnen möchte ich Ihre Einschätzung hören. Gibt es ein Muster, ein Profil, wonach sich feststellen ließe, dass die Person, hinter der ich her bin, Crews Sohn ist?«

»Es wäre denkbar, dass er ein Eigentumsrecht darauf zu haben glaubt. Sie waren sozusagen das Eigentum seines Vaters. Aber wenn sein Vater sie zu ihm gebracht hat, als er noch ein Kind war ... «

»Das steht nicht im Buch«, erinnerte Eve sie. »Und wir können nicht wissen, was Crew getan hat oder nicht getan hat oder gesagt oder mitgenommen hat, als er sie dieses letzte Mal besuchte.«

»In Ordnung. Nach unseren Informationen fühlte Crew sich befugt, die ganze Beute für sich zu beanspruchen, und hat dafür getötet. Es war seine Obsession, und er verfolgte sie, obwohl er genügend Geld hatte, um für den Rest seines Lebens ausgesorgt zu haben. Es wäre möglich, dass der Sohn mit derselben Obsession vorgeht, derselben Sichtweise.«

»Vom Bauch heraus würde ich sagen, es kommt von Crew.«

»Und ihr Bauch hat normalerweise Recht. Haben Sie Probleme damit, diese Linie zu verfolgen, Eve? Im Kopf die Sünden des Vaters durchzuspielen?«

»Ja.« Hier vor Mira konnte sie das sagen. »Ein wenig.«

»Vererbung kann ein starker Sog sein. Vererbung und frühkindliche Umgebung zusammen sind ein fast unwiderstehlicher Sog. Wer ihm zu widerstehen vermag und trotzdem seinen eigenen Weg geht, ist sehr stark.«

»Mag sein.« Eve beugte sich vor. Keiner um sie herum würde zuhören, aber sie rückte näher und sprach mit leiser Stimme. »Wissen Sie, man kann einfach tief fallen, fallen und sagen, es sei die Schuld eines anderen, dass man hier unten in der Pisse und Scheiße der Welt sitzt. Aber das ist nur eine Ausrede. Die Anwälte, die Seelenklempner, die Ärzte und Sozialreformer können sagen, ach, das ist nicht ihre Schuld, sie ist dafür nicht verantwortlich. Seht doch, wo sie herkommt. Seht doch, was man ihr angetan hat. Sie ist traumatisiert. Sie ist beschädigt.«

Mira legte eine Hand auf die von Eve. Sie wusste, dass sie von sich sprach, von dem Kind und von dem, was die Frau hätte werden können. »Aber?«

»Die Bullen, also wir, wissen, dass die Opfer, diejenigen, die zerbrochen, vernichtet oder tot sind ... Die Toten brauchen jemanden, der für sie eintritt, um zu sagen, verdammt noch mal, es *ist* deine Schuld. Du hast das getan, und du musst dafür bezahlen, egal, ob deine Mutter dich geschlagen hat oder dein

Vater … Egal was, du hast nicht das Recht, über deinen Nächsten herzufallen.«

Mira drückte Eves Hand. »Und deshalb sind Sie da.«

»Ja. Deshalb bin ich da.«

25

Während sie beim Zahnarzt zur Untersuchung saß, vereinbarte Eve eine Sitzung im Labor mit Dickie Berenski. Der Check-up musste sein, und wenn man Glück hatte, war es gar nicht so schlimm wie gedacht. Aber normalerweise war es schlimmer.

Und wie die Dentaltechniker, mit denen sie zu tun hatte, zeigte auch Dickhead eine schwarmerische, selbstgerechte Befriedigung, wenn es schlimmer wurde.

Sie kam mit Peabody ins Labor gerauscht und gab vor, die abschätzenden Blicke der Techniker nicht zu bemerken, die sich dann aber irgendwo anders beschäftigten.

Da von Dickie nichts zu sehen war, trieb sie den ersten Techniker, der nicht schnell genug ausweichen konnte, in die Enge. »Wo ist Berenski?«

»Hm. Im Büro?«

Sie glaubte, weder die quäkende Stimme noch das breite, eingefrorene Grinsen verdient zu haben. Seit Monaten hatte sie keinen Labortechniker mehr bedroht. Außerdem sollte inzwischen jeder wissen, dass es ihr allein schon körperlich nicht möglich war, die inneren Organe eines Mannes zur Schau zu stellen, indem sie diese von innen nach außen kehrte.

Sie durchquerte das Hauptlabor, ging über die weißen Fußböden, umrundete die weißen Arbeitstische mit Menschen in weißen Mänteln davor. Nur die Maschinen und Vialen und Schläuche, die mit Flüssigkeiten gefüllt waren, deren genaue Zusammensetzung man besser nicht kannte, hatten Farbe.

Alles in allem, überlegte sie, würde sie dann lieber gleich in der Pathologie arbeiten.

Sie betrat Dickies Büro, ohne anzuklopfen. Er saß auf nach hinten gekipptem Stuhl an seinem Schreibtisch, schlürfte mit hochgelegten Beinen ein Wassereis in der Farbe von Weintrauben und verströmte seine ölige Stimme in ein Kopfmikro.

»He Baby, komm mir bloß nicht auf die Tour. Sonst besorg ich's dir heute Nacht aber richtig.« Er wackelte mit seinen dunklen, buschigen, zusammengewachsenen Brauen in Eves Richtung, ohne sich davon abhalten zu lassen, sein geeistes Zuckersurrogat mit Lebensmittelfarbe zu lutschen. »Du weißt doch, dass ich nur noch an dich denken kann. Ich zähle nur noch die Stunden, Babydoll, denn heute Abend ist Daddy ganz besonders lieb zu dir.«

»Da kann ich nur lachen«, warf Eve ein.

»Fang bloß nicht ohne mich an«, fügte er hinzu und unterbrach dann seine Übertragung. »Frauen.« Er schüttelte seinen Eierkopf. »Mein Gott, was man alles tun muss für das bisschen Belohnung.«

»Sie sind ein Schwein, Dickie.«

»Ja, aber dieses Schwein wird regelmäßig gebumst.«

»Schon allein diese Bemerkung illustriert, was für ein Saustall unsere Welt geworden ist. Wieso haben Sie überhaupt Zeit für abstoßenden Telefonsex und Eisdrinks, wenn Sie meine Laborergebnisse noch nicht fertig haben?«

»Ich hatte Mittagspause. Sie sollten sich manchmal die Gewerkschaftsrichtlinien anschauen, Dallas.« Er verputzte das Wassereis mit einem letzten feuchten Schlürfen und schnippte dann das Stäbchen in den Recycler.

Er war treffgenau, das musste man ihm lassen.

»Haben Sie die Logenplätze?«

»Sie bekommen sie, wenn ich meine Ergebnisse bekomme.«

»Ich hab was für Sie.« Er drückte sich von seinem Schreibtisch ab und war schon auf dem Weg nach draußen, als er stehen blieb und Peabody ins Visier nahm. »Sind Sie das da drinnen, Peabody? Wo ist die Uniform?«

Entzückt, wieder eine Chance zu bekommen, zückte sie ihre Dienstmarke. »Ich habe meinen Detective.«

»Nicht doch? Hübsch. Aber mir hat auch gut gefallen, wie Sie die Uniform ausgefüllt haben.«

Er hüpfte auf seinen Hocker und fegte damit an seiner langen weißen Theke hin und her, während er Akten anforderte und mit seinen spinnenschnellen Fingern Codes eingab. »Einen Teil davon haben Sie schon. Keins der Opfer hat illegale Drogen genommen. Opfer eins – das ist Jacobs – hatte einen Blutalkoholspiegel von 0,8. Sie muss ziemlich gut drauf gewesen sein. Hatte ihre letzte Mahlzeit. Kein kürzlich erfolgter Fick nachweisbar. Die Fasern an ihren Schuhen passen zum Teppich am Tatort. Ein paar andere hat sie wahrscheinlich auf dem Heimweg im Taxi aufgefangen.«

Seine Finger tanzten, auf den Bildschirmen drehten sich Farben und Formen. »Ich habe ein paar Haarproben, aber hier steht, sie war im Club gewesen, bevor sie starb. Sie könnte diese also auch im Club abbekommen haben. Wenn irgendwelche davon vom Mörder stammen, überprüfen wir die, wenn Sie ihn erwischt haben. Wir haben jetzt die Verletzung rekonstruiert – dazu verwendeten wir ein erkennungsdienstliches und ein paar andere Fotos, um ein Bild von ihr zum Zeitpunkt ihres Todes zu bekommen.«

Er holte es auf den Bildschirm, sodass Eve darauf Andrea Jacobs sehen konnte. Eine hübsche Frau in einem schicken Kleid mit einer klaffenden Wunde an der Kehle.

»Unter Verwendung unserer Technomagie können wir Größe und Form eurer Mordwaffe ziemlich genau feststellen.«

Eve studierte das eingeblendete Bild eines langen, glatten Messers und die Punkte darunter, die seine Breite und Länge angaben.

»Gut. Das ist gut, Dickie.«

»Sie arbeiten mit dem Besten zusammen. Was die Position des Opfers zum Zeitpunkt des Todesstoßes angeht, schließen wir uns der Einschätzung des Ermittlers und des Pathologen an. Er kam von hinten. Riss sie an den Haaren. Wir haben ein paar Haare vom Tatort, die dieses Szenarium stützen. Es sei denn eins dieser losen Haare stammte vom Verbrecher – aber darauf würde ich nicht setzen, wir haben nichts von ihm. Nada. Der Kerl war von Kopf bis Fuß eingeschweißt.« Er schnaubte.

»Jetzt zu Opfer Nummer zwei – Cobb – eine andere Chose. Sind Sie sicher, dass Sie nach ein und demselben Kerl suchen?«

»Ich bin mir sicher.«

»Wie Sie meinen. Er hat sie zusammengeschlagen. Rohr, Schläger, Metall, Holz. Was genau, kann ich nicht sagen, denn wir haben keine andere Arbeitsgrundlage als die Form ihrer Knochenbrüche. Wir suchen nach etwas Langem, Glattem, etwa fünf Zentimeter im Durchmesser. Wahrscheinlich schwer. Der Schlag ins Bein brachte sie zu Boden, der Schlag in die Rippen sorgte dafür, dass sie unten blieb. Aber dann wird's interessant.«

Er ging zu einem anderen Bildschirm und rief das Bild von Cobbs verkohltem Schädel auf. »Sie sehen das kaputte Jochbein und…«, er drehte das Bild, »ihren klassisch eingeschlagenen Schädel. Da er sie in Brand steckte, verschwand diese Spur weitgehend, aber wir haben noch was gefunden, was an Knochenfragmenten hängen blieb – von Gesicht und Kopf.«

»Welche Spur?«

»Es ist eine Versiegelung.« Er unterteilte den Bildschirm. Eine Reihe kantiger Formen in kühlen Blautönen tauchte auf. »Verlangsamt die Feuerentwicklung. Diesen Schritt hat der kluge Junge übersehen. Profiqualität. Die Marke heißt Flame Guard. Man bekommt es im Heimwerkermarkt, aber vor allem wird es von Bauunternehmern benutzt. Man versiegelt damit Unterbodenkonstruktionen oder Wände.«

»Unterboden. Bevor der fertige Holzboden draufkommt?«

»Ja. Wir haben Spuren in den Gesichts- und Kopfwunden gefunden. Er hat sie angezündet, aber dieses Scheißzeug hat nicht gebrannt – endlich stimmt die Werbung mal. Der Knochen ist allerdings nicht versiegelt, also waren diese nicht feucht, als sie damit in Kontakt kaum. Punktuell vielleicht ein wenig klebrig, aber nicht feucht.«

Eve bückte sich, um besser schauen zu können, und fing von Dickhead eine Spur Traubenaroma ein. »Sie muss diese Spur aufgenommen haben – am Jochbein –, als sie auf dem Boden oder an der Wand aufschlug. Dann wieder mit dem Schädel. Keine Spuren an den Bein- oder Rippenwunden, wegen ihrer Kleidung. Es floss Blut, als sie aufschlug, als sie über den Boden kroch. Könnte dabei geholfen haben, dass sie diese Spur aufnahm. Vielleicht mit Splittern, Splittern von den Brettern, auf denen sie aufschlug, die dann an den gebrochenen Knochen haften blieben.«

»Der Detective sind Sie. Aber ein Mädchen dieser Größe, das

derart getroffen wurde, geht rasch zu Boden. Ja, so könnte es gewesen sein. Wir haben hier unsere Spur, also ist es passiert. Es dürfte auch eine Schweinerei hinterlassen haben.«

»Ja.« Und das war der springende Punkt. »Jagen Sie mir all das rüber in mein Büro. Gar nicht so übel, Dickie.«

»He, Dallas!«, rief er ihr nach, als sie hinausgehen wollte. »Nehmen Sie mich doch mit zum Spiel.«

»Die Karten sind unterwegs. Peabody.« Sie fuhr sich durchs Haar, als sie die neuen Daten aneinander reihte. »Wir überprüfen diese Versiegelung. Mal sehen, was wir sonst noch herausfinden können. Er könnte das Ganze ja bei sich gemacht haben. Könnte. Aber er sieht mir nicht wie ein Typ aus, der sich sein eigenes Nest beschmutzt. Profiqualität.«, murmelte sie. »Er könnte ein Gebäude haben, das renoviert wird. Oder Zugang zu einem Gebäude, das gebaut oder erneuert wird. Erst mal nehmen wir uns die Baustellen rund um den Fundort vor. Er hat dieses leere Grundstück nicht einfach aus dem Hut gezaubert. Er zaubert nichts aus dem Hut.«

Während sie diese Richtung weiterverfolgte, rief sie Roarke an. Als er endlich dran war, saß sie schon im Wagen und fuhr zurück in die Zentrale. »Lieutenant. Sie haben ein Strahlen in den Augen.«

»Vielleicht haben wir den Durchbruch geschafft. Hast du irgendeinen Neubau oder eine Fassadenverschönerung in Alphabet City?«

»Ein Wohngebäude mittlerer Größe wird dort renoviert. Und…« Seine Augen wurde schmal beim Nachdenken. »Ein paar kleinere Sachen, die umgebaut werden. Das muss ich aber überprüfen, ehe ich dir was Genaueres sagen kann.«

»Mach das. Schick's mir rüber ins Büro. Weißt du von noch jemandem? Einem Konkurrenten, Kompagnon, was auch immer?«

»Das könnte ich doch herausfinden oder?«

»Ich wäre dir dankbar dafür.«

»Warte, warte doch.« Er verdrehte seine Augen, weil er genau wusste, dass sie ohne ein weiteres Wort auflegen würde. »Bei unserer Suche machen wir kleine Fortschritte. Zum Feiern reicht's noch nicht. Und Feeney und ich sind für den Rest des Tages beide mit anderen Sachen beschäftigt. Wir haben vereinbart, uns heute Abend zusammenzutun, bei uns.«

»Gut.« Sie bog in die Tiefgarage der Zentrale ein. »Bis bald.«

»Ich muss Sie was fragen.« Peabody wappnete sich, als Eve in ihre schmale Parklücke brauste, und ließ die Luft raus, als die Gefahr eines Zusammenstoßes vorbei war. »Wenn Sie sein Bild auf dem Bildschirm sehen, so sexy und umwerfend mit diesem, Sie wissen schon, Mund, würden Sie dann nicht am liebsten jedes Mal hecheln wie ein Hund?«

»Du lieber Himmel, Peabody.«

»War ja nur eine Überlegung.«

»Vergessen Sie mal die Hormone, und konzentrieren Sie sich auf das Spiel. Ich habe eine Verabredung mit Whitney.« Sie sah auf die Uhr. »Scheiße. Und zwar jetzt. Ich wollte sehen, ob wir mit der Phantombildzeichnung Glück gehabt haben.«

»Das kann ich doch machen. Wenn es etwas gibt, bringe ich es hoch.«

»Das ist gut.«

»Sehen Sie, wie praktisch es ist, wenn man einen Detective zum Partner hat?«

»Ich hätte wissen müssen, dass Sie eine Gelegenheit finden, mir das unter die Nase zu reiben.«

Sie trennten sich, und Eve fuhr in dem elend überfüllten Aufzug weitere drei Stockwerke hoch, ehe sie flüchtete und für den Rest der Reise zu Commander Whitneys Büro in den Glider stieg.

Whitney füllte seinen Rang voll aus. Er war ein herrischer Mann von stattlichem Körperbau und eisernem Willen. Die Falten, die sich um Augen und Mund eingegraben hatten, unterstrichen das Bild einer Führungspersönlichkeit und den Tribut, den dieser Mann dafür zahlte. Seine Haut war dunkel, sein Haar grau meliert. Er saß an seinem Schreibtisch, umgeben von seinem Computer, seinem Datenzentrum, seinen Diskettenordnern und den gerahmten Hologrammen seiner Frau und seiner Familie.

Eve respektierte den Mann, den Rang und seine Leistung. Und bewunderte insgeheim, dass er zwischen seinem Job und einer Frau, die die Geselligkeit liebte, nicht seine geistige Gesundheit verloren hatte.

»Entschuldigen Sie, Commander, dass ich zu spät komme. Ich wurde im Labor aufgehalten.«

Er wedelte dies mit einer seiner riesigen Hände beiseite. »Fortschritte?«

»Sir. Mein Fall und der von Detective Baxter sind durch Samantha Gannon miteinander verbunden.«

»Das habe ich anhand der Akten sehen können.«

»Heute Morgen sind weitere Informationen nach einer Folgebefragung von Samantha Gannon aufgetaucht. Wir verfolgen die Möglichkeit, dass Alex Crews Sohn oder eine andere Verbindung oder ein anderer Nachkomme von ihm in die derzeitigen Fälle verwickelt sein könnte.«

Sie setzte sich nur, weil er auf einen Stuhl deutete. Mündliche Berichte gab sie lieber stehend ab. Sie berichtete die Einzelheiten des morgendlichen Interviews.

»Captain Feeney kümmert sich persönlich um die Nachforschung«, fuhr sie fort. »Ich habe mit ihm heute Nachmittag noch nicht gesprochen, aber erfahren, dass auf diesem Gebiet ein Fortschritt zu verzeichnen ist.«

»Der Sohn müsste um die sechzig sein. Ein bisschen alt, um sich für ein Mädchen in Cobbs Alter zu interessieren.«

»Es soll Mädchen geben, die sich zu älteren Männern hingezogen fühlen, weil diese Erfahrung und Stabilität versprechen. Möglicherweise sieht er auch jünger aus.« Obwohl sie das bezweifelte. »Wahrscheinlicher wäre, dass er einen Partner hatte, um an Cobb heranzukommen. Wenn diese Verbindung trägt, Commander, gibt es jede Menge Möglichkeiten. Judith Crew könnte wieder geheiratet und noch ein Kind bekommen haben. Vielleicht hat dieses Kind von den Diamanten und von Gannon erfahren. Auch Westley Crew könnte Kinder haben, denen er die Geschichte seines Vaters übermittelt hat, so, wie Gannon ihre Familiengeschichte erfahren hat. Jedenfalls ist es jemand, der ein Besitzinteresse verfolgt. Da bin ich mir ganz sicher, und Miras Profil stimmt damit überein. Ich rechne in Kürze mit einem Phantombild.

Im Labor gab es einen Durchbruch. Man hat an Cobb die Spur eines Mittels zur Verzögerung von Feuerentwicklung gefunden. Eine Versiegelung, Profiqualität. Wir untersuchen das und konzentrieren uns auf Gebäude in der Nähe des Fundorts. Er ist sehr vorsichtig gewesen, Commander, und das war ein großer Fehler. Ein Fehler, den er meines Erachtens nicht gemacht hätte, wenn er selbst die Versiegelung aufgetragen hätte. Warum sollte er sie auch auf oder in der Nähe eines Flammenverzögerers töten, wenn er vorhat, sie anzuzünden? Das ist für diesen Kerl ein zu schwerwiegender Fehler. Wenn wir erst einmal den Tatort gefunden haben, sind wir schon ein gutes Stück näher an ihm dran.«

»Dann finden Sie ihn.« Er drehte sich um, als sein bürointernes Tele-Link sich meldete. »Ja.«

»Commander, hier sind die Detectives Peabody und Yancy.«

»Schicken Sie sie rein.«

»Commander, Lieutenant.« Peabody trat beiseite, um Yancy, den erkennungsdienstlichen Phantomzeichner vorzulassen. »Wir hielten es für ratsam, dass Detective Yancy Sie beide gleichzeitig unterrichtet.«

»Ich wünschte, ich hätte mehr zu bieten.« Er überreichte Ausdrucke und eine Diskette. »Ich habe mit der Zeugin drei Stunden lang gearbeitet. Ich glaube, ich habe sie nah drangebracht, aber das ist noch kein Grund zum Feiern. Weiter bringt man sie nicht«, erklärte er und studierte den Ausdruck des Porträts, den Eve in der Hand hielt. »Man bekommt den Zeitpunkt nämlich genau mit, wann sie beginnen, sich etwas auszudenken oder Dinge zu vermischen, oder einfach weitermachen. Dann muss man aufhören und sie gehen lassen.«

Eve starrte auf die Darstellung und versuchte eine Ähnlichkeit mit Alex Crew zu entdecken. Eventuell um die Augen herum. Aber vielleicht wollte sie das auch nur sehen.

Auf jeden Fall war das kein Sechzigjähriger.

»Sie hat sich bemüht«, sprach Yancy weiter. »Ich habe wirklich alles aus ihr rausgeholt. Wären wir schon an ihr dran gewesen, als sie diesen Typen sah, hätten wir es bestimmt exakt hingekriegt. Aber es ist viel Zeit vergangen und sie sieht jeden Tag Dutzende Männer an ihren Tischen. Als wir einen gewissen Punkt erreicht hatten, war nur noch reine Willkür im Spiel.«

»Mit Hypnose könnten wir ihrer Erinnerung womöglich auf die Sprünge helfen.«

»Das habe ich auch vorgeschlagen«, sagte er zu Eve. »Aber schon bei der bloßen Erwähnung ist sie ausgeflippt. Keine Chance. Dazu kommt, dass sie einen Medienbericht über den Mord gesehen hat und nun wahnsinnige Angst hat. Was Besseres als das werden wir nicht kriegen.«

»Aber ist er das auch?«, hakte Eve nach.

Yancy blies seine Wangen auf und ließ dann die Luft wieder raus. »Ich würde sagen, wir sind nah dran, was den Hautton, das Haar und die Grundform des Gesichts angeht. Bei den Augen dürfte die Form stimmen, für die Farbe lege ich keine Hand ins Feuer. Was das Alter angeht, meinte sie Ende zwanzig, Anfang dreißig, gab dann aber zu, dass sie dies wegen des Alters des Mädchens vermutet. Sie sprang zu dreißig, dann wieder zu zwanzig, dann vielleicht älter oder jünger. Sie glaubt, er sei reich, weil er eine teure Armbanduhr getragen, bar bezahlt und ein gutes Trinkgeld gegeben habe. Das hat bei ihrer Beschreibung eine Rolle gespielt.« Er zog eine Schulter hoch. »Glatte Haut, glatte Manieren.«

»Reicht das aus, um es an die Medien weiterzugeben, einen Versuch zu starten?«

»Würde meinen Stolz zwar kitzeln, aber ich würde es nicht tun. Versuchen Sie's, Lieutenant, aber mein Gefühl sagt mir, dass es nichts bringt. Ich denke, ein Polizist, ein geübter Beobachter, könnte ihn darauf wiedererkennen, aber kein Normalbürger. Tut mir Leid, dass ich Ihnen nicht weiterhelfen kann.«

»Ist schon gut. Wahrscheinlich haben Sie uns ihm näher gebracht als jeder andere das könnte. Wir werden dies durch ein Erkennungsprogramm laufen lassen, mal sehen, ob wir auf Treffer stoßen.«

»Sie bräuchten zumindest eine dreißigprozentige Genauigkeit.« Yancy schüttelte über seiner eigenen Arbeit den Kopf. »Damit bekommen Sie allein hier in der Stadt schon ein paar tausend Treffer.«

»Es wäre ein Anfang. Danke Yancy. Commander, ich würde es gern dabei bewenden lassen.«

»Halten Sie mich auf dem Laufenden.«

Wieder zurück im Büro, pinnte Eve sich eine Kopie des Phantombilds an ihre Tafel. An ihrem Schreibtisch schusterte sie ihre Notizen zu einem Bericht zusammen und las ihn dann durch, um die einzelnen Schritte und Stadien zu erkennen.

Die Personenfahndung würde sie Feeney überlassen, die elektronische Ausgrabung McNab. Sie schickte Baxter ein Memo mit den genau aufgelisteten neuen Daten und fügte eine Kopie von Yancys Skizze bei.

Während Peabody daran arbeitete, alles über die Versiegelung in Erfahrung zu bringen, beschäftigte Eve sich mit Bauplätzen. Ihr Tele-Link signalisierte ihr einen Eingang über das Datenportal, und sie schaltete um. Sie fand eine Liste sämtlicher Grundstücke mit laufenden Baugenehmigungen oder Genehmigungen zum Umbau in einem Umkreis von zehn Häuserblöcken vom Fundort.

Roarke war nicht nur schnell, überlegte sie, sondern er wusste genau, worauf es ankam, ohne dass man ihm das sagen musste.

Sie trennte zwischen bewohnten und nicht bewohnten Häusern.

Leer, überlegte sie. Verschwiegenheit. Hatte er nicht auch gewartet, bis er das Gannon-Haus leer glaubte? Es war so wenig Muster vorgegeben, dass sie das einfach ausprobierte.

Zuerst die leeren Gebäude.

Als sie diese herausgefiltert hatte, teilte sie sie ein zweites Mal auf, in die im Bau befindlichen und die, an denen Renovierungsarbeiten vorgenommen wurden.

Er hatte sie hineinlocken müssen. Klüger, sie zu locken als zu zwingen oder ihr Gewalt anzutun. Sie ist jung und töricht, aber sie ist auch ein pfiffiges Mädchen. Würde so jemand um eine Baustelle stapfen, und sei es auch nur, um ihren Angebeteten glücklich zu machen?

Sie stand auf und lief umher. Wahrscheinlich. Was wusste sie schon davon? Junge Mädchen, die verliebt waren oder glaubten, verliebt zu sein, taten vermutlich alles Mögliche, das gar nicht zu ihnen passte.

Sie war nie ein junges verliebtes Mädchen gewesen. Ein paar Anfälle von Begierde hier und da, aber das war was anderes. Sie war sich darüber im Klaren, dass sie auf Roarkes Schoß gelandet war, weil sie verrückt nach Liebe gewesen war. Und takelte sie sich nicht auch von Zeit zu Zeit auf, machte an ihren Haaren herum und warf sich in schicke Klamotten, bloß weil es ihm gefiel?

Ja, Liebe konnte einen leicht gegen all das verstoßen lassen, was einen ausmachte.

Aber was war mit dem Mörder? Für ihn gab es keinen Grund, seinem Typ zuwider zu handeln. Er liebte nicht. Er empfand nicht einmal Wollust. Und seinem Typus entsprach es, Eindruck zu schinden und anzugeben. Er hatte es gern angenehm und wollte beherrschen. Er plante voraus mit Blick auf seine eigenen Ziele, sein eigenes Ego, seinen Selbstschutz.

Eine Renovierung mit ein paar schicken Details. Ein Ort, von dem er genau wusste, er würde nicht gestört werden. Ein Ort, an dem keiner ihm Fragen stellen würde, wenn er sich auf dem Gelände aufhielt. Wo er – wieder – sein Sicherheitsstreben ausleben konnte.

Sie schickte die Daten an ihren Arbeitsplatz zu Hause, druckte ihre Listen aus und ging dann in die Kammer, um Peabody abzuholen. »Kommen Sie mit.«

»Ich überprüfe gerade die Versiegelung.«

»Das können Sie auch unterwegs machen.«

»Wohin gehen wir denn?«, wollte Peabody wissen, während sie ihre Arbeitsdiskette, die Akten und das Jackett an sich raffte.

»Wir sehen uns Häuser an. Und unterhalten uns mit Kerlen, die mit Motorwerkzeugen umgehen.«

»Das ist aber geil!«

Ihre erste Anlaufstelle war ein kleines Theater, das aus dem frühen zwanzigsten Jahrhundert stammte. Ihre Dienstmarke ebnete ihnen den Weg zum Polier. Obwohl dieser Arbeitsbelastung und Zeitplan vorschob, übernahm er die Führung. Die Fußböden in der Lobby waren noch der Originalmarmor und offensichtlich der ganze Stolz des Poliers. Im Theatersaal lagen rohe Bretter auf dem Boden, bis jetzt nicht versiegelt. Die Wände waren alter Gips.

Aber sie lief dennoch durch das ganze Gebäude und benutzte ihr Vergrößerungsgerät, um nach Blutspuren zu suchen.

Auf dem Weg zu ihrem nächsten Besichtigungsobjekt quälten sie sich durch den späten Nachmittagsverkehr.

»Die Versiegelung in Profiqualität wird en gros oder en detail in Zwanzig-, Fünfzig- und Hundert-Liter-Gebinden angeboten.« Peabody las die Information von ihrem kleinen Handcomputer ab. »Man kann sie mit einer Bauherrenlizenz ebenso in Pulverform kaufen und selbst anrühren. Für den Hausgebrauch gibt es Fünf- oder Zwanzig-Liter-Kübel. Kein Pulver. Ich habe hier die Anbieter.«

»Sie werden dort nachfragen müssen. Wir brauchen eine Liste der Personen und Firmen, die diese Versiegelung gekauft haben, damit wir diese mit den Bautrupps auf den Baustellen gegenchecken können.«

»Wird eine Weile dauern.«

»Er wird nicht abhauen. Der ist hier.« Ihre Augen suchten die Straße ab. »Und überlegt sich seinen nächsten Schritt.«

Er schloss seine Eigentumswohnung auf und orderte sofort bei seinem Hausdroiden einen Gin Tonic. Wie ärgerlich, den halben Tag in einem blöden Büro verbringen zu müssen, wo die Arbeit ihn nicht im Geringsten zu interessieren vermochte.

Aber der Alte hatte die Finanzen in der Hand und forderte von ihm, dass er mehr Interesse an der Firma zeigte.

Dein Erbe, mein Sohn. Was für eine Scheiße! Sein Erbe waren mehrere Millionen in russischen Durchsichtigen.

Die Firma konnte ihm nicht gleichgültiger sein. Sobald es ihm möglich wäre, sobald er in Händen hielt, was ihm gehörte, von Rechts wegen, würde er dem Alten eins husten.

Auf diesen Tag freute er sich schon.

Aber in der Zwischenzeit musste er beschwichtigen und ihn hätscheln und den guten Sohn spielen.

Er zog sich aus, ließ seine Kleider fallen, während er ging, um in das Einmannbassin einzutauchen, das im Rekreationsbereich des Penthouses eingebaut war.

Der Umstand, dass die so verachtete und beklagte Firma für das Penthouse, die Kleider, den Droiden zahlte, hatte noch nie an seinem Ego gekratzt.

Er räkelte sich im kühlen Wasser.

Er musste jetzt an die Gannon ran. Seine Idee, nach Maryland zu fahren, um dort die benötigten Informationen aus dem alten Paar herauszuprügeln, hatte er verworfen. Das könnte in vielerlei Hinsicht auf ihn zurückfallen.

Wie die Dinge jetzt lagen, konnten sie noch keine Anhaltspunkte haben. Er konnte ein besessener Fan sein oder der Liebhaber des Zimmermädchens, das mit ihm gemeinsame Sache gemacht hatte, um in das Gannon-Haus einzubrechen. Er konnte jeder sein.

Aber wenn er nach Maryland fuhr, würde er womöglich gesehen oder aufgespürt werden. In so einer bescheuerten Kleinstadt würde er bestimmt auffallen. Wenn er Samantha Gannons Großeltern umbrachte, würden selbst die beschränktesten Bullen sich so weit zurückarbeiten, dass sie die Diamanten als Grund dafür erkannten.

Wenn er aber die Gannon selbst ... Es war so verdammt *frustrierend* zu entdecken, dass sie verschwunden war. Keiner seiner sorgfältigen Sondierungsversuche hatte einen einzigen Hinweis auf ihr Verbleiben eingebracht.

Aber irgendwann musste sie wieder auftauchen. Früher oder später musste sie nach Hause kommen.

Wenn er alle Zeit der Welt hätte, könnte er das abwarten. Aber er hielt es nicht mehr aus, sich noch länger in dieses blöde Büro zu schleppen und sich mit der idiotischen Arbeiterklasse abzugeben oder seinen pathetischen Eltern Lippenbekenntnisse zu servieren. Und dabei die ganze Zeit zu wissen, dass alles, was er wollte, alles, was er verdient hatte, jenseits seiner Reichweite war.

Mit einem Arm auf dem Bassinrand Halt suchend, trank er. »Bildschirm an«, sagte er müßig und ließ dann die Nachrichtenkanäle nach irgendwelchen Neuigkeiten durchlaufen.

Nichts Neues, stellte er befriedigt fest. Was sich in den Köpfen derer abspielte, die scharf auf die Medien waren oder auf das, was sie für Ruhm hielten, war ihm nicht nachvollziehbar. Ein wahrer Krimineller zog doch die nötige Befriedigung allein daraus, seine Arbeit erfolgreich und im Geheimen zu erledigen.

Und er war gern ein wahrer Krimineller und genoss es – sehr sogar –, die Hürden für seine Heldentaten sehr hoch zu legen.

Er lächelte in sich hinein, als er sich im Zimmer umsah und sein Blick auf die Regale mit den antiken Spielsachen und Spielen fiel. Die Autos, die Laster, die Figuren. Er hatte sie gestohlen, einfach so aus Spaß. Genauso wie er manchmal eine Krawatte oder ein Hemd stahl.

Nur um zu sehen, ob er es konnte.

Aus demselben Grund hatte er Freunde und Verwandte bestohlen und lange bevor er es wusste, war es ihm zur Gewohnheit geworden... ehrlich. Dieses Rauben lag ihm im Blut. Wer hätte das geglaubt, wenn man seine Eltern ansah?

Aber doch, das Interesse an seiner Spielsachensammlung war von seinem Vater geweckt worden. Das hatte ihm gute Dienste geleistet. Wenn sein Sammelkollege und Bekannter Chad Dix ihm nicht von seiner Freundin vorgejammert hätte, über das Buch, das sie schrieb und all ihre Zeit in Anspruch nahm, hätte er nicht so schnell von den Diamanten und seiner Verbindung dazu erfahren.

Womöglich hätte er das Buch nie gelesen. Schließlich gehörte Lesen nicht zu seinem üblichen Zeitvertreib. Aber es war ganz einfach gewesen, aus Dix ein paar Einzelheiten herauszukitzeln und ihm dann ein Vorausexemplar abzuluchsen.

Er trank sein Glas leer, und obwohl er gern noch einen Drink gehabt hätte, versagte er sich diesen. Ein klarer Kopf war wichtig.

Er stellte das Glas beiseite und schwamm ein paar Züge. Als er sich aus dem Wasser stemmte, war das leere Glas weg und ein Handtuch und ein Bademantel lagen für ihn bereit. Heute Abend musste er auf eine Party. Die Ironie wollte es, dass er zu verschiedenen derartigen Anlässen auch Samantha Gannon begegnet war. Komisch, dass er sich nie für sie interessiert hatte, davon ausgegangen war, dass sie nichts gemeinsam hatten.

Nie hatte er mit einer Frau mehr gemeinsam gehabt.

Er könnte sich die Zeit nehmen und die Mühe machen, sie romantisch zu umwerben, was vermutlich weitaus weniger *erniedrigend* wäre als seine kurze Verbindung mit Tina Cobb. Aber sie war nicht sein Typ. Jedenfalls war sie ihm nicht aufgefallen.

Selbstbewusst, überlegte er, als er sich anzukleiden begann. Attraktiv, gewiss, aber eine dieser verkopften, zielstrebigen Frauen, die ihn entweder schnell irritierten oder langweilten.

Was er jedoch über sie von Chad erfahren hatte – aber Chad war weiß Gott nun mal ein Jammerlappen –, war sie gut im Bett, aber außerhalb der Laken einfach zu sehr mit sich und ihren Bedürfnissen und Wünschen beschäftigt.

Doch solange ihm kein effizienterer, wirksamer Weg zum Erlangen der Diamanten einfallen wollte, würde er seine Zeit sinnvollerweise mit Jack O'Haras Urenkelin verbringen müssen.

In der Zwischenzeit, überlegte er, während er mit dem Finger über die Schaufel eines maßstabsgetreuen Schaufellader-Modells strich, wäre es an der Zeit für ein Vieraugengespräch mit dem lieben alten Papa.

26

Als Eve nach Hause kam, köchelte ein Kopfschmerz wie heißer Eintopf hinter ihren Augen. Mehr als drei Baustellen hatte sie nicht geschafft. Bauarbeiter, so hatte sie erfahren, machten lange vor der Polizei Feierabend. Von denen, die sie befragen konnte, hatte sie nichts erfahren, aber das Werkzeuggeklapper, die laute Musik und die in den leeren oder fast leeren Gebäuden hallenden Rufe der Arbeiter hatten ihr Kopfschmerzen beschert.

Dazu kam noch das Theater, den Verkäufern im Fachhandel gut zuzureden und ihnen Druck zu machen, damit sie ihre Kundenlisten herausrückten. Sie würde glücklich und zufrieden sterben, wenn sie nie wieder in ihrem Leben ein Geschäft für Baubedarf oder einen Direktverkauf aufsuchen müsste.

Was sie jetzt brauchte, waren eine Dusche, ein zehnminütiges Nickerchen und fünf Liter Eiswasser.

Da sie hinter Feeney geparkt hatte, machte sie sich nicht erst die Mühe, die Hausanlage zu befragen. Roarke war sicherlich mit ihm oben, im Arbeitszimmer oder im Computerraum, um dort ihre elektronischen Idiotenspiele zu spielen. Da der Kater nicht angetappt war, um sie zu begrüßen, ging sie davon aus, dass auch er oben war.

Den Plan, zehn Minuten die Augen zu schließen, strich sie. Es wollte ihr nicht recht gelingen, sich in die Horizontale zu legen, wenn ein anderer Polizist im Haus war, vor allem nicht, wenn dieser im Dienst war. Zu peinlich, wenn sie ertappt würde. Egal, ob er, wie Feeney, ein jahrelanger Freund war. Sie gönnte sich zusätzliche zehn Minuten unter der Dusche und empfand dies als gerechtfertigt, da die Kopfschmerzen danach längst nicht mehr so bedrohlich waren.

Sie tauschte die Einzelteile des Tages – diesen Begriff hatte sie sich gemerkt – gegen ein T-Shirt und Jeans aus. Sie überlegte, barfuß zu laufen, aber schon tauchte vor ihrem geistigen Auge der Polizist im Haus auf, und sie ließ es sein, da sie sich mit bloßen Füßen ein wenig nackt vorkam.

Sie entschied sich für Tennisschuhe.

Da sie sich fast wieder wie ein Mensch fühlte, schaute sie auf dem Weg in ihr Arbeitszimmer im Computerraum vorbei.

Roarke und Feeney saßen jeder vor einem Einzelgerät. Roarke hatte die Ärmel hochgekrempelt und die Haare hinten zusammengebunden, eine Angewohnheit, wenn ernsthafte Arbeit anstand. Feeneys kurzärmeliges Hemd sah aus, als hätte er es vor dem Anziehen am Morgen erst zu einem Ball zusammengeknüllt und diesen dann ein paarmal springen lassen. Man sah auch seine knochigen Ellbogen. Sie wunderte sich, warum sie diese so liebenswert fand.

Offenbar war sie echt müde.

Über die Bildschirme flimmerten Daten, viel zu schnell für ihre Augen, um sie lesen zu können. Die Männer warfen einander Kommentare oder Fragen in jener Fachidiotensprache zu, die sie wohl nie würde dechiffrieren können.

»Habt ihr Jungs auch was in normalem Englisch für mich?«

Sie schauten beide über die Schulter in ihre Richtung, und erstaunt stellte sie fest, dass zwei Männer, die vom Äußeren her nicht unterschiedlicher hätten sein können, einen identischen Augenausdruck hatten.

Eine Art bekloppte Entrücktheit.

»Wir kommen voran.« Feeney griff in die Tüte mit den gezuckerten Nüssen, die er an seinem Arbeitsplatz stehen hatte. »Indem wir ein wenig zurückgehen.«

»Du siehst… frisch aus, Lieutenant«, bemerkte Roarke.

»Vor ein paar Minuten war das noch nicht so. Hab geduscht.« Sie betrat den Raum und studierte die Bildschirme. »Was läuft da?«

Roarkes Lächeln weitete sich langsam. »Wenn wir dir das zu erklären versuchten, würde dir schwummerig vor den Augen. Bei dem hier ist der Zugang ein wenig direkter.« Er winkte sie heran, damit sie den unterteilten Bildschirm sehen konnte, der links ein Foto von Judith Crew zeigte, während auf der anderen Seite verschwommene Bilder durchliefen.

»Versuchst du eine Übereinstimmung der Gesichter?«

»Wir haben ihren Führerschein von vor ihrer Scheidung ausgegraben«, erklärte Feeney. »Hier habe ich einen anderen Durchlauf mit der Fahrerlaubnis, die sie benutzte, als der Typ von der Versicherung sie ausfindig machte. Ein anderer Name, sie hat die Frisur verändert, Gewicht verloren. Der Computer spuckt mögliche Übereinstimmungen aus. Von diesen Daten aus bewegen wir uns vorwärts.«

»Dann benutzen wir auf einem weiteren Gerät ein Morphologieprogramm«, fuhr Roarke fort. »Damit suchen wir nach einer Übereinstimmung mit ihrem vom Computer errechneten heutigen Aussehen.«

»Ein Außenstehender könnte meinen, dass wir inzwischen was Passendes gefunden haben müssten, sofern das Bild stimmig war.«

»Das tue ich auch.«

Feeney zuckte mit den Schultern und knabberte seine Nüsse. »Es gibt so viele Menschen auf der Welt. So viele Frauen in dieser Altersgruppe. Und sie muss auch nicht mehr auf diesem Planeten leben.«

»Sie könnte tot sein«, ergänzte Eve. »Oder sie könnte die standardisierte erkennungsdienstliche Erfassung umgangen haben. Sie könnte verdammt noch mal auch in einer Strohhütte auf irgendeiner nicht verzeichneten Insel leben und Matten weben.«

»Oder sie hat sich einer plastischen Gesichtsoperation unterzogen.«

»Die heutige Jugend.« Feeney atmete betrübt aus. »Kein Glauben.«

»Was ist mit dem Sohn?«

»Wir machen auch bei ihm eine morphologische Überprüfung. Ein paar Möglichkeiten haben wir schon. Es findet gerade ein zweiter Durchlauf statt. Und unser Freund hier sucht nach dem Geld.«

Eve wandte sich von den Bildschirmen ab. Die raschen Bewegungen brachten die Kopfschmerzen zurück. »Welches Geld?«

»Sie hat das Haus in Ohio verkauft«, erinnerte Roarke sie. »Es dauert einige Zeit, bis die Bezahlung, die Auszahlung erfolgt. Die Bank oder der Grundstücksmakler mussten ihr einen Scheck zusenden oder einen elektronischen Wechsel auf Anweisung. Auf den Namen, den sie damals benutzt hat – es sei denn, sie hat bestimmt, dass das Geld an einen Dritten ausbezahlt wird.«

»Und so etwas könnt ihr herausfinden? Obwohl es schon so lang zurückliegt?«

»Wenn man hartnäckig genug ist. Sie war eine vorsichtige Frau. Sie hat damals bestimmt, dass der Auszahlungsscheck elektronisch an ihren Anwalt überwiesen und dann zu einer anderen Kanzlei nach Tucson weitergeleitet wird.«

»Tucson?«

»Arizona, Schatz.«

»Ich weiß, wo Tucson liegt.« Mehr oder weniger. »Und woher weißt du das?«

»Ich habe da meine Kanäle.«

Sie kniff misstrauisch die Augen zu, als Feeney die Augen zur Decke verdrehte. »Du hast gelogen, bestochen und gegen jede Menge von Zivilgesetzen verstoßen.«

»Und das ist der Dank dafür. Meine Quellen sagen mir, dass sie in Tucson war, und zwar Anfang 2003, nicht ganz einen Monat. Gerade lang genug, um den Scheck abzuholen und in der örtlichen Bank zu deponieren. Meine gelehrte Vermutung wäre, dass sie an dieser Stelle diese Mittel dazu benutzt hat, erneut ihre Identität zu ändern, und dann woanders hingezogen ist.«

»Wir engen das mal ein. Wenn die Übereinstimmungen komplett sind, sehen wir uns die Treffer genauer an.« Feeney rieb sich die Augen. »Ich brauche eine Pause.«

»Gehen Sie doch runter zum Schwimmen, oder wie wär's mit einem Bier?«, schlug Roarke vor. »In einer halben Stunde werden wir wissen, was wir kriegen können.«

»Damit kann ich mich anfreunden. Hast du denn was für uns, mein Kind?«

Keiner außer Feeney nannte sie je mein Kind. »Ich informiere dich über den neuesten Stand, wenn ihr Pause gemacht habt«, sagte Eve zu ihm. »Ich muss noch ein paar Dinge in meinem Büro überprüfen.«

»Dann treffen wir uns dort.«

»Ich könnte auch ein Bier vertragen«, meinte Eve, als Feeney hinausging.

»Eine Pause wäre nicht schlecht.« Roarke fuhr mit dem Finger über ihren Handrücken und zog die Hand dann näher heran, um daran zu knabbern.

Diese Geste kannte sie.

»Fang jetzt bloß nicht an, mich zu beschnüffeln.«

»Zu spät. Was ist das für ein Duft? Über deiner ganzen Haut?«

»Ich weiß nicht.« Träge zog sie ihre Schulter hoch und roch selbst daran. Für sie roch es nach Seife. »Was halt in der Dusche gewesen ist.« Mit einem leichten Ruck zog sie ihre Hand weg, machte aber den Fehler, sich umzublicken – für den Fall, dass Feeney noch in der Nähe war. Dieser Moment der Ablenkung bot ihm die Gelegenheit, einen Fuß um ihre Beine zu haken und sie aus dem Gleichgewicht – und auf seinen Schoß – zu schubsen.

»Herrgott noch mal, *lass* das!« Ihre Stimme war ein wütendes, verzweifeltes Flüstern. Auf Roarkes Schoß erwischt zu werden, rangierte auf Platz drei der Peinlichkeitsskala, sogar noch über dem Erwischtwerden beim Barfußlaufen durch einen anderen Polizisten. »Ich bin im Dienst. Feeney ist gleich um die Ecke.«

»Ich sehe Feeney nicht.« Er schnüffelte sich unbeeindruckt seinen Weg über den Nacken zu ihrem Ohr. »Und als sachverständiger Berater und Außenstehender ist mir eine Erholungspause gestattet. Und ich habe mich für Erwachsenenaktivität, anstatt Erwachsenengetränk entschieden.«

Kleine Lustdämonen begannen ihren Tanz über ihre Haut. »Bilde dir bloß nicht ein, dass ich mit dir im Computerraum herumzumachen gedenke. Feeney kann jede Minute zurückkommen.«

»Was der Erregung nicht abträglich ist. Ja, ja.« Er kicherte in sich hinein, als er an einer Stelle – seiner Lieblingsstelle – direkt unter ihrem Kiefer zu nuckeln begann. »Krank und pervers. Und obwohl ich darauf wette, dass auch Feeney davon ausgeht, dass wir gelegentlich Sex haben, werden wir unsere Erholungspause woanders machen.«

»Ich muss arbeiten, Alter, und… he! Hände weg!«

»Wieso denn, das sind meine Hände.« Dabei lachte er und schob sie unter ihren Hintern, um sie aus dem Stuhl zu heben. »Ich möchte meine dreißig Minuten Pause«, sagte er und schleppte sie zum Aufzug.

»So wie du voranpreschst, bist du in fünf Minuten fertig.«

»Wetten.«

Sie kämpfte gegen ihr eigenes Lachen an und begann einen vorgetäuschten Kampf, indem sie eine Hand in die Aufzugsöffnung schob. »Ich kann doch nicht einfach weggehen und mich nackt ausziehen, wenn Feeney hier im Haus ist. Es ist zu abgedreht. Und wenn er zurückkommt und –«

»Weißt du was, ich vermute, dass Feeney sich bei Mrs. Feeney auch nackt auszieht und sie auf diese Weise wahrscheinlich zu ihren kleinen Feeneys gekommen sind.«

»O mein Gott!« Ihre Hand zitterte, wurde taub, und ihr Gesicht verlor beträchtlich an Farbe. »Es ist eine ganz widerwärtige und schmutzige Niedertracht, mir solche Bilder in meinen Kopf zu pflanzen.«

Weil er nicht wollte, dass sie ihr Gleichgewicht wiedererlangte, griff er hinter sie und gab manuell den Code fürs Schlafzimmer ein, anstatt den Audiocommander zu benutzen. »Wenn es funktioniert. Jetzt bist du ohnehin zu schwach, um mich aufzuhalten.«

»Darauf würde ich nicht bauen.«

»Erinnerst du dich an das erste Mal?« Er legte seine Lippen auf ihre, als er das sagte, und veränderte seine Taktik zu einem sanften Streichen.

»Nur verschwommen.«

»Wir sind wie jetzt mit dem Aufzug hoch gefahren und konnten unsere Hände nicht voneinander lassen, konnten nicht schnell genug aneinander rankommen. Ich war verrückt nach dir. Ich wollte dich mehr als weiteratmen. Und tue es noch immer.« Er vertiefte seinen Kuss, als sich die Aufzugtür öffnete. »Und das wird sich nie ändern.«

»Ich möchte auch nicht, dass es sich ändert.« Sie kämmte mit ihren Fingern sein Haar und schob das Band weg, bis das ganze dichte, weiche schwarze Haar ihr durch die Finger glitt. »Du bist so verdammt gut darin.« Sie presste ihre Lippen an seine Kehle. »Aber doch nicht gut genug, damit ich dies bei geöffneter Tür tue. Du weißt ja, Feeney könnte hereinspaziert kommen. Ich kann mich nicht konzentrieren.«

»Das richten wir schon.« Eves Beine um seine Taille geschlungenen, mit ihren Händen um seinen Hals, während ihre Lippen eine heiße Spur über seine Haut zogen, bewegte er sich auf die Tür zu. Er schloss sie. Verriegelte sie. »Besser?«

»Ich bin mir nicht sicher. Vielleicht musst du meinem Gedächtnis doch auf die Sprünge helfen, wie wir das das erste Mal gemacht haben.«

»Wenn mich meine Erinnerung nicht trügt, ging das irgendwie so.« Er wirbelte sie herum und klemmte sie zwischen der Wand und seinem Körper ein. Sein Mund lag fieberheiß auf ihrem.

Sie fühlte, wie ein ganz unmittelbares und ursprüngliches Bedürfnis sie durchschnitt. Als würde sie zwiegespalten – in die Frau, die sie vor ihm gewesen war, und die Frau, die sie mit ihm entdeckt hatte.

Sie konnte sein, was sie gewesen war, und er verstand sie. Sie konnte sein, was sie geworden war, und er liebte sie. Und das Verlangen nacheinander war trotz aller Veränderungen, aller Entdeckung nie abgeklungen.

Sie ließ zu, dass er sie an sich riss, und fühlte die Macht der Hingabe. Alles pumpte und schwoll in ihr, als sie an seinem Körper entlangglitt. Ihre Hände waren so eifrig wie die seinen, ihr

Mund genauso ungeduldig, als sie einander zum Bett schlepp-
ten.

Sie stolperten über das Podest, und Eve musste lachen, weil sie
sich erinnerte. »Damals hatten wir es auch eilig.«

In einem Wirrwarr der Gliedmaßen fielen sie aufs Bett und rollten umher, während sie versuchten, sich die Kleider vom Leib zu
ziehen, sich zu nehmen und zu verschlingen. Damals, beim ersten
Mal, war es im Dunkeln geschehen. Jetzt waren sie ins Licht getaucht, das durch die Fenster hereinschien und durch das Ober-
licht über dem Bett fiel, aber die Verzweiflung war die gleiche.

Es schmerzte in ihr wie eine Wunde, die nie ganz heilen würde.
Auch damals war sie ein Bündel, ein Labyrinth aus Forderungen
gewesen, erinnerte er sich. Nichts als Hitze und Bewegung, die
ihn wahnsinnig machten, sodass er darauf gebrannt hatte, sich in
sie hineinzurammen und solange zuzustoßen, bis ihrer beider Er-
lösung kam.

Aber er hatte mehr gewollt. Selbst damals schon hatte er mehr
von ihr gewollt. Mehr für sie. Er packte ihre Hände, zog ihre
Arme über seinen Kopf und sie bog sich ihm entgegen, Mitte auf
Mitte, bis sein Puls ein Dröhnen von Dschungeltrommeln war.

»Komm rein.« Ihre Augen waren verschwommen und dunkel.
»Ich will dich in mir spüren. Hart. Schnell.«

»Warte.« Er wusste, was jetzt kam, wo sie sich einander nehmen würden, die Kontrolle hing an einem dünnen, schlüpfrigen
Draht. Er fesselte mit einer Hand ihre Handgelenke. Wenn sie ihn
jetzt berührte, würde der Draht reißen.

Aber er konnte sie berühren. Mein Gott, wie ihn danach verlangte, sie zu berühren, zu beobachten, zu spüren, wie ihr Körper
sich zusammenzog und erbebte unter dem Sturmangriff der Lust.
Ihre Haut war feucht, als er sich mit seiner freien Hand nach unten tastete. Ein Stöhnen zitterte über ihre Lippen, entlud sich dann
aber in einem rauen Schrei, als er seine Finger geschickt zum Einsatz brachte.

Er verfolgte, wie ihre verschleierten Augen blind wurden,
spürte den jagenden Puls in den Gelenken, die er hielt, und hörte
ihr Erlösungsschluchzen in der Luft, ehe ihr Körper nachgab. In
der Hitze geschmolzenes Wachs.

Noch mal, war alles, was er denken konnte, als sein Mund sich auf ihren drückte, wild und ungestüm. Noch mal, noch mal, immer wieder.

Dann waren ihre Arme frei und schlangen sich um ihn und ihre Hüften stießen nach oben. Er war in ihr, wie sie es gefordert hatte. Hart und schnell.

Mit dem Teil ihres Gehirns, der noch denken konnte, wusste sie, dass er den Punkt überschritten hatte, dort war, wo er sie so oft hinschickte. Irgendwo jenseits der Zivilisation und der Vernunft, wo sie nur von Bedürfnissen angetriebene Empfindungen waren. Sie wollte ihn dort bei ihr haben, wo es keine Kontrolle mehr gab und die Lust sowohl den Geist als auch den Körper befriedigte.

Als sie selbst diesem letzten Sprung entgegenzuckte, hörte sie, wie er seinen Atem wie im Schmerz anhielt. Ihn umklammernd, gab sie sich hin. »Jetzt«, sagte sie und zog ihn mit sich.

Sie dehnte sich unter ihm, zog die Zehen an und streckte sie wieder. Eve entdeckte, dass sie sich verdammt gut fühlte. »Okay.« Sie verpasste Roarke einen lauten Klaps auf den Hintern. »Erholungspause ist vorbei.«

»Du lieber Himmel. Mein Gott.«

»Komm schon, Kumpel, du hast deine dreißig Minuten gehabt.«

»Da täuscht du dich bestimmt. Mir stehen sicherlich noch fünf oder sechs Minuten zu. Selbst wenn das nicht so wäre, nähme ich sie mir trotzdem.«

»Auf.« Sie gab ihm einen weiteren Klaps auf den Hintern, dann kniff sie ihn. Als das alles keine Wirkung zeigte, rammte sie ihm ihr Knie in die Weichteile.

»Du Miststück.« Das brachte ihn in Bewegung. »Pass auf die Ware auf.«

»Das musst du schon selbst tun. Ich habe sie schon benutzt.« Sie war klug genug, über ihn und von ihm wegzurollen, ehe er Vergeltung üben konnte. Sie landete auf ihren Füßen, rollte vor auf die Ballen und zurück auf die Fersen. »Mann, bin ich aufgedreht.«

Er blieb, wo er war, flach auf dem Rücken und betrachtete sie. Groß, schlank, nackt, mit glühender Haut von dieser energetischen Erholungspause.

»So siehst du auch aus.« Dann lächelte er verschlagen. »Ob Feeney wohl mit Schwimmen fertig ist?«

Die Farbe wich aus ihren Wangen. »Ach herrje, o *Scheiße*!« Mit einem Satz war sie bei ihren Kleidern. »Er wird es ahnen. Er wird es wissen, und wir müssen dann vermeiden uns anzuschauen, während wir so tun, als wüsste er's nicht. Verdammt.«

Roarke lachte, als sie mit ihrem Kleiderbündel ins Bad flitzte.

Feeney war schon in ihrem Büro, und sie zuckte zusammen. Aber sie trat forsch ein und steuerte zielstrebig ihren Schreibtisch an, um ihre Akten vorzubereiten.

»Wo warst du?«

»Nur, ach, du weißt schon… musste ein paar Sachen erledigen.«

»Ich dachte, du wärst…« Er verstummte mit einem Geräusch, das sie als nicht ganz unterdrücktes peinliches Entsetzen wiedererkannte. Sie spürte, wie ihre Haut sich erhitzte, und hypnotisierte ihren Computer, als könnte dieser jeden Moment hochspringen und sie an der Kehle packen.

»Ich denke, ich werde – äm –« Seine Stimme war ein wenig spröde. Sie sah ihn nicht an, aber sie konnte spüren, dass er sich wie gepiekt im Zimmer umsah. »– mir einen Kaffee holen.«

»Kaffee ist gut. Eine gute Idee.«

Als sie ihn in die Küche schleichen hörte, rieb sie sich mit den Händen übers Gesicht. »Ebenso gut könnte ich mir ein Schild umhängen«, murmelte sie. »Bin gerade gebumst worden.«

Sie zog ihre Disketten auf den Computer, richtete ihre Tafel her und warf Roarke einen boshaften Blick zu, als dieser hereinkam. »Ich kann diesen Ausdruck auf deinem Gesicht nicht ausstehen«, zischte sie ihn an.

»Welchen Ausdruck?«

»Du weißt genau, welchen Ausdruck ich meine. Wisch ihn weg.«

Entspannt und belustigt setzte er sich auf die Kante ihres

Schreibtischs. Als Feeney hereinkam, sah er die schwindende Röte. Feeney räusperte sich sehr umständlich und stellte die zweite Kaffeetasse auf dem Schreibtisch ab. »Ihnen habe ich keinen gezapft«, sagte er zu Roarke.

»Ist schon in Ordnung. Im Moment brauche ich keinen. Wie war das Schwimmen?«

»Schön. Hat gut getan.« Er rieb sich mit der Hand über die trocknenden rotsilbernen Haarsträhnen. »Gut und schön.«

Er wandte sich ab und schaute die Tafel an.

Was für ein Paar, überlegte Roarke, zwei altgediente Polizisten, die durch Blut und Wahnsinn gewatet waren. Leg ein bisschen Sex zwischen sie auf den Tisch – und sie werden zappelig wie Jungfrauen bei einer Orgie.

»Ich werde euch jetzt den aktuellen Stand der Ermittlungen mitteilen«, fing Eve an. »Dann werde ich meine Spuren weiterverfolgen, während ihr an euren arbeitet. Ihr seht das Phantombild auf der Tafel und auf dem Bildschirm.«

Sie nahm den Laserpointer in die Hand und zielte damit auf den Wandschirm. »Detective Yancy hat dieses Phantombild gezeichnet, möchte aber nicht, dass es an die Medien gegeben wird, weil er nicht genügend Vertrauen in die Darstellung hat. Aber ich denke, für uns ist es eine Grundlage. Auf jeden Fall im Hinblick auf Farbe und wesentliche Gesichtszüge.«

»Sieht nach um die Dreißig aus, oder«, brummelte Feeney.

»Ja, selbst wenn Crew's Sohn den größten Teil seines Vermögens für Gesichtsoperationen und plastische Veränderungen ausgegeben hätte, glaube ich doch nicht, dass ein Typ in den Sechzigern so jung aussehen kann – und die Zeugin hat ihn auf keinesfalls über vierzig geschätzt. Wir suchen also entweder nach einer familiären Verbindung oder einem jungen Freund oder Protégé. Das müssen wir überprüfen. In Anbetracht von Muster und Profil erscheint das am logischsten. «

»Ja, aber es erweitert auch die Möglichkeiten, anstatt sie einzugrenzen«, bemerkte Feeney.

»Bei der Eingrenzung haben wir auch einen Durchbruch erzielt.«

Eve berichtete ihnen von der nachgewiesenen Spur der Versiegelung und von ihrer Feldforschung mit dem Ziel, den Tatort für Cobbs Mord zu finden.

»Es ist die erste Spur, die er hinterlassen hat. Wenn wir da was herausfinden, haben wir noch eine andere Verbindung, um diesen Widerling zu identifizieren. Er hat den Ort ausgesucht, also kennt er den Ort. Er wusste, wie er hineinkam, tat, was er tun wollte, im Geheimen, und hat ausreichend sauber gemacht, damit das Verbrechen unentdeckt blieb.«

»Ja.« Feeney nickte zustimmend. »Aber Blut wird er wohl verspritzt haben. Er hat sauber gemacht, sonst hätte es eine Anzeige gegeben. Ein Bautrupp schnallt sich keine Werkzeuggürtel um, wenn alles voller Blut ist.«

»Und das bedeutet, dass er genügend Zeit gehabt haben muss. Wieder ganz für sich. Verfügte über Transportmittel, musste wissen, wo es einen praktischen Platz gab, um die Leiche loszuwerden, und hatte Zugang zu Brennstoff.«

»Hat sie dafür wahrscheinlich nicht versiegelt«, meinte Feeney. »Warum auch?«

»Wäre Zeitverschwendung gewesen«, stimmte Eve ihm zu. »Er hat vor, die Leiche zu verbrennen und damit jede mögliche Spur zu vernichten, die zu ihm führt – hat er jedenfalls geglaubt. Warum sollte er sich auch die Mühe machen, jede Spur am Tatort zu vermeiden, solange er anständig sauber machen konnte. Insbesondere dann, wenn er legitime Gründe hatte, sich dort aufzuhalten. Das Gebäude könnte ihm gehören, oder er arbeitet oder lebt darin.«

»Könnte ein Bau- oder Planungsingenieur sein«, warf Roarke ein. »Wenn ja, wäre es allerdings nicht sehr klug gewesen, die Feuerversiegelung außer Acht zu lassen.«

»Du hast mir die Daten gegeben, um die ich dich gebeten hatte, sämtliche Gebäude, die in dieser Gegend gebaut oder renoviert werden. Ist das, was du mir geschickt hast, alles?«

»Ist es, ja. Aber was inoffiziell läuft, ist dabei natürlich nicht berücksichtigt. Kleine Arbeiten«, erklärte er. »Eine Privatwohnung oder ein Apartment, dessen Besitzer sich zu einem Umbau entschließt oder ein Bauunternehmen anheuert, das bereit ist, die Genehmigungen und Gebühren zu umgehen und schwarz für ihn zu arbeiten.«

Eve sah plötzlich den Plan ihrer Ermittlungen mit Hunderten von Sackgassen und Umwegen durchkreuzt. »Ich werde mir wegen solcher Nebensächlichkeiten kein Kopfzerbrechen machen, solange wir die offiziellen Geschichten nicht ausgeschöpft haben. Wenn wir schon mal dabei sind, wird auf Baustellen manchmal auch Benzin verwendet?«

»Für einige der Fahrzeuge und Maschinen, ja.« Roarke nickte. »Da es unpraktisch wäre, es von einer der Tankstellen vor der Stadt zu holen, könnte man dafür eine Lagerhalle auf dem Bauplatz oder in der Nähe benutzen. Das muss aber auch genehmigt und bezahlt werden.«

»Dann verfolgen wir das auch.«

»Die für Genehmigungen und Bewilligungen zuständigen Beamten, werden dich im Quadrat springen lassen«, erinnerte Feeney sie.

»Damit komme ich schon klar.«

»Du wirst diesen Jungs die Pistole auf die Brust setzen müssen, außerdem Berechtigungen und die entsprechenden Formulare und anderen Scheißkram vorlegen. Wenn wir mit Abgleichungen Glück haben, können wir das erst mal zurückstellen.« Feeney dachte nach und zog an seiner Nase. »Aber ob in der einen oder anderen Richtung, es bleibt viel zu tun. Ich könnte meinen Urlaub um ein paar Tage verschieben, bis das abgeschlossen ist.«

»Urlaub?« Sie sah ihn stirnrunzelnd an, bis ihr sein eingetragener Urlaub einfiel. »Mist. Das hatte ich ganz vergessen. Wann fährst du?«

»Bin noch zwei Tage im Dienst, aber ich könnte ein bisschen was verschieben.«

Sie war versucht, sein Angebot anzunehmen. Aber nach kurzer Überlegung stieß sie einen Seufzer aus. »Ja, fein, mach nur, und dann isst deine Frau unser beider Leber zum Frühstück. Roh.«

»Sie ist eine Polizistenfrau. Sie weiß, wie das läuft.« Aber hinter seinen Worten spürte man keine große Überzeugung.

»Wetten, dass sie schon gepackt hat.«

Feeney lächelte niedergeschlagen. »Die hat schon seit einer Woche gepackt.«

»Gut, ich werde mir ihren Zorn nicht zuziehen. Außerdem hast du schon genug umdisponiert, um so viel Zeit für mich zu erübrigen. Den Rest werden wir schon schaffen.«

Sein Blick fiel zurück auf die Tafel, auf die auch Eve blickte. »Ich lasse einen Fall nicht gern in der Luft hängen.«

»Ich habe McNab und diesen Jungen hier.« Sie drehte ihren Daumen Richtung Roarke. »Wenn wir es nicht unter Dach und Fach bringen, bevor du gehst, halten wir dich auf dem Laufenden. Auch in der Ferne. Kannst du denn heute Abend noch ein paar Stunden für mich erübrigen?«

»Kein Problem. Ich setzte mich am besten gleich dran und sehe zu, ob ich nicht ein Wunder bewirken kann.«

»Mach das. Ich sehe mal zu, ob ich ein paar Durchsuchungsbefehle bekommen kann. Ist es in Ordnung für dich, wenn wir uns morgen früh um acht Uhr hier treffen?«

»Aber nur, wenn's Frühstück gibt.«

»Ich komme gleich«, sagte Roarke zu ihm und wartete, bis er allein mit Eve war. »Ich kann dir bei dem Papierkrieg Zeit sparen helfen. Dazu muss ich nur ein bisschen mit meinen nicht angemeldeten Geräten arbeiten, und schon bekommst du deine Genehmigungen.«

Sie zwängte ihre Hände in ihre Jeanstaschen und studierte ihre Mordtafel, die Gesichter der Toten. Roarkes nicht registrierte Geräte würden das starre Auge der Computerüberwachung täuschen. Keiner würde erfahren, wer sich in die Sicherheitsbereiche gehackt und mit geschickten Händen Daten entnommen hatte.

»In diesem Fall kann ich das nicht rechtfertigen. Nur um mir Zeit und jede Menge Ärger zu ersparen, ist mir keine Abkürzung erlaubt. Gannon ist in Sicherheit. Meines Wissens nach ist sie die Einzige, der unmittelbare Gefahr von diesem Kerl droht. Ich werde es durchziehen wie vorgeschrieben.«

Er trat hinter sie und rieb ihre Schultern, während sie sich beide die Bilder von Jacobs und Cobb ansahen, vorher und nachher.

»Wenn du dich nicht an den Amtsweg hältst, wenn du also die Abkürzung nimmst, dann ist das doch immer ihretwegen, Eve. Nie deinetwegen.«

»Für mich soll es auch nicht sein. Oder meinetwegen.«

»Wenn es nicht in irgendeiner Hinsicht für dich oder deinetwegen wäre, könntest du nicht Tag für Tag weitermachen, dies alles sehen und dich darum kümmern, Tag für Tag. Und wenn du es nicht tätest, wer würde dann die Norm für Leute wie Andrea Jacobs und Tina Cobb festsetzen und darum kämpfen?«

»Ein anderer Polizist«, sagte sie.

»Es gibt aber keinen wie dich.« Er drückte seine Lippen auf ihren Scheitel. »Es gibt keinen anderen, der die Opfer und diejenigen, die sie zu Opfern machen, so versteht, wie du es tust. Und weil ich das sehe und weil ich das weiß, ist ein ehrlicher Mann aus mir geworden, oder etwa nicht?«

Jetzt drehte sie sich um und sah ihm direkt in die Augen. »Das hast du selbst gemacht.«

Sie wusste, dass er an seine Mutter dachte, an das, was er erst vor kurzem erfahren hatte, und sie wusste, dass er litt. Es war ihr nicht möglich, für den Tod, der Roarke betraf, genauso einzustehen wie für den von Fremden. Sie konnte ihm nicht dabei helfen, Gerechtigkeit für die Frau zu finden, von deren Existenz er nie gewusst hatte, für die Frau, die ihn geliebt und von der brutalen Hand seines eigenen Vaters gestorben war.

»Wenn ich zurückgehen könnte«, sagte sie langsam, »wenn es eine Möglichkeit gäbe, die Zeit zurückzuschrauben, würde ich alles dransetzen, um ihn zur Strecke zu bringen, und ihn für das zu bestrafen, was er getan hat. Ich wünschte, ich könnte für sie einstehen, für dich.«

»Wir können die Vergangenheit nicht ändern, oder? Nicht für meine Mutter, nicht für uns selbst. Wenn wir's könnten, wärst du die Einzige auf der Welt, die ich damit betrauen würde. Die Einzige, bei der ich zurücktreten und zulassen würde, dass der Arm des Gesetzes tut, was das Gesetz verlangt.« Er strich mit seinem Finger über das Grübchen an ihrem Kinn. »Also, Lieutenant, wann immer du eine dieser Abkürzungen nimmst, solltest du daran denken, dass es unter denen, die von dir abhängen, welche gibt, die sich einen Dreck um den Dienstweg scheren.«

»Das mag ja sein. Aber ich tue es. Geh und hilf Feeney. Gib mir was an die Hand, das ich gebrauchen kann, damit wir ihn für das, was er getan hat, bezahlen lassen können.«

Als er gegangen war, blieb sie allein sitzen und starrte auf die

Mordtafel. Ihren Kaffee hatte sie vergessen. Sie sah sich in jedem dieser Opfer. In Andrea Jacobs, niedergestochen und allein gelassen. In Tina Cobbs, ihrer Identität beraubt und weggeworfen.

Aber sie war diesen Dingen entkommen. Sie war aus diesen Dingen erschaffen worden. Nein, ändern kann man die Vergangenheit nicht. Aber nutzen konnte man sie, zum Teufel noch mal.

27

Wenn sie allein arbeitete, vergaß sie die Zeit. Aber wahrscheinlich verlor sie auch in der Zusammenarbeit mit anderen jegliches Gefühl für die Zeit, wenn sie weiterkommen wollte.

Ganz allein in ihrem Büro zu sitzen oder umherzulaufen hatte jedoch etwas Beruhigendes. Dort konnte sie, mit der nüchternen Stimme des Computers als einziger Gesellschaft, den Ergebnissen und Spekulationen freien Lauf lassen.

Als ihr Tele-Link piepte, wurde sie aus ihrer Halbtrance gerissen und merkte dann erst, dass die einzige Beleuchtung im Raum von den verschiedenen Bildschirmen kam.

»Dallas. Was gibt es?«

»He, Lieutenant.« McNabs junges, hübsches Gesicht tauchte auf dem Bildschirm auf. Sie konnte das Stück Pizza in seiner Hand erkennen. Verdammt, da sie fast die Peperoni riechen konnte, fiel ihr ein, dass sie das Abendessen verpasst hatte. »Haben Sie etwa geschlafen?«

Sie spürte, wie ihr Peinlichkeitsbarometer stieg, und das nur, weil ein anderer Polizist sie dabei ertappt hatte, wie sie sich treiben ließ. »Nein, ich habe nicht geschlafen. Ich arbeite.«

»Im Dunkeln?«

»Was wollen Sie, McNab?« Was *sie* wollte, wusste sie. Sie wollte seine Pizza.

»Okay. Ich habe die Verbindungen durch ein paar Programme laufen lassen.« Er biss von seiner Pizza ab. Eve musste ihre Spucke runterschlucken. »Ich kann Ihnen sagen, diese billigen Geräte schaffen mehr als die teuren. Die Speicherkapazität ist beschissen und die Übertragung –«

»Schweifen Sie nicht ab, McNab. Kommen Sie zum Wesentlichen.«

»Aber ja doch. Entschuldigung.«

Er leckte sich – dieser Schuft – leckte sich tatsächlich Sauce vom Daumen.

»Ich habe zwei der Nachrichten ausfindig machen können, von denen wir glauben, dass der Mörder sie Cobb geschickt hat. Eine davon passt zu dem Standort, von dem aus auch eine abgebrochene Nachricht an die Gannon-Wohnung verschickt wurde, die in der Nacht von Jacobs' Tod vom Antwortprogramm aufgefangen wurde.«

»Und wo ist das?«

»Der Standort, der für beide zutrifft, ist ein öffentliches Sendegerät in Grand Central. Das andere wurde von einem Cyber-Club downtown übermittelt. Oh, und es gibt noch eine zweite abgebrochene Nachricht zur Gannon-Wohnung, zehn Minuten nach der ersten, von einem anderen öffentlichen Gerät, drei Häuserblocks von ihrem Haus entfernt.«

Öffentliche Plätze, öffentlicher Zugang. Gefälschte Konten. Vorsichtig, immer vorsichtig. »Ist Peabody bei Ihnen?«

»Ja. Sie ist im anderen Zimmer.«

»Warum können Sie den Club nicht ausfindig machen? Vielleicht lässt sich ja genau feststellen, welches Gerät er benutzt hat. Eventuell kann man uns dort eine bessere Beschreibung von ihm geben.«

»Kein Problem.«

»Wir treffen uns zur Besprechung bei mir zu Hause, um acht Uhr morgens.«

Mochte sein Mund auch voller Pizza sein, ein Stöhnen erkannte sie, wenn sie eins hörte. Geschah ihm recht, wenn er vor ihr auf ihren leeren Magen aß.

»Wenn sie eine heiße Spur verfolgen, möchte ich sofort davon erfahren. Egal, zu welcher Uhrzeit. Über die Tele-Links lässt sich gut arbeiten.«

»Ich bin hier das Genie. Kann vielleicht einer von euch mit solchen Treffern aufwarten?«

Sie schaltete ihn aus. Lehnte sich in die blauschattige Dunkelheit zurück und dachte an Diamanten, Pizza und Mord.

»Lieutenant.«

»Hmm?«

»Licht an, wir haben fünfundzwanzig Prozent.« Selbst im Dämmerlicht sah Roarke, dass sie wie eine Eule blinzelte. »Du musst was essen.«

»McNab hatte Pizza. Die hat mich abgelenkt.« Sie rieb sich ihre müden Augen. »Wo ist Feeney?«

»Ich habe ihn nach Hause geschickt, nicht ohne Gegenwehr. Seine Frau hat angerufen. Ich denke, bei ihr macht sich langsam Panik breit, er könnte tun, was er dir vorgeschlagen hat, und seinen Familienurlaub verschieben.«

»Das würde ich nicht zulassen. Hast du was für mich?«

»Der erste Übereinstimmungsdurchlauf für Judith Crew ist abgeschlossen, der für den Jungen fast. Wenn das fertig ist, werden wir...« Ihm fiel ein, wen er vor sich hatte, und vermied den Technojargon. »Im Wesentlichen werden wir gegenprüfen und die beiden Programme zueinander in Beziehung setzen. Wenn sie den Jungen bei sich hatte, bis er erwachsen war – und das sieht ganz danach aus –, müssten wir diese Übereinstimmung oder Übereinstimmungen eigentlich orten können.«

Er nickte ihr auffordernd zu. »Dann also Pizza für dich?«

»Ich gäbe dir fünfhundert Kreditchips für eine Scheibe Peperonipizza.«

Er grinste. »Also bitte, Lieutenant. Ich bin nicht käuflich.«

»Ich werde dir bei der nächstmöglichen Gelegenheit jeden gewünschten sexuellen Gefallen erweisen.«

»Einverstanden.«

»Billig weggekommen.«

»Du weißt nicht, welche sexuelle Gunst ich im Sinn habe. Hast du deine Durchsuchungsbefehle bekommen?«, rief er, schon auf dem Weg in die Küche.

»Ja. Mein Gott, ich musste einen Tanz aufführen, bis mir die Zehenspitzen abfielen, aber ich bekomme sie. Und McNab hat die Standorte ausfindig gemacht, von denen die Nachrichten übermittelt wurden. Er wird zusammen mit Peabody heute Nacht einen Cyber Club unter die Lupe nehmen, von dem aus eine an Cobb abgeschickt wurde.«

»Heute Nacht?«

»Sie sind jung, fit – und haben Angst vor mir.«

»Ich auch.« Er brachte ihr einen Teller Blasen werfender Pizza und ein großes Glas Rotwein.

»Wo ist deine?«

»Ich hab zusammen mit Feeney was im Computerraum gegessen und bin dummerweise davon ausgegangen, dass du dich selbst versorgst.«

»Du hast schon gegessen und mir trotzdem mein Essen besorgt?« Sie nahm die Pizza in die Hand und verbrannte sich die Fingerspitzen. »Mann, du bist aber wirklich mein Leibsklave.«

»Wenn ich meine Bezahlung einfordere, werden die Rollen getauscht. Ich könnte mir auch gut eine Kostümierung vorstellen.«

»Raus mit dir.« Sie schnaubte, biss in die Pizza und verbrannte sich die Zunge. Sie schmeckte großartig. »Er hat sowohl Cobb als auch Gannon von einem Gerät am Grand Central aus angerufen. Hat in der Nacht, als er Jacobs ermordete, bei Gannon angerufen, zweimal, von zwei verschiedenen Standorten aus. Klingt nach grundlegender Absicherung. Hatte bei beiden abgebrochenen Anrufen ihr Antwortprogramm dran und somit die Bestätigung, dass alles klar ist. Geht zu ihr.« Sie spülte die Pizza mit Wein nach und fühlte sich wie Gott in Frankreich. »Von dort aus konnte er auch zu Fuß gehen, so hätte ich es jedenfalls gemacht. Besser als mit dem Taxi. Sicherer.«

»Und erlaubt ihm außerdem, die Nachbarschaft zu inspizieren«, fügte Roarke hinzu.

»Dann kommt er an, geht hinein. Vermutlich ist er so schlau, erst ein Zimmer nach dem anderen zu überprüfen. Man kann nicht vorsichtig genug sein. Dann geht er nach oben, um dort anzufangen, und ehe er sich's versieht, kommt die Haushüterin herein. All die Vorsicht, all die Mühe, wozu?«

»Er wird stinksauer.«

Eve nickte, trank noch einen Schluck Wein und überlegte, ob sie das zweite Stück Pizza in Angriff nehmen sollte. Warum eigentlich nicht? »Ja, das meine ich auch. Er muss stinksauer gewesen sein.

Er hätte auch weggehen können. Oder sie betäuben und bewegungsunfähig machen können. Aber sie hatte seine Pläne durchkreuzt. Sie hatte ihm die Suppe versalzen. Also brachte er sie um. Aber er war nicht wütend, als er das tat. Kontrolliert, vorsichtig. Aber nicht so klug, wie er glaubt. Was wäre, wenn sie etwas wüsste? Diesen Gedankensprung machte er nicht.«

»Er schlug zu, kaltblütig, nahm sich aber nicht die Zeit, bis er wieder ganz ruhig war.« Roarke nickte. »Er musste improvisieren. Wir könnten davon ausgehen, dass er nicht in Bestform ist, wenn ihm die Rolle vorgeschrieben wird und er aufs Stichwort reagieren muss.«

»Ja, ich kann in seinen Kopf hineinschauen, aber das hilft nicht weiter.« Sie schlang das Stück Pizza hinunter und starrte auf das Phantombild, das sie auf dem Bildschirm stehen hatte. »Wenn ich diese Ermittlung richtig strukturiert habe, weiß ich, was er will. Ich weiß, was er tun wird, um es zu bekommen. Ich weiß sogar, wenn wir derselben Logik folgen, dass sein nächster Schritt in Richtung Samantha Gannon oder eines Mitglieds ihrer Familie gehen wird. Um sich mit ihnen anzufreunden, wenn er es der Zeit und Mühe für wert erachtet, um sie zu bedrohen, zu quälen, zu töten, wenn das nicht der Fall ist. Was immer nötig ist, um die Diamanten oder die Informationen, die er benötigt, aus ihr herauszuholen.«

»Aber er kommt nicht an sie ran – oder an andere der Familie.«

»Nein, weil ich sie beschützen lasse. Und wahrscheinlich ist das ein Teil des Problems. Eventuell ist deshalb alles ins Stocken geraten.«

»Würdest du sie als Köder benutzen, könntest du ihn hervorlocken.«

Mit dem Weinglas in der Hand kippte Eve nach hinten und schloss die Augen. »Sie würde mitmachen. Das traue ich ihr zu. Sie würde es tun, weil es eine Möglichkeit wäre, die Sache zu beenden. Und weil es eine gute Geschichte hergibt. Und weil sie Mumm hat. Nicht aus Torheit, sondern weil sie genügend Mut hat, es auf einen Versuch ankommen zu lassen. Genau wie ihre Großmutter.«

»Mutig genug, weil sie dir vertraut, dass du sie im Auge behältst.«

Eve schüttelte das ab. »Ich nehme nicht gern Zivilpersonen als Köder. Ich könnte sie durch eine Polizistin ersetzen. Wir könnten eine so herrichten, dass sie ihr ähnlich genug sieht.«

»Er dürfte sie studiert haben. Er könnte das durchschauen.«

»Könnte. Mein Gott, womöglich kennt er sie sogar. Egal, ich bin jedenfalls zu groß. Peabody passt von ihrer Statur her nicht.«

»Man könnte einen Droiden entwerfen.«

»Droiden tun nur das, was man ihnen einprogrammiert hat.« Und ihr Vertrauen in Maschinen war nicht grenzenlos. »Ein Köder muss denken können. Es gibt noch jemanden, auf den er aus sein könnte.«

»Judith Crew.«

»Ja. Wenn sie noch lebt, könnte er es bei ihr versuchen. Oder beim Sohn. Wenn keiner von beiden mit im Spiel ist, könnte er auch hier den Hebel ansetzen. Sonst ist keiner mehr übrig von damals, keiner, der genaue Kenntnis darüber hat, was passiert ist und wie. Er kann sich nicht einmal sicher sein, dass sie existieren.«

»Iss.«

Zerstreut sah sie auf ihre Pizza. Und weil sie dalag, nahm sie sie, biss hinein und kaute. »Es ist eine Art Fantasie. Nachdem ich jetzt weiß, dass er jünger ist, als ich angenommen habe, macht es auch mehr Sinn. Es ist eine Schatzsuche. Er will sie haben, weil er ein Recht darauf zu haben glaubt und weil sie wertvoll sind, aber auch, weil sie glänzend sind«, fügte sie hinzu, weil ihr Peabody vor den Schaufenstern Ecke Fifth und Forty-Seventh wieder einfiel.

»Du hast mich doch dazu überredet, um dieses Riff vor der Insel herumzuschwimmen? Erinnerst du dich? Du sagtest, ich solle meinen Anhänger ablegen. Nicht nur, weil dicke fette Diamanten im Ozean verloren gehen könnten, sondern weil ich da drinnen nichts Glänzendes tragen sollte. Du meintest, Barrakudas würden ganz high, wenn im Wasser was glitzert und glänzt, und würden dann ganz ekelhaft zuschnappen.«

»Also haben wir einen Barrakuda auf Schatzsuche.«

Was für ein Vergnügen, mit Roarke einen Fall durchzuspielen, fand Eve. Man brauchte ihm nichts zweimal zu erzählen, und oft reichte es schon, wenn sie was nur anschnitt.

»Ich weiß nicht, wohin mich das führen wird, aber lass es uns mal bis zum Ende durchspielen. Er möchte sie haben, weil er ein Recht darauf zu haben glaubt, weil sie wertvoll sind und weil sie glänzen. Das sagt mir, dass er verwöhnt, gierig und kindisch ist. Und fies. Auf tyrannische Art fies. Er hat nicht nur getötet, weil es zweckdienlich war, sondern weil er es konnte. Weil die anderen schwächer waren und er im Vorteil. Er hat Cobb wehgetan, weil die Zeit reif war und weil sie ihn vermutlich langweilte. So sehe ich ihn. Ich weiß nicht, was mir das bringt.«

»Anerkennung. Mach weiter.«

»Ich denke, er ist daran gewöhnt, dass er bekommt, was er haben möchte. Nimmt alles als gegeben hin. Vielleicht hat er früher schon geklaut. Wahrscheinlich hätte es darüber hinaus einen sichereren Weg gegeben, sich die Informationen zu beschaffen, aber er hat diesen gewählt. Es ist aufregender, etwas, was einem nicht gehört, im Dunkeln mitgehen zu lassen, als bei Licht darüber zu verhandeln.«

»Das habe ich auch immer so gesehen.«

»Aber dann bist du erwachsen geworden.«

»Ja, auf meine Weise. Die Dunkelheit ist erregend, Eve. Wenn man diese Erfahrung erst einmal gemacht hat, fällt es schwer zu widerstehen.«

»Und warum ist es dir gelungen? Zu widerstehen?«

»Ich wollte etwas anderes. Mehr.« Er nahm ihr Weinglas, um einen Schluck zu trinken. »Ich hatte meinen Weg im Hinblick darauf geplant, mit gelegentlichen und oftmals erholsamen Ausweichmanövern. Dann wollte ich dich. Und es gibt im Dunkeln nichts, was ich mir mehr wünschen könnte als dich.«

»Er hat niemanden. Er liebt nicht. Er will auch keinen. Seine Sehnsucht gilt Dingen. Glänzenden Dingen, die im Dunkeln schimmern. Und sie glänzen umso mehr, Roarke, weil bereits Blut daran klebt – und ich denke, ich bin mir verdammt sicher, dass ein Teil dieses Bluts durch seine Adern fließt. Sie sind wertvoller für ihn, wichtiger für ihn, wegen des Bluts.«

Sie presste ihre Handrücken gegen die Augen. »Ja, ich werde ihn wiedererkennen. Ich werde ihn erkennen, wenn ich ihn sehe. Aber das bringt mich alles nicht näher an ihn heran.«

»Ruh dich doch ein wenig aus.«

Sie schüttelte den Kopf. »Ich möchte mir die Auswertungen mit den Übereinstimmungen anschauen.«

Steven Whittier trank den Earl Grey aus seiner roten Lieblingstasse. Er behauptete, sie trage zum Aroma bei – eine Feststellung, auf die seine Frau, die dem antiken Meißener den Vorzug gab, mit Augenrollen reagierte. Doch sie liebte ihn wegen seiner Gewohnheiten genauso sehr wie wegen seiner Standhaftigkeit, seiner Zuverlässigkeit und seines Humors.

Die Ehe zwischen den beiden – dem Bauunternehmer und der Gesellschaftsprinzessin – hatte anfangs ihre Familie verblüfft und durcheinander gebracht. Patricia war erlesener Wein und Kaviar, und Steve war Bier und Sojawürstchen. Aber sie hatte ihre modischen Absätze fest in den Boden gerammt und die wohlmeinenden Vorhersagen ihrer Familie in den Wind geschlagen. Zweiunddreißig Jahre später hatten alle diese Vorhersagen vergessen – bis auf Steve und Pat.

Jedes Jahr an ihrem Hochzeitstag stießen sie mit ihren Gläsern auf den Trinkspruch an: Das wird niemals halten. Danach kicherten sie dann wie Kinder, die einen Haufen Erwachsene drangekriegt haben.

Sie hatten sich ein gutes Leben eingerichtet. Selbst seine früheren Gegner mussten zugeben, dass Steve Whittier Köpfchen und Ehrgeiz besaß und beides dazu benutzt hatte, Pat einen Lebensstil zu ermöglichen, den sie akzeptieren konnten.

Von Kindheit an hatte er gewusst, was er tun wollte: Häuser bauen und umbauen. Er hatte sich gewünscht, Wurzeln zu schlagen, was ihm als Kind nie möglich gewesen war, und dafür zu sorgen, dass andere einen Platz hatten, der ihnen dies auch ermöglichte.

Er hatte Whittier Bau von Grund auf aufgebaut, mit seinem eigenen Schweiß, angetrieben von Sehnsucht und dem unbeugsamen Glauben seiner Mutter an ihn – später übernahm dann Pat deren Stelle. In den dreiunddreißig Jahren, seit er mit einem Trupp von drei Leuten und einem mobilen Büro in seinem Lastwagen angefangen hatte, hatte er sein Fundament zementiert und dann Stockwerk um Stockwerk auf den Bau seiner Träume gesetzt.

Obwohl er jetzt Bauleiter und Vorarbeiter und Architekten auf seiner Gehaltsliste stehen hatte, war es für ihn noch immer selbstverständlich, an jeder Baustelle die Ärmel hochzukrempeln und seine Tage damit zuzubringen, dass er von einer Baustelle zur anderen fuhr oder wie jeder andere Arbeiter auch zur Schaufel griff.

Es gab kaum etwas, das ihn glücklicher machte als das Klirren und Brummen, wenn ein Bauwerk entstand oder renoviert wurde.

Zu seiner großen und einzigen Enttäuschung war aus Whittier noch nicht Whittier und Sohn geworden. Die Hoffnung darauf hatte er allerdings nach wie vor nicht aufgegeben, obwohl Trevor weder Interesse zeigte noch das nötige handwerkliche Geschick zum Bauen besaß.

Er wollte daran glauben – musste daran glauben –, dass Trevor bald mit der Arbeit beginnen, den Wert ehrlicher Arbeit erkennen würde. Er machte sich Sorgen um den Jungen.

Ihre Erziehung war nicht darauf ausgerichtet gewesen, ihn oberflächlich und faul zu machen oder bei ihm die Erwartung zu schüren, dass ihm die Welt auf dem Silbertablett serviert wurde. Auch jetzt musste Trevor sich vier Tage in der Woche im Hauptbüro einfinden und dort einen Tag am Schreibtisch arbeiten.

Na gut, einen halben Tag, räumte Steve ein. Irgendwie war es nie mehr als ein halber Tag.

Was jedoch nicht hieß, dass er in dieser Zeit irgendetwas schaffte, überlegte Steve, als er auf seinen dampfenden Tee blies. Darüber würden sie miteinander reden müssen. Der Junge bekam ein gutes Gehalt, und dafür durfte man gute Arbeit erwarten. Das Problem – oder ein Teil davon – waren natürlich die Treuhänderfonds und glitzernden Geschenke der Familie mütterlicherseits. Der Junge hatte den leichten Weg gewählt, egal, wie sehr seine Eltern sich darum bemühten, ihn umzulenken.

Er hat viel zu viel und das viel zu leicht bekommen, überlegte Steve, als er sich in seinem behaglichen Arbeitszimmer umsah.

Aber einen Teil der Schuld hatte er sich auch selbst zuzuschreiben, gab Steve zu. Er hatte zu viel erwartet, viel zu viele Hoffnungen in seinen Sohn gesetzt. Wer wüsste besser als er, wie erschreckend und lähmend es für einen Jungen sein kann, überall dem drohenden Schatten seines Vaters zu begegnen?

Pat hatte Recht, dachte er. Sie sollten sich ein wenig zurücknehmen, Trevor mehr Freiraum gewähren. Das könnte bedeuten, dass man die Familienbande kappte und ihn losließ. Die Vorstellung, das zu tun und Trevor aus dem Nest zu werfen und zu beobachten, wie er sich ohne das von ihnen geschaffene Netz durchs Erwachsenenleben kämpfte, fiel nicht leicht. Aber wenn er sich nicht vorstellen konnte, in das Geschäft einzusteigen, dann sollte man ihn hinausstupsen. Er konnte nicht einfach die Zeit vertrödeln und das Geld einstreichen.

Und dennoch zögerte er. Nicht nur aus Liebe, denn, weiß Gott, er liebte seinen Sohn, sondern aus Angst, der Junge würde sich einfach an seine Großeltern mütterlicherseits wenden und glücklich und zufrieden auf Kosten ihrer Großzügigkeit leben.

Tee trinkend sah er sich in seinem Zimmer um, das seine Frau lachend Steves Höhle nannte. Er hatte einen Schreibtisch hier stehen, an dem er aber lang nicht so gern arbeitete wie in seinem großen luftigen Büro in der Stadt oder seinem eigenen gut ausgestatteten und gut eingerichteten Büro hier im Haus. Hier genoss er die satten Farben und die mit seinen Spielsachen aus der Kinderzeit gefüllten Regale – die Lastwagen, Maschinen und Werkzeuge, die er sich regelmäßig zu Geburtstagen und zu Weihnachten gewünscht hatte.

Er freute sich an den Fotografien, nicht nur an denen von Pat und Trevor, von seiner Mutter, sondern auch von ihm mit seinen Bautrupps, seinen Gebäuden, seinen Lastern und Maschinen und Werkzeugen, mit denen er als Erwachsener gearbeitet hatte.

Und er liebte die Stille. Wenn die Rollläden vor den Fenstern geschlossen und die Türen zu waren, könnte es sehr gut eine Höhle anstatt eins der vielen Zimmer in einem zweistöckigen Haus sein.

Sein Blick wanderte hoch zur Decke, weil er wusste, dass seine Frau, wenn er nicht bald hoch ins Schlafzimmer ginge, sich umdrehen, seinen Platz leer finden und aufstehen würde, um ihn zu suchen.

Er sollte nach oben gehen und ihr das ersparen. Aber er schenkte sich eine zweite Tasse Tee ein und verharrte in dem weichen Licht und der Stille. Und döste fast ein.

Der Summer an der Sicherheitstafel ließ ihn hochschrecken. Seine erste Reaktion war Verärgerung. Aber als er wieder klar sehen konnte und auf den Bildschirm blickte, stimmte ihn der Anblick seines Sohnes sofort froh.

Er erhob sich aus seinem breiten Ledersessel, ein Mann von kaum durchschnittlicher Größe und dem Ansatz eines Spitzbauchs. Die Muskeln seiner Arme und Beine waren gut durchtrainiert und hart wie Ziegelstein. Seine Augen waren von verwaschenem Blau und von fächerförmig angeordneten Fältchen umgeben. Das inzwischen steingraue Haar war noch immer voll.

Sein Aussehen entsprach seinem Alter, und er hätte nie daran gedacht, sich Gesicht oder Körper liften zu lassen. Er pflegte zu sagen, er habe sich seine Falten und seine grauen Haare ehrlich verdient. Eine Feststellung, die, wie er wusste, seinen modischen und sich seiner Jugend bewussten Sohn zusammenzucken ließ.

Aber womöglich wäre er selbst auch eitler gewesen, wenn er jemals so gut ausgesehen hätte wie Trevor. Der Junge war bildhübsch, fand Steve. Groß und gepflegt, gebräunt und blond.

Und er arbeitete daran, wie ihm schmerzhaft bewusst wurde. Der Junge gab ein Vermögen für Kleidung, Schönheitssalons und Thermalbäder sowie Beratung aus.

Auf dem Weg zur Tür schüttelte er diesen Gedanken von sich. Es führte zu nichts, wenn er dem Jungen Dinge vorhielt, die eigentlich unwichtig waren. Und da Trevor so selten zu Besuch kam, wollte er nichts verderben.

Er öffnete die Tür und lächelte. »Na, das ist aber eine Überraschung! Komm rein!« Er tätschelte Trevors Rücken, als dieser an ihm vorbei in die Eingangshalle trat.

»Was machst du noch zu so später Stunde?«

Bedächtig drehte Trevor sein Handgelenk, um die Zeit auf dem schimmernden Perlmuttzifferblatt seiner Armbanduhr zu überprüfen. »Es ist gerade mal elf Uhr.«

»Tatsächlich? Ich bin in meinem Arbeitszimmer eingedöst.«
Steve schüttelte den Kopf. »Deine Mutter ist bereits zu Bett gegangen. Ich werde sie holen.«

»Mach dir keine Umstände.« Trevor winkte ab. »Du hast die Sicherheitscodes wieder verändert.«

»Mach ich einmal im Monat. Vorsicht ist besser als Nachsicht. Ich gebe dir die neuen Codes.« Er wollte eigentlich vorschlagen, ins Arbeitszimmer zu gehen und sich dort die Kanne Tee zu teilen, aber Trevor war bereits ins förmlichere Wohnzimmer unterwegs. Und bediente sich dort am Barschrank.

»Schön, dich zu sehen. Was hast du denn vor, so schick wie du dich hergerichtet hast?«

Das zwanglose Jackett – ungeachtet von Marke und Preis – entsprach kaum dem, was Trevor unter schick herrichten verstand. Aber es war doch eine Stufe mehr als das Met's-T-Shirt – also wirklich – und die weiten Khakis, die sein Vater trug.

»Ich komme gerade von einer Party. Todlangweilig.« Trevor nahm den Brandyschwenker – wenigstens hatte der Alte anständigen Alkohol vorrätig – und ließ die Flüssigkeit im Glas kreisen, während er sich in einen Sessel fallen ließ. »Kusin Markus war mit seiner nervigen Frau da. Und sie hatten kein anderes Gesprächsthema als das Baby, das sie gerade produziert haben. Als wären sie die Ersten, die sich fortpflanzen.«

»Frisch gebackene Eltern gehen in ihrer neuen Rolle auf.« Obwohl Steve lieber seinen Tee getrunken hätte, schenkte er sich der Geselligkeit halber einen Brandy ein und setzte sich ihm gegenüber. »Deine Mutter und ich haben auch monatelang nach deiner Geburt allen anderen damit in den Ohren gelegen, die nicht Reißaus nehmen konnten. Wenn du an der Reihe bist, wirst du es genauso machen.«

»Ich glaube nicht, dass diese Gefahr besteht, denn ich habe nicht das geringste Interesse daran, etwas in die Welt zu setzen, das sabbert und stinkt und einem jede Minute seiner Zeit abverlangt.«

Steve behielt sein Lächeln bei, nahm diesen Ton und die Verletzung seiner Gefühle zähneknirschend hin. »Wenn dir erst einmal die richtige Frau begegnet, wirst du deine Meinung vermutlich ändern.«

»Es gibt keine richtige Frau. Aber jede Menge erträgliche.«

»Ich hasse es, wenn du so zynisch und hart argumentierst.«

»Sei doch mal ehrlich«, korrigierte ihn Trevor. »Ich nehme die Welt so, wie sie ist.«

Steve seufzte. »Vielleicht musst du damit mal anfangen. Es muss was zu bedeuten haben, dass du heute Abend hier herkamst. Ich habe schon vorher an dich gedacht. Darüber nachgedacht, wo du mit deinem Leben hinwillst und warum.«

Trevor zuckte mit den Schultern. »Du hast mein Leben nie verstanden oder gut geheißen, weil es deinem nicht entspricht. Steve Whittier, Mann des Volkes, der sich aus dem Nichts hochgearbeitet hat. Wörtlich. Du solltest wirklich deine Lebensgeschichte verkaufen. Sieh doch, wie gut dieser Gannon das mit ihren Familienmemoiren gelungen ist.«

Steve setzte seinen Schwenker ab, und zum ersten Mal, seit Trevor hereingekommen war, schwang ein warnender Unterton in seiner Stimme mit. »Davon soll keiner was erfahren. Das habe ich dir klar und deutlich zu verstehen gegeben, Trevor. Ich habe es dir erzählt, weil ich fand, du hattest ein Recht darauf, es zu erfahren, und damit du, für den Fall, dass durch dieses Buch irgendwie eine Verbindung zu deiner Großmutter, zu mir, zu dir hergestellt würde, du vorbereitet wärst. Es ist ein beschämender Teil unserer Familiengeschichte und schmerzhaft für deine Großmutter. Und für mich.«

»Großmama ist wohl kaum davon betroffen. Die verbringt doch neunzig Prozent ihrer Zeit woanders.« Trevor ließ anzüglich einen Finger um sein Ohr kreisen.

Jetzt wurde Steves Gesicht wirklich rot vor Ärger. »Ich möchte von dir nicht hören, dass du dich jemals über ihren Zustand lustig machst. Oder alles abtust, was sie auf sich genommen hat, damit ich sicher und gesund leben kann. Du wärst nicht hier und würdest Brandy trinken und spotten, wenn es sie nicht gäbe.«

»Oder ihn.« Trevor senkte seinen Kopf. »Schließlich war auch er daran beteiligt.«

»Die Biologie macht noch keinen Vater. Ich habe dir erklärt, was er war. Ein Dieb und ein Mörder.«

»Erfolgreich, bis die Gannons ins Spiel kamen. Jetzt hör doch auf.« Trevor rutschte nach vorne, beugte sich vor, den Brandy-schwenker zwischen den Knien. »Findest du ihn nicht wenigstens faszinierend? Er war ein Mann, der sich seine eigenen Regeln auf-stellte, sein Leben nach seinen Bedingungen lebte und sich nahm, was er haben wollte.«

»Nahm, was er haben wollte, egal, was es andere kostete. Der meine Mutter so terrorisiert hat, dass sie jahrelang vor ihm weg-laufen musste. Selbst nachdem er im Gefängnis gestorben war, hat sie ständig über ihre Schulter geschaut. Egal, was die Ärzte sagen mögen, ich weiß, dass er es war und all die Jahre der Angst und Sorge, die sie krank gemacht haben.«

»Sieh doch den Tatsachen ins Auge, Papa, es ist eine Geistes-störung, die sehr wahrscheinlich genetisch bedingt ist. Du oder ich könnten die Nächsten sein. Und deshalb sollen wir das Leben genießen, bis wir in irgendeinem besseren Asyl vor uns hin sab-bern.«

»Sie ist deine Großmutter, und du wirst ihr Respekt erweisen.«

»Ihm nicht? Blut ist Blut, oder? Erzähl mir von ihm.« Er lehnte sich wieder zurück.

»Ich habe dir alles erzählt, was du wissen musst.«

»Du sagtest, ihr seid mehrmals im Jahr umgezogen. Ein paar Monate, ein Jahr, und ihr musstet wieder packen. Er muss doch Kontakt zu ihr aufgenommen haben oder zu dir. Auf Besuch ge-kommen sein, um dich zu sehen. Warum wäre sie sonst dauernd auf der Flucht gewesen?«

»Er hat uns immer gefunden. Bis sie ihn erwischt haben, hat er uns immer gefunden. Ich wusste nicht, dass man ihn geschnappt hatte, erfuhr davon erst Monate später. Über ein Jahr lang wusste ich auch nicht, dass er gestorben war. Sie hat versucht, mich zu schützen, aber ich war neugierig. Und neugierige Kinder finden Wege, um etwas in Erfahrung zu bringen.«

Taten sie das nicht gerade wieder?, überlegte Trevor. »Du musst dich doch gefragt haben, was aus den Diamanten geworden ist?«

»Warum sollte ich?«

»Sein letztes großes Ding? Also bitte, du musst dich doch ge-wundert haben, du, als neugieriges Kind…«

»Ich habe nicht über sie nachgedacht. Ich habe nur daran gedacht, was sie empfunden hatte, was ich empfunden hatte, als ich ihn das letzte Mal sah.«

»Wann war das?«

»Er kam zu unserem Haus in Columbus. Dort hatten wir ein hübsches Haus, eine nette Nachbarschaft. Ich war glücklich. Aber er kam, spät in der Nacht. Ich wusste es, als ich die Stimme meiner Mutter hörte und die seine, ich wusste, wir würden ausziehen müssen. Ich hatte einen Freund direkt im Nachbarhaus. Mein Gott, mir fällt sein Name nicht mehr ein. Ich dachte, er sei der beste Freund, den ich je haben würde, und dass ich ihn nie wiedersehen werde. Tja, und ich habe ihn auch nicht wiedergesehen.«

Huhu, dachte Trevor angewidert, aber er sprach angenehm und freundlich weiter. »Das war nicht leicht für dich oder Oma. Wie alt warst du?«

»Sieben, denke ich. Um die sieben. Ganz genau kann ich es nicht sagen. Um uns zu verstecken, hat meine Mutter ständig mein Geburtsdatum geändert. Verschiedene Namen, ein oder zwei Jahre zu unserem Alter hinzugefügt oder davon abgezogen. Als wir uns auf Whittier festlegten, war ich fast achtzehn. Er war seit Jahren tot, und ich machte ihr klar, dass ich jetzt eine Person bleiben müsse. Ich musste mein Leben beginnen. Also behielten wir ihn, und ich weiß, dass sie vor Sorge darüber fast krank geworden ist.«

Paranoide alte Schachtel, ging es Trevor durch den Kopf. »Warum glaubst du, tauchte er damals bei euch auf? Es muss um die Zeit des Raubs gewesen sein? Der Diamanten?«

»Um ein Auge auf mich zu haben und um sie zu quälen. Ich höre noch immer, wie er sagt, er werde sie überall finden, wohin sie auch flüchtete, und dass er mich ihr jederzeit wegnehmen könne. Auch ihr Weinen habe ich noch im Ohr.«

»Aber ausgerechnet zu diesem Zeitpunkt zu kommen«, hakte Trevor nach, »das kann wohl kaum Zufall gewesen sein. Er muss was gewollt haben. Dir was gesagt haben, ihr was gesagt haben.«

»Was zählt das noch?«

Er hatte es sorgfältig geplant. Nur weil er seinen Vater für dumm hielt, bedeutete das noch lange nicht, dass er nicht wusste, wie der Mann funktionierte. »Seit du mir das erste Mal davon erzählt hast, habe ich viel darüber nachgedacht. Ich möchte nicht mit dir streiten, aber vermutlich hat es mich erregt, als mir an diesem Punkt meines Leben klar wurde, was ich im Blut habe.«

»Er hat nichts mit dir zu tun. Nichts mit uns.«

»Das stimmt nicht, Papa.« Sorgenvoll schüttelte Trevor den Kopf. »Hast du dir nie gewünscht, den Kreis zu schließen? Für dich und für sie? Für deine Mutter? Da draußen gibt es immer noch Diamanten im Wert von Millionen Dollar – und er besaß sie. Dein Vater hatte sie.«

»Sie haben fast alle zurückgegeben.«

»*Fast*? Ein ganzes Viertel davon ist nie entdeckt worden. Wenn wir die Teile gemeinsam zusammensetzen würden, wenn wir sie finden könnten, könnten wir diesen Kreis schließen. Wir könnten auch einen Weg ausfindig machen, der es uns erlaubt, sie zurückzugeben, durch diese Schriftstellerin. Diese Samantha Gannon.«

»Die Diamanten finden, nach über fünfzig Jahren?« Steve hätte gelacht, aber Trevor war so ernst und er selbst so berührt davon, dass sein Sohn daran denken konnte, den Kreis zu schließen. »Ich wüsste nicht, wie das möglich sein sollte.«

»Bist nicht du derjenige, der mir ständig erzählt, alles sei möglich, wenn man nur bereit ist, etwas dafür zu tun? Das ist etwas, was ich tun möchte. Es liegt mir wirklich am Herzen. Ich brauche deine Hilfe, um die Puzzleteile zusammenzufügen. Du musst dich genau erinnern, was bei diesem letzten Mal, als er dich besuchte, passiert ist, dich genau erinnern, was als Nächstes geschah. Hattest du jemals Kontakt mit ihm, als er im Gefängnis war? Du oder meine Großmutter? Hat er dir je etwas gegeben, dir etwas geschickt, etwas gesagt?«

»Steve?«

Steve richtete sich auf, als er die Stimme seiner Frau hörte. »Lass es für jetzt damit gut sein«, sagte er leise. »Deine Mutter weiß alles darüber, aber ich möchte das nicht breittreten. Hier unten, Pat. Trevor ist hier.«

»Trevor? Oh, ich komme gleich runter.«

»Wir müssen darüber reden«, beharrte Trevor.

»Werden wir.« Steve nickte seinem Sohn zu und lächelte ihn

wohlwollend an. »Werden wir, und ich werde versuchen, mich an alles zu erinnern, was helfen könnte. Ich bin stolz auf dich, Trevor, stolz auf dich, dass du daran denkst, einen Weg zu finden, alles wieder ins Lot zu bringen. Ich weiß nicht, ob daraus was wird, aber zu wissen, dass du es vorhast, bedeutet mir eine Menge. Ich schäme mich dafür, selbst nie auf diesen Gedanken gekommen zu sein. Dass ich nur daran gedacht habe, alles wegzustecken und neu anzufangen, anstatt reinen Tisch zu machen.«

Als Trevor hörte, wie seine Mutter nach unten eilte, verbarg er seine Verärgerung hinter einer freundlichen Maske. »Ich kann seit Wochen an nicht viel anderes mehr denken.«

Eine halbe Stunde später brach er auf und schlenderte durch die dampfende Hitze, anstatt sich ein Taxi herbeizuwinken. Wenn es um die Zusammenstellung von Details ging, konnte er sich auf seinen Vater verlassen. Steve Whittier war ein Pedant. Aber der Besuch hatte ihm bereits den nächsten Schritt gezeigt. Gleich am nächsten Tag würde er den besorgten Enkel spielen und seine Großmutter in der Klapsmühle besuchen.

Etwa um die Zeit, als Trevor Whittier den Park durchquerte, unterdrückte Eve ein Gähnen. Sie wollte noch einen Kaffee, wusste aber, dass sie bei Roarke damit nicht durchkäme. Er wusste ganz genau, wann sie einen Durchhänger hatte, noch eher als sie selbst.

»Drei Möglichkeiten für die Frau, zwei für das Kind.« Sie kratzte sich heftig an der Kopfhaut, um ihre Blutzirkulation in Gang zu bringen.

»Wenn wir den Rest der Übereinstimmungen vom ersten Durchlauf unberücksichtigt lassen.«

»Ich vernachlässige sie. Dem Computer gefällt diese Auswahl, also verfolgen wir sie. Lass uns mal zu dem Kind – jetzt Mann gehen. Mal sehen, ob irgendwas davon brauchbar zu sein scheint.«

Sie holten die sechs Bilder auf den Bildschirm und überflogen die entsprechenden Daten. »Schau, schau, was haben wir da. Steven James Whittier, eine East-Side-Adresse. Besitzt und unterhält eine Baufirma. Das ist doch ein hübscher Treffer.«

»Ich kenne ihn.«

Sie sah sich abrupt um. »Du kennst diesen Kerl?«

»Hauptsächlich auf dieser oberflächlichen Geschäftsebene, obwohl ich seine Frau mehrfach in verschiedenen Wohltätigkeitsfunktionen erlebt habe. Seine Firma hat einen guten Ruf und er auch. Blaumann trifft auf blaues Blut – sie. Er macht gute Arbeit.«

»Überprüf doch mal die Baustellen, die du vorher zusammengestellt hast. Mal sehen, ob Whittier auch irgendwas in oder um Alphabet City am Laufen hat.«

Roarke rief die Akte auf und lehnte sich im Stuhl zurück. »Ich sollte lernen, deinen Instinkten nicht zu misstrauen.«

»Renovierung an der Avenue B. Viergeschossiges Gebäude, drei Abschnitte.« Sie zog eine Schnute und ließ eine unsichtbare Blase platzen. »Mehr als genug, um das genauer unter die Lupe zu nehmen. Sieh da, er hat einen Sohn. Einzelkind, Trevor, neunundzwanzig Jahre alt. Lass uns mal das Bild ansehen.«

Roarke machte die entsprechenden Eingaben, und gemeinsam studierten sie Whittiers Gesicht. »Nicht so nah dran am Phantombild wie ich's gerne hätte, aber auch nicht völlig daneben. Mal schauen, was wir sonst noch über Trevor herausbekommen können.«

»Heute Nacht kannst du nichts mehr gegen ihn unternehmen. Es ist fast ein Uhr morgens. Du gehst jetzt ins Bett, es sei denn du glaubst, du könntest das so wasserdicht machen, dass du zu ihm gehen, ihn festnehmen und in den Käfig sperren kannst. Ich bleibe am Computer, um noch ein paar Daten zusammenzutragen, während du dir ein paar Stunden Schlaf nimmst.«

»Ich könnte ihn aufwecken, ein bisschen Theater machen.« Sie überlegte. »Aber das wäre nur spaßeshalber. Und gäbe ihm die Chance, nach einem Anwalt zu winseln. Es kann warten.« Sie kam auf die Beine.

»Bis morgen. Wir werden diese Baustelle überprüfen, feststellen, ob wir eine Spur finden, die zu der von Cobbs Leiche passt. Ich muss an Whittier ran und auch seine Mutter finden und befragen. Sie könnten mit drinhängen. Dieser Trevor scheint mir der beste Treffer zu sein. Und es ist sicherlich klüger, mit dem Zugriff zu warten, bis ich alles in der Reihe habe.«

»Und während alles in die Reihe kommt, legst du dich hin.«

Sie hätte ihm widersprochen, aber ihre Augen fingen bereits zu pochen an. »Nörgel, nörgel. Ich nehme nur noch schnell Kontakt mit dem Team auf, um die Besprechung morgen auf halb acht vorzuverlegen.«

»Das kannst du auch morgen früh noch machen. Das ist einfacher und menschlicher.«

»Ja, aber es macht mehr Spaß, es jetzt zu tun«, protestierte sie, als er sie an der Hand nahm und aus dem Zimmer zog. »Auf diese Weise wecke ich sie auf und bringe sie zum Arbeiten, ehe sie sich wieder schlafen legen. Bei deiner Variante hole ich sie nur ein wenig früher aus dem Bett.«

»Du bist eine ganz Fiese, Lieutenant.«

»Tatsächlich?«

28

Während sie schlief, spielte sich alles in ihrem Kopf ab. Vom Vater zum Sohn, Mord und Gier, Blut auf glitzernden Steinen. Es gab Hinterlassenschaften, denen man nicht entfliehen konnte, egal, wie schnell oder wie weit man rannte.

Sie sah sich selbst, ein Kind ohne Mutter, die Angst um es hatte und es beschützte. Niemanden, der sie versteckte oder ihr als Schutzschild diente. Sie sah sich – sie konnte diese Bilder zu jeder Zeit abrufen – allein in einem eiskalten Raum, der in rotes Licht getaucht war, weil am gegenüberliegenden Gebäude ständig ein Schild blinkte, blinkte, blinkte.

Sie konnte ihre Angst schmecken, wenn er hereinkam, diesen grellen, metallischen Geschmack. Als hätte sie bereits Blut in ihrer Kehle. Heißes Blut gegen die Kälte.

Kinder sollten vor ihren Vätern keine Angst haben. Das wusste sie jetzt. In einem Teil ihres rastlosen Gehirns wusste sie das. Aber das Kind kannte nur die Angst.

Es gab keinen, der ihn aufgehalten hätte, keinen, der für sie gekämpft hätte, wenn seine Hand wie eine Schlange auf sie zuschoss. Keinen, um sie zu schützen, wenn er an ihr zerrte, über sie herfiel. Es gab keinen, der ihre Schreie gehört hätte, ihn gebeten hätte aufzuhören.

Nicht schon wieder, nicht wieder. Bitte, bitte, nicht wieder.

Sie hatte keinen, zu dem sie hätte flüchten können, als der Knochen in ihrem Arm entzweigebrochen war, wie ein Zweig unter einem achtlosen Fuß. Sie hatte nur sich und das Messer.

Sie konnte spüren, wie das Blut über ihre Hände, ihr Gesicht floss, spüren, wie sein Körper zuckte, als sie die Schneide in sein Fleisch rammte. Sie konnte sich sehen, blutverschmiert und voll davon, triefend wie ein Tier beim Töten. Und selbst im Schlaf wusste sie um den Wahnsinn dieses Tiers, dem völligen Fehlen alles Menschlichen.

Die Geräusche, die sie machte, waren widerlich. Selbst nachdem er tot war, waren die Geräusche, die sie machte, widerlich.

Sie kämpfte und stach zu, stach zu, stach zu.

»Komm zurück. O mein Gott, Baby, komm zurück.«

Angst und Schutz. Jemand, der sie hörte, der half. Durch den Wahnsinn des Erinnerns hörte sie Roarkes Stimmme, roch ihn und rollte sich fest zusammen in den Armen, die er um sie geschlungen hatte.

»Ich kann nicht.« Sie konnte es nicht abschütteln. Da war so viel Blut.

»Wir sind hier. Wir sind beide hier. Ich habe dich.« Er drückte seine Lippen auf ihre Haare, ihre Wangen. »Lass es gut sein, Eve. Lass es gut sein.«

»Mir ist kalt. Mir ist so kalt.«

Er rieb mit den Händen über ihren Rücken, ihre Arme, zu ängstlich, um sie allein zu lassen, und sei es auch nur, um eine Decke zu holen. »Halt mich fest.«

Er hob sie auf seinen Schoß und wiegte sie, wie er das auch bei einem Kind getan hätte. Und die Schauder, die sie durchzuckten, wurden nach und nach leichter. Ihr Atem beruhigte sich.

»Ich bin okay.« Sie ließ ihren Kopf schlaff auf seine Schulter sacken. »Es tut mir Leid.« Aber da er sie weiterhin festhielt und wiegte, schloss sie die Augen und versuchte sich der Tröstung hinzugeben, die er genauso nötig hatte wie sie.

Doch nach wie vor sah sie, was sie gewesen war, was sie getan hatte. Was aus ihr in jenem Schreckensraum in Dallas geworden war. Roarke konnte es sehen. Er durchlebte es mit ihr in ihren Albträumen.

In ihn vergraben, starrte sie ins Dunkel und fragte sich, ob sie die Schande ertrüge, wenn ein anderer Einblick bekäme, wie Eve Dallas die geworden war, die sie ist.

Peabody liebte Besprechungen in Eves Privatbüro. Egal, wie ernst die Thematik auch war, wenn Essen mit ins Spiel kam, wurde die Atmosphäre sofort zwangloser. Eine Frühstücksbesprechung bedeutete nicht nur echten Kaffee, sondern auch echte Eier, echtes Fleisch und alle möglichen Sorten klebriger süßer Backwaren.

Außerdem konnte sie die zusätzlichen Kalorien rechtfertigen, denn es waren arbeitsrelevante Nährstoffe. Ihrer Meinung nach hatte die momentane Situation keine Kehrseite.

Sie waren alle versammelt – Feeney, McNab, Trueheart, Baxter, Dallas, sogar Roarke. Und Junge, Junge, ein Blick auf Roarke am Morgen brachte den Kreislauf genauso angenehm in Schwung wie der starke schwarze Kaffee, gesüßt mit waschechtem Zucker.

Kein Wunder, dass der Lieutenant so schlank war. Sie musste ja schon Kalorien verbrennen, wenn sie ihn nur ansah. Unter Berücksichtigung dessen angelte sich Peabody noch ein paar Scheiben Schinken und stellte Berechnungen an, dass sie während dieser Sitzung wahrscheinlich sogar Gewicht *verlor*.

Das war wirklich hervorragend.

»Den neuesten Stand findet ihr in euren Packen«, begann Eve, und Peabody musste ihre Aufmerksamkeit zwischen ihrem Teller und ihrer Partnerin aufteilen.

Eve lehnte an der Schreibtischkante, Kaffee in der einen, Laserpointer in der anderen Hand. »Feeney und unser Zivilist hier haben gestern Nacht einige Fortschritte erzielt, genauso McNab. McNab, sagen Sie dem Team, was Sie herausgefunden haben.«

Er musste schlucken, schnell und fest, einen Mund voll Plundergebäck. »*Sir*. Meine Abteilung befasst sich mit den Tele-Links sowie den Anrufen und Gesprächen beider Opfer.«

Er ging seine Ergebnisse durch, erklärte ganz genau, wo die Übertragungsstandorte lagen, und verwendete dabei jede Menge Computerslang. Der Jargon und die Fragen und Bemerkungen, die Feeney im selben Idiom einwarf, gaben Eve Zeit, ihren Kaffee auszutrinken und sich zu überlegen, ob sie noch eine Tasse haben wollte.

»Sie werden diese Standorte heute Morgen aufsuchen«, warf Eve ein, als eine kleine Pause eintrat. »Mit diesen Bildern. Bildschirm eins. Das ist Steven Whittier. Die von uns untersuchten Daten lassen uns vermuten, dass er der Sohn von Alex Crew ist. Auf Bildschirm zwei sehen wir Trevor Whittier, Sohn von Steven Whittier und wahrscheinlich der Enkel von Crew. Unter Berücksichtigung der gesammelten Daten und des Täterprofils ist er es. Steven Whittier ist der Gründer und derzeitige Besitzer des Bauunternehmens Whittier.«

»Das ist ein hübscher kleiner Kracher«, bemerkte Baxter.

»Er ist sogar noch größer und lauter, da wir herausgefunden haben, dass das Bauunternehmen Whittier als Bauträger einer großen Renovierungsarbeit an einem Gebäude in der Avenue B verantwortlich ist. Die Firma besitzt die Lizenz für vier Benzin-Lagerstätten. Keine der anderen möglichen Übereinstimmungen ergibt so viele Querverbindungen wie diese. Nach Steven Whittiers offiziellen Daten ist sein Vater verstorben. Seine Mutter...«

Der Bildschirm teilte sich auf und zeigte das Bild einer Frau mit dem Namen Janine Strokes Whittier. »Wohnt momentan in Leisure Gardens, einem Alten- und Pflegeheim auf Long Island, wo Whittier senior auch seinen Zweitwohnsitz hat. Sie ist in der richtigen Altersgruppe, hat das richtige Abstammungsprofil und passt zu den morphologischen Computerergebnissen.«

»Werden wir die Whittiers zum Verhör vorladen, Lieutenant?«, wollte Peabody wissen.

»Noch nicht. Wir haben Indizien und Spekulationen. Es sind gute Indizien und gute Spekulationen, aber es reicht nicht, um vom Staatsanwalt eine Durchsuchung genehmigt zu bekommen. Und noch weniger reicht es aus, um den Verdächtigen festzunehmen. Wir brauchen mehr.«

»Trueheart und ich können doch die Bilder nehmen, ein paar dazuwerfen und sie der Kellnerin zeigen. Wenn sie einen dieser Jungs herausfischt«, meinte Baxter, »haben wir schon mehr.«

»Machen Sie das. Und Sie, McNab, suchen mir jemanden in der Vermittlungszentrale, der sich erinnert, einen dieser beiden Männer gesehen zu haben. Dich, Feeney, brauche ich, um noch tiefer in der Vergangenheit zu graben. Wenn Janine und Steven Whittier vorher andere Namen hatten, möchte ich die haben.«

»Die bekommst du«, sagte er und schaufelte das Rührei in sich hinein.

»Peabody und ich werden erst mal zu dieser Baustelle fahren, die Spur überprüfen und alles durchsuchen. Wenn Cobb dort umgebracht wurde, gibt es da auch Blut. Ich möchte Zeugen, ich möchte hieb- und stichfeste Beweise. Wir schließen es ab, dann holen wir sie rein. Ich zähle auf deine Sicherheitskräfte, Roarke, dass du Samantha Gannon und ihre Familie so lange geheim hältst, bis wir das durchgezogen haben.«

»Das läuft.«

»*Sir*.« Wie jeder gute, disziplinierte Schüler hob Trueheart seine Hand. »Detective Baxter und ich könnten im Hotel vorbeischauen und Ms. Gannon die Bilder zeigen. Vielleicht erkennt sie einen oder beide Männer wieder. Wenn ja, eröffnete uns das eine weitere Querverbindung.«

»Das ist eine gute Idee, Trueheart. Übernehmen Sie die Lauferei. Wir wollen diesen Fall wasserdicht haben.« Sie warf einen Blick auf die Tafel und die Opfer. »Wegen diesem Haufen verdammter Steine wird keiner mehr sterben.«

Während das Team die Aufgaben verteilte, strich Roarke mit einer Fingerspitze über Eves Schulter. »Hast du einen Moment Zeit für mich, Lieutenant?«

»Einen halben Moment.« In Gedanken noch bei der Koordination der Ermittlungen, folgte sie ihm in sein Büro.

Er schloss die Tür, legte seine Hände unter ihre Ellbogen, hob sie auf ihre Stiefelspitzen und nahm ihren Mund in einem kurzen, heißen Kuss.

»Herrje!« Mit einem Plumps ließ sie sich auf den flachen Fuß zurückfallen. »Was *hast* du nur?«

»Ich musste das einfach loswerden. Es macht mich rasend, dich dabei zu beobachten, wie du das Kommando übernimmst.«

»Es macht dich rasend, das Gras wachsen zu sehen.« Sie

wandte sich der Tür zu, aber er klatschte eine Hand darauf. »Klingelt es bei dir, wenn du die Worte Behinderung der Justiz hörst?«

»Mehrmals. Aber ich hatte eigentlich nicht *daran* gedacht, so unterhaltsam es sicherlich wäre. Ich habe heute Morgen einige Dinge vor, aber es wäre mir durchaus möglich, ein paar Termine zu verlegen.«

»Wenn Feeney dich für die elektronische Arbeit mit an Bord haben möchte, ist das eine Abmachung zwischen dir und ihm.«

»Der hat jetzt richtig angebissen. Ich kann mir nicht vorstellen, dass er mich braucht, um den Rest durchzukauen. Aber vielleicht möchtest du mich dabeihaben, wenn du mit Steven Whittier sprichst.«

»Warum?«

»Weil er mich kennt. Und soweit ich ihn kenne, kann er unmöglich an dem Teil gehabt haben, was man diesen Frauen angetan hat. Nicht wissentlich.«

»Menschen sind zu den erstaunlichsten Dingen fähig, die nicht in ihr Charakterbild passen, wenn sie von hellen, glänzenden Steinen geblendet werden.«

»Einverstanden. Ein weiterer Grund, weshalb du mich vielleicht dabeihaben möchtest. Ich kenne mich da nämlich aus.« Er zog die Kette unter ihrer Bluse hervor, sodass der tränenförmige Diamant, den er ihr einmal geschenkt hatte, zwischen ihnen funkelte. »Ich habe Leute gekannt, die dafür getötet haben. Ich werde wissen, ob er das getan hat. Für dich sind es nur Dinge. Du trägst das mir zuliebe. Das ist der einzige Wert, den es für dich hat.«

Er lächelte ein wenig, als er ihr den Anhänger wieder unter ihre Bluse schob. »Hätte ich dir einen Klumpen Quarz geschenkt, würde dieser dir genauso viel bedeuten.«

»Mag sein, dass er es nicht wegen der Diamanten getan hat, nicht direkt, sondern um sich und seine Familie zu schützen. Samantha Gannon weiß Dinge über ihn, die nicht im Buch stehen. Dinge die keiner außerhalb dieser Gruppe weiß, die sich vor einem halben Jahrhundert gebildet hat. Wer er ist, woher er kommt. Die Menschen töten dafür.«

»Hat diese Überlegung dir deinen Albtraum beschert?«

»Ich weiß nicht. Vielleicht rührt meine Überlegung auch daher. Whittiers Leben hat eine schöne, anständige Fassade. Aber oft werden die Leute von dem angetrieben, was sich dahinter verbirgt. Er hat viel zu verlieren, wenn es herauskommt – wer sein Vater war, was er getan hat, dass Steven Whittier ein Hirngespinst ist.«

»Das denkst du also?« Er berührte sie, legte eine Hand an ihre Wange, eine Wange, die blass war von der ruhelosen Nacht. »Weil er diesen Namen auf seinem Weg bekommen hat und nicht am Anfang, deshalb soll er nicht echt sein?«

»Ich denke das nicht. Aber er denkt bestimmt, dass es darauf ankommt.«

Jetzt nahm er ihr Gesicht in beide Hände. »Du weißt, wer du bist, Eve.«

»Meistens.« Sie hob eine Hand, legte sie ihm aufs Handgelenk. »Du möchtest mich wegen meines Albtraums begleiten. Du bist bereits dahinter gekommen, dass ich in diesem Fall Bezüge zu mir herstelle. Ich leugne nicht, dass ich das getan habe, aber das steht meinem Job nicht in der Quere.«

»Davon bin ich auch nicht ausgegangen.«

»Ich werde darüber nachdenken. Ich werde mich bei dir melden und dich das wissen lassen.« Sie war schon auf dem Weg zur Tür, als sie noch einmal umkehrte. »Danke.«

»Keine Ursache.«

Das Gebäude in Avenue B war ein Juwel. Oder, wie ihr von dem sehr höflichen Vorarbeiter erklärt wurde, die drei Gebäude, die in einen Multifunktionskomplex umgebaut wurden, seien ein Juwel. Die alten Ziegel waren bereits von Schmutz und Ruß und Graffiti befreit worden und glühten nun in einem gedämpften Rosenton.

Sie bezweifelte, dass das lange vorhielt.

Die Linien waren schlicht und klar, die Schönheit lag in der Schlichtheit der Form.

»Eine Schande, wie das so herunterkommen konnte«, lautete Hinkeys, des Vorarbeiters Meinung, als er sie durch den Eingang des mittleren Gebäudes führte. »Waren hauptsächlich Apartments und so, und die Grundstrukturen werden auch erhalten.

Aber, herrjemmine, wenn Sie sich das Innenleben ansähen! Alles im Eimer. Holz verrottet, Böden hängen durch, Installationen wie aus der Eiszeit. Sprünge in der Trockenmauer und eingeschlagene Fensterscheiben. Manche Leute haben wirklich keinen Respekt vor Gebäuden, wissen Sie.«

»Offensichtlich. Schließen Sie hier jedes Mal gut ab, wenn die Arbeiter nicht da sind?«

»Aber ja doch. Bei den Vandalen und Plünderern, den Obdachlosen, die auf der Straße schlafen, und den Arschlöchern, die einen Ort zum Bumsen oder Dealen suchen.« Er schüttelte den Kopf, geschmückt von einem verstaubten Whittier-Käppi. »Wir haben jede Menge Geräte hier drin, ganz zu schweigen vom Material. Steve – Mr. Whittier –, der knausert nicht an der Sicherheit. Er achtet auf erstklassige Durchführung.«

Bei diesen Klasseneinteilungen kannte Eve sich nicht aus, aber bei Lärm konnte sie mitreden. Drinnen war es mehr als laut.

»Das ist ja riesig«, bemerkte sie.

»Erdgeschoss und vier Stockwerke, drei Gebäude. Insgesamt achtzehntausend Quadratmeter – das Dachgeschoss nicht mitgerechnet. Wird eine Mischung aus Wohn- und Geschäftsgebäude. Wir behalten die ursprünglichen Grundrisse und Besonderheiten, die wir retten können, weitestgehend bei, wo nicht, bauen wir neu im Originalstil.«

»Ja. Bei so viel Raum, drei Gebäuden, gibt es jede Menge Rein und Raus. Da muss viel überwacht werden.«

»Wir haben ein zentrales Sicherheitssystem und an jedem Gebäude noch ein zusätzliches.«

»Wer verfügt über die Codes?«

»Ah, da wären Steve, ich, der Chef der Zimmerleute, der zweite Vorarbeiter und die Sicherheitsgesellschaft.«

»Geben Sie diese Namen meiner Partnerin. Wir würden uns gern ein wenig umsehen.«

»Wenn Sie noch weiter wollen, dann brauchen Sie Schutzhelm und Brille. Das ist Vorschrift.«

»Kein Problem.« Eve nahm den kanariengelben Schutzhelm und die Brille entgegen.« Können Sie mir zeigen, wo Sie die Brandversiegelung verwendet haben?«

»Der Unterboden ist fast überall versiegelt.« Er kratzte sich am Kinn. »Wenn Sie wollen, können wir hier anfangen und uns dann weiterarbeiten. Aber ich sage Ihnen, nach Feierabend konnte hier keiner mehr rein.«

»Das herauszufinden ist meine Aufgabe, Hinkey.«

»Dann tun Sie, was Sie tun müssen.« Er zeigte mit dem Daumen nach oben und schlängelte sich an den Geräten vorbei. »Das hier ist der gewerbliche Bereich. Wird wahrscheinlich an ein Restaurant vermietet. Der Fußboden ist versiegelt. Man musste die Reste des alten Bodens herausreißen. Der neue Boden ist noch nicht verlegt, nur der Unterboden mit Versiegelung.«

Eve holte den Scanner aus ihrer Tasche für den Außeneinsatz und unternahm damit eine Standardüberprüfung auf Blutspuren. Als Eve die Größe des Gebäudes und die Zeit abgeschätzt hatte, die nötig wäre, um jeden Fußbodenbereich zu überprüfen, richtete sie sich aus ihrer Hockstellung auf.

»Können Sie mir einen Gefallen tun, Hinkey? Wäre es Ihnen möglich, jemanden zur Begleitung meiner Partnerin abzustellen, damit sie sich schon mal das nächste Gebäude vornehmen kann, während wir beide hier unterwegs sind? Das dritte machen wir danach. Das spart uns allen Zeit und Ärger.«

»Wie Sie wünschen.« Er nahm ein Funksprechgerät von seinem Gürtel. »Hallo Carmine. Ich brauche dich im Erdgeschoss, Gebäude zwei.«

Sie teilten sich in zwei Teams auf, und Eve ging im Erdgeschoss von Raum zu Raum. Nach einer Weile gelang es ihr, den Lärm weitestgehend auszuschalten. Das Brummen und Schwirren, das Sauggeräusch der Kompressoren und das Schlagen der Spritzpistolen.

Die Stimmen der Bauleute ertönten in den unterschiedlichsten Akzenten. Brooklyn und Queens, Spanisch und Straßenslang. Sie filterte es weg, zusammen mit der Musik, die jede Sektion zur Hintergrundkulisse wählte. Schmutzigen Rock, blechernen Country, Salsa, Rap.

Weil er ihr Zeit gab und sie nicht nervte, lauschte Eve mit halbem Ohr Hickeys Redefluss über Fortschritte beim Bau und dessen Einzelheiten.

Er leierte was über Kontrolle des Raumklimas, Inspektionen, elektrische und Filtersysteme, Wände, Ausstattung, Arbeit, Installationen. Als sie sich das erste Stockwerk vornahmen, brummte ihr der Schädel davon.

Jetzt quasselte er über Fenster, Rahmen, unterbrach sich, um einen Arbeiter zur Schnecke zu machen, und wollte von einem anderen Mitglied des Bautrupps Einzelheiten wissen. Eve hoffte schon, sie hätte ihn abgeschüttelt, aber er holte sie ein, ehe sie in den zweiten Stock aufbrach.

»Hier oben entstehen Apartments. Man muss den Menschen einen anständigen Platz zum Leben geben. Meine Tochter heiratet nämlich nächstes Frühjahr. Sie und ihr Freund haben sich schon für diese Wohneinheit hier gleich rechts vormerken lassen.«

Eve warf ihm einen verstohlenen Blick zu, gerade noch rechtzeitig, um seinen etwas verknautschten und rührseligen Gesichtsausdruck zu sehen. »Wird hübsch werden, denke ich. Und ich weiß, dass hier alles gut gebaut ist. Solide.« Er klopfte mit einer Hand an die Wand. »Nicht diese Zahnstocher-und-Klebstoff-Scheiße, die heute oft benutzt wird, wenn sie eins dieser alten Gebäude wieder zurechtbasteln. Steve hat noch Stolz.«

»Arbeiten Sie schon lange für ihn?«

»Siebzehn Jahre diesen Oktober. Er ist kein Windhund. Der kennt seine Gebäude. Arbeitet Seite an Seite neben einem, wenn's draufankommt.«

Sie fand ein paar Tropfen Blut, zog es aber nicht Erwägung, wie schon in den anderen Räumen. Zu wenig. Außerdem brauchte man nur ein paar Leute mit ein paar Werkzeugen zusammenzubringen, und schon konnte ein wenig Blut fließen.

»Sind Sie hier schon lange dran?«

»O ja. Es ist die größte Baustelle, die wir je hatten. Hat sich den Arsch aufgerissen, um diesen Auftrag hier zu kriegen, und er ist auch jeden Tag hier.«

Er verließ mit ihr die Wohnung und ging einen Flur mit behauenen Wänden entlang.

»Und was ist mit seinem Sohn?«

»Was soll mit ihm sein?«

»Arbeitet der auch mit?«

449

Hinkey schnaubte spöttisch, fing sich aber wieder. »Arbeitet im Büro.«

Eve hielt inne. »Sie mögen ihn nicht besonders.«

»Mir steht kein Urteil zu.« Hinkey zog seine massige Schulter hoch. »Ich denke nur, er gleicht seinem alten Herrn nicht sehr, jedenfalls nicht, soweit ich das sehe.«

»Dann kommt er also nicht hierher?«

»Er ist vielleicht ein- oder zweimal hier gewesen. Zeigt kein besonderes Interesse. Er ist der Anzug-und-Krawatte Typ, verstehen Sie?«

»Ja, tu ich.« Sie stieg über einen Stapel, der nach Holz aussah. »Könnte er die Zugangscodes haben?«

»Wüsste nicht, warum.«

»Als Sohn vom Boss.«

Hinkeys Achselzucken war die Antwort.

Ihr klangen die Ohren, und ihr Kopf dröhnte, als sie sich das dritte Stockwerk vornahmen. Wenn sie gewusst hätte, was sie hier erwartete, hätte sie sich Ohrschützer erbeten. Sie hatte das Gefühl, dass die Werkzeuge hier auf Kreischniveau arbeiteten. Mit einigem Respekt betrachtete sie die große Säge, die von einem Mann bedient wurde, der höchstens gerade mal hundert Pfund auf die Waage brachte.

Sie machte einen großen Bogen herum und stellte den Scanner an.

Und traf die Hauptschlagader.

»Was zum Teufel ist das – Entschuldigung.«

»Das ist verdammt viel Blut, Hinkey.« Sie strich mit dem Scanner über den Fußboden und enthüllte ein hellblaues Muster, das sich über den Boden zog und an der Wand hochspritzte. »Hat sich einer Ihrer Männer hier mit der Säge ein Gliedmaß abgeschnitten?«

»Herr im Himmel, nein. Ich verstehe gar nicht, wieso das Blut sein kann, Lieutenant.«

Sie konnte es. Genauso wie sie die Schmierspur erkennen konnte, die hinaus auf den Flur führte. Wohin Tina Cobb zu kriechen versucht hatte.

Er war durchgelaufen, wie ihr auffiel, hatte sich wohl gebückt, um besser sehen zu können. Er hatte ein paar Abdrücke hinterlassen, war das nicht praktisch?

Cobb auch, wie sie entdeckte. Blutige Handabdrücke. Hat versucht, sich an der Wand hochzuziehen, hat sich daran abgestützt und ihre Hand hierhin und dorthin gedrückt.

Er hat sich Zeit gelassen mit ihr, dessen war Eve sich sicher. Er hat sie über den gesamten Flur des dritten Stockwerks kriechen, humpeln, stolpern lassen, eher er ihr den Todesstoß versetzte.

»Das kann kein Blut sein.« Hinkey starrte auf das Blau und schüttelte bedächtig seinen Kopf. »Wir hätten es doch sehen müssen. Jessas noch mal, das kann man doch gar nicht übersehen.«

»Dieser Bereich hier muss abgesperrt werden. Ich muss Sie bitten, Ihre Leute aus diesem Gebäude hier abzuziehen. Das ist ein Tatort.« Sie nahm ihr Sprechgerät. »Peabody? Ich habe sie gefunden. Dritter Stock.«

»Ich muss… ich muss dem Boss Bescheid sagen.«

»Tun Sie das, Hinkey. Sagen Sie ihm, er solle sich zur Verfügung halten, bei ihm zu Hause, in einer Stunde.« Eve wandte sich zu ihm um und wurde von einer Welle des Mitgefühls überrollt, als sie das Entsetzen in seinen Augen sah. »Ziehen Sie Ihre Leute aus diesem Gebäude ab, und informieren Sie Whittier. Ich möchte mit ihm reden.«

In weniger als einer Stunde war der Baulärm durch Polizeilärm ersetzt worden. Obwohl Eve keine große Hoffnung hatte, noch mehr Beweisspuren zu entdecken, hatte sie ein Team von der Spurensicherung herbestellt. Eine Tatort-Einheit machte Bilder von den Hand- und Fußabdrücken und entnahm mit ihrem Zauberapparat mikroskopische Blutspuren für die DNA-Analyse. Den Zeigefingerabdruck an der Wand hatte sie bereits mit den Abdrücken in ihrer Akte für Tina Cobb abgeglichen.

»Ich weiß, dass Sie sagen werden, es sei nichts weiter als Polizeiarbeit, Dallas, nichts weiter als eine Schritt-für-Schritt-Ermittlung, aber es grenzt schon fast an ein Wunder, dass wir diesen Tatort finden konnten.«

Peabody studierte die Muster des Bluts, das sich in dem auf einem Dreifuß stehenden Scanner in kühnem Blau abzeichnete.

»Noch ein paar Wochen oder womöglich nur Tage, und sie hätten den Boden gelegt und die Wände überzogen. Er hat sich einen guten Platz ausgesucht.«

»Keiner, der sie sieht oder hört«, murmelte Eve. »Ein Leichtes, sie hier hereinzulocken, es gibt Dutzende von Gründen, die er angeführt haben kann. Als Mordwaffe liegen jede Menge Rohre herum, Planen, um ihre Leiche für den Transport einzuwickeln. Zuerst wird er sich das Benzin beschafft haben. Hat es in seinem Transportfahrzeug verstaut. Und wenn er hier hereinkam, kam er auch an das Benzin dran. Das werden wir herausfinden. Über Whittiers Aufstellungen werden wir herausfinden, welche Vorräte vorhanden sind oder was gekauft wurde.«

»Ich kümmere mich darum.«

»Machen Sie das nebenbei. Wir müssen jetzt zu Whittier.«

Sie wollte ihn noch nicht am Tatort haben, noch nicht. Der erste Kontakt sollte in seinem Haus stattfinden, wo der Mensch sich am wohlsten fühlte. Und wo jemand, egal, ob schuldig oder unschuldig, sich üblicherweise besonders beunruhigt zeigt, wenn man ihm eine Dienstmarke vor die Nase hält.

Sie wollte verhindern, dass er von Angestellten und Freunden umgeben war.

Er öffnete selbst die Tür, und sie sah eine schlaflose Nacht in seinem Gesicht, die nun aber von Schock oder Sorge überlagert war.

Er streckte ihr eine Hand entgegen, in ihren Augen die automatische Reaktion eines Mannes, der zur Höflichkeit erzogen worden war. »Lieutenant Dallas? Steve Whittier. Ich weiß nicht, was ich davon halten, was ich sagen soll. Ich begreife das nicht. Hinkey meint, es müsse sich um einen Irrtum handeln, und ich bin geneigt, ihm zuzustimmen. Ich würde gern selbst mit zur Baustelle kommen und –«

»Das kann ich nicht zulassen, nicht zum jetzigen Zeitpunkt. Können wir reinkommen?«

»Wie bitte? O ja. Verzeihung. Entschuldigen Sie bitte. Ah…« Er machte eine Geste, trat zurück. »Wir sollten uns setzen.« Er rieb sich mit der Hand übers Gesicht. »Irgendwo. Hier drinnen, denke ich. Meine Frau ist außer Haus, aber ich erwarte sie jeden Moment zurück. Ich möchte nicht, dass sie gleich damit konfrontiert wird. Ich würde ihr lieber sagen… Also gut.«

Er führte sie in sein Arbeitszimmer, deutete mit seinen Händen auf die Sessel. »Möchten Sie etwas? Etwas zu trinken?«

»Nein. Mr. Whittier, ich werde dieses Gespräch aufzeichnen. Und ich weise Sie auf Ihre Rechte hin.«

»Meine….« Er sank in einen Sessel. »Einen Moment bitte? Habe ich mich irgendeiner Sache verdächtig gemacht? Sollte ich… Brauche ich einen Anwalt?«

»Sie haben das Recht jederzeit einen Anwalt oder einen Bevollmächtigten hinzuziehen. Was ich von Ihnen möchte, Mr. Whittier, ist eine Aussage. Und dass Sie mir ein paar Fragen beantworten.« Sie stellte einen Recorder mitten auf den Tisch und rezitierte die überarbeitete Fassung: »Kennen Sie Ihre Rechte und Pflichten in dieser Angelegenheit?«

»Ja, ich glaube schon. Das ist aber auch schon alles, was ich verstehe.«

»Können Sie mir sagen, wo Sie am Abend des 22. August waren?«

»Ich weiß es nicht. Wahrscheinlich hier zu Hause. Dazu muss ich meinen Terminplan ansehen.«

Er stand auf, um an den Schreibtisch zu gehen und einen schmalen Tageskalender zu holen. »Nun, da habe ich mich geirrt. Pat und ich waren mit Freunden zum Essen aus. Jetzt fällt es mir wieder ein. Wir haben uns um halb acht im Mermaid getroffen. Es ist ein Restaurant für Meeresfrüchte auf der First Avenue zwischen Seventy-First und Second. Wir hatten erst Drinks, um acht Uhr haben wir dann am Tisch Platz genommen. Wir kamen erst gegen Mitternacht nach Hause.«

»Die Namen der Leute, mit denen Sie aus waren?«

»James und Keira Sutherland.«

»Und nach Mitternacht?«

»Wie bitte?«

»Nach Mitternacht, Mr. Whittier, was haben Sie da gemacht?«

»Wir sind zu Bett gegangen. Meine Frau und ich sind zu Bett gegangen.« Er errötete, als er das sagte, ein Ausdruck, der sie an

Feeneys Verlegenheit erinnerte, als diesem klar geworden war, was sie und Roarke in ihrer Erholungspause gemacht hatten.

Sie schloss daraus, dass Whittier und seine Frau vor dem Schlafen einer ähnlichen Erholung gefrönt hatten.

»Und am Abend des 19. August?«

»Ich verstehe das nicht.« Er sagte es murmelnd, sah aber in seinem Buch nach. »Ich habe keinen Termin drinstehen. Ein Donnerstag, ein Donnerstag«, sagte er und schloss die Augen. »Ich glaube, wir sind zu Hause gewesen, aber ich muss Pat fragen. Sie erinnert sich an solche Dinge besser als ich. Wir bleiben abends eigentlich meistens zu Hause. Es ist zu heiß, um auszugehen.«

Er war ein Lämmchen, dachte sie, unschuldig wie ein Lämmchen, genauso wie er es mit sieben gewesen war. Darauf würde sie die Bank verwetten. »Kennen Sie eine Tina Cobb?«

»Ich glaube nicht… der Name ist mir ein wenig vertraut – etwas, wovon man glaubt, es schon mal gehört zu haben. Tut mir Leid. Lieutenant Dallas, können Sie mir bitte sagen, was hier vor sich geht, um was es sich genau…« Seine Stimme verlor sich.

Eve sah es, sah es auf seinem Gesicht, in seinen Augen, sobald der Name bei ihm klick machte. Und als sie es sah, wusste sie, dass sie mit ihrer Wette richtig gelegen hatte. Dieser Mann war nicht daran beteiligt gewesen, das Blut des Mädchens zu verspritzen.

»Ach du lieber Himmel. Das Mädchen, das verbrannt wurde, ein paar Häuserblocks von der Baustelle entfernt verbrannt wurde. Sie sind seinetwegen hier.«

Eve griff in ihre Tasche, gerade, als es an der Tür klingelte. Roarke überlegte sie. Es war die richtige Entscheidung gewesen, ihn doch noch hinzuzuholen. Nicht, um ihr bei der Klärung zu helfen, ob Whittier verwickelt war, sondern damit jemand Vertrauter im Raum war, wenn sie ihn wegen seines Sohnes befragte.

»Meine Partnerin wird die Tür öffnen«, sagte sie und zog Tinas Foto aus der Tasche. »Kennen Sie diese Frau, Mr. Whittier?«

»Mein Gott, ja. O Gott. Aus den Medienberichten. Ich sah sie in den Berichten. Sie war ja fast noch ein Kind. Sie glauben also, sie sei in meinem Gebäude umgebracht worden, aber das verstehe ich nicht. Man hat sie doch verbrannt aufgefunden, auf diesem Grundstück.«

»Sie ist nicht dort umgebracht worden.«

»Sie können doch von mir nicht erwarten, dass ich irgendeinem von meinen Leuten so etwas zutraue.« Er blickte auf, und man sah ihm seine Verwirrung an, als er sich erhob. »Roarke?«

»Steve.«

»Roarke ist ein Zivilberater in dieser Ermittlung«, klärte Eve ihn auf. »Haben Sie irgendwelche Einwände dass er zugegen ist?«

»Nein. Ich –«

»Wer verfügt über die Sicherheitscodes zu Ihrem Gebäude an der Avenue B?«

»Ah. Mein Gott.« Steve drückte einen Moment lang eine Hand an seinen Kopf. »Ich habe sie, die Sicherheitsgesellschaft natürlich. Hinkey, ah… ich kann nicht klar denken. Yule, Gainer. Das wär's dann.«

»Ihre Frau?«

»Pat?« Er lächelte zaghaft. »Nein. Ausgeschlossen.«

»Ihr Sohn?«

»Nein.« Aber seine Augen wurden ausdruckslos. »Nein. Trevor arbeitet nicht auf Baustellen.«

»Aber er ist in diesem Gebaude gewesen?«

»Ja. Mir gefällt diese selbstverständliche Folgerung nicht, Lieutenant. Sie gefällt mir gar nicht.«

»Weiß Ihr Sohn denn, dass sein Großvater Alex Crew war?«

Auch die letzte Spur von Farbe wich aus Steves Wangen. »Ich glaube, ich ziehe jetzt doch einen Anwalt hinzu.«

»Das liegt bei Ihnen.« Er sieht sich als Schutzschild, ging es Eve durch den Kopf. Instinkt. Ein Vater, der seinen Sohn beschützt. »Es wird natürlich bedeutend schwieriger, die Medien aus dem Fall herauszuhalten, wenn erst mal ein Anwalt mit hinzugezogen wird. Dann wird es schwer sein, Ihre Verbindung zu Alex Crew und den Ereignissen, die sich vor fünfzig Jahren zugetragen haben, der Öffentlichkeit zu verschweigen. Ich gehe davon aus, dass gewisse Einzelheiten Ihrer Vergangenheit lieber privat bleiben sollten, Mr. Whittier.«

»Was hat das mit Alex Crew zu tun?«

»Was würden Sie tun, um Ihre Herkunft geheim zu halten, Mr. Whittier?«

»Fast alles. Fast. Die Tatsache dieser Vergangenheit und die Angst davor haben die Gesundheit meiner Mutter zerstört. Wenn dies öffentlich wird, könnte es sie umbringen.«

»Samantha Gannons Buch hat einen Teil davon öffentlich gemacht.«

»Die Verbindung wird aber nicht aufgezeigt. Und meine Mutter weiß nichts von dem Buch. In gewisser Weise habe ich die Kontrolle darüber, was ihr davon zu Ohren kommt. Sie muss vor diesen Erinnerungen beschützt werden, Lieutenant. Sie hat nie jemandem etwas zuleide getan, und sie hat es nicht verdient, zur Schau gestellt zu werden. Sie ist nicht gesund.«

»Ich habe auch nicht die Absicht, das zu tun. Es wäre mir lieber, wenn ich nicht mit ihr sprechen müsste, sie zwingen müsste, mit mir über all das zu reden.«

»Sie möchten Ihre Mutter beschützen«, sagte Roarke ruhig. »Genauso, wie sie Sie beschützt hat. Aber es gibt einen Preis, den man zahlen muss, Steve, genau wie sie ihren damals auch bezahlt hat. Sie werden an ihrer statt reden müssen.«

»Was soll ich Ihnen sagen? Um Himmels willen, ich war ein Kind, als ich ihn das letzte Mal sah. Er starb im Gefängnis. Er hat nichts mit mir zu tun, mit keinem von uns. *Wir* haben uns dieses Leben aufgebaut.«

»Haben die Diamanten es bezahlt?«, fragte Eve, und sein Kopf schnellte herum. Die Beleidigung stand ihm ins Gesicht geschrieben.

»Haben sie nicht. Selbst wenn ich wüsste, wo sie sind, hätte ich sie nicht angerührt. Ich habe nichts davon verwendet, möchte nichts davon haben.«

»Ihr Sohn weiß davon.«

»Das macht ihn doch nicht zum Mörder! Das bedeutet doch nicht, dass er das arme Mädchen umgebracht hat. Sie reden von meinem *Sohn*!«

»Wäre es möglich, dass er Zugang zu den Sicherheitscodes hatte?«

»Ich habe ihm die Codes nicht gegeben. Sie fragen mich, um meinen Sohn da hineinzuziehen. Mein Kind.«

»Ich frage Sie nach der Wahrheit. Ich bitte Sie darum, mir dabei zu helfen, die Tür zu schließen, die Ihr Vater vor vielen Jahren geöffnet hat.«

»Den Kreis schließen«, murmelte Steve und vergrub sein Gesicht in seiner Hand. »Gott o Gott.«

»Was hat Alex Crew Ihnen in jener Nacht mitgebracht? Was hat er in das Haus in Columbus mitgebracht?«

»Was?« Mit einem halben Lachen schüttelte Steve den Kopf. »Ein Spielzeug. Nur ein Spielzeug.« Er deutete auf die Regale und die alten Spielsachen. »Er schenkte mir einen maßstabgetreuen Bulldozer. Ich wollte ihn nicht, Ich hatte Angst vor ihm, aber ich nahm ihn, weil ich noch mehr Angst davor hatte, es nicht zu tun. Er gab ihn mir und sagte, ich solle gut darauf aufpassen, ihn immer bei mir behalten. Ich dürfe nie damit spielen, ihn nicht verlieren, oder es würde mir sehr, sehr Leid tun. Dann schickte er mich nach oben. Ich weiß nicht, was er bis auf die üblichen Drohungen in den nächsten paar Minuten zu meiner Mutter gesagt hat. Ich weiß nur, dass ich sie noch eine Stunde, nachdem er gegangen war, weinen hörte. Dann haben wir gepackt.«

»Haben Sie dieses Spielzeug noch?«

»Ich habe es behalten, damit es mich daran erinnert, was er war, was ich dank der Opfer meiner Mutter überwunden habe. Wirklich ironisch. Ein Bulldozer. Mir gefällt der Gedanke, dass ich die Vergangenheit geschleift und eingegraben habe.« Sein Blick schweifte zu seinen Regalen, dann stand er stirnrunzelnd auf. »Er sollte hier sein. Ich kann mich nicht erinnern, ihn umgestellt zu haben. Seltsam.«

Alte Spielsachen, überlegte Eve, während Whittier suchte. Gannons Ex hatte alte Spielsachen in seinem Büro – und eine Vorabveröffentlichung ihres Buchs.

»Sammelt Ihr Sohn auch solche Sachen?«

»Ja, das haben Trevor und ich gemeinsam. Er ist mehr am Wert dieser Sammlerstücke interessiert, ernsthafter als ich unter diesem Gesichtspunkt. Er ist nicht da.«

Er wandte sich um, sein Gesicht war jetzt leichenblass, und er schien in sich zusammengesunken zu sein. »Das hat nichts zu bedeuten. Ich muss ihn verlegt haben. Es ist ja nur ein Spielzeug.«

29

»Könnte es verstellt worden sein?« Eve musterte die Regale. Sie hatte ein ungefähre Vorstellung davon, wie ein Bulldozer aussah. Ihre Maschinenkenntnis war ganz auf die Stadt abgestimmt. Die Maxibusse, die sich Fahrgäste ausspeiend die großen Straßen hinauf- und hinunterquälten, die Presslufthämmer, die die Straßen an den unmöglichsten Stellen zu den unmöglichsten Zeiten aufrissen, die dröhnenden Fahrzeuge der Straßenreinigung, die klappernden Recyclinglaster.

Aber sie wusste doch, dass die Modelle altmodische Kleinlaster und Lieferwagen darstellten, und konnte in einem glänzenden roten Traktor eine Ähnlichkeit zu dem Gerät feststellen, das sie vor kurzem auf der Farm von Roarkes Tante gesehen hatte.

Es gab Spielzeugrepliken von Einsatzfahrzeugen, die ihr kastiger und rappeliger vorkamen als das, was über die Straßen oder den Himmel von New York düste. Dazu noch ein ganze Reihe massiger, an Lastwagen erinnernde Fahrzeuge mit Schaufeln und gezahnten Klingen oder dicken Schläuchen daran.

Sie konnte nicht begreifen, wie Whittier feststellen konnte, dass etwas fehlte oder was sich wo befand. In ihren Augen folgte die Sammlung keinem Muster und keiner Logik, es waren nichts weiter als ein Haufen kleiner Vehikel mit Rädern oder Flügeln oder beides zusammen, die darauf zu warten schienen, dass die Ampel auf Grün umsprang.

Aber er war ein Junge, und ihre Erfahrung mit Roarke sagte ihr, dass ein Junge sein Spielzeug sehr genau kannte.

»Ich habe nichts umgestellt. Das wüsste ich.« Steve suchte jetzt die Regale ab, berührte verschiedene Fahrzeuge oder Maschinen, stieß einige an, dass sie abzischten. »Ich kann mir auch nicht vorstellen, weshalb meine Frau oder die Haushälterin das tun sollten.«

»Bewahren Sie derartige Sachen sonst noch irgendwo in Ihrem Haus auf?«, fragte Eve ihn.

»Ja, ein paar Stücke hier und da, und die Hauptsammlung steht oben in meinem Büro, aber…«

»Warum sehen Sie dort nicht einmal nach? Peabody, könnten Sie Mr. Whittier zur Hand gehen?«

»Gewiss. Mein Bruder besitzt ein paar Modellspielsachen«, begann Peabody, als sie Steve aus dem Raum begleitete. »Nicht vergleichbar mit dem, was Sie hier haben.«

Eve wartete, bis ihre Stimmen sich verloren hatten. »Wie viel ist das Zeug hier wert?« Sie deutete mit dem Daumen auf die Regale, als sie sich an Roarke wandte.

»Das ist nicht ganz mein Gebiet, aber antike, nostalgische Krimskrams-Sammlungen haben ihren Wert.« Er nahm einen kleinen, bulligen Laster hoch und drehte an den Rädern. Das auf seinem Gesicht aufblitzende Lächeln bestätigte Eves Theorie, dass solche Sachen wirklich nur was für Jungs waren. »Und natürlich kommt es dabei auf den Zustand der Stücke an. Die sind alle aus erster Hand, wenn ich das richtig sehe. Du meinst also, das Spielzeug sei geklaut worden.«

»Gut möglich.«

Er stellte den Laster ab, ließ ihn aber erst los, nachdem er ihn sanft hin und her bewegt hatte. »Wenn Trevor Whittier ihn seinem Vater gestohlen hat, wenn die Diamanten tatsächlich darin versteckt waren – willst du darauf hinaus?«

»Nicht nur darauf hinaus. Ich bin schon da. Ich glaube nicht, dass du damit spielen solltest«, fügte sie hinzu, als er nach dem Traktor griff.

Er gab ein Geräusch von sich, das nach Enttäuschung oder auch nach Verlegenheit klang, dann schob er seine Hände in die Taschen. »Warum sollte er dann töten? Warum in Samanthas Haus einbrechen? Warum stößt er dann nicht in Belize auf sein großes Glück an?«

»Wer sagt denn, er weiß, dass sie da drin sind?« Sie verfolgte, wie Roarkes Braue hochkletterte. »Denk doch mal an sein Täterprofil. Er ist ein fauler, auf sich bezogener Opportunist. Ich wette, dass Whittier bei einer genauen Durchsicht seiner Sammlung feststellen würde, dass einige der besseren Stücke fehlen. Der dumme Kerl könnte sie einfach verkauft haben, und die Diamanten dazu.«

Sie lief entlang der Regale auf und ab und ließ ihren Blick über die Spielsachen wandern. »Samantha Gannons Ex hat auch eine Sammlung.«

»Hat er?«, murmelte Roarke. »Hat er das wirklich?«

»Ja. Nicht so umfangreich wie diese, jedenfalls nicht die Sammlung, die ich in seinem Büro gesehen habe. Bring mal Trevor Whittier mit dem Ex in Verbindung.« Sie legte die Spitzen ihrer Zeigefinger aufeinander. »Gemeinsames Interesse, alte Spielsachen und Spiele. Gannons Ex hatte ein Vorabexemplar des Buchs und könnte auch darüber gesprochen haben.«

»Schnittpunkte«, meinte Roarke mit einem Nicken. »Die Welt ist wirklich klein, nicht wahr? Der Ex kauft Stücke von Whittiers Sohn oder kennt ihn jedenfalls, pflegt mit ihm womöglich geselligen Umgang, sie haben gemeinsame Interessen. Und deswegen erwähnt er auch das Buch, macht es publik. Samanthas Großmutter hat einen Antiquitätenladen gehabt – ich glaube, den hat sie noch. Wieder ein Schnittpunkt, wieder ein gemeinsamer Faden, der ein Gespräch in Gang gebracht haben könnte.«

»Ist eine Überprüfung wert. Ich möchte alles über Trevor Whittier in Erfahrung bringen. Ich möchte ihn hochnehmen und ein Verhör mit ihm durchführen, und ich möchte einen Durchsuchungsbefehl für seine Behausung. Und das muss alles möglichst schnell passieren.« Sie sah stirnrunzelnd Richtung Tür. »Was meinst du? Wird Whittier den Mund halten – oder wird er versuchen, Trevor zu warnen, dass wir hinter ihm her sind?«

»Ich denke, er wird sich kooperationsbereit zeigen. Das wäre mein erster Instinkt. Tue das Richtige. Er wird nicht in Betracht ziehen oder glauben, dass sein Sohn ein Mörder ist. Das überstiege sein Fassungsvermögen. In Schwierigkeiten, ja, und auch, dass er Hilfe braucht. Aber kein kaltblütiger Mörder. Wenn er anfängt, in diese Richtung zu denken, weiß ich nicht, wozu er fähig wäre.«

»Dann lass ihn uns auf Trab halten, so lange es geht.«

Sie rief Baxter und Trueheart herein, damit sie sich um Whittier kümmerten. Sie sollten ihn in sein Stadtbüro begleiten, wo er auch ein paar Stücke seiner Sammlung aufbewahrte.

»Ich brauche Sie, um auf die Frau zu warten«, wandte Eve sich an Baxter. »Lassen Sie sie nicht aus den Augen. Ich möchte nicht, dass einer der beiden Gelegenheit hat, mit dem Sohn Kontakt aufzunehmen. Wir wollen ihn, solange es geht, aus dem Ganzen heraushalten. Wenn wir Glück haben, kriegen wir ihn, ehe er weiß, dass wir nach ihm suchen.«

»Wie lange möchten Sie, dass wir sie festhalten?«

»Versuchen Sie, mir ein paar Stunden zu geben. Ich muss mir einen Durchsuchungsbefehl für die Wohnung von Whittier junior besorgen. Und ich möchte mit Chad Dix reden. Ich werde ein paar Uniformierte raus nach Long Island schicken, wo Whittiers Mutter lebt. Nur, um ein Auge drauf zu haben.«

»Wir werden sie hinhalten. Vielleicht dürfen wir ja mit dem Feuerwehrwagen spielen.«

»Jungs und kleine Lastwagen, was ist das nur?«

»Ach kommen Sie, Sie hatten Ihre Puppen und Teepartys.« Ein schwächerer Mann wäre unter ihrem vernichtenden Blick zusammengeschrumpft. »Okay, dann eben nicht.«

»Halten Sie sie hin«, befahl Eve, als sie den Raum verließ. »Wenn sich eine Klärung abzeichnet, möchte ich davon hören.«

»Ja, ja. Dieser Trottel hat bestimmt eine funktionierende Alarmanlage.«

Eve hörte das grelle Kreischen, als sie in die Diele trat. »Entschuldigen Sie meinen idiotischen Kollegen, Mr. Whittier. Wir wissen Ihre Zusammenarbeit zu schätzen.«

»Ist schon gut. Ich möchte das geklärt haben.« Er rang sich ein Lächeln ab. »Ich gehe nur, und…« Er deutete auf sein Arbeitszimmer. »Ich möchte mich nur vergewissern, dass der Detective nicht…«

»Gehen Sie nur. Sie warten auf die Frau«, sagte Eve mit leiserer Stimme zu Trueheart. »Falls der Sohn zufällig vorbeikommt, behalten Sie ihn hier und informieren mich.«

»Ja, *Sir*.«

»Kommen Sie, Peabody.«

»Nichts lieber als das.« Peabody sah Roarke an. »Kommen Sie auch mit?«

»Ich bezweifle, das der Lieutenant mich im Moment gebrauchen kann.«

»Ich greife wieder auf dich zurück.«

»Meine Hoffnung steigt ins Unermessliche.«

Auf dem Bürgersteig hielt sie inne. »Wenn du dich zur Verfügung halten möchtest, lasse ich es dich wissen, wenn wir Trevor in Gewahrsam haben.«

»Das ist aber freundlich. Inzwischen könnte ich mich mal unter Sammlern ein wenig umsehen und herausfinden, ob ein Stück, auf das diese Beschreibung passt, in den letzten paar Monaten auf dem Markt aufgetaucht ist.«

»Damit wäre doch schon was gewonnen. Besten Dank. Mal sehen, ob wir den Commander dazu bringen, uns einen Durchsuchungsbefehl auszustellen. Ich möchte mit Chad Dix sprechen. Wenn wir diese Verbindung nachweisen können, macht das den Käfig um ein paar Stäbe dichter.«

Roarke hob Eves Kinn mit der Hand – eine Geste, bei der sie zusammenzuckte –, und Peabody entfernte sich diskret. »Du handelst in diesem Fall äußerst überlegt, Lieutenant.«

»Kein Anfassen während der Arbeit«, murmelte sie und schob seine Hand beiseite. »Außerdem arbeite ich immer überlegt.«

»Nein. Es gibt Zeiten, da bist du mit Leib und Seele dabei und arbeitest dich seelisch und körperlich auf.«

»Jeder Fall ist anders. Bei diesem geht es Schritt für Schritt. Sofern Trevor bis jetzt noch nicht dahinter gekommen ist, stellt er für keinen eine besondere Bedrohung dar. Wir halten seine Eltern hin, und ich schicke ein paar Uniformierte, damit wir den Wohnsitz der Großmutter im Auge behalten können. Gannon wird beschützt. Das sind die wahrscheinlichsten Ziele. Diesmal habe ich es nicht mit der Überlegung zu tun, wen irgendein Psychopath als Nächstes umbringen wird. Das lässt mir ein bisschen mehr Luft zum Atmen, verstehst du?«

»Ja.« Trotz ihrer Warnung, berührte er sie wieder und rieb mit seinem Daumen über die Schatten unter ihren Augen. »Aber du könntest einen guten Nachtschlaf vertragen.«

»Dann muss ich das hier abschließen, damit ich einen kriege.« Sie hakte ihre Daumen in ihre Vordertaschen, seufzte schwer, weil sie wusste, dass es ihn amüsieren würde. »Na los, bringen wir's hinter uns. Aber mach schnell – und Zungen sind nicht erlaubt.«

Er lachte, wie sie erwartet hatte, und beugte sich dann über sie, um ihr einen sehr keuschen Kuss zu geben. »War der akzeptabel?«

»Kaum der Rede wert.« Und weil sie das kurze Aufblitzen in seinem Auge bemerkte, verpasste sie ihm einen Klaps auf die Brust. »Spar es dir, Kumpel. Geh zurück an die Arbeit. Kauf irgendein riesiges Großstadtareal oder sonst so was.«

»Mal sehen, was ich tun kann.«

Auf Eves Signal hin näherte Peabody sich dem Wagen. »Das muss doch unheimlich gut tun, einen Mann zu haben, der einen so ansieht, und das jeden Tag.«

»Jedenfalls hält es mich nicht davon ab, auf die Straße zu gehen.« Sie stieg ein und schlug die Tür zu. »Jetzt nehmen wir diesen Mistkerl in die Mangel, und vielleicht kommen wir beide dann ja zur Abwechslung mal pünktlich nach Hause.«

Trevor besuchte seine Großmutter nur mit Widerwillen. Es ekelte ihn an, sich Alter und Krankheit vorzustellen. Schließlich gab es *Wege*, die schlimmsten Symptome des Alterungsprozesses zu unterdrücken. Lifting an Gesicht und Körper, Revitalisierungskuren, Organtransplantationen.

Alt auszusehen war seiner Meinung nach die Folge von Faulheit oder Armut. Beides war inakzeptabel.

Zur Vermeidung von Krankheit durfte kein Preis zu hoch sein. Die meisten körperlichen Gebrechen waren nur vorübergehender Natur und leicht zu korrigieren. Es war alles nur ein Frage richtiger Pflege. Geisteskrankheit aber war für alle Beteiligten, die mit dem Patienten zu tun hatten, eine einzige Peinlichkeit.

Er sah seine Großmutter als eine maßlose Irre, die von seinem Vater zu sehr verwöhnt wurde. Würde nicht so viel Zeit und Geld darauf verschwendet, es ihr in ihrer kleinen Welt des Wahnsinns so angenehm wie möglich zu machen, würde sie sich ganz rasch erholen. Er wusste sehr wohl, dass die Unterbringung in ihrer vergoldeten Klapsmühle Unsummen – seines Erbes! – verschlang, damit sie dort Wohnung, Essen, Pflege, Medikamente und ihre Betreuer bekam.

Völlig hirnverbrannt, fand er und fuhr seinen neuen Zweisitzer Jetstream 3000 in die Tiefgarage des Seniorenheims. Die verrückte alte Wachtel konnte leicht noch vierzig Jahre leben und sein Erbe versabbern, das rechtmäßig ihm zustand.

Es war zum aus der Haut fahren.

Genauso die sentimentale Anhänglichkeit seines Vaters. Man hätte sie ebenso gut in einer weniger teuren Einrichtung unterbringen können, sogar in einem staatlichem Heim. Schließlich zahlte er Steuern und unterstützte damit solche Einrichtungen. Weshalb sie also nicht nutzen, wenn man sich sowieso dumm und dämlich zahlte.

Den Unterschied würde sie doch gar nicht merken.

Aber wenn er erst mal die Geldangelegenheiten regelte, dann würde sie sehr schnell umziehen.

Er holte eine weiße Schachtel vom Blumenhändler aus dem Kofferraum. Er würde ihr Rosen mitbringen, das Spiel mitspielen. Seine Zeit und die Investition in die Blumen, die sie nach zehn Minuten schon wieder vergessen hätte, wären gut angelegt, wenn sie etwas wusste. Wenn sie sich durch irgendein Wunder erinnern sollte, etwas zu wissen.

Einen Versuch war es wert. Da der Alte nichts zu wissen schien, hatte eventuell seine verrückte alte Mutter in ihrem vernebelten Hirn eine Spur eingegraben.

Er fuhr mit dem Aufzug hoch in den Empfangsbereich und stimmte sich auf seine Vorführung ein. Als er ausstieg, trug er ein freundliches, leicht besorgtes Lächeln und wurde dem Image eines gut aussehenden jungen Mannes gerecht, der einer alten, kranken Verwandten einen liebevollen Pflichtbesuch abstattet.

Er trat an den Empfangsschalter und stellte die Schachtel mit den Blumen auf die Theke, sodass der Name des sündteuren Floristen von der Dame am Empfang gelesen werden konnte. »Ich möchte meine Großmutter besuchen. Janine Whittier. Ich bin Trevor.« Er blähte sein Lächeln noch ein wenig auf. »Ich habe mich nicht angemeldet, da ich einfach spontan bei ihr reinschauen wollte. Ich kam am Blumenhändler vorbei und musste an Oma denken und wie sehr sie rosa Rosen liebt. Und schon kaufe ich ihr ein Dutzend davon und finde mich auf dem Weg hierher wieder. Das ist doch in Ordnung, oder?«

»Natürlich!« Die Frau strahlte ihn an. »Das ist aber reizend.

Ich denke, sie wird sich über die Blumen ebenso freuen wie darüber, ihren Enkel zu sehen. Ich sehe nur mal in ihrem Terminplan nach, um sicherzustellen, dass sie heute auch empfangsbereit ist.«

»Ich weiß, dass sie gute und schlechte Tage hat.« Er arbeitete an seinem Lächeln, bis es Mut ausstrahlte. »Ich hoffe nur, dass heute ein guter ist.«

»Nun, wie ich hier sehe, hat man sie heute in den Gemeinschaftsraum des ersten Stockwerks gebracht. Das ist ein gutes Zeichen. Wenn ich Sie nur kurz überprüfen dürfte?« Sie deutete auf die Platte für die Handfläche.

»Oh, aber gewiss. Selbstverständlich.« Er legte seine Hand darauf und wartete, bis seine Identifikation und Überprüfung abgeschlossen war. Lächerliche Vorsichtsmaßnahmen, wie er fand. Wer zum Teufel würde schon in ein Altersheim einbrechen wollen? Schließlich war es eins, das einem mehrere tausend Dollars im Jahr berechnete.

»So, das hätten wir, Mr. Whittier. Jetzt möchte ich nur die Blumen noch kurz abtasten.« Sie strich mit einem Hand-Scanner über die Rosen, um den Inhalt zu überprüfen, dann winkte sie ihn durch. »Sie können die Haupttreppe hoch zum ersten Stock nehmen oder auch den Aufzug, wenn Sie möchten. Den Gemeinschaftsbereich finden Sie links den Flur hinunter. Sie können mit einem der Dienst habenden Pfleger sprechen. Ich schicke jetzt Ihre Überprüfung nach oben.«

»Danke schön. Das hier ist ein schönes Heim. Es beruhigt sehr zu wissen, dass Großmama hier so gut versorgt wird.«

Er nahm die Treppe. Er sah andere Besucher mit in farbenfrohes Papier gewickelten Blumen und Geschenken. Ihm fiel der müde Blick bei einigen auf, das hoffnungsvolle Leuchten bei anderen.

Das Personal trug Uniformen in beruhigenden Pastelltönen, die sicherlich eine interne Rangordnung widerspiegelten. In diesem offenen Bereich wanderten die Patienten allein oder mit Pflegern umher. Durch die breiten, besonnten Fenster konnte er auf die weitläufigen Grünanlagen hinabsehen, auf deren gewundenen Pfaden weitere Patienten, Pfleger und Besucher spazierten.

Immer wieder erstaunte es ihn, dass jemand an einem solchen Ort arbeiten wollte, egal zu welchem Gehalt. Und dass man hierher auch freiwillig und sogar in gewisser Regelmäßigkeit auf Besuch kam, ohne dafür Geld zu kriegen.

Er selbst war hier schon fast ein Jahr lang nicht mehr gewesen und hoffte inständig, es möge der letzte Besuch sein, der ihm abverlangt wurde.

Als er in die Gesichter sah, an denen er vorbeikam, durchzuckte ihn plötzlich die Angst, er werde seine Großmutter nicht wieder erkennen. Besser wäre es gewesen, er hätte vor der Fahrt hierher sein Gedächtnis ein wenig aufgefrischt und sich ein paar Fotos angeschaut.

Die Alten sahen für ihn einer wie der andere aus. Sie sahen alle verloren aus. Mehr noch, sie sahen alle nutzlos aus.

Eine Frau, die im Rollstuhl vorbeigefahren wurde, streckte eine klauenartige Hand aus, um das Band zu erwischen, das von der Floristenschachtel hing.

»Ich liebe Blumen. Ich liebe Blumen.« Ihre Stimme kam pfeifend aus dem verschrumpelten Gesicht, bei dem Trevor an einen ausgetrockneten Apfel denken musste. »Danke, Johnnie! Ich liebe dich, Johnnie!«

»Aber, aber, Tiffany.« Die Pflegerin, eine kess aussehende Brünette beugte sich über den motorisierten Rollstuhl und tätschelte die Schulter der alten Frau – und lenkte Trevors leicht entsetzten Blick auf das winzige Rosentattoo auf der verschrumpelten Brust. »Dieser nette Mann ist nicht Ihr Johnnie. Ihr Johnnie war doch erst gestern da, erinnern Sie sich?«

»Ich kann doch die Blumen haben.« Sie blickte hoffnungsvoll hoch, die knochige Hand schloss sich wie ein Haken um das Band.

Trevor musste gegen sein Schaudern ankämpfen, und er rückte beiseite, um zu verhindern, dass diese grauenhaft fleckige Hand irgendein Körperteil von ihm berührte. »Die sind für meine Großmutter.« Selbst als ihm die Galle in die Kehle stieg, lächelte er. »Eine ganz besondere Dame. Aber...« Unter dem erfreuten und wohlwollenden Auge der Pflegerin öffnete er die Schachtel und nahm eine einzelne Rosenknospe heraus. »Ich bin mir sicher, sie hat nichts dagegen, wenn Sie eine davon bekommen.«

»Das ist aber wirklich zu freundlich.« Die Augen der Pflegerin wurden tatsächlich feucht, und wieder konnte er nur staunen über die Torheit der arbeitenden Klasse. »Was sagen Sie dazu, Tiffany, ist das nicht nett? Ein hübsche Rose von einem gut aussehenden Mann.«

»Mir schenken viele gut aussehende Männer Blumen. Ganz viele.« Sie streichelte die Blütenblätter und verlor sich in einer verschwommenen Erinnerung.

»Sie sagten, Sie möchten Ihre Großmutter besuchen?«, soufflierte ihm die Pflegerin.

»Ja, das ist richtig. Janine Whittier. Unten hat man mir gesagt, sie sei im Gemeinschaftsraum.«

»Ja, da ist sie auch. Miss Janine ist eine reizende Dame. Sie wird sich sicherlich freuen, Sie zu sehen. Wenn Sie Hilfe brauchen, sagen Sie es mir. Ich bin gleich wieder da. Ich heiße Emma.«

»Danke.« Und da er nicht recht wusste, ob Emma ihm nicht doch nützlich sein könnte, nahm er seine Kraft zusammen, bückte sich und lächelte der alten Frau ins Gesicht. »Es war schön, Sie kennen zu lernen, Miss Tiffany. Hoffentlich sehen wir uns wieder.«

»Hübsche Blumen. Kalte Augen. Tote Augen. Manchmal sind glänzende Früchte faul im Kern. Sie sind nicht mein Johnnie.«

»Tut mir Leid«, flüsterte Emma und rollte die alte Dame weg.

Scheußliche alte Schachtel, dachte Trevor und ließ nun seinem Schaudern freien Lauf, ehe er den Rest des Wegs zum Gemeinschaftsraum zurücklegte.

Dieser war hell, fröhlich, geräumig. Er war unterteilt in Bereiche für spezielle Beschäftigungen. Es gab Wandbildschirme, auf denen verschiedene Programme liefen, Tische für Gesellschaftsspiele, für Besuche und zum Basteln, ebenso Sitzgruppen für Besucher oder um sich die Zeit mit Büchern oder Illustrierten zu vertreiben.

Es war zahlreiches Pflegepersonal vorhanden, und der Geräuschpegel erinnerte ihn an eine Cocktailparty, auf der man sich in Grüppchen zusammenfand und ignorierte, was um einen herum gesprochen wurde.

Als er zögerte, trat eine weitere Pflegerin auf ihn zu. »Mr. Whittier?«

»Ja, ich…«

»Es geht ihr heute richtig gut.« Sie zeigte auf einen Tisch an einem Sonnenfenster, wo zwei Frauen und ein Mann offenbar Karten spielten.

Er bekam Panik, da er sich nicht sicher war, welche Frau seine Großmutter war. Dann fiel ihm auf, dass eine der beiden an ihrem rechten Bein einen Gipsverband trug. Wenn seine Großmutter sich verletzt hätte, wäre ihm das bestimmt ausführlichst in sämtlichen scheußlichen Einzelheiten erzählt worden.

»Sie sieht wunderbar aus. Es ist so ein Trost zu wissen, wie gut man sich hier um sie kümmert und wie zufrieden sie hier ist. Ah, es ist so ein schöner Tag – nicht mehr so heiß wie zuvor. Was meinen Sie, ob ich mit ihr einen Spaziergang durch den Garten machen kann?«

»Das wird ihr bestimmt gefallen. In etwa einer Stunde bekommt sie ihre Medizin. Wenn Sie bis dahin nicht zurück sind, schicken wir jemanden zu ihr.«

»Danke.« Zuversichtlich geworden, schlenderte er hinüber an den Tisch. Er lächelte, bückte sich. »Hallo Großmama. Ich habe dir Blumen mitgebracht. Rosa Rosen.«

Sie sah ihn nicht an, nicht einmal mit einem Seitenblick, sondern hielt ihre milchig blauen Augen auf die Karten in ihren knochigen Händen gerichtet. »Ich muss dieses Spiel zu Ende spielen.«

»Das ist in Ordnung.« Blödes, undankbares Miststück. Er richtete sich auf und hielt die Schachtel mit den Blumen, während er zusah, wie sie sorgfältig eine Karte wählte und ausspielte.

»Trumpf!« Die andere alte Frau rief das mit überraschend lauter und fester Stimme. »Ich habe euch wieder vernichtend geschlagen.« Sie breitete ihr Blatt auf dem Tisch aus, worauf ihr männlicher Mitspieler zu fluchen anfing.

»Pass auf, was du sagst, du alter Bock.« Die Gewinnerin drehte ihren Stuhl so, dass sie Trevor ansehen konnte, während der Mann sorgfältig die Punkte zählte. »Sie sind also Janines Enkel. Ich sehe Sie zum ersten Mal. Jetzt bin ich schon einen Monat hier und habe Sie noch nie auf Besuch kommen sehen. Ich bin nur für sechs Wochen hier.« Sie klopfte auf ihren Gipsverband. »Skiunfall. Meine Enkelin kommt jede Woche, man kann die Uhr danach stellen. Warum kommen Sie nicht öfter?«

»Ich habe viel zu tun«, sagte er kühl, »außerdem glaube ich nicht, dass Sie das etwas angeht.«

»An meinem letzten Geburtstag bin ich sechsundneunzig geworden. Deshalb mische ich mich gern überall ein. Janines Sohn und Schwiegertochter kommen zweimal die Woche, manchmal öfter. Schade, dass Sie so viel zu tun haben.«

»Komm, Großmama.« Ohne auf die Übereifrige einzugehen, legte Trevor seine Hände auf Janines Rollstuhl.

»Ich kann gehen! Ich kann ausgezeichnet laufen. Ich muss nicht herumgezerrt werden.«

»Nur, bis wir draußen im Garten sind.« Er wollte sie draußen haben und zwar schnell, also legte er die weiße Schachtel auf ihren Schoß und peilte mit ihrem Stuhl die Tür an. »Heute ist es draußen nicht zu heiß, es ist schön und sonnig. Du kannst sicher etwas frische Luft vertragen.«

Trotz all der Sauberkeit des Ortes und der Geldflut, mit der diese gewährleistet wurde, roch Trevor nur den Verfall von Alter und Krankheit. Es drehte ihm den Magen um.

»Ich habe meine Punkte noch nicht gezählt.«

»Ist schon gut, Großmama. Warum machst du nicht dein Geschenk auf?«

»Ich bin für einen Spaziergang im Park jetzt nicht eingeplant«, sagte sie sehr präzise. »Es steht nicht in meinem Terminplan. Ich begreife diese Änderung nicht.« Aber als er auf den Aufzug zusteuerte, rissen ihre Finger schon am Deckel der Schachtel.

»Oh, sind die aber schön! Rosen. Im Garten hatte ich mit Rosen nie viel Glück. Wo immer wir auch waren, ich pflanzte mindestens einen Rosenstrauch. Erinnerst du dich, mein Schatz? Ich musste es versuchen. Meine Mutter hatte so einen wunderschönen Rosengarten.«

»Das glaube ich gern«, sagte Trevor interesselos.

»Du hast ihn auch mal gesehen.« Sie war jetzt sehr lebhaft, und es schimmerte ein wenig ihrer früheren Schönheit durch. Trevor hatte zwar den Rosengarten nicht gesehen, aber er sah die Perlenstecker in ihren Ohren, die teuren Schuhe aus weichem cremefarbenen Leder. Und dachte an all die Vergeudung.

Sie behielt ihr Lächeln bei und strich sanft über die rosa Blütenblätter. Wer sie vorbeikommen sah, nahm die Freude einer zerbrechlichen alten Dame an Blumen wahr und den gut aussehenden, gut gekleideten jungen Mann, der sie schob.

»Wie alt warst du wohl damals, Kleines? Vier, denke ich.« Strahlend nahm sie eine der langstieligen Schönheiten aus der Schachtel, um daran zu riechen. »Du wirst dich nicht daran erinnern, aber ich mich schon. Ganz deutlich. Warum nur kann ich mich nicht an gestern erinnern?«

»Weil gestern nicht wichtig ist.«

»Ich habe mir meine Haare richten lassen.« Sie plusterte sie auf und drehte ihren Kopf von der einen zur anderen Seite, um ihre rostroten Locken zu zeigen. »Gefällt es dir, Kleiner?«

»Es sieht hübsch aus.« Selbst millionenschwere Diamanten würden ihn nicht dazu verführen können, das alte Haar zu berühren. Wie alt war dieser Knochensack eigentlich? Er rechnete, nur um seinen Geist zu beschäftigen, und war überrascht, als er herausfand, dass sie jünger war als das Miststück am Kartentisch.

Wirkte älter, befand er. Wirkte älter, weil sie verrückt war.

»Wir gingen zurück, dieses eine Mal kehrten wir zurück.« Sie nickte entschlossen mit dem Kopf. »Nur für ein paar Stunden. Ich vermisste meine Mutter so sehr, dass es mir fast das Herz brach. Aber es war Winter, und die Rosen blühten nicht. Deshalb hast du sie nicht wiedergesehen.«

Sie drückte eine Rosenknospe an ihre Wange und schloss die Augen. »Jedes Mal, wohin wir auch gingen, habe ich einen Garten, einen Blumengarten gepflanzt. Ich musste es versuchen. Oh, ist das hell!« Ihre Stimme bebte, als er ihren Stuhl nach draußen schob. »Es ist so schrecklich hell hier draußen.«

»Wir sind gleich wieder im Schatten. Weißt du denn, wer ich bin, Großmama?«

»Ich wusste immer, wer du warst. Es war schwer, so schwer für dich, dich ständig verändern zu müssen, aber ich wusste immer, wer du warst, Kleiner. Wir gaben einander Sicherheit, nicht wahr?« Sie griff nach hinten und tätschelte seine Hand.

»Gewiss.« Wenn sie ihn für seinen Vater halten wollte, umso besser. Ihre Beziehung war mit keiner anderen zu vergleichen. »Wir gaben einander Sicherheit.«

»Manchmal kann ich mich kaum erinnern. Es geht rein und raus, wie ein Traum. Aber dich kann ich immer sehen, Westley. Nein, Matthew. Nein, nein, *Steven*.« Sie atmete erleichtert aus, als sie den Namen getroffen hatte. »Jetzt Steven, schon so lange Zeit. Der wolltest du immer sein, also bist du es jetzt auch. Ich bin so stolz auf meinen Jungen.«

»Erinnerst du dich an das letzte Mal, als er uns gefunden hat? Mein Vater? Erinnerst du dich an jenes letzte Mal, als du ihn sahst?«

»Ich möchte nicht darüber reden. Davon bekomme ich Kopfschmerzen.« Ihr Kopf wackelte hin und her, als er sie den Pfad hinunterrollte, weg von den anderen. »Ist es gut hier? Sind wir hier sicher?«

»Absolut sicher. Er ist weg. Er ist tot, lange tot.«

»Das sagen *sie*«, flüsterte sie, und es war deutlich, dass sie nicht davon überzeugt war.

»Er kann dir jetzt nicht mehr wehtun. Aber du erinnerst dich an das letzte Mal, als er kam? Er kam in der Nacht in unser Haus in Ohio.«

»Wir glaubten uns sicher, aber er ist gekommen. Nie hätte ich zugelassen, dass er dir was antut. Egal, was er mir antut, selbst wenn er mich schlägt, aber dich würde er nicht anfassen. Er wird meinem Kleinen nichts antun.«

»Ja doch. Ja.« Mein Gott, dachte er, bring's *hinter* dich. »Aber was war beim letzten Mal, in Ohio? In Columbus.«

»War das das letzte Mal? Ich kann mich nicht erinnern. Manchmal denke ich, dass er kam, aber es war ein Traum, ein schlimmer Traum. Doch wir mussten weg. Wir durften kein Risiko eingehen. Sie sagten, er sei tot, aber wie konnten sie das wissen? Er sagte, er würde dich immer finden. Also mussten wir flüchten. Ist es wieder so weit?«

»Nein. Aber als wir in Columbus waren, da kam er. In der Nacht. Oder nicht?«

»Mein Gott, er war einfach da. Da an der Tür. Keine Zeit, um wegzulaufen. Du hattest Angst, du hieltst meine Hand so fest.« Sie griff wieder nach hinten und drückte Trevors Hand, bis die Knochen aneinander rieben. »Ich wollte dich nicht mit ihm allein lassen, auch nicht für eine Minute. Wenn er könnte, würde er dich mir wegreißen. Aber er wollte dich nicht, noch nicht. Eines Tages, hatte er mir gesagt. Eines Tages würde ich mich umsehen und du wärst weg. Ich würde dich nie wieder finden. Ich konnte nicht zulassen, dass er dich wegnimmt, Kleiner. Nie, nie würde ich zulassen, dass er dir wehtut.«

»Hat er auch nicht.« Trevor presste vor Ungeduld die Zähne aufeinander. »Was ist in jener Nacht passiert, als er in das Haus in Columbus kam?«

»Ich hatte dich zu Bett gebracht. Im Frodo-Pyjama. Mein kleiner Herr der Ringe. Aber ich musste dich wecken. Ich weiß nicht, was er getan hätte, wenn ich mich geweigert hätte. Ich brachte dich nach unten, und er gab dir ein Geschenk. Es gefiel dir, du warst noch ein kleiner Junge, aber hattest doch Angst vor ihm. Du darfst nicht damit spielen, sagte er. Auf keinen Fall spielen, nur aufbewahren. Du solltest es immer bei dir haben, sonst täte es dir Leid. Eines Tages könnte es etwas wert sein. Und er lachte und lachte.«

»Was war es?« Ein Freudenschauer tanzte über Trevors Rücken. »Was hat er mir gegeben?«

»Er schickte dich weg. Du warst noch zu jung, um für ihn von Interesse zu sein. Geh wieder ins Bett, und denk dran, was ich dir sage. Behalt es bei dir. Ich höre ihn noch immer, wie er dort steht und dieses entsetzliche Lächeln lächelt. Vielleicht hatte er eine Waffe. Könnte sein. Er könnte eine gehabt haben.«

»Behalt was?«

Aber sie war weit weg, sie war wieder bei der Angst von vor fünfzig Jahren. »Dann waren wir beide allein. Ich allein mit ihm, und er legte mir seine Hand an die Kehle.«

Sie hob ihre Hand, als ihr Atem stockend ging. »Vielleicht würde er mich dieses Mal töten. Eines Tages würde er mich töten, wenn ich nicht ununterbrochen wegrannte. Eines Tages würde er dich mir wegnehmen, wenn wir uns nicht versteckten. Ich sollte zur Polizei gehen.«

Sie ballte eine Faust, schlug damit auf die Schachtel ein. »Aber meine Furcht ist zu groß. Er wird uns töten, wird uns beide töten, wenn wir zur Polizei gehen. Was könnten sie auch tun, was? Er war zu gerissen. Das sagte er dauernd. Also war es besser, wenn wir uns versteckten.«

»Erzähl mir doch von dieser Nacht. Dieser einen Nacht.«

»Diese Nacht. Diese Nacht. Ich vergesse sie nicht. Ich kann vergessen, was gestern war, aber ich vergesse diese Nacht nie. Ich kann ihn in meinem Kopf hören.«

Sie legte sich die Hände an die Ohren. »Judith. Ich hieß Judith.«

Ihm lief die Zeit davon. Bald würden sie nach ihr suchen, ihr ihre Medikamente geben. Beunruhigt, dass sie eher kommen würden, wenn jemand sah, dass sie einen kleinen Anfall hatte oder ihr Geflenne hörte, schob er den Stuhl weiter den Pfad entlang, tiefer hinein in den Schatten.

Er zwang sich dazu, sie zu berühren, ihre magere Schulter zu tätscheln. »Nicht doch. Das ist doch egal. Nur auf diese eine Nacht kommt es an. Du fühlst dich bestimmt besser, wenn du mir von dieser Nacht erzählst. Und ich fühle mich auch besser«, fügte er beflügelt hinzu. »Du möchtest doch, dass ich mich besser fühle, oder nicht?«

»Ich möchte nicht, dass du dir Sorgen machst. O mein Kleiner, ich möchte nicht, dass du Angst hast. Ich werde mich immer um dich kümmern.«

»So ist's recht. Erzähl mir von der Nacht, dieser Nacht in Ohio, als er kam und mir ein Geschenk mitbrachte.«

»Er sah mich mit diesen entsetzlich kalten Augen an. Geh doch und lauf, lauf, so weit du kannst, ich werde dich doch wiederfinden. Würde der Junge das Geschenk nicht mehr haben, wenn er uns fände, würde er uns beide töten. Keiner würde uns je finden. Keiner würde es erfahren. Wenn ich am Leben bleiben wollte, wenn mir daran gelegen war, dass der Junge am Leben blieb, musste ich tun, was er gesagt hatte. Also tat ich es. Ich flüchtete, aber ich tat, was er verlangt hatte, für den Fall, dass er uns wiederfand. Ist er zurückgekommen? In meinen Träumen findet er uns immer.«

»Was hat er denn verdammt noch mal mitgebracht?« Er gab dem Stuhl einen hinterhältigen Schubs und stellte sich dann davor und brachte sein Gesicht nah an ihres. »Sag mir, was er mitgebracht hat.«

Ihre Augen wurden groß und glasig. »Den Bulldozer, den hell-gelben Bulldozer. Du hast ihn in einer Schachtel aufbewahrt, Jahr um Jahr, wie ein Geheimnis. Du hast nie damit gespielt. Dann hast du ihn auf dein Regal gestellt. Warum wolltest du ihn auf dem Regal haben? Um ihm zu zeigen, dass du getan hast, was er dir gesagt hat?«

»Bist du dir sicher?« Er packte sie jetzt an den Schultern, die zerbrechliche Gestalt mit ihren dünnen, spröden Knochen. »Bist du dir da verdammt noch mal sicher?«

»Sie sagten, du seist tot.« Sie wurde aschfahl, ihr Atem ging kurz und rau. »Sie sagten, du seist tot, aber das bist du nicht. Ich wusste, ich wusste es, dass du nicht tot warst. Ich sehe dich. Es ist kein Traum. Du bist zurückgekommen. Du hast uns wieder-gefunden. Es ist Zeit wegzulaufen. Ich werde nicht zulassen, dass du meinem Kleinen wehtust. Zeit wegzulaufen.«

Sie kämpfte, und ihre Gesichtsfarbe wechselte von grau zu ge-fährlich rot. Trevor ließ sich von ihr wegschieben und sah unge-rührt zu, wie sie auf die Füße kam. Die Rosen ergossen sich aus der Schachtel, lagen verstreut auf dem Weg. Mit wild verdrehten Augen versuchte sie loszulaufen. Sie stolperte und stürzte wie eine schlaffe Puppe auf die farbenprächtigen Blumen und blieb in der strahlenden Sonne reglos liegen.

30

Eve sah sich in Dix' Bürohaus derselben Empfangsdame gegen-über, aber diesmal ging die Prozedur sehr viel schneller vonstat-ten. Ein Blick auf Eve, als diese die Lobby durchschritt, und so-fort war sie in ihrem Stuhl das Entgegenkommen selbst.

»Detective Dallas.«

»Lieutenant.« Eve hielt ihre Dienstmarke hin, um dem Ge-dächtnis der Frau auf die Sprünge zu helfen. »Geben Sie mich für Chad Dix' Etage frei.«

»Ja, natürlich. Selbstverständlich.« Während sie die Sicher-heitskontrolle durchführte, schweiften ihre Blicke hin und her, von Eves Gesicht zu dem Peabodys. »Das Büro von Mr. Dix ist auf der …«

»Ich weiß, wo es ist«, unterbrach Eve sie und schritt auf den Aufzug zu.

»Fühlt man sich gut, wenn man den Menschen Angst einjagt«, überlegte Peabody. »Oder fühlt man sich gerecht?«

»Man fühlt sich gut *und* gerecht. Eines Tages werden Sie auch dorthin kommen, Peabody.« Eve gab Peabody einen Klaps auf die Schulter. »Sie kommen dorthin.«

»Das ist mein Lebensziel, *Sir*.« Sie traten ein. »Sie gehen doch nicht davon aus, dass Dix dazugehört.«

»Ein Typ versteckt eine Hand voll Diamanten in einem Spielzeuglaster, wo sie wahrscheinlich ein halbes Jahrhundert geblieben sind? Mich überrascht nichts mehr. Aber nein, Dix fehlt es an Vorstellungsgabe. Sollte er das Ding haben oder wissen, wo es ist, dann war das einfach Dusel. Einer dieser Zufälle wie sie in der kleinen alten Welt vorkommen, wie Roarke oft sagt. Hätte Dix über die Diamanten Bescheid gewusst und mehr Informationen haben wollen, hätte er sich an Samantha Gannon gehalten, den Romeo gespielt und mehr Daten aus ihr herausgepresst, anstatt Däumchen zu drehen, während sie die Beziehung abbrach. Tina Cobb hätte er auch nicht gebraucht, denn schließlich hatte er Zugang zum Gannon-Haus und hätte ein Dutzend Durchsuchungen vornehmen können, als sie noch liiert waren.«

»Von Judith und Westley Crew hätte sie ihm aber nichts erzählt, auch nicht, wenn sie zusammengeblieben wären.«

»Nein. Samantha ist eine Aufrichtige. Wenn sie was verspricht, hält sie es auch. Dix hingegen ist ein Jammerlappen. Da er durch das Buch nicht mehr im Mittelpunkt von Samanthas Interesse stand, hat er sich darüber geärgert. Sie bekommt deswegen Medienauftritte und Cocktailempfänge, und er ist auf sie sauer. Die Diamanten, sofern sie ihn überhaupt interessieren, sind für ihn nichts weiter als eine aufgeplusterte Fantasie – und diese bereitete ihm Unannehmlichkeiten. Aber er ist das direkte Bindeglied zwischen Trevor Whittier und den Gannons. Er ist die Schicksalswende, die alles zugespitzt hat.«

Sie stiegen aus dem Aufzug und auf die flotte Assistentin zu, die sie erwartete. »Lieutenant, Detective. Tut mir Leid, Mr. Dix ist um diese Zeit nicht in seinem Büro. Er hat außer Haus eine Verabredung und wird erst wieder in einer Stunde zurückerwartet.«

»Setzen Sie sich mit ihm in Verbindung, sagen Sie ihm, dass er kommen soll.«

»Aber –«

»Inzwischen benötigen wir sein Büro.«

»Aber –«

»Möchten Sie, dass ich mit einem Durchsuchungsbefehl komme? Einen, auf dem Ihr Name neben seinem steht, sodass Sie beide an diesem schönen sonnigen Tag ein paar Stunden in Downtown zubringen müssen?«

»Nein. Nein, natürlich nicht. Wenn Sie mir vielleicht nur in etwa sagen könnten, worum es sich handelt…«

»Worum hat es sich das letzte Mal gehandelt?«

Die Frau räusperte sich und blickte Peabody an. »Sie sagte, es gehe um Mord.«

»Und jetzt geht es um dasselbe.« Ohne auf Zustimmung zu warten, steuerte Eve schon auf Dix' Büro zu. Die Assistentin stolperte hinterher.

»Ich werde Ihnen Zutritt gewähren, aber ich bestehe darauf, dass ich die ganze Zeit über anwesend bin. Ich darf Sie nicht uneingeschränkt schalten und walten lassen. Mr. Dix hat mit jeder Menge vertraulichem Material zu tun.«

»Ich bin nur hier, um mit den Spielsachen zu spielen. Holen Sie ihn her.«

Die Frau sperrte die Türen auf und marschierte dann direkt auf Dix' Schreibtisch zu, um über sein Tele-Link Kontakt zu ihm aufzunehmen. »Er antwortet nicht. Er hat das Gespräch auf seine Mailbox umgeleitet. Mr. Dix, hier ist Juna. Lieutenant Dallas ist im Büro. Sie besteht darauf, sofort mit Ihnen zu sprechen. Seien Sie doch so nett und beantworten Sie meinen Anruf umgehend, damit ich weiß, wie Sie zu verfahren wünschen. Ich rufe Sie von Ihrem Tele-Link aus an. Nicht anfassen!«

Ihre Stimme wurde spitz, als Eve sich einen der mechanischen Lastwagen herunterholte. Selbst der kühle Blick, den Eve über ihre Schulter warf, drang nicht zu ihr durch.

»Es ist mein Ernst, Lieutenant. Die Sammlung von Mr. Dix ist sehr wertvoll. Und er ist sehr eigen damit. Sie können mich zwar aufs Revier bringen oder die Station oder wie Sie es nennen, aber er kann mich feuern. Ich brauche diesen Job.«

Um die Frau zu beschwichtigen, hakte Eve ihre Daumen in ihren Gesäßtaschen ein. »Ist irgendwas davon ein Bulldozer, Peabody?«

»Dieser kleine hier.« Peabody deutete mit gerecktem Kinn darauf. »Aber er ist zu klein, und er ist rot. Passt nicht auf Whittiers Beschreibung.«

»Was ist damit?« Eve streckte die Hand aus, hielt jedoch wenige Zentimeter davor inne, da sich der angehaltene Atem der Assistentin in einem dünnen Schrei entlud.

»Das ist ein – wie nennt man das noch mal? – Puma? Berglöwe? Bobcat*!«, rief sie aus. »Es wird Bobcat genannt, und fragen Sie mich nicht warum. Und das ist so ein Pumpendingsda – Spritzenwagen – und ein längst überholtes Weltraumshuttle und eine Air-Tram. Sehen Sie nur, er hat sie nach Kategorien unterteilt. Landwirtschaftliche Maschinen, Luftfahrzeuge, Bodenfahrzeuge, Baufahrzeuge, Universalfahrzeuge. Sehen Sie nur diese kleinen Pedale und Kontrolllämpchen. Ah, schauen Sie nur, der kleine Heuwender. Meine Schwester hat so einen auf ihrem Hof. Und da die kleinen Bauersleute, die ihn fahren.«

Na gut, dann war es vielleicht doch nicht nur was für Jungs. »Wirklich süß. Am besten, wir setzen uns hier gleich auf den Fußboden und spielen mit all den hübschen Spielsachen, anstatt unsere Zeit darauf zu verwenden, den niederträchtigen, mordenden Mistkerl zu fangen.«

»Ich guck doch nur«, sagte Peabody fast tonlos. »Um sicherzustellen, dass das fragliche Objekt sich nicht hier an diesem Ort befindet.«

Eve wandte sich an die Assistentin. »Ist das alles?«

»Ich weiß nicht, was Sie meinen.«

»Ist das die ganze Sammlung von Mr. Dix?«

»O nein. Mr. Dix besitzt eine der umfangreichsten Sammlun-

* Bobcat : – Luchs – in diesem Fall eine Herstellerfirma von Kompaktladern

gen im ganzen Land. Er sammelt seit seiner Kindheit. Das ist nur eine Auswahl, die wertvollsten Stücke hat er bei sich zu Hause. Einige der selteneren Exemplare hat er sogar an Museen verliehen. Mehrere seiner Stücke waren vor zwei Jahren im Metropolitan Museum gezeigt worden.«

»Wo ist er?«

»Wie ich sagte, er ist in einer Sitzung außer Haus. Er sollte um –«

»Wo?«

Jetzt seufzte die Assistentin. »Er isst mit Kunden zu Mittag, in The Red Room, an der Thirty-Third.«

»Wenn er sich meldet, sagen Sie ihm, er soll bleiben, wo er ist.«

Dix hatte seine Besprechung bereits hinter sich und genoss den Martini nach dem Essen. Es hatte ihn gefreut, während der sich hinziehenden Besprechung Trevors Namen auf seinem Tele-Link aufleuchten zu sehen. Und er genoss es, das langweilige Geschäftsessen mit einer unterhaltsamen Privatzusammenkunft ausklingen zu lassen.

So sehr, dass er den Anruf aus seinem Büro ignoriert hatte. Schließlich hatte er nach diesem Vormittag eine Pause verdient.

»Das hättest du nicht besser timen können«, sagte er zu Trevor. »Ich hatte ein paar spießige, ewig Gestrige am Hals, mit mehr Geld als Vorstellungsgabe. Neunzig Minuten habe ich mir ihr Gejammer über Steuern und Maklergebühren und den Zustand des Marktes angehört.« Er nahm sich eine dicke, mit Gin durchtränkte Olive.

Eigentlich verbot ihm seine Entziehungskur den Genuss von Alkohol. Aber zum Teufel noch mal, einen Martini konnte man nun wirklich nicht als Droge bezeichnen.

»Ich habe eine Unterbrechung bitter nötig.«

Sie saßen in der dunkel mit Holz vertäfelten und mit roten Polstern ausgestatteten Bar des Restaurants. »Ich hatte gar keine Gelegenheit, auf der Dinnerparty vergangenen Abend mit dir zu reden. Du bist früh aufgebrochen.«

»Familienangelegenheiten.« Trevor zog die Schultern hoch und nippte an seinem Martini. »Pflichtbesuch beim Alten.«

»Ach. Ich weiß, wie das funktioniert. Hast du von dieser Schweinerei bei Samantha gehört? Ich konnte gestern Abend über gar nichts anderes reden. Alle habe mich gelöchert und wollten Einzelheiten erfahren.«

Trevor dressierte sein Gesicht auf ahnungsloses Erstaunen. »Samantha?«

»Meine Ex. Samantha Gannon.«

»Oh. Ach ja. Die große Rothaarige. Ihr habt euch getrennt?«

»Alte Geschichte. Aber die Bullen sind zu mir ins Büro gekommen, ein weiblicher Sturmtrupp. Samantha ist nicht in der Stadt, ist auf Lesereise. Das weißt du doch, oder? Das Buch, das sie über den alten Diamantenraub und ihre Familie geschrieben hat.«

»Ja, jetzt erinnere ich mich wieder. Wirklich faszinierend.«

»Es kommt noch mehr. Während sie weg ist, bricht jemand in ihr Haus ein und bringt ihre Freundin um. Andrea Jacobs. Scharfes Weib.«

»Mein Gott, in was für einer Welt leben wir denn.«

»Du sagst es. Ist wirklich eine Schande, das mit Andrea – die hätte dir gefallen. Die Bullen sind alle hinter mir her.« Trevor musste in sein Glas hineinlächeln, als er den leichten Stolz in Chads Stimme hörte.

»Hinter dir? Erzähl mir bloß nicht, die Schwachköpfe dachten, du hättest was damit zu tun.«

»Offensichtlich schon. Sie nennen es Routine, aber ich war kurz davor, einen Anwalt anzurufen.« Er hob seine Hand und legte Daumen und Zeigefinger aufeinander. »Später erfahre ich, dass auch Samanthas Reinigungskraft umgebracht wurde. Bestimmt muss ich für die ebenfalls ein Alibi vorweisen. Diese idiotischen Bullen. Mein Gott, ich kannte Sams Putzmädchen doch gar nicht. Sehe ich außerdem wie ein Psychopath aus? Du musst doch davon gehört haben. Es ist überall in den Nachrichten.«

»Ich versuche, mir so was gar nicht anzuschauen. Ist doch nur deprimierend und interessiert mich im Grunde nicht. Möchtest du noch einen?«

Dix sah sein leeres Glas an. Er sollte nicht, wirklich nicht. Aber … »Warum eigentlich nicht? Du hinkst hinterher.«

Trevor bestellte per Handzeichen einen weiteren Drink für Dix und lächelte, als er seinen kaum angerührten Martini hob. »Ich hole schon noch auf. Was hat denn Samantha zu alldem zu sagen?«

»Ich habe nicht mit ihr sprechen können. Kannst du das fassen? Sie ist für keinen zu sprechen. Keiner weiß, wo sie überhaupt ist.«

»Jemand muss es wissen.« Möglicherweise würde er daran anknüpfen müssen und wollte deshalb vorbereitet sein.

»Keine Menschenseele. Die reichen Klugscheißer behaupten, die Bullen hätten sie irgendwo versteckt.« Verdrießlich schob er sein leeres Glas beiseite. »Macht wahrscheinlich ein neues Buch daraus.«

»Na ja, sie taucht bestimmt bald wieder auf. Inzwischen wollte ich mit dir über ein Stück reden, das ich dir vor ein paar Monaten verkauft habe. Den maßstabsgetreuen Bulldozer, Baujahr etwa 2000.«

»Wunderbares Stück, hervorragender Zustand. Weiß gar nicht, wie du den weggeben konntest.« Er grinste, während er mit ein paar Knabbernüssen die Zeit bis zu seinem zweiten Drink zählte. »Trotz des wahnwitziges Preises, den du mir dafür abgeknöpft hast.«

»Das ist genau der Punkt. Als ich ihn dir verkauft habe, hatte ich keine Ahnung, dass mein Vater ihn von seinem Vater geschenkt bekommen hat. Als ich ihn vergangenen Abend traf, kam der Alte darauf zu sprechen. Sentimentales Blablabla. Er möchte ihn sich bei mir anschauen, mit einigen der anderen Sachen. Ich brachte es nicht übers Herz, ihm zu sagen, dass ich ihn verkauft habe.«

»Nun...«, Dix hob sein frisches Glas, »das hast du aber.«

»Ich weiß, ich weiß. Ich kaufe ihn zum vollen Preis zurück und leg noch was drauf. Das ist es mir wert, denn ich möchte wirklich keinen hässlichen Familienkrach heraufbeschwören.«

»Ich würde dir ja gern helfen, Trevor, aber ich möchte ihn wirklich nicht verkaufen.«

»Pass auf, ich verdopple die Summe, die du mir gezahlt hast.«

»Verdoppeln.« Dix' Augen strahlten über den Rand seines Glases. »Dir scheint echt daran gelegen zu sein, den Familienkrach zu vermeiden.«

»Es zahlt sich aus, den Alten glücklich zu machen. Du kennst seine Sammlung.«

»Und beneide ihn darum«, gab Dix zu.

»Wahrscheinlich kann ich ihm ein paar Stücke abschwatzen.« Nachdenklich biss Dix eine Olive von seinem Cocktailspieß. »Ich suche einen Schachtbohrer. Circa 1985. In dem Artikel im Modellbaumagazin hieß es, er habe einen aus erster Hand.«

»Den besorge ich dir.«

Dix machte ein Geräusch zwischen Interesse und Ablehnung. Trevor ballte die Hand zur Faust und stellte sich vor, wie er sie über den Tisch hinweg in dieses süffisante Gesicht rammen würde, bis Blut floss.

Er hatte genug Zeit vergeudet.

»Okay. Dann tu mir einen Gefallen. Leih ihn mir für eine Woche. Ich zahle dir tausend dafür, dass ich ihn haben darf, und ich besorge dir den Schachtbohrer zu einem guten Preis.« Als Dix daraufhin nichts sagte, nur weiterhin seinen Gin trank, spürte Trevor, wie seine Selbstkontrolle brüchig wurde. »Verflucht noch mal, du steckst für nichts und wieder nichts einen Riesen ein.«

»Jetzt reg dich doch nicht auf. Ich habe nicht nein gesagt. Ich versuche nur herauszufinden, welche Position zu vertrittst. Du magst deinen Vater ja nicht einmal.«

»Ich kann diesen blöden Mistkerl nicht ausstehen, aber es geht ihm nicht gut. Womöglich hat er nur noch ein paar Monate zu leben.«

»Scheiße, ist nicht wahr, oder?«

Während er mit dieser Idee spielte, veränderte Trevor seine Sitzposition und beugte sich über den Tisch.

»Wenn er herausfindet, dass ich das Stück verkauft habe, trifft ihn der Schlag. Wie die Dinge jetzt liegen, erbe ich die Sammlung. Kommt er mir auf die Schliche, wird er sie wahrscheinlich einem Museum vermachen. Und wenn das passiert, werde ich dir keins seiner Stücke aus erster Hand mehr verkaufen können, oder? Ich verliere, aber du verlierst auch dabei, mein Freund.«

»Nun, so betrachtet … Also gut, für eine Woche, Trev, aber wir halten das fest. Geschäft ist Geschäft, vor allem zwischen Freunden.«

»Kein Problem. Trink jetzt aus, dann holen wir ihn.«

Dix warf einen Blick auf seine Armbanduhr. »Ich bin wirklich spät dran und sollte zurück ins Büro.«

»Dann kommst du eben noch später – und bist um einen Tausender reicher.«

Dix hob sein Glas zu einem Toast. »Das ist ein Argument.«

Bei ihrer Jagd nach einem Parkplatz auf der Thirty-Third leuchtete Eves Handy auf. »Dallas.«

»Baxter, wir haben hier ein Problem.«

»Benutzt denn überhaupt keiner öffentliche Verkehrsmittel oder bleibt verdammt noch mal zu Hause!« Wütend über den Verkehr und den voll geparkten Gehweg, riss sie das Steuer herum, schaltete das Einsatzblaulicht ein und ließ die anderen Autofahrer hupen. Sie blieb in zweiter Reihe stehen und gab Peabody mit einer Bewegung des Daumens zu verstehen, dass sie aussteigen sollte. »Was für ein Problem?«

»Gerade kam ein Anruf aus dem Pflegeheim, in dem Whittiers Mutter lebt. Sie ist gefallen oder ohnmächtig geworden. Hat einen Köpper ins Blumenbeet gemacht.«

»Geht es ihr schlecht?«, erkundigte sich Eve und kletterte auf den Beifahrersitz, um nicht Leib und Leben zu riskieren, wenn sie auf der Straßenseite ausstieg.

»Hat sich den Kopf angeschlagen und vielleicht auch ihren Ellbogen gebrochen. So habe ich es jedenfalls verstanden. Man hat sie stabilisiert und ihr ein Beruhigungsmittel gegeben, aber Whittier und seine Frau möchten beide selbst nach ihr sehen.«

»Lassen Sie sie fahren, schicken Sie zur Begleitung ein paar Uniformierte mit.«

»Es kommt noch mehr. Das ist der Hammer. Sie ist draußen nicht allein spazieren gegangen. Ihr Enkel hat ihr einen Besuch abgestattet.«

»So ein Mistkerl. Ist er jetzt bei ihr?«

»Der Windhund ist abgehauen, hat sie einfach liegen lassen. Hat keinen informiert. Er hat sich angemeldet, Dallas. Hat sich angemeldet und ihr Blumen gebracht, sich mit ein paar Pflegerinnen unterhalten. Er wusste, dass er dort erfasst worden war, und ist trotzdem verschwunden. Die Streifenpolizisten, die Sie hingeschickt haben, verpassten ihn um eine gute halbe Stunde.«

»Ich möchte, dass dort alles abgesperrt und durchsucht wird.«

»Wird bereits gemacht.«

»Er hat die Deckung aufgegeben.« Sie rauschte ins Restaurant. »Er weiß jetzt, wonach er sucht und wo er es findet. Es ist ihm egal, ob er Spuren hinterlässt. Sie sollten sich der Whittiers annehmen und dort alles klären. Ich bin hier hinter einer Sache her. Ich melde mich wieder.«

»Er hat sie einfach dort liegen lassen«, murmelte Peabody.

»Sie hat Glück gehabt, dass er sich weder die Zeit genommen noch die Mühe gemacht hat, mit ihr Schluss zu machen. Er hat jetzt nur noch sein Ziel vor Augen. Er wird jetzt ganz schnell voranschreiten. Chad Dix«, sprach sie die Empfangschefin des Restaurants an. »Wo ist sein Tisch?«

»Wie bitte?«

»Keine Umstände, ich bin in Eile.« Eve knallte ihre Dienstmarke auf das Podest. »Chad Dix.«

»Geht es vielleicht noch indiskreter?«, empörte sich die Empfangschefin und schob Eve die Dienstmarke zu.

»O ja. Möchten Sie es sehen?«

Die Empfangsdame drückte einen Bereich auf ihrem Reservierungsbildschirm. »Er saß an Tisch vierzehn. Aber der wurde schon neu eingedeckt.«

»Dann lassen Sie mich mit seiner Bedienung reden. Verdammt.« Sie trat zur Seite, riss ihr Tele-Link heraus und rief Dix' Büro an. »Ist er zurückgekommen?«

»Nein, Lieutenant, er verspätet sich etwas. Er hat noch nicht auf meinen Anruf reagiert.«

»Wenn er anruft, möchte ich sofort davon erfahren.« Eve unterbrach die Verbindung und wandte sich an den jungen Kellner mit den brutal scharf umrissenen Zügen. »Haben Sie gesehen, wie Dix, von Tisch vierzehn, aufgebrochen ist?«

»Es war ein Tisch für drei Personen, zwei davon sind vor einer halben Stunde gegangen. Ein Mann – derjenige, der bezahlt hat –

hat einen Anruf bekommen, als die Mahlzeit dem Ende zuging. Hat sich entschuldigt und die Toilette aufgesucht. Ich hörte ihn sagen, dass er sich in zehn Minuten mit jemandem an der Bar treffen werde. Schien sehr erfreut darüber zu sein.«

»An der Bar hier im Haus?«

»Ja. Ich sah ihn hinübergehen, sich an einen Tisch setzen.«

»Danke.«

Eve bahnte sich zwischen den Tischen hindurch ihren Weg zum Barbereich und ließ ihren Blick schweifen. Sie packte eine Kellnerin am Ellbogen. »Hier war ein Mann. Um die dreißig, etwa einsneunzig groß, dunkles Haar, leicht dunkler Teint, wie eine Reklameschönheit.«

»Ja, der war da. Gin Martini, extra dry, drei Oliven. Er ist gerade gegangen.«

»War er in Begleitung?«

»Langer, schmaler Traumtyp. Dunkelblondes Haar, ausgezeichneter Anzug, eisige Augen. Hat nur einen halben Martini getrunken, während der andere zwei hatte. Sind gemeinsam vor etwa fünf, zehn Minuten aufgebrochen.«

Eve machte auf dem Absatz kehrt und hastete zur Tür. »Besorgen Sie Dix' Privatadresse.«

»Schon dabei«, sagte Peabody. »Möchten Sie Baxter und Trueheart abziehen?«

»Nein, es würde zu lange dauern, sie zurückzuholen und auch noch die Whittiers abzuladen.« Eve tauchte in ihren Wagen ein und schwang ihre langen Beine nach. »Das könnte in null Komma nichts zu einer Geiselnahme werden.«

»Wir können nicht davon ausgehen, dass sie zu Dix nach Hause fahren.«

»Ist aber das Naheliegendste. Setzen Sie sich mit Feeney und McNab in Verbindung. Mehr Unterstützung fordern wir an, wenn's kritisch wird.« Da sie ringsum von Fahrzeugen eingeschlossen war, riss sie den Wagen in eine Vertikale, schaltete die Sirene ein und schälte sich mit einem Luftsprung im Hundertachtziggradwinkel heraus. »Upper Eastside, oder?«

»Ja, ich hab's. Dieses dämliche Navigationssystem.« Peabody fluchte, hämmerte mit der Faust auf das Armaturenbrett ein und brachte so die Karte zitternd auf der Windschutzscheibe in Position.

»Sie machen Fortschritte, Detective.«

»Ich habe auch den besten Unterricht bekommen. Die Sixth wäre erste Wahl. Mein Gott, passen Sie doch auf das Schwebefahrzeug auf.«

Sie entging ihm um gute fünf Zentimeter und benutzte die Eilverbindung, um mit Roarke Kontakt aufzunehmen. »Der Verdächtige fährt vermutlich zusammen mit Dix zu Chad Dix' Privatwohnung«, sagte sie ohne Einleitung. »Wir glauben, dass er weiß, wo die Diamanten versteckt sind. Baxter und Truehart sind zusammen mit den Whittiers auf halbem Weg nach Long Island. Feeney und McNab werden informiert. Je nachdem, wie sich das hier entwickelt, könnte ich vielleicht einen Sicherheitsexperten brauchen, auch einen Außenstehenden. Du bist näher dran als Feeney.«

»Welche Adresse?«

Peabody rief die Adresse und griff nach der Haltestange über der Beifahrertür. »Geschätzte Ankunft etwa fünf Minuten, es sei denn, wir enden vorher als Schmierfleck auf dem Asphalt.«

»Ich werde da sein.«

Eve boxte sich die Sixth entlang, fädelte sich zwischen den Fahrzeugen hindurch, deren Fahrer zu starrköpfig oder zu blöd waren, der Sirene Platz zu machen. Sie musste in die Bremsen steigen, um nicht einen Haufen Fußgänger niederzumähen, die bei einer Fußgängerampel über die Kreuzung drängten.

Sie strömten vorbei, ohne sich um das Geheul der Sirene und den Schwall an Flüchen zu kümmern, die Eve durch das offene Fenster schrie. Bis auf einen ergrauten alten Mann, der sich die Zeit nahm, ihr den Finger zu zeigen.

»Gott liebt die New Yorker«, bemerkte Peabody, als ihr Herz wieder zu seinem Rhythmus gefunden hatte. »Doch sie lässt das kalt.«

»Wenn ich Zeit hätte, würde ich die Verkehrspolizei holen, damit sie auch noch den Letzten dieser Trottel aus dem Verkehr zieht. Verdammt noch mal!« Sie riss ihr Fahrzeug wieder in die Vertikale, aber diesmal bebte der Wagen nur, hob einen Zentimeter vom Boden ab und sackte dann mit einem Plumps zurück.

»In einer Minute sind wir da.«

»Er wird ihn hineinlocken. Er wird dafür sorgen, dass er mit ihm in seine Wohnung geht. Wenn er da erst einmal ist...«

Uptown bezahlte Trevor das Taxi bar. Auf der Fahrt, den ein wenig betrunken vor sich hinschwafelndem Dix neben sich, hatte er überlegt, dass er es womöglich nicht schaffte, sofort die Stadt oder das Land zu verlassen, und dass er schon zu viele Spuren hinterlassen hatte.

Aber da die Bullen den guten alten Chad ja schon interviewt und freigesprochen hatten, war es unwahrscheinlich, dass sie ihn sich in der nächsten Zeit noch einmal vorknöpften. Trotzdem wäre es nicht gut, mittels Taxi eine Kreditkartenspur bis vor Dix' Eingangstür zu ziehen.

Das hier war klüger. Fünfzehn, zwanzig Minuten, und er würde hier mit Millionen herauskommen. Er würde am Portier vorbeimarschieren, den Häuserblock hinunter, sich ein Taxi nehmen und seinen Wagen vom Parkplatz in der Thirty-Fifth abholen.

Er brauchte Zeit, um zu seiner Wohnung zurückzukehren, dort seinen Pass und ein paar wichtige Dinge abzuholen. Und er wollte ein paar Minuten, nur ein paar, für sich haben, um die Diamanten in der privaten Atmosphäre seines Zuhauses zu bewundern. Danach würde er verschwinden. So einfach war das.

Er hatte bereits vorgeplant. Er würde verschwinden, und zwar nicht wie Samantha Gannon in den vergangenen paar Tagen, sondern mit weitaus mehr Stil.

Im Privatflugzeug nach Europa, wo er sich mit einer gefälschten Identität in Paris einen Wagen mieten würde, um mit diesem nach Belgien und zu einem Schmuckhändler zu fahren, den er durch Untergrundverbindungen ausfindig gemacht hatte. Er hatte mehr als genug Geld für diese Reise, und wenn er erst einmal ein paar der Diamanten verkauft hatte, dürfte dies für den Rest mehr als genug sein.

Eine weitere Transaktion in Amsterdam, eine Fahrt nach Moskau zu einer dritten.

Im Zickzackkurs von einem Punkt zum nächsten, unter ewig wechselnden Namen, würde er hier und da die Steine verkaufen –

niemals zu viele auf einmal – bis sie, ungefär in sechs Monaten, versilbert wären und er das Leben führen konnte, das er sich schon längst verdient hatte.

Dazu wäre eine Gesichtsoperation vonnöten, eigentlich eine Schande, denn er mochte sein Gesicht ganz gern. Aber es mussten Opfer gebracht werden.

Er hatte ein Auge auf eine Insel in der Südsee geworfen, auf der er leben könnte wie ein König. Sogar wie ein Gott, verflucht noch mal. Außerdem gab es da dieses aufregende, palastartige Penthouse in dem luxuriösen Weltraumdomizil Olympus, das ihm als Zweitwohnung sehr gut gefallen würde.

Nie, niemals wieder würde er sich den Regeln anpassen müssen. Nie mehr vor seinen heulenden Eltern den Kotau machen, Interesse an den widerwärtigen Verwandten seiner Mutter heucheln oder all diese öden Wochenstunden in einem Büro zubringen.

Er wäre frei, so frei, wie es ihm zustand. Nach langer, langer Zeit würde er sein rechtmäßiges Erbe antreten.

»Wieder dieses blöde Büro.«

Trevor kehrte aus seinen Träumereien zurück und sah Dix, der stirnrunzelnd auf sein Taschen-Tele-Link starrte.

»Die sollen dich doch mal.« Grinsend, die Augen von arktischem Eis, legte Trevor abwehrend seine Hand auf die von Dix. »Lass sie warten.«

»Ja, die sollen mich mal.« Dix kicherte, weil der Gin sich langsam in seinen Blutbahnen ausbreitete, und schob seinen Tele-Link zurück in seine Tasche. »Ich bin so wahnsinnig unabkömmlich, dass ich meine Spesen erhöhen muss.«

An Trevors Seite betrat er das Gebäude. »Ich denke, ich werde mir den Rest des Tages freinehmen. Soll doch ein anderer eine Weile das Ding am Laufen halten. Weißt du, ich hatte schon seit drei Monaten keinen Urlaub mehr. Man kommt einfach nicht raus aus dieser beschissenen Tretmühle.«

Mit seinem Passcode erhielten sie Zugang zum Aufzug. »Du weißt ja, wie das ist.«

»Stimmt.« Als Trevor mit ihm in den Aufzug stieg, wurde ihm ganz leicht ums Herz.

»Heute Abend ist Dinnerparty. Bei Jan und Lucia. Kommst du?«

Jetzt kam ihm alles so belanglos, so nichts sagend, so *klein* vor. »Das langweilt.«

»Da sagst du was. Ständig das Gleiche, Tag für Tag. Dieselben Leute, dieselben Gespräche. Aber irgendwas muss man ja tun. Könnte eine kleine Aufregung vertragen, was anderes. Was Unerwartetes.«

Trevor lächelte, als sie den Aufzug verließen. »Pass auf, was du dir da wünscht«, sagte er und lachte aus vollem Hals.

Eve kam mit quietschenden Bremsen vor Dix' Gebäude zum Stehen. Noch ehe der Portier Einwände formulieren konnte, war sie schon ausgestiegen und hielt ihm ihre Dienstmarke hin.

»Chad Dix.«

»Ist gerade reingekommen. Vor etwa zehn Minuten, mit einer Begleitung. Leider dürfen Sie hier nicht parken –«

»Ich brauche einen Grundriss von diesem Gebäude und von seinem Apartment.«

»Ich kann Ihnen nicht –«

Sie schnitt ihm mit hochgehaltener Hand das Wort ab, weil sie Roarke kommen sah. »Ich brauche die Grundrisse, und Sie müssen mit Ihrem Überwachungssystem die Fahrstühle abschließen und die Treppenaufgänge blockieren. Roarke.« Sie riss den Kopf herum, weil sie wusste, dass er das Gewünschte eher bekäme. »Regel du das. Peabody, jetzt holen wir uns Verstärkung.«

Sie holte ihr Handy heraus, um den Commander über die Situation zu informieren.

Als sie fertig war, begann sie im Überwachungsbüro im Beisein von Feeney und McNab mit der Lagebesprechung. Das Diagramm des Gebäudes war auf dem Bildschirm.

»Wir schicken einen Uniformierten hoch zu den anderen Wohnungen auf dieser Etage. Wir stellen fest, welche Bewohner sonst noch hier sind, und bringen sie schnell und leise nach draußen. Dann blockieren wir dieses Stockwerk wieder. Kümmern Sie sich darum«, sagte sie zu Peabody.

»Ja, *Sir*.«

»Notausgang in Dix' Apartment, hier.« Sie tippte mit dem Finger auf den Bildschirm. »Kann der von hier aus blockiert werden?«

»Gewiss.« Feeney zeigte mit dem Finger auf McNab, damit dieser sich kundig machte.

»Der kommt nirgendwo hin«, murmelte Eve. »Der wird eingeschlossen und eingekreist. Aber Dix hilft das nichts. Wenn wir abwarten und wenn Whittier von unserer Anwesenheit nichts merkt, kommt er eventuell einfach herausspaziert. Aber die Wahrscheinlichkeit, dass er Dix umbringt, sich dann seinen Preis nimmt und zu verschwinden versucht, ist groß. Das entspricht seinem Stil, seinem Muster. Gehen wir rein, haben wir einen Außenstehenden im Fadenkreuz. Wir lassen Whittier wissen, dass wir da sind und er umzingelt ist, aber er hat eine Geisel.«

»Eine Geisel muss aber am Leben sein.«

Sie sah Feeney an. »Ja, aber das muss nicht so bleiben. Riesending«, murmelte sie, als sie den Grundriss seines Apartments studierte. »Ist ein ziemlicher Palast, den Chad da hat. Unmöglich vorherzusagen, wo sie sich aufhalten.«

»Sie sind hier ganz kumpelhaft reingekommen«, erinnerte Feeney sie. »Vielleicht nimmt er das Spielzeug nur und lässt Dix am Leben.«

Sie schüttelte den Kopf. »Der Selbstschutz kommt zuerst. Dix stellt ein viel zu großes Risiko dar, also muss er ihn eliminieren. Und es ist einfacher, das jetzt zu tun. Er hat schon zweimal getötet und ist ungeschoren davongekommen.«

Um das Ganze besser in sich aufnehmen zu können, trat sie vom Bildschirm zurück. »Wir machen das dicht, wir machen das wasserdicht. Isolieren ihn. Wir fangen mit dem Lockvogel an. Lieferung. Mal sehen, ob wir Dix dazu bringen, uns die Tür zu öffnen. Wenn er sie öffnet, holen wir ihn raus und gehen rein. Wenn nicht, können wir davon ausgehen, dass er tot oder nicht in der Lage dazu ist, und dann dringen wir ein.«

Sie schob ihre Haare zurück. »Wir arbeiten daran, Augen und Ohren da reinzukriegen, aber jetzt versuchen wir es mit dem Lockvogel. Wenn sich eine Geiselnahme ergibt, übernehmen Sie dann die Verhandlungen?«, fragte sie Feeney.

»Ich bereite schon mal alles vor.«

»Okay. Bringt mir ein Paket. McNab, Sie spielen den Boten. Ich möchte drei vom taktischen Team da oben haben, und zwar hier, hier und hier positioniert.« Sie tippte erneut auf den Bildschirm. »Feeney, die Überwachungsanlage und die Sprechanlagen bedienst du. Kommen Sie McNab, gehen wir.«

Sie sah Roarke an. »Kannst du die Verriegelung an der Tür ausschalten, ohne dass diejenigen, die drinnen sind, es merken?«

»Sollte kein Problem sein.«

»Okay.« Sie rollte ihre Schultern. »Dann los.«

31

Als sie in der Wohnung waren, schlug Dix noch einen Drink vor. »Wenn ich den Tag schon abblase, dann muss es sich auch lohnen.«

Berechnend sah Trevor zu, wie er den Martini-Shaker herausholte. Der Portier hatte sie hereinkommen sehen. Die Überwachungsdisketten hatten festgehalten, wie er ins Haus kam. Wenn er noch ein wenig Zeit benötigte, wäre es klug, alles nach Unfall aussehen zu lassen. Alkohol im Blut, ein Ausrutschen im Badezimmer? Er könnte und würde weg sein, ehe sie die Leiche fanden. Ein kleiner Zeitpuffer für ihn, während man den, oberflächlich betrachtet, Sturz eines Betrunkenen untersuchte.

Mein Gott, war er schlau. Ob da sein Großvater nicht stolz wäre?

»Zu einem Drink sage ich nicht nein. Aber ich möchte das Stück wirklich gern sehen.«

»Aber ja doch.« Dix winkte ab, während er die Drinks mixte.

Er könnte auch von Dix' Telelink eine Textnachricht in sein Büro schicken, überlegte Trevor. Und den Sendezeitpunkt so programmieren, dass sie zehn Minuten, nachdem er das Gebäude verlassen hatte, abgeschickt wurde. Die Überwachungsanlage und der Portier würden beide, wenn nötig, sein Weggehen bestätigen, und man würde davon ausgehen – sofern sie tiefer gruben –, dass Dix, gesund und wohlauf, die Nachricht selbst abgeschickt hatte, nachdem er allein in seinem Apartment war.

Der Teufel saß im Detail.

Er könnte ihn bewusstlos schlagen, egal wo, dann ins Bad schleifen, ihn im entsprechenden Winkel ausrichten und dann fallen lassen, so dass er zum Beispiel mit dem Kopf auf der Badewannenkante aufschlug.

Badezimmer waren schließlich als Todesfallen bekannt.

»Was lachst du?«, wollte Dix wissen, als Trevor loslachte.

»Nichts, nichts. Kleiner Privatscherz.« Er nahm das Glas. Seine Fingerabdrücke störten nicht. Umso besser sogar, wenn sie auf dem Glas waren. Ein netter, geselliger Umtrunk mit einem Freund – kein Versuch, irgendwas zu verheimlichen.

»Also, was ist los mit deinem Vater?«

»Er ist ein zwanghaftes, unbeugsames Arschloch, dem man nichts recht machen kann.«

»Ist das nicht ein wenig hart, angesichts seines baldigen Todes?«

»Was?« Trevor verfluchte sich, als er sich erinnerte. »Tot zu sein ändert nichts daran, wie er ist. Ich spiele hier nicht den Heuchler. Tut mir Leid, dass er krank ist und so, aber ich muss mein eigenes Leben leben. Der Alte hat seins schon gehabt – so weit es eins war.«

»Jesus.« Halb lachend trank Dix. »Das ist aber kaltherzig. Ich habe ebenso meine Auseinandersetzungen mit meinem Vater gehabt. Wer hat das nicht? Aber für mich ist es unvorstellbar, es einfach abzuschütteln, wenn ich weiß, dass er bald abtritt. Ist noch ziemlich jung für einen Abgang, oder?« Er blinzelte, als er sich zu erinnern versuchte. »Kann doch noch keine siebzig sein. Der ist gerade erst in den besten Jahren.«

»Beste Jahre hat der nie gehabt.« Trevor fand Gefallen daran, den Gedanken weiterzuspinnen. Lügen war fast so lustig wie Betrügen. Und Betrügen kam gleich vor dem Stehlen. Töten gab einem lang nicht einen solchen Kick. Es war üblicherweise mit so viel Schweinerei verbunden. Es war eher eine Notwendigkeit, die erledigt werden musste, eine Art lästige Pflicht. Aber langsam konnte er sich vorstellen, dass er es genießen würde, Dix umzubringen.

»Es ist was Genetisches«, erfand er. »Seine Mutter hat es ihm vererbt. Und der Mistkerl hat es wahrscheinlich an mich weitergegeben. Irgendein Gehirnvirus oder so 'ne Scheiße. Er verblödet, ehe er ins Gras beißt. Wir werden ihn in so einen Plüschkäfig für Geisteskranke sperren müssen.«

»Meine Güte, Trevor, das ist aber wirklich schlimm.« Ein Schimmer des Mannes, den Samantha Gannon gemocht hatte, erhob sich aus dem Gindunst. »Das tut mir Leid, ehrlich Leid. Pass auf, vergiss das Geld. Ich wusste ja nicht, dass es so was Schlimmes ist. Mir wäre nicht wohl dabei, für das Verleihen Geld zu nehmen, während du das alles um die Ohren hast. Achte einfach darauf, dass nichts beschädigt wird. Ich setzte einen kleinen Vertrag auf, aber Geld kann ich nicht dafür nehmen.«

»Das ist großartig von dir, Chad.« Es lief immer besser. »Aber ich möchte nicht auf der Mitleidsschiene fahren.«

»Hör zu, vergiss es. Dein Vater hängt aus sentimentalen Gründen an diesem Stück, das habe ich verstanden. Ich bin genauso. Ich hätte keine Freude daran, es zu besitzen, wenn ich ständig daran denken muss, wie sehr es ihn unter diesen Umständen aufregen würde, es verkauft zu wissen. Wenn, äh, wenn der Rest der Sammlung dir zufällt und du einen Teil davon loswerden willst, kannst du ja an mich denken.«

»Das ist ein Versprechen. Es ist mir unangenehm, was zu überstürzen, aber ich muss jetzt wirklich los.«

»Ja, gewiss.« Dix leerte sein Glas und stellte es beiseite. »Komm mit hinter in den Ausstellungsraum. Weißt du, ich habe diese Wohnung eigentlich nur wegen dieses Raums genommen. Die Weite, das Licht. Samantha hat oft gesagt, ich sei besessen.«

»Sie ist deine Ex, was kümmert es dich da noch, was sie mal gesagt hat?«

»Manchmal vermisse ich sie. Ich habe seitdem keine mehr gefunden, für die ich mich nur halb so interessiere wie für sie. Apropos Besessenheit.« Er blieb stehen und blockierte die Tür. »Sie hat sich so sehr in das Buch vertieft, dass sie an nichts anderes mehr denken konnte. Wollte nicht mehr ausgehen, hat kaum realisiert, dass ich da war. Aber was ist an so was denn Besonderes? Nichts weiter als ein Aufwärmen von Familiengeschichten und dieser

Unsinn über die Diamanten. Wen interessiert das denn? Gestriger geht's wohl kaum noch.«

Ja, überlegte Trevor, es wurde bestimmt ein Vergnügen, diesen langweiligen Trottel umzubringen. »Man weiß doch nie, was dem Pöbel mundet.«

»Da sagst du was. Das Ding verkauft sich, als wäre es die neue Offenbarung des Herrn. Du warst recht interessiert daran«, erinnerte er sich. »Hast du das Exemplar je gelesen, das ich dir gegeben habe?«

»Hab es überflogen.« Noch ein Grund, um diesen Faden zu durchtrennen, sagte er sich. Und zwar schnell. »Es war nicht so überwältigend, wie ich gedacht hatte. Wie du schon sagtest, gestrig. Aber ich habe es jetzt doch ein wenig eilig, Chad.«

»Entschuldige die Abschweifung.« Er wandte sich der breiten gravierten Glastür zu. Dahinter konnte Trevor die frei schwebenden Regale sehen, die glänzenden schwarzen Vitrinen, alle in Reih und Glied gefüllt mit altem Spielzeug und alten Spielen. »Der Raum ist immer abgeschlossen und geht nur mit Passwort auf. Dem Reinigungsdienst darf man nicht vertrauen.«

Das Licht des Schlosses blinkte unentwegt rot auf, und die Computerstimme teilte ihm mit, dass er nicht den korrekten Code eingegeben hatte.

»Das passiert bei mir nach drei Martinis. Warte einen Augenblick.«

Er gab neu ein, während Trevor bebend hinter ihm stand. Er hatte den glänzenden gelben Bulldozer entdeckt, der mit hochgestellter Schaufel auf einem breiten, frei schwebenden Regal stand.

»Du wirst eine Schachtel dafür brauchen«, meinte Dix. Als er die Tasten drückte. »Ich verwahre ein paar davon im Allzweckschrank der Küche. Dort habe ich auch Füllmaterial.«

Er hielt inne und lehnte sich an die Glastür, bis Trevor ernsthaft überlegte, ihm seinen Kopf dagegen zu schmettern. »Du musst mir versprechen, dass ich ihn im selben Zustand zurückerhalte, Trevor. Ich weiß, dass dein Vater achtsam damit umgeht und du selbst auch eine ganz ordentliche Sammlung hast, also weißt du, worauf es ankommt.«

»Ich werde nicht im Schmutz damit spielen.«

»Als Kind habe ich das tatsächlich getan. Heute kann ich das gar nicht mehr fassen. Von damals habe ich noch ein paar Laster und einen der ersten Modell-Airbusse. Ziemlich mitgenommen, aber von sentimentalem Wert.«

Das Licht schaltete auf Grün um, und die Türen glitten auf. »Dann aber auch mit voller Wirkung. Lichter voll aufdrehen.«

Sie blitzten auf und beleuchteten die fast unsichtbaren Regale von oben und von unten. Das Spielzeug in den leuchtenden Farben strahlte hell wie Edelsteine in rubinrot, saphirblau, bernstein und smaragdgrün.

Trevors Blick wanderte auf die andere Raumseite. Ihm fiel das breite Fenster auf, ohne Rollladen. Ganz beiläufig ging er hinüber, als wollte er die Sammlung studieren, und überprüfte dabei die Fenster am Gebäude nebenan.

Heruntergelassene Rollläden. Er konnte nicht hundertprozentig davon ausgehen, dass dort auf der anderen Seite nicht jemand war, der herübersah. Er würde darauf achten müssen, dass Dix nicht im Blickfeld war, wenn er ihn niederschlug.

»Ich sammle seit meinem zehnten Lebensjahr. Ernsthaft, seit ich zwanzig bin. Aber erst in den letzten fünf Jahren bin ich wirklich in der Lage gewesen, mir was zu gönnen. Siehst du das hier? Alles für den Bauernhof. Das ist ein Silo, eine John-Deere-Replik aus Pressstahl im Maßstab eins zu sechzehn. Etwa 1960. In tadellosem Zustand. Ich hab auch ein Heidengeld dafür bezahlt, aber es war die Sache wert. Und da drüben…« Er machte ein paar Schritte, schwankte. »Mann. Mir ist der Gin in den Kopf gestiegen. Ich muss was zum Ausnüchtern nehmen. Sieh dich inzwischen um.«

»Warte.« Das reichte nicht, reichte ganz und gar nicht. Trevor wollte den Alkohol, wollte ganz viel davon in seiner Blutbahn. Dazu kam noch, dass diese Beeinträchtigung es leichter machte, ihn zu töten. »Was ist das für ein Stück?«

Es reichte, um Dix' Interesse auf sich zu ziehen, ihn die Richtung ändern zu lassen, sodass er aus dem Blickfeld des Seitenfensters herauskam. »Ach, die Spielautomaten-Abteilung«, erklärte Dix fröhlich. »Das ist ein Flipperautomat, Spielzeugversion, Baseball. Etwa 1970. Wäre in der Originalverpackung zwar mehr wert, aber es spricht auch einiges dafür, dass er ein wenig Action erlebt hat.«

»Hm.« Trevor drehte sich breit grinsend um. »Also das ist ja ein Wahnsinnsstück.«

»Welches?« Auch Dix drehte sich um. »In der Militärabteilung?«

Trevor fingerte in der Tasche nach seinem ausziehbaren Schlagstock. »Der Panzer?«

»O ja, das ist ein Juwel.«

Als Dix einen Schritt darauf zumachte, schnappte Trevor sich mit einer Drehung seines Handgelenk den Schlagstock. Er schwang ihn in großem Bogen nach oben und zog ihn dann Dix über den Schädel.

Dix fiel genau in der von Trevor geplanten Haltung weg von den Regalen und aus dem Blickfeld des ungeschützten Fensters.

»Nachdem ich so viel Zeit in deiner Gesellschaft verbracht habe«, sagte Trevor, als er ein Taschentuch hervorzog und pingelig den tödlichen Stab abwischte, »habe ich etwas entdeckt, das ich vorher nur geahnt habe. Du bist ein unerträglich langweiliger Blödmann. Die Welt kommt ohne dich besser zurecht. Aber eins nach dem anderen.«

Er stieg über den Körper auf das Spielzeug zu, das einst seinem Vater gehört hatte. Als er geblendet von dem Preis, der endlich ihm gehörte, danach greifen wollte, ging der Türsummer.

Das brachte ihn nicht aus der Ruhe, sein Puls ging genauso ruhig wie während des Schlags, der Dix wohl den Schädel zertrümmert hatte. Aber er wirbelte herum und stellte Überlegungen an. Nicht darauf zu reagieren – und wie gern würde er das und sich endlich nehmen, was ihm gehörte – wäre ein Fehler.

Man hatte sie in das Haus kommen und im Aufzug hochfahren sehen. In einem Gebäude wie diesem gab es in den Fluren Überwachungskameras. Er würde nachsehen müssen, wer dort an der Tür war, und diesen Jemand wegschicken.

Eher verärgert als beunruhigt beeilte er sich, auf das Summen zu reagieren. Zuerst schaltete er den Überwachungsbildschirm ein und musterte den dünnen jungen Mann in dem grellrosa Hemd mit den violetten Palmen darauf. Der Mann wirkte gelangweilt und kaute offenbar an einem faustgroßen Kaugummi. Er trug eine große Reißverschlusstasche. Während Trevor ihn beobachtete, formte er eine Blase von der Größe eines kleinen Planeten und drückte wieder auf den Klingelknopf.

Trevor schaltete die Gegensprechanlage ein. »Ja?«

»Lieferung für Dix. Chad Dix.«

»Lassen Sie es hier.«

»Nein, das kann ich nicht. Brauch eine Unterschrift. Kommen Sie schon, Kumpel, mein Pferd wartet.«

Vorsichtig vergrößerte Trevor seinen Blickwinkel. Er sah die eng anliegende violette Hose, die pinkfarbenen Springerstiefel. Wo bekamen diese Leute nur ihre Klamotten her? Er griff nach den Schlössern, zog seine Hand aber wieder zurück.

Dieses Risiko ging er lieber nicht ein. Es gäbe zu viele Fragen, wenn er das Paket annahm, wenn er in Dix' Namen oder in diesem Fall mit seinem eigenen unterschrieb.

»Geben Sie es unten beim Portier ab. Man wird es dort unterschreiben. Ich habe zu tun.«

»He, Kumpel –«

»Ich habe zu tun!« Trevor schaltete die Gegensprechanlage aus. Um sicherzugehen, verfolgte er, was geschah, und grinste höhnisch, als er sah, wie der Bote den Mittelfinger reckte und wegging.

Befriedigt schaltete er den Bildschirm aus. Zeit, dass er seine eigene Lieferung entgegennahm, die schon längst fällig war.

»Schließt die Computer und Bildschirme«, lautete der Befehl, den Eve Feeney über ihr Handy gab. »Wir werden die Tür öffnen müssen.«

»Wird gemacht.«

Sie wandte sich an McNab. »Das haben Sie gut gemacht. Ich hätte es Ihnen abgenommen.«

»Wenn das Dix war und nicht unter Zwang stand, hätte er geöffnet.« McNab nahm die Waffe, die sie ihm ins Kreuz hielt, und steckte sie sich in das Halfter.

»Ja. Pass auf die Schlösser auf«, sagte sie Roarke. »Waffen auf Betäuben«, befahl sie dem Team. »Ich möchte nicht, dass die Geisel erschossen wird. Feuer zurückhalten, bis ich das Kommando gebe. Peabody und ich gehen zuerst rein. Sie nehmen die rechte Seite. McNab, Sie die linke. Sie, Sie und Sie ausschwärmen, zweite Welle. Ich möchte, dass diese Tür hinter uns wieder gesichert wird. Roarke?«

»Bin fast fertig, Lieutenant.« Er hockte davor und entschärfte mit fadendünnen Werkzeugen und sehr viel Gefühl Schlösser und Alarmanlage.

Sie hockte sich neben ihn und sprach mit leiser Stimme. »Du gehst da nicht mit rein.«

»Ist gut, ich habe meinen Namen bei der heutigen Aufstellung sowieso nicht gehört.«

Sie vermutete, dass er bewaffnet war – illegal –, aber wahrscheinlich recht diskret damit umgehen würde. Aber sie konnte dieses Risiko nicht rechtfertigen. »Ich nehme keinen Zivilisten mit durch diese Tür, bis der Verdächtige festgenommen ist. Nicht, wenn so viele Polizisten dabei sind.«

Er veränderte seine Blickrichtung, und seine laserblauen Augen begegneten ihren. »Du brauchst es mir nicht zu erklären und kannst dir den Versuch sparen, mein verrufenes Ego zu bändigen.«

»Gut.«

»Und schon bist du drin.«

Sie nickte. »Es ist sehr praktisch, dich in der Nähe zu haben. Aber jetzt tritt zurück, damit wir uns dieses Arschloch holen können.«

Sie wusste, wie schwer es ihm fiel, genau das zu tun, tatenlos dabeizustehen, wenn sie durch die Tür ging. Whittier dürfte mit ziemlicher Wahrscheinlichkeit bewaffnet sein, und er würde töten, ohne zu zögern. Aber Roarke erhob sich und entfernte sich vom Team.

Das wollte sie sich merken, überlegte sie – oder jedenfalls versuchen, es sich zu merken –, für Zeiten, wenn es zwischen ihnen hitzig wurde, was schon vorkam. Sie würde sich daran erinnern, dass er, wenn es für sie wichtig war, zur Seite trat, damit sie ihren Job tun konnte.

»Feeney? Was ist mit dem Notausgang?«

»Der ist zu. Er ist eingeschlossen.«

»Wir sind an der Tür. Peabody?«

»Bereit. *Sir*.«

Mit der Waffe in der rechten Hand, öffnete Eve die ungesicherte Tür mit ihrer Linken. Sie nickte einmal heftig, setzte einen Fuß hinein und war dann leise und schnell drinnen.

»Polizei!« Sie suchte mit Augen und Waffe alles ab, während Peabody sich rechts vorbeidrückte, McNab von hinten kam und nach links sprang. »Trevor Whittier, hier ist die Polizei. Das Gebäude ist umstellt. Alle Ausgänge sind blockiert. Kommen Sie heraus, mit erhobenen Händen und in aufrechter Haltung.«

Mittels Handzeichen dirigierte sie ihr Team in andere Bereiche und Räume, während sie sich vorwärts bewegte.

»Es gibt keinen Ausweg mehr, Trevor.«

»Bleibt zurück! Ich bringe ihn um. Ich habe eine Geisel. Ich habe Dix, und ich werde ihn töten.«

Sie hielt eine geballte Faust nach oben, das Signal für ihr Team stehen zu bleiben und die jeweilige Position zu halten, und bog dann um die Ecke.

»Ich sagte, ich werde ihn töten.«

»Das habe ich gehört.« Eve blieb, wo sie war, und schaute durch die offenen Glastüren. Licht fiel glitzernd auf die mit Spielzeug voll gestellten Regale – und auf das über den weißen Fußboden verschmierte Blut.

Trevor saß in der Mitte, den Preis, für den er getötet hatte, neben sich. Er hatte einen Arm um Dix' Hals gehakt und ihm ein Messer an die Kehle gesetzt.

Dix' Augen waren geschlossen, und auf dem ansonsten fleckenlosen Boden war Blut. Aber sie konnte erkennen, wie sich Dix' Brustkorb langsam hob und senkte. Er lebte also. Lebte noch.

Sie sahen beide aus wie zu groß geratene Jungs, die gerade ein wenig zu hart und grob zugepackt hatten.

Sie hielt ihre Waffe ruhig auf ihn gerichtet. »Sieht aus, als hätten Sie das bereits getan. Ihn getötet.«

»Er atmet.« Trevor grub die Messerspitze ins Fleisch und schnitt ein flaches Stück heraus. Blut tröpfelte über die Klinge. »Das kann ich ändern, und das werde ich auch. Waffe runter.«

»Jetzt bin ich am Zug, Trevor. Sie haben zwei Möglichkeiten, wie sie aus diesem Raum hier rauskommen. Sie können ihn zu Fuß verlassen, oder wir können Sie raustragen.«

»Erst bring ich ihn um. Selbst wenn Sie mich betäuben, bleibt mir noch immer Zeit, ihm die Kehle aufzuschlitzen. Das wissen Sie, denn sonst hätten Sie mich schon erwischt. Wenn Sie möchten, dass er am Leben bleibt, dann gehen Sie. Gehen Sie jetzt hinaus!«

»Wenn Sie ihn umbringen, dann sind Sie dran. Wollen Sie heute sterben, Trevor?«

»Möchten Sie, dass er stirbt?« Er riss Dix' Kopf nach hinten, und unter Stöhnen rührte Dix sich ein wenig. »Wenn Sie hier nicht sofort das Feld räumen, dann wird das nämlich passieren. Wir fangen mit den Verhandlungen an, und wir fangen jetzt an. Hinaus!«

»Sie haben wohl zu viele Videos gesehen. Sie glauben wohl, ich würde mit Ihnen über einen einzigen Zivilisten verhandeln, der allem Anschein nach ohnehin sterben wird? Seien Sie doch realistisch, Trev.« Sie lächelte, als sie das sagte, breit und strahlend. »Ich habe Bilder in meinem Kopf von den zwei Frauen, die Sie umgebracht haben. Es wäre mir das allergrößte Vergnügen, mit Ihnen Schluss zu machen. Also los, machen Sie ihn alle.«

»Sie bluffen. Halten Sie mich etwa für *dumm*?«

»Ja, eigentlich schon. Sie sitzen hier auf dem Fußboden und versuchen mich zum Verhandeln zu überreden, während Sie ein Messer in der Hand halten und ich dieses handliche kleine Ding hier habe. Wissen Sie, was das anrichten kann, wenn das richtig losgeht? Das sieht nicht hübsch aus. Und ich werde diese Unterhaltung langsam leid. Wenn Sie über einem Spielzeuglastwagen sterben wollen, bitte schön.«

»Sie haben keine Ahnung, was ich hier habe. Schicken Sie die anderen weg. Ich weiß, dass andere da draußen sind. Schicken Sie sie weg, dann reden wir. Ich werden Ihnen das Angebot Ihres Lebens machen.«

»Sie meinen die Diamanten.« Sie schnaubte kurz und abwertend. »Mein Gott, sind Sie *dumm*. Ich hätte Ihnen mehr zugetraut. Die habe ich doch schon längst, Trevor. Das ist ein Komplott. Ein abgekartetes Spiel. Dieser Clown hier war der Köder. Hat hervorragend geklappt. Es ist nur ein altes Spielzeug, Trevor, und Sie sind darauf hereingefallen.«

»Sie lügen!« Schock und Wut standen ihm deutlich ins Gesicht geschrieben.

Als sein Kopf herumfuhr zu dem leuchtend gelben Lastwagen und die Hand, die das Messer hielt, sich ein klein wenig senkte, schoss Eve ihm einen Schwall in seine rechte Schulter. Sein Arm verkrampfte sich, und das Messer fiel ihm aus den zitternden Fingern.

Als sein Körper wieder reagieren konnte, war sie schon durchs Zimmer und drückte ihm ihre Waffe an die Kehle. »Ach je, jetzt haben Sie mich ertappt. Ich habe gelogen.«

Sie war froh, dass er bei Bewusstsein war, froh, dass sie zusehen konnte, wie er in sich zusammenfiel. Tränen der Wut sammelten sich in seinen Augenwinkeln, als sie ihn von Dix wegzog.

»Der Verdächtige ist festgenommen. Bringt den Notarzt her!« Es verschaffte ihr tiefste Befriedigung, ihn auf den Bauch zu drehen und seine Hände nach hinten zu ziehen, um ihm die Handschellen anzulegen.

Was die Diamanten anging, hatte sie gelogen, nicht aber, was die Bilder in ihrem Kopf betraf. »Andrea Jacobs«, sagte sie flüsternd, ganz nah an seinem Ohr. »Tina Cobb. Denken Sie an sie, Sie wertloser Mistkerl. Denken Sie an sie den Rest ihres elenden Lebens.«

»Ich möchte, was mir gehört! Ich möchte das, was mir gehört!«

»Die beiden Frauen auch. Sie haben das Recht, die Aussage zu verweigern«, fing sie an und drehte ihn wieder um, sodass sie sein Gesicht beobachten konnte, während sie ihm seine Rechte vortrug.

»Haben Sie alles verstanden?«

»Ich möchte einen Anwalt.«

»Sieh einer an, das hätte ich auch vorher wissen können.« Aber erst wollte sie noch ein paar Minuten allein mit ihm verbringen. Sie warf einen Blick über die Schulter, wo die Sanitäter Dix für den Transport bereitmachten. »Wie geht es ihm?«

»Er hat ganz gute Chancen.«

»Sind das nicht gute Nachrichten, Trev? In diesem Fall werden Sie nur wegen versuchten Mordes angeklagt. Im Vergleich mit den beiden anderen Urteilen ist das keine große Sache. Was zählen schon ein paar Jahre, die man an zweimal lebenslänglich anhängt?«

»Sie können mir nichts beweisen.«

Sie kam ihm ganz nahe. »Doch, das kann ich. Ich habe Sie mit beiden Mordwaffen erwischt. Weiß es wirklich zu schätzen, dass sie heute beide mitgebracht haben.«

Sie verfolgte, wie sein Blick hinüber zu Peabody schweifte, die den Schlagstock eintütete.

Als sie sich wieder zurücklehnte, legte sie ihre Hand auf den Bulldozer und rollte ihn sanft hin und her. »Sie glauben also wirklich, dass sie da drin sind? All die glänzenden Steine? Wär doch ein schöner Scherz, wenn Ihr Großvater Sie übers Ohr gehauen hätte? Womöglich ist das hier wirklich nur ein Kinderspielzeug. Und alles, was sie getan haben, all die Jahre, die Sie dafür bezahlen werden, wären umsonst. Haben Sie das je in Erwägung gezogen?«

»Die sind da drin. Und sie gehören mir.«

»Darüber kann man sich streiten, oder nicht?« Langsam bewegte sie den Hebel, der die Schaufel auf und ab drehte. »Ich finde es ganz schön abgedreht und arrogant, so etwas einem Kind zu schenken. Vermutlich geraten Sie direkt nach ihm.«

»Es war brillant.« Es gab Anwälte, überlegte er. Sein Vater würde für den besten zahlen. »Besser als ein Tresor. Haben sich alle nicht exakt an das gehalten, was er ihnen befohlen hat? Selbst nachdem er tot war, haben sie das Spielzeug behalten.«

»Da haben Sie jetzt Recht. Aber wollen Sie von mir hören, wo Sie nicht brillant waren? Gleich von Anfang an. Sie haben Ihre Hausaufgaben nicht gemacht, Trevor, haben die i-Pünktchen vergessen. Ihr Großvater wäre nicht so nachlässig gewesen. Er hätte gewusst, dass Samantha Gannon jemanden hat, der das Haus hütet. Diese Diamanten sind Ihnen in dem Moment durch die Finger geschlüpft, als sie dieses Messer an Andrea Jacobs' Kehle setzten. Eigentlich schon eher. Und dann noch Tina Cobb auf der Baustelle Ihres Vaters umzubringen, tst, tst.«

Sie genoss es zu beobachten, wie der Schock sein Gesicht grau färbte. Es war gemein von ihr, wie sie zugeben musste, aber sie genoss es. »Das war auch nachlässig. Ein bisschen mehr Vorausschau hätte Ihnen nicht geschadet. Sie etwa nach New Jersey zu bringen. Romantisches Picknick im Wald, sich nehmen, was Sie von ihr wollten, umbringen, vergraben.« Eve zuckte mit den Schultern. »Aber das haben Sie nicht durchdacht.«

»Es gibt keine Spur, die zu mir führt. Keiner hat je gesehen –« Er unterbrach sich selbst.

»Keiner hat Sie je zusammen gesehen? Falsch. Ich habe einen Augenzeugen. Und wenn Dix es schafft, wird er uns erzählen, dass er sich mit Ihnen über Gannons Buch unterhalten hat. Ihr Vater wird den Rest ergänzen und bestätigen, dass er Ihnen von Ihrem Großvater und von den Diamanten erzählt hat.«

»Er wird nie gegen mich aussagen.«

»Ihre Großmutter lebt.« Sie sah das Flattern seiner Augenlider. »Er ist jetzt bei ihr, und er weiß, dass Sie seine Mutter, die Frau, die ihr ganzes Leben nur versucht hat, ihn zu beschützen, wie Müll im Schmutz haben liegen lassen. Was hätte es Sie gekostet? Fünfzehn Minuten, eine halbe Stunde? Sie rufen um Hilfe und spielen den besorgten, ergebenen Enkel. Dann gehen Sie. Aber nicht einmal so viel Mühe war sie Ihnen wert. Wenn Sie mal darüber nachdenken, beschützte sie ihren Sohn noch immer. Nur dass sie ihn dieses Mal vor Ihnen beschützt hat.«

Sie nahm den Bulldozer und hielt ihn zwischen ihnen hoch. »Die Geschichte wiederholt sich. Sie werden zahlen, genauso wie Ihr Großvater gezahlt hat. Und Sie werden wissen, genauso wie er es gewusst hat, dass diese großen, strahlenden Diamanten für ihn auf ewig unerreichbar bleiben. Was ist schlimmer, frage ich mich? Der Käfig oder dieses Wissen?«

Sie stand auf und schaute auf ihn hinab. »Wir sprechen uns bald wieder.«

»Ich möchte sie sehen.«

Eve nahm das Spielzeug und klemmte es sich unter den Arm. »Ich weiß. Kümmert euch um ihn«, befahl sie und ging davon, während Trevor sie wüst verfluchte.

Epilog

Es war zwar nicht das, was sie Standardverfahren genannt hätte, aber es schien richtig zu sein. Sie konnte sogar Argumente dafür finden, dass es folgerichtig war. Es mussten Vorsichts- und Überwachungsmaßnahmen getroffen und der Bürokratie Genüge getan werden. Aber da alle Beteiligten sich kooperativ zeigten, hielt sich der Papierkrieg in Grenzen.

Ein ganzer Raum voller Zivilpersonen war im Konferenzraum A der Polizeizentrale versammelt. Ebenso waren jede Menge Polizisten zugegen. Ihr Ermittlungsteam war vollständig angetreten – samt dem Commander.

Es war seine Idee gewesen, die Medien darauf scharf zu machen – dieser politische Aspekt der Sache verdross sie, obwohl sie die Gründe einsah. Einsicht oder nicht, sie jedenfalls musste sich danach noch mit einer ärgerlichen Pressekonferenz herumschlagen.

Die Mediengeier konnten erst einmal warten. Trotz der vielen Menschen im Raum war es sehr ruhig.

Sie setzte Namen mit Gesichtern in Beziehung. Samantha Gannon natürlich und ihre Großeltern, Laine und Max – Händchen haltend.

Sie sahen fit aus, fand sie, und unerschütterlich. Und einig. Wie das wohl sein mochte, fragte sie sich. Mehr als ein halbes Jahrhundert zusammen zu sein und nach wie vor eine solche Bindung zu haben und zu brauchen?

Steven Whittier und seine Frau waren da. Sie hatte nicht genau gewusst, was sie sich von einer solchen Mischung erwartete, aber manchmal überraschten die Menschen einen auch. Nicht dadurch, dass sie Trottel oder Arschlöcher waren – das überraschte sie nie. Sondern durch Anstand.

Max Gannon hatte Steven Whittier die Hand geschüttelt. Nicht steif, sondern warmherzig. Und Laine Gannon hatte ihm einen Kuss auf die Wange gegeben und sich über ihn gebeugt, um ihm etwas ins Ohr zu murmeln, das bei Steven zu feuchten Augen führte.

Dieser Moment – der Anstand dieses Moments – brannte Eve in der Kehle. Ihre Augen suchten die von Roarke, und sie sah in ihnen ihre Reaktion gespiegelt.

Mit oder ohne Juwelen, ein Kreis hatte sich geschlossen.

»Lieutenant.« Commander Whitney nickte ihr zu.

»Ja, Sir. Das Polizei- und Sicherheitsressort von New York begrüßt Ihre Zusammenarbeit und Ihr heutiges Erscheinen. Diese Zusammenarbeit hat ganz erheblich dazu beigetragen, diesen Fall abschließen zu können. Der Tod von ...«

Sie hatte sich sehr genaue und sehr gradlinige Aussagen vorbereitet. Sie verzichtete darauf und sagte, was ihr in den Sinn kam.

»Jerome Myers, William Young, Andrea Jacobs, Tina Cobb. Ihr Tod kann nie abschließend geklärt werden, nur die Ermittlung dieser Tode kann zu einem Abschluss gebracht werden. Wir haben unser Bestes dafür getan. Was immer sie getan haben, wer immer sie waren, ihnen wurde das Leben genommen, und für Mord gibt es keine abschließende Erklärung. Die Beamten in diesem Raum, Commander Whitney, Captain Feeney, die Detectives Baxter, McNab, Peabody und Officer Trueheart haben getan, was getan werden konnte, um diesen Fall zu lösen und für die Toten Gerechtigkeit zu finden. Das ist unsere Aufgabe und unsere Pflicht. Die anwesenden Zivilpersonen hier, die Gannons, die Whittiers und Roarke haben ihre Zeit, ihre Zusammenarbeit und ihre Fachkenntnis eingebracht. Und deswegen ist es jetzt beendet, und wir können voranschreiten.«

Sie nahm den Bulldozer aus der entsiegelten Schachtel. Natürlich war er durchleuchtet worden. Sie hatte den Inhalt bereits auf dem Bildschirm gesehen. Aber das ging nur sie etwas an.

»Oder zurückgehen, wie in diesem Fall. Mr. Whittier, für das Protokoll. Bei diesem Gegenstand hier handelt es sich um Ihr Eigentum. Sie haben uns die schriftliche Erlaubnis gegeben, ihn auseinander zu nehmen. Ist das richtig?«

»Ja.«

»Und Sie haben damals zugestimmt, diese Aufgabe selbst zu übernehmen.«

»Ja, Bevor ich … ich würde gern, ich möchte mich entschuldigen für –«

»Das ist nicht nötig, Steven.« Laine sagte das leise, ihre Hand noch immer in der von Max. »Lieutenant Dallas hat Recht. Manche Dinge können nie abschließend geklärt werden, wir können nur unser Bestes tun.«

Er sagte nichts, sondern nickte nur und nahm das Werkzeug in die Hand, das auf dem Konferenztisch lag. Während er arbeitete, meldete Laine sich wieder zu Wort. Ihre Stimme war jetzt heller, als hätte sie sich entschlossen, die Stimmung zu heben.

»Erinnerst du dich, Max, als wir mit diesem albernen Gips hund am Küchentisch saßen?«

»Das tue ich.« Er führte ihre verschlungenen Hände an seine Lippen. »Und dieses blöde Sparschwein. Da brauchte es nur ein paar Schläge mit dem Hammer. Das hier macht mehr Arbeit.« Er klopfte Steven auf die Schulter.

»Sie waren früher mal Polizist«, warf Eve ein.

»Vor der Jahrhundertwende – danach habe ich nur noch privat gearbeitet. Aber ich glaube nicht, dass sich da großartig was gewandelt hat. Sie haben professionellere Spielsachen und Werkzeuge, aber die Arbeit ist nahezu unverändert. Wäre ich ein paar Jahrzehnte später geboren, wäre ich E-Mann geworden.« Er grinste Feeney an. »Was Sie hier aufgebaut haben, gefällt mir.«

»Ich gebe Ihnen gerne eine Privatführung. Sie arbeiten doch noch immer privat, oder nicht?«

»Wenn ein Fall mich interessiert.«

»Und das tun sie fast immer«, warf Laine ein. »Einmal Polizist …«, sagte sie mit einem Lachen.

»Da sagen Sie was«, murmelte Roarke.

Metallstücke fielen klappernd auf den Tisch und unterbrachen die Unterhaltung.

»Es ist ausgestopft.« Steven räusperte sich. »Doch locker genug, um es herauszubekommen.« Aber er stieß sich vom Tisch ab. »Ich möchte das nicht machen. Mrs. Gannon?«

»Nein. Wir haben unseren Teil erledigt. Wir alle. Jetzt ist es Aufgabe der Polizei, nicht wahr? Jetzt ist Lieutenant Dallas an der Reihe. Ich hoffe nur, Sie machen schnell, damit ich wieder atmen kann.«

Um dieses Problem zu lösen, hob Dallas den ausgelösten Rumpf des Trucks und griff hinein, um das Füllmaterial herauszuziehen. Sie legte es auf den Tisch, zog es auseinander und nahm den Beutel hoch, der darin lag.

Sie öffnete den Beutel und schüttete die Steine in ihre Hand.

»Ich habe es nicht glauben wollen.« Samantha stieß den angehaltenen Atem aus. »Auch nach allem, was passiert ist, habe ich es nicht glauben wollen. Und da sind sie.«

»Nach dieser ganzen Zeit.« Laine sah zu, wie Eve die glitzernden Diamanten in den Beutel zurücktröpfeln ließ. »Mein Vater hätte jetzt gelacht und gelacht. Und sich dann einen Weg ausgedacht, wie er vielleicht doch ein paar davon mit durch die Tür nehmen könnte.«

Peabody drängte sich vor, und Eve gestand ihr einen Blick darauf zu, ehe sie sie mit dem Ellbogen leicht zurückschubste. »Sie müssen beglaubigt und auf ihre Authentizität überprüft und geschätzt werden, aber –«

»Was dagegen?« Ohne abzuwarten nahm Roarke einen Stein hoch und zog eine Lupe aus seiner Tasche. »Hm. Spektakulär. Lupenrein, rundum geschnitten, etwa sieben Karat. Wahrscheinlich doppelt so viel wert als zu der Zeit, als sie verschwanden. Ich könnte mir vorstellen, dass sie jede Menge interessanter und komplizierter Manöver zwischen der Versicherungsgesellschaft und den Erben der ursprünglichen Besitzer heraufbeschwören werden.«

»Das ist nicht unser Problem. Leg ihn zurück.«

»Natürlich, Lieutenant.« Er legte ihn zu den anderen.

Eve brauchte länger als eine Stunde, um die Gier der aufgeregten Medienmeute zu befriedigen. Aber es überraschte sie nicht, dass Roarke in ihrem Büro saß, als es erledigt war. Er hatte ihren Stuhl nach hinten gekippt, seine elegant beschuhten Füße auf ihren Schreibtisch gelegt und fummelte an seinem Handcomputer herum.

»Du hast selbst ein Büro«, erinnerte sie ihn.

»Ja, das habe ich, und es hat weitaus mehr Ambiente als deines. Aber ein beschlagnahmter Subway-Wagen hat ja schon mehr Ambiente als deiner. Ich habe deinen Medienauftritt verfolgt«, fügte er hinzu. »Gute Arbeit, Lieutenant.«

»Mir klingen die Ohren. Aber die einzigen Füße, die auf meinem Schreibtisch liegen dürfen, sind meine.« Doch sie ließ seine in Ruhe und setzte sich auf die Kante.

»Das ist ganz schön hart für die Whittiers«, meinte sie.

»Ja. Sie haben sehr entschlossen die Grenzen festgelegt. Es ist bestimmt nicht leicht, egal, unter welchen Umständen, sich vom eigenen Sohn abzukehren. Junior wird jedenfalls Mama und Papa nicht auf der Tasche liegen. Es geht abwärts mit ihm, bis ganz unten, und sie müssen zusehen.«

»Sie haben ihn geliebt, ihm ein gutes Zuhause gegeben, aber er hat es nicht genutzt. Seine Entscheidung.«

»Ja.« Die Bilder von Andrea Jacobs und Tina Cobb tauchten einen Moment lang auf, dann schob sie sie weg. »Beantworte mir nur eine Frage, und das ohne Mätzchen. Du hast doch nicht diesen Diamanten mitgehen lassen, oder?«

»Bist du verkabelt?«, fragte er mit einem Grinsen.

»Verdammt, Roarke.«

»Nein, ich habe den Diamanten nicht mitgehen lassen. Hätte ich natürlich machen können – nur so zum Spaß. Aber du regst dich dann ja regelmäßig so auf. Ich denke jedoch, dass ich dir ein paar davon kaufen werde.«

»Ich brauche keine –«

»Jammer, jammer, jammer«, sagte er mit einer einladenden Handbewegung, die ihre Augen groß werden ließ. »Komm, setz dich auf meinen Schoß.«

»Solltest du glauben, es bestünde auch nur die entfernteste Möglichkeit, dann brauchst du sofort professionelle Hilfe.«

»Ach ja. Also, ich werde ein paar dieser Diamanten kaufen«, fuhr er unbeeindruckt fort. »Sie müssen vom Blut gereinigt werden, Eve. Mag sein, dass es nur Dinge sind, wie Laine Gannon sagt, aber sie sind auch Symbole. Und als solche sollten sie rein sein. Du kannst den Tod nicht abschließend klären, wie du gesagt hast. Du tust, was du kannst. Und wenn du die Steine trägst, die so vielen das Leben gekostet haben, dann werden sie wieder rein sein. Dann sind sie eine Art Abzeichen, das besagt, dass jemand für die Opfer eingetreten ist. Immer jemand eintreten wird. Und wann immer du sie trägst, wirst du dich daran erinnern.«

Sie starrte ihn an. »Mein Gott, jetzt hast du mich aber berührt. Du hast mich mitten ins Herz getroffen.«

»Wenn ich sehe, dass du sie trägst, werde ich mich ebenfalls daran erinnern. Und wissen, dass du dieser Jemand bist.« Er legte eine Hand auf ihre. »Weißt du, was ich von dir möchte, meine liebste Eve?«

»Da kannst du Süßholz raspeln, so viel du willst, ich setze mich im Polizeihauptquartier doch nicht auf deinen Schoß. Niemals.«

Er lachte. »Wieder eine Fantasie geplatzt. Was ich von dir möchte, sind die fünfzig Jahre und mehr, die ich heute zwischen den Gannons gesehen habe. Die Liebe und das Verständnis, die Erinnerungen eines Lebens. Das möchte ich von dir.«

»Ein Jahr haben wir schon. Und das zweite läuft bis jetzt ganz gut.«

»Keine Klagen.«

»Ich werde jetzt Schluss machen. Warum hängen wir nicht beide die Arbeit für den Rest des Tages an den Nagel…«

»Es ist bereits halb sechs, Lieutenant. Dein Dienst ist ohnehin schon beendet.«

Stirnrunzelnd sah sie auf ihre Armbanduhr – er hatte Recht. »Allein der Gedanke zählt. Komm, lass uns nach Hause gehen und ein bisschen mehr Zeit in das Jahr zwei stecken.«

Er nahm ihre Hand, als sie gemeinsam hinausgingen. »Was passiert mit den Diamanten, bis sie ihren rechtmäßigen Besitzer finden, wer auch immer das sein mag?«

»Sie werden versiegelt, eingetragen, durchleuchtet und in einer Schatulle für Beweismittel verschlossen, die wiederum in einen der Tresore für Beweismittel in den Innereien dieses Gebäudes eingeschlossen wird.« Sie warf ihm einen kritischen Blick zu. »Wie gut, dass du nicht mehr klaust.«

»Findest du?« Er legte zärtlich einen Arm um ihre Schulter, als sie den Schwebelift bestiegen. »Findest du wirklich?«

Und tief, tief unter den Straßen der Stadt, in der kühlen, stillen Dunkelheit, warteten die Diamanten darauf, wieder zu glänzen.

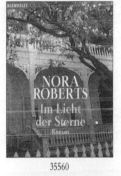
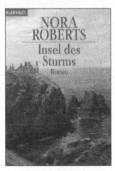

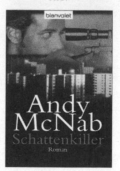